# Britannica®
## ENCICLOPEDIA UNIVERSAL
### ILUSTRADA

drupa
———
Fall

ENCYCLOPÆDIA
Britannica®

# Britannica
ENCICLOPEDIA UNIVERSAL ILUSTRADA

Edición en español de BRITANNICA CONCISE ENCYCLOPEDIA

© 2006 Encyclopædia Britannica, Inc.

*Encyclopædia Britannica, Britannica y el logotipo del cardo son marcas registradas de Encyclopædia Britannica, Inc.*

Edición promocional para América Latina desarrollada, diseñada y publicada por Sociedad Comercial y Editorial Santiago Ltda., Avda. Apoquindo 3650, Santiago, Chile.

ISBN  956-8402-79-9 (Obra completa)
ISBN  956-8402-86-1 (Volumen 7)

Impreso en Chile, Printed in Chile.
Código de barras 978 956840286 - 0

**drupa** Fruto cuya capa exterior es una piel delgada, la capa media es gruesa y por lo general carnosa (aunque a veces es firme, como en la almendra (ver ALMENDRO), o fibrosa, como en el coco), y la capa interior (el hueso) es dura y rígida. Usualmente, el hueso tiene una semilla en su interior. Los frutos agregados, como la frambuesa y la zarzamora (que no son BAYAS genuinas), consisten en muchas drupas pequeñas agrupadas. Otras drupas representativas son la cereza (ver CEREZO), el MANGO, el melocotón (ver MELOCOTONERO), la nuez (ver NOGAL) y la aceituna (ver OLIVO).

**Drury Lane Theatre** Teatro más antiguo y aún vigente en Inglaterra. Fue construido en Londres bajo el nombre de Royal Theatre por Thomas Killigrew para su compañía teatral (1663). Se incendió en 1672 y fue reconstruido por el arquitecto CHRISTOPHER WREN en 1674. Prosperó bajo la conducción de actores-empresarios como COLLEY CIBBER y luego bajo DAVID GARRICK y RICHARD BRINSLEY SHERIDAN. Un teatro más amplio y "a prueba de incendios" fue abierto en 1794, pero fue destruido por las llamas en 1809. Reconstruido en 1812 con más

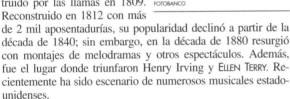

Drury Lane Theatre, un año antes del incendio de 1809.
FOTOBANCO

de 2 mil aposentadurías, su popularidad declinó a partir de la década de 1840; sin embargo, en la década de 1880 resurgió con montajes de melodramas y otros espectáculos. Además, fue el lugar donde triunfaron Henry Irving y ELLEN TERRY. Recientemente ha sido escenario de numerosos musicales estadounidenses.

**druso** Secta religiosa relativamente pequeña del Medio Oriente. Surgió en Egipto en 1017 y recibe su nombre de uno de sus fundadores, Muḥammad al-Darazī (m. 1019/20). La religión drusa es estrictamente monoteísta, y basada en el ISLAM, en particular, el Islam ismailí, e incluye una mezcla ecléctica de elementos del GNOSTICISMO, NEOPLATONISMO, JUDAÍSMO y religiones IRANIAS. Sus adherentes creen en la divinidad de al-Ḥākim bi-Amr Allāh (n. 985–m. ¿1021?), sexto califa de la dinastía de los FATIMÍES de Egipto, y esperan que algún día regrese para inaugurar una edad dorada. Están divididos jerárquicamente en dos órdenes: los sabios, plenamente iniciados en las creencias de la religión, y los ignorantes, quienes constituyen la mayoría de legos no iniciados. No permiten conversos a su religión o de esta a otra, ni los matrimonios entre miembros de la misma familia. Su sistema religioso es mantenido en secreto para el mundo exterior, y se les permite negar su fe si su vida está en peligro. A principios del s. XXI bordeaban el millón de individuos, la mayoría en Siria y el Líbano.

**Druso Germánico, Nerón Claudio** (38–9 AC). Hermano menor de TIBERIO y comandante de las fuerzas romanas en territorio germánico. Hijo putativo de Octavio (luego AUGUSTO), se le permitió ejercer cargos públicos cinco años antes de cumplir la edad legal. En 13 AC se convirtió en gobernador de tres provincias de la GALIA, donde efectuó un censo y erigió un altar en honor a Augusto. En el

Nerón Claudio Druso Germánico, busto de mármol de un artista desconocido, Museo Capitolino, Roma.
ANDERSON – ALINARI DE ART RESOURCE

año 12 penetró en Germania y tres años después llegó al Elba. En el transcurso de ese período fue nombrado PRETOR (año 11) y CÓNSUL (año 9). Murió al caer de su caballo en el Elba. Años más tarde, su hijo CLAUDIO fue proclamado emperador.

**Dryden, John** (9 ago. 1631, Aldwinkle, Northamptonshire, Inglaterra–1 may. 1700, Londres). Poeta, dramaturgo y crítico literario británico. Hijo de un caballero provincial, Dryden se educó en la Universidad de Cambridge. CARLOS II quedó admirado con su poesía que celebraba la RESTAURACIÓN INGLESA, por lo que lo nombró poeta laureado (1668) y, dos años más tarde, historiógrafo real. Con el ascenso al poder de GUILLERMO III, perdió la condición de poeta laureado y el patrocinio real en 1688, sin embargo, logró dominar la escena literaria con sus numerosas obras, muchas de ellas a tono con la política y la vida pública. Varias de sus casi 30 comedias, tragedias y óperas dramáticas, entre otras, *Marriage A-la-Mode* [Matrimonio a la moda] (1672), *Aureng-Zebe* (1675) y *Todo por el amor* (1677) fueron enormemente exitosas. Su *Ensayo sobre la poesía dramática* (1668) es el primer trabajo sustancial de crítica dramática moderna. Tras apartarse del drama, se convirtió en el mayor satírico inglés en verso, con la producción de las obras maestras *Absalón y Ajitofel* (1681) y *Mac Flecknoe* (1682). También fue autor de extensas traducciones de poesía latina, como la *Eneida* de VIRGILIO.

**DSL** *sigla de* **Digital Subscriber Line** (Línea de abonado digital). Conexión de comunicaciones digitales de banda ancha que opera a través de cables telefónicos de cobre estándar. Requiere un MÓDEM DSL, el cual separa las transmisiones en bandas de dos frecuencias: bajas, para voz (llamadas telefónicas) y la banda alta para datos digitales, especialmente para conexión a INTERNET. Los datos pueden ser transferidos vía DSL en tasas mucho más altas que con el servicio módem de marcación corriente; sin embargo, el rango de señales DSL es muy pequeño. Las conexiones se pueden hacer sólo dentro de unos pocos kilómetros de la estación de transmisión más cercana. DSL y "xDSL" son términos generales que comprenden una variedad de protocolos y tecnologías. ADSL (DSL asimétrico) es un tipo popular de DSL en el cual la mayor parte del ancho de banda de la conexión está dedicada a la descarga de datos de la red al usuario, dejando sólo una pequeña parte de la conexión para el envío de datos desde el usuario. En HDSL (DSL de tasa alta de bit) y SDSL (DSL simétrico) los flujos de datos son simétricos; es decir, la tasa del flujo de carga y de descarga son iguales. UDSL (DSL unidireccional), VDSL (DSL tasa de datos muy altas), y otros aún en etapa de desarrollo tienen por objeto ofrecer tasas de transmisión de datos aún mayores.

**Du Bois, W(illiam) E(dward) B(urghardt)** (23 feb. 1868, Great Barrington, Mass., EE.UU.–27 ago. 1963, Accra, Ghana). Sociólogo estadounidense y defensor de los derechos civiles. Se doctoró en la Universidad de Harvard en 1895. Dos años después aceptó un puesto de profesor en la Universidad de Atlanta, donde realizó estudios empíricos sobre la situación social de los afroamericanos (1897–1910). Su conclusión fue que el cambio se podía alcanzar únicamente por la agitación y la protesta, postura que chocó con la de BOOKER T. WASHINGTON. Su afamado libro *The Souls of Black Folk* [El alma de la gente negra] apareció en 1903. En 1905 fundó el

Movimiento Niágara, precursor de la NAACP (Asociación nacional para el progreso de la gente de color). En 1910 abandonó la cátedra para incorporarse a la Asociación como director de investigación y de su revista *Crisis* (1910–34). Volvió a la Universidad de Atlanta en 1934 y en la década siguiente se dedicó a la enseñanza y estudio. Después de un segundo período como investigador de la NAACP (1944–48), viró hacia la izquierda política. En 1951 se le acusó de ser agente encubierto de la Unión Soviética; aunque un juez federal lo exoneró, Du Bois ya estaba completamente desilusionado de EE.UU. En 1961 ingresó al Partido Comunista, se trasladó a Ghana y renunció a la ciudadanía estadounidense.

**Du Fu** *o* **Tu Fu** (712, Xiangyang, China–770, Hunan). Poeta chino, considerado a menudo el más excelso de todos los tiempos. Tras recibir una educación confuciana tradicional, fracasó en los exámenes para ingresar a la administración pública, por lo que pasó gran parte de su vida como errante, intentando reiteradamente acceder a cargos en la corte, con éxito relativo. Su poesía temprana, que celebra el mundo natural y lamenta el paso del tiempo, le granjeó la fama. Sufrió períodos de penurias extremas y, a medida que maduraba, sus versos comenzaron a expresar una profunda compasión por la humanidad. Era un experto en todos los géneros poéticos de su época. Es famoso por su clasicismo excelso y su talento prosódico, aunque muchas de las sutilezas de su arte se pierden con la traducción.

**Du Mont, Allen B(alcom)** (29 ene. 1901, Brooklyn, Nueva York, N.Y., EE.UU.–15 nov. 1965, Nueva York). Ingeniero estadounidense. Se interesó en la televisión en 1928, como ingeniero jefe en De Forest Radio Co., y concluyó que la televisión requería un sistema puramente electrónico para trabajar. En 1931 fundó lo que llegaría a ser Laboratorios Allen B. Du Mont, donde mejoró el TUBO DE RAYOS CATÓDICOS y desarrolló el osciloscopio moderno. En 1937 comenzó la fabricación de los primeros receptores de televisión comercial. Después de la segunda guerra mundial comercializó los primeros receptores de TV disponibles y fundó una de las primeras redes de transmisión de TV. Colaboró con el Comité del sistema de televisión nacional en la formulación de transmisiones estándares y trabajó con la Comisión federal de comunicaciones en la asignación de frecuencias para los canales de TV.

**dualidad onda-partícula** Principio según el cual las PARTÍCULAS SUBATÓMICAS poseen algunas características de onda, y las ONDAS electromagnéticas, como la luz, poseen algunas características de partículas. En 1905, al explicar el EFECTO FOTOELÉCTRICO, ALBERT EINSTEIN demostró que la luz, la cual hasta ese momento había sido pensada como una forma de onda electromagnética (ver RADIACIÓN ELECTROMAGNÉTICA), debía también pensarse como localizada en paquetes de energía discreta (ver FOTÓN). En 1924 LOUIS-VICTOR BROGLIE postuló que los ELECTRONES tienen propiedades de onda como LONGITUD DE ONDA y FRECUENCIA; su naturaleza ondulatoria fue establecida experimentalmente en 1927 al exhibir DIFRACCIÓN. La teoría de la ELECTRODINÁMICA CUÁNTICA combina las teorías ondulatoria y corpuscular de la radiación electromagnética.

**dualismo** En filosofía occidental, toda oposición de dos principios heterogéneos, irreductibles, utilizados para analizar la naturaleza y orígenes del conocimiento (dualismo epistemológico) o para explicar la realidad en su conjunto o un vasto aspecto de ella (dualismo metafísico); también, toda teoría que recurra a dualismos. Ejemplos de dualismos epistemológicos son sujeto y objeto, sensación y objetos sensibles; ejemplos de dualismos metafísicos son mente y materia, bien y mal, Dios y el mundo. El dualismo se distingue del MONISMO y el PLURALISMO.

**Dubai** *o* **Dubay** *o* **Dibay** Emirato integrante de los Emiratos Árabes Unidos (E.A.U.) (pob., est. 2001: 913.000 hab.). Lo rodean los emiratos de ABU DHABI y Al-Shāriqah (Sharjah), y posee 72 km (45 mi) de costa en el golfo PÉRSICO. Ocupa un territorio de 3.900 km² (1.510 mi²) y es el segundo Estado en superficie y población de la federación. La mayor parte de sus habitantes vive cerca de la capital, la ciudad de Dubai (pob., 1995: 669.181 hab.). Colonizado en 1799 por pueblos provenientes de Abu Dhabi, a inicios del s. XIX, Dubai pasó a ser un Estado poderoso a escala local y hasta la década de 1930 era conocido por sus exportaciones de perlas. Desde esa fecha se ha enriquecido merced a las exportaciones de petróleo. En la actualidad, la ciudad de Dubai es un centro financiero que alberga la mayoría de los bancos y compañías de seguros estadounidenses.

Cámara de Comercio de Creek, en Dubai, Emiratos Árabes Unidos.
DEREK BERWIN/THE IMAGE BANK/GETTY IMAGES

**Dubček, Alexander** (27 nov. 1921, Uhrovec, Checoslovaquia–7 nov. 1992, Praga). Político checo. En la segunda guerra mundial participó en la resistencia clandestina contra la ocupación nazi. Después de la guerra, ascendió dentro del Partido Comunista hasta llegar a integrar el Presidium del comité central (1962). En 1968 forzó la renuncia de Antonín Novotny (n. 1904–m. 1975) y lo reemplazó en la jefatura del partido. Introdujo reformas liberales en el breve período conocido como la primavera de PRAGA, que llegó a su fin cuando la Unión Soviética invadió Checoslovaquia en agosto de 1968. Degradado a cargos menores, fue expulsado del partido en 1970. Recuperó su importancia política en 1989 después de que el Partido Comunista perdiera el monopolio del poder, y fue elegido presidente del Parlamento checo.

**Dubis** ver río DOUBS

**Dublín** *antig.* **Eblana** Ciudad, condado (pob., 2002 est.: ciudad: 495.101 hab.; condado: 1.122.600 hab.) y capital de Irlanda. Situada a orillas del río LIFFEY, se establecieron en ella vikingos daneses que llegaron a esta región en el s. IX DC hasta que fue tomada por los irlandeses en el s. XI. Un siglo después fue ocupada por los ingleses; ENRIQUE II otorgó la carta de privilegio de ciudad y quedó bajo la Corona británica. Prosperó como centro de comercialización de telas durante el s. XVIII y su puerto data de este período. En los s. XIX y XX fue escenario de sangrientos brotes de violencia nacionalista, como el movimiento FENIANO en 1867 y el levantamiento de PASCUA en 1916. Dublín es el principal puerto, centro financiero y comercial de Irlanda, así como la capital cultural. La cervecería Guinness es la empresa privada que emplea la mayor cantidad de trabajadores del país. Entre las instituciones educacionales y culturales destacan la Universidad de DUBLÍN, la Biblioteca Nacional y el Museo Nacional; las dos últimas se encuentran en Leinster House (1748), actual sede del Parlamento irlandés.

**Dublín, Universidad de** *o* **Trinity College** Universidad más antigua de Irlanda, fundada en 1592 por la reina Isabel I y donada por la ciudad de Dublín. Originalmente, Trinity fue concebido como el primero de los numerosos *colleges* (colegios universitarios) de la universidad; sin embargo, no se constituyeron más, motivo por el cual los dos nombres se emplean indistintamente. La universidad estuvo por muchos años restringida a los anglicanos, pero en 1873 se eliminaron las restricciones de culto. La universidad cuenta con facultades de artes (humanidades y letras), ciencias, administración de empresas, economía y estudios sociales, ingeniería y ciencias de sistemas, ciencias de la salud y estudios de posgrado. La biblioteca contiene numerosos manuscritos iluminados, incluido el *Libro de Kells*, libro iluminado de los Evangelios.

**Dubos, René (Jules)** (20 feb. 1901, Saint-Brice, Francia–20 feb. 1982, Nueva York, N.Y., EE.UU.). Microbiólogo y ambientalista estadounidense de origen francés. En 1924 emigró a EE.UU. y obtuvo un Ph.D. en la Universidad Rutgers. Su investigación pionera en el aislamiento de sustancias antibacterianas de microorganismos del suelo condujo al descubrimiento de los principales antibióticos. Investigó y escribió sobre antibióticos, inmunidad adquirida, tuberculosis y bacterias del tracto gastrointestinal. En sus últimos años, su interés se centró en las relaciones de los seres humanos con el medio ambiente natural. Su libro *Un animal tan humano* (1968) ganó el Premio Pulitzer. Ver también SELMAN WAKSMAN.

**Dubrovnik** Ciudad portuaria (pob., 2001: 43.770 hab.) de Croacia. Está ubicada en la costa sur del Adriático, al sudoeste de SARAJEVO. Fundada en el s. VII sobre un emplazamiento romano, quedó bajo el dominio de Bizancio después de la caída de Roma. Si bien estuvo bajo el protectorado de Venecia (1205–1358), permaneció en gran medida independiente y se convirtió en una potencia comercial. En los s. XV–XVII, fue conocida como un centro literario y artístico eslavo. Tras ser sometida por NAPOLEÓN I, en 1808, quedó en poder de Austria en 1815 y de Yugoslavia en 1918. Fue bombardeada por los serbios (1991–92) durante la lucha croata por la independencia. En la ciudad antigua, rodeada de muros medievales, existen varios conventos del s. XIV y el palacio del Rector del s. XV.

Vista de la ciudad portuaria de Dubrovnik, Croacia.
RAY MANLEY–SHOSTAL ASSOC.

**Dubuffet, Jean (-Philippe-Arthur)** (31 jul. 1901, Le Havre, Francia–12 may. 1985, París). Pintor, escultor y grabador francés. Estudió pintura en París, pero en 1929 comenzó a ganarse la vida como comerciante de vinos. Cuando regresó al arte a tiempo completo, a principios de la década de 1940, se convirtió en el artista líder de París, e impulsor del ART BRUT. Realizó toscas imágenes, hechas por incisión en ásperas superficies de empaste, sobre materiales como arena, yeso, alquitrán, ripio y cenizas, unidos con barniz y goma. También creó obras escultóricas con materiales de desecho. La apariencia inacabada de estos objetos provocó la indignación del público. En la década

de 1960 experimentó con la composición musical y con los ambientes arquitectónicos. En sus últimos años realizó grandes esculturas de fibra de vidrio para espacios públicos.

**Ducasse, Isidore Lucien** ver conde de LAUTRÉAMONT

**Duccio (di Buoninsegna)** (s. XIII, Siena, República de Siena–c. 1318, ¿Siena?). Pintor italiano. Se desconoce gran parte de su vida, pero se conservan varios contratos de trabajos que realizó por encargo. Por ejemplo, dos obras bien documentadas son la *Madonna Rucellai* que pintó para la iglesia florentina de Santa María Novella (1285) y el famoso retablo de la *Maestà* ejecutado para la catedral de Siena (1308–11); ambas obras son hitos en la historia de la pintura italiana. Su estilo reflejó la influencia de CIMABUE y del arte bizantino, aunque introdujo una representación más humana de las figuras, comparable a las de GIOTTO en la pintura florentina. Fue el pintor más importante de Siena, uno de los centros artísticos más relevantes de la Italia medieval.

"Madonna Rucellai", retablo de Duccio di Buoninsegna; Galería de los Uffizi, Florencia, Italia.
FOTOBANCO

**Duchamp, Marcel** (28 jul. 1887, Blainville, Francia–2 oct. 1968, Neuilly). Artista francés e innovador del arte. En 1913 causó sensación en el ARMORY SHOW con su pintura *Desnudo bajando la escalera, No. 2* (1912), que combinaba los principios del CUBISMO y el FUTURISMO. Su irreverencia frente a los estándares estéticos convencionales lo llevó a idear sus famosos READY-MADES. En 1913 exhibió *Rueda de bicicleta*, que era simplemente una rueda de bicicleta común expuesta como obra de arte, y en 1917 expuso un urinario que tituló *Fuente*. Con la intención de burlarse de la excesiva importancia atribuida a las obras de arte, los *ready-mades* fueron introducidos en una época en que el arte contemporáneo se transformó en una mezcla de creación y crítica. En París, en 1919, Duchamp tomó contacto con el grupo de artistas dadaístas (ver DADAÍSMO), cuyas ideas nihilistas había anticipado. Durante este período exhibió una fotografía de la *Mona Lisa* con bigote y barba de chivo, gesto que expresó el desprecio de los dadaístas por el arte del pasado. Influyó fuertemente a los SURREALISTAS, y su actitud hacia el arte y la sociedad guió al POP ART y otros movimientos modernos y posmodernos. Fue una leyenda durante su vida y es considerado uno de los espíritus rectores del arte del s. XX.

**ductilidad** Capacidad de un material para deformarse permanentemente (p. ej., estirarse, curvarse o expandirse sin recobrar su forma original) en respuesta a la TENSIÓN. La mayoría de los ACEROS comunes son bastante dúctiles y, por lo tanto, pueden tolerar concentraciones locales de tensiones. Los materiales frágiles, como el vidrio, no pueden tolerar concentraciones de tensiones porque carecen de ductilidad y por eso se quiebran con facilidad. Cuando una probeta es sometida a tensión, primero se deforma elásticamente (ver ELASTICIDAD); por sobre una cierta deformación, llamada el límite elástico, la deformación se transforma en permanente.

**ductus** ver CONDUCTO ARTERIOSO

**Dudley** Ciudad (pob., est. 1998: 311.500 hab.) de WEST MIDLANDS, Inglaterra. Famosa por sus fortalezas sajonas y normandas, desde la Edad Media se extrae carbón y mineral de hierro de sus minas. A mediados del s. XIX ya había instaladas numerosas fundiciones, y debido a la contaminación que producían al norte y al este de la zona recibió el apodo de "Comarca Negra". También es importante la industria siderúrgica

**Dudley, John** ver duque de NORTHUMBERLAND

**Dudley, Robert** ver conde de LEICESTER

**duela** Cualquier miembro de casi 6.000 especies de PLATEL- MINTOS parasíticos. Las duelas se encuentran en todo el mundo y su tamaño fluctúa entre unos 5–100 mm (0,2 a 4 pulg.) de largo. Por lo general parasitan peces, ranas y tortugas, pero también seres humanos, animales domésticos e invertebrados, como moluscos y crustáceos. Incluyen a parásitos externos (ectoparásitos), parásitos internos (endoparásitos) y a los pará- sitos semiexternos (aquellos que se adhieren al revestimiento interior de la boca, a las branquias o a la cloaca). La mayoría de las duelas son aplanadas y se asemejan a hojas o cintas. Tienen

Duela hepática (*Fasciola hepatica*).
© ENCYCLOPÆDIA BRITANNICA, INC.

ventosas musculares en la superficie infe- rior, como también ganchos y espinas, para fijarse al hués- ped. Las infestacio- nes de duelas pueden causar enfermedades (p. ej., ESQUISTOSO- MIASIS) o la muerte en seres humanos.

**duelo** Enfrentamiento formal entre dos personas, realizado con armas y en presencia de testigos. Concebido como medio de resolución de conflictos o cuestiones de honor, era una al- ternativa al proceso judicial ordinario. Fuentes de antigua data ya daban cuenta del duelo judicial o combate legal, que pre- valecieron en la Europa medieval. Un juez podía ordenar a las partes que se batieran a duelo para dirimir un asunto. Se creía que recurriendo de esta manera al "juicio de Dios" saldría vic- torioso el que tenía la razón. El perdedor, si permanecía con vida, era tratado de acuerdo con la ley. Los duelos de honor eran combates privados por ofensas o insultos reales o imagi- narios. Tradicionalmente el arma utilizada fue la espada, sus- tituida después por la pistola. Los duelos fueron frecuentes en Francia y Alemania en el s. XIX y comienzos del s. XX, con- siderados lícitos o fomentados por los regímenes fascistas en Italia y Alemania. A fines del s. XX fueron prohibidos; el úl- timo duelo registrado en Francia ocurrió en 1967. En EE.UU., el duelo más famoso fue el que sostuvieron ALEXANDER HAMIL- TON y AARON BURR (1804). Ver también ORDALÍA.

**Duero, río** antig. **Durius** Río en España y Portugal. Es el tercero en longitud de la península IBÉRICA. Surge en la Sierra de Urbión, centro de España, y cruza la meseta de Numancia. Fluye generalmente hacia el oeste a lo largo de 895 km (556 mi) a través de España y el norte de Portugal, en dirección al océa- no Atlántico. Tiene gran movimiento de barcazas en su sección portuguesa y ha sido aprovechado para la producción de energía hidroeléctrica.

**Dufay, Guillaume** *o* **Du Fay** (c. 1400–27 nov. 1474, Cambrai, obispado de Cambrai). Compositor francoflamen- co, máximo representante de la escuela BORGOÑONA. Desde niño cantó en el coro de la catedral de Cambrai. Ordenado sacerdote, alcanzó gran reputación por su erudición. En 1428 se unió al grupo de cantores papales en Roma, época en la que sus obras ya lo habían hecho famoso. Volvió a Cambrai c. 1440, donde supervisó la música de la catedral por el resto de su vida, excepto un período (1451–58) en que trabajó para el duque de Saboya. Muchos músicos fueron a estudiar con él y gozó de renombre como el más grande de los compositores vivos. Entre las obras que han perdurado, de textura armónica muy rica, figuran 90 canciones, 13 motetes y al menos seis mi- sas completas, incluidas obras tempranas sobre *cantus firmus* como *L'Homme armé* y *Se la face ay pale*.

Guillaume Dufay (izquierda) y Gilles Binchois, iluminación en la obra "Le champion des dames" de Martin le Franc, c. 1440; Bibliothèque Nationale, París (Ms. Fr. 12476).
GENTILEZA DE LA BIBLIOTHÈQUE NATIONALE, PARÍS

**Dufy, Raoul** (3 jun. 1877, Le Havre, Francia–23 mar. 1953, Forcalquier). Pintor y diseñador francés. En 1900 estudió en la École des Beaux-Arts de París y experimentó con el IMPRESIONIS- MO, pero, en 1904 ya había adoptado el uso de las áreas planas, de color brillante, típicas del FAUVISMO. A principios de la déca- da de 1920 desarrolló un estilo distintivo, caracterizado por un rápido dibujo caligráfico sobre fondos de colores brillantes y decorativos. Sus temas fueron generalmente escenas recreati- vas como carreras de caballos, desfiles, y conciertos. También diseñó textiles y realizó numerosas ilustraciones para libros.

**dugongo** Gran mamífero marino (*Dugong dugon*, el único miembro vivo de la familia Dugongidae) que vive en aguas costeras someras desde el mar Rojo y África oriental hasta Fi- lipinas, Nueva Guinea y el norte de Australia. Tiene 2,2–3,4 m (7–11 pies) de largo y suele pesar 230–360 kg (500–800 lb). Su cuerpo redondo y ahusado termina en una aleta con ramifica- ciones horizontales, pareadas y puntiagudas. Las extremidades anteriores son aletas redondeadas; carece de extremidades tra- seras. La cabeza se funde en el cuerpo, y el hocico es ancho, cuadrado y provisto de cerdas. Los dugongos viven en parejas o en grupos de hasta seis individuos. Antaño fueron cazados por su carne, piel y aceite; ahora están protegidos en la mayor parte de su hábitat, si bien algunas poblaciones siguen en peli- gro de exterminio. Ver también MANATÍ; VACA MARINA DE STELLER.

**duiker** Cualquiera de 19 especies de pequeños ANTÍLOPES tími- dos. Habitan gran parte de África, pero raras veces son vistos por los seres humanos. El duiker gris o de la sabana (*Sylvica- pra grimmia*) tiene patas largas y vive en las sabanas con ma- torrales o hierbas. Tiene

Duiker de bosque (*Cephalophus zebra*).
KENNETH W. FINK DE THE NATIONAL AUDUBON SOCIETY COLLECTION/ PHOTO RESEARCHERS – EB INC.

una alzada de 57–67 cm (22–26 pulg.). Sólo los machos tienen corna- mentas, que son cortas y rectas. Los duikers de bosques (18 especies, gé- nero *Cephalophus*) son animales jorobados, pa- ticortos, que viven en el matorral denso y en bos- ques. Tienen una alzada de 36–46 cm (14–18 pulg.) y su color varía desde el pardo pálido, pasando por el pardo rojizo, hasta casi negro. Ambos sexos tienen cornamentas rectas y cortas.

**Duisburg** Ciudad (pob., est. 2002: 478.600 hab.) en el estado de Renania del Norte-Westfalia, oeste de Alemania. Se ubica en la confluencia de los ríos RIN y RUHR y se conecta con los puertos del mar del Norte a través del canal Rin-Herne. Conocida por los romanos como Castrum Deutonis, se la mencionó en 740 DC como Diuspargum, residencia de los reyes francos. En 1290 pasó a Cleves y, en 1614, formó parte de BRANDEBURGO. Luego de sufrir serios daños durante la guerra de los TREINTA AÑOS, resurgió como sede de una universidad protestante entre 1655 y 1818. Se industrializó cada vez con mayor fuerza después de 1880 y es en la actualidad uno de los puertos interiores más grandes del mundo.

**Dujardin, Félix** (5 abr. 1801, Tours, Francia–8 abr. 1860, Rennes). Biólogo francés. Sus estudios sobre la vida microscópica animal, presente a menudo en materiales orgánicos en descomposición, le hizo proponer en 1834 un nuevo grupo de animales unicelulares que denominó *Rhizopoda*. Llamó *sarcode* a la sustancia viva aparentemente informe que rezumaba por los poros de ciertas envolturas; más tarde conocida como *protoplasma*. Este trabajo le llevó en 1835 a impugnar la teoría de CHRISTIAN GOTTFRIED EHRENBERG, quien postulaba que los organismos microscópicos tenían los mismos órganos que los animales superiores. Dujardin también estudió las medusas, corales y estrellas de mar; sus investigaciones sobre los platelmintos sentaron las bases del estudio de los parásitos y el parasitismo.

**dujobori** (ruso: "luchadores del espíritu"). Miembros de una secta religiosa de campesinos rusos, la mayoría de los cuales vivían originalmente en el sur de Rusia. Rechazaron las reformas litúrgicas (1652) del patriarca NIKÓN y la occidentalización rusa durante el reinado de PEDRO I. No tenían sacerdotes ni sacramentos, y sus convicciones igualitarias y pacifistas provocaron persecuciones esporádicas a contar de 1773. LEÓN TOLSTÓI obtuvo la autorización para que emigraran y en 1899, ya se habían trasladado unos 7.500 al oeste de Canadá. A principios del s. XX, se enfrentaron repetidamente con el gobierno canadiense por la inobservancia de las leyes agrarias, tributarias y educacionales. La separación de los niños dujobori de sus padres entre 1953–59 originó acciones judiciales para obtener indemnizaciones a fines de la década de 1990.

**Dukas, Paul (-Abraham)** (1 oct. 1865, París, Francia–17 may. 1935, París). Compositor francés. Nacido en el seno de una familia de músicos, estudió en el conservatorio de París. Su primer éxito fue la obertura *Polyeucte* (1892). El perfeccionismo lo llevó a destruir muchas de sus obras. Su fama estriba casi exclusivamente en el *scherzo* sinfónico *El aprendiz de brujo* (1897). Entre sus otras obras que han perdurado destacan la ópera *Ariana y Barba Azul* (1906), el ballet *La Péri* (1912) y una sinfonía (1896).

**Duke, James B(uchanan)** (23 dic. 1856, Durham, N.C., EE.UU.–10 oct. 1925, Nueva York, N.Y.). Magnate del tabaco y filántropo estadounidense. Ingresó, con su hermano Benjamin (n. 1855–m. 1929), a la empresa tabacalera familiar. En 1890, James pasó a ser presidente de la empresa American Tobacco Co., que controlaba la totalidad de la industria del ramo estadounidense, hasta que en 1911, debido a las leyes antimonopólicas, fue dividida en varias empresas que se convirtieron en los principales fabricantes de cigarros en EE.UU. Supervisó los aportes de la familia al Trinity College de Durham, rebautizado como Universidad de DUKE.

**Duke, Universidad de** Universidad privada situada en Durham, N.C., EE.UU. Fue creada en 1924 merced a una donación de JAMES B. DUKE, a pesar de que los inicios del *college* (colegio universitario) original (Trinity College) se remontan a mediados del s. XIX. Hasta la década de 1970, Duke mantuvo campus separados para hombres y mujeres en los niveles de pregrado. Además de tener un *college* de pregrado de artes liberales, la universidad cuenta con escuelas de administración de empresas, teología, ingeniería, estudios del medio ambiente, estudios de posgrado, derecho, medicina (incluido un centro médico) y enfermería.

**Duke, Vernon** *orig.* **Dukelsky, Vladímir Alexandrovich** (10 oct. 1903, Parfianovka, cerca de Pskov, Rusia–16 ene. 1969, Santa Mónica, Cal., EE.UU.). Compositor estadounidense de origen ruso. Huyó de su país natal a los 16 años de edad y se estableció en Constantinopla. Desde ahí visitó EE.UU., donde GEORGE GERSHWIN le sugirió su nuevo nombre y le aconsejó no temer "ser poco intelectual". Compuso obras clásicas en Europa, como *Zéphyr et Flore* (1925) para los BALLETS RUSOS, pero en 1929 volvió a EE.UU. Junto con autores líricos como EDGAR HARBURG y HOWARD DIETZ escribió música para shows (como *Walk a Little Faster*, 1932) y para películas (como *Una cabaña en el cielo*, 1943, y *Sadie Thompson*, 1944). Entre sus canciones están "April in Paris", "Taking a Chance on Love" y "Banjo Eyes".

**Dulbecco, Renato** (n. 22 feb. 1914, Catanzaro, Italia). Virólogo estadounidense de origen italiano. Obtuvo su M.D. en la Universidad de Turín en 1936 y en 1947 emigró a EE.UU. Junto con Marguerite Vogt fueron pioneros en el cultivo de virus de animales e investigaron cómo ciertos virus logran el control de las células que infectan. Mostraron que el virus del polioma inserta su ADN en el ADN de la célula huésped y entonces esta se transforma en una célula cancerosa, reproduciendo el ADN viral además del propio, y produciendo más células cancerosas. Dulbecco sugirió que los cánceres humanos podían ser causados por una reproducción similar de fragmentos extraños de ADN. En 1975 compartió el Premio Nobel con dos ex alumnos, Howard Temin (n. 1934) y DAVID BALTIMORE. El último de sus nombramientos académicos en EE.UU. y Gran Bretaña fue el de presidente del Instituto Salk.

**dulcamara** *o* **falsa dulcamara** Cualquiera de varias trepadoras de fruto colorido. El género *Celastrus* (familia Celastraceae) comprende la dulcamara americana, o trepadora falsa (*C. scandens*), y la dulcamara oriental (*C. orbiculatus*), enredaderas leñosas cultivadas como plantas ornamentales. La dulcamara oriental es una trepadora más vigorosa que las especies de EE.UU. Ambos tipos trepan enroscándose en sus soportes. Otra dulcamara, *Solanum dulcamara*, pertenece a la familia de las SOLANÁCEAS.

Dulcamara americana o trepadora falsa (*Celastrus scandens*).
KENNETH Y BRENDA FORMANEK–EB INC.

**dulcémele** Instrumento musical de cuerdas donde estas no son pulsadas sino percutidas con macillos. Su caja de resonancia es plana y generalmente trapezoidal. Cada par de cuerdas produce una sola nota y los pares se tuercen hacia arriba, alternándose derecha e izquierda para facilitar una ejecución rápida. El *cimbalom* húngaro es un dulcémele grande con patas y un pedal de sordina, muy usado en las orquestas gitanas. El dulcémele o salterio de los Apalaches es una CÍTARA angosta con un diapasón trasteado que tiene de tres a cinco cuerdas, las que se pisan con una mano y se pulsan con un plectro sujeto en la otra.

**DuLhut, Daniel Greysolon, señor de** (c. 1639, Saint-Germain-Laval, Francia–25/26 feb. 1710, Montreal, Canadá). Militar y explorador francés. Realizó dos travesías a Nueva Francia antes de 1674 y retornó a Montreal en 1675. Negoció acuerdos con las tribus indígenas sobre el comercio de pieles, rescató al misionero Louis Hennepin de manos de los sioux, asistió al conde de FRONTENAC en la campaña contra los aliados indios que adhirieron a los ingleses, y se le atribuye haber establecido el control francés sobre las tierras al norte y al oeste del lago Superior. La ciudad de Duluth, Minn., fue nombrada así en su honor.

**Dulles, Allen W(elsh)** (7 abr. 1893, Watertown, N.Y., EE.UU.–29 ene. 1969, Washington, D.C.). Diplomático y jefe de los servicios de inteligencia estadounidense. Ocupó cargos diplomáticos antes de ejercer la abogacía con su hermano, JOHN FOSTER DULLES. Durante la segunda guerra mundial se desempeñó en la Oficina de servicios estratégicos. Terminada la conflagración, presidió un comité encargado de estudiar el sistema estadounidense de inteligencia. En 1951, cuando se formó la CIA (Agencia Central de Inteligencia), fue subdirector. Como director (1953–61), supervisó los primeros logros de la agencia, pero el caso del U-2 (1960) y la invasión de la bahía de COCHINOS (1961) determinaron su renuncia.

**Dulles, John Foster** (25 feb. 1888, Washington, D.C., EE.UU.–24 may. 1959, Washington, D.C.). Secretario de Estado (1953–59). Fue abogado de la Comisión estadounidense de paz en Versalles, Francia, y luego colaboró en la supervisión del pago de reparaciones de la primera guerra mundial. Participó en la redacción de la carta de la ONU y fue delegado ante la Asamblea General (1946–49). Negoció el complejo tratado de paz con Japón (1949–51). Como secretario de Estado del pdte. DWIGHT D. EISENHOWER, abogó por una oposición activa a los actos soviéticos y formuló la doctrina EISENHOWER. Sus críticos lo catalogaban de inflexible y duro y aficionado a "arriesgarse hasta el límite" por haber intensificado las tensiones internacionales y llevado al país al borde de la guerra; visiones posteriores han alabado su firmeza para frenar la expansión comunista.

**Duluth** Ciudad (pob., 2000: 86.918 hab.) y puerto interior en el nordeste del estado de Minnesota, EE.UU. Se ubica junto al lago SUPERIOR en la desembocadura del río St. Louis, frente a Superior, Wis. El puerto combinado de Duluth-Superior constituye el terminal occidental del canal de SAN LORENZO. A través de este puerto se embarca mineral de hierro, carbón, cereales y petróleo. El sitio recibió su nombre en honor al señor de DULHUT, uno de los exploradores franceses que visitó la zona en el s. XVII. Planificada en 1856, fue constituida en ciudad en 1870.

**Duma** *ruso* **Gosudarstvennaya Duma** (español: "Asamblea del Estado"). Cuerpo legislativo elegido que, junto al Consejo de Estado, conformaba la legislatura imperial rusa (1906–17). Sólo tenía atribuciones limitadas en materia de control de gastos e iniciativa legislativa. Las cuatro Dumas que se convocaron (1906, 1907, 1907–12, 1912–17) rara vez gozaron de la cooperación de los ministros del emperador, quienes conservaron el derecho a gobernar por decreto cuando la Duma no estaba en sesiones. Durante la época soviética, los SOVIETS fueron la unidad básica de gobierno. Después de la caída de la Unión Soviética (1991), el Parlamento ruso compuesto por el Congreso de los diputados del pueblo y el Soviet Supremo ejercieron funciones legislativas hasta 1993, cuando los conflictos con el presidente BORÍS YELTSIN llevaron a una crisis. La rebelión del parlamento fue reprimida por fuerzas militares, y una nueva constitución estableció un parlamento renovado, compuesto por un Consejo de la Federación (en el cual las 89 repúblicas y regiones de Rusia tienen igual representación) y una Duma, con 450 miembros, en que la mitad se eligen por representación proporcional, según los partidos y la otra mitad según circunscripciones electorales uninominales. El presidente puede prevalecer sobre la legislatura e incluso disolverla bajo ciertas circunstancias.

**Dumas, Alexandre** *llamado* **Dumas padre** (24 jul. 1802, Villers-Cotterêts, Aisne, Francia–5 dic. 1870, Puys, cerca de Dieppe). Novelista y dramaturgo francés. Dumas cosechó sus primeros éxitos como autor de obras teatrales melodramáticas, entre las que se cuentan *Napoléon Bonaparte* (1831) y *Antony* (1831). Sus popularísimas novelas, ambientadas en marcos históricos pintorescos, incluyen *Los tres mosqueteros* (1844), las

aventuras de cuatro espadachines heroicos en la época del cardenal RICHELIEU, y su continuación, *Veinte años después* (1845); *El conde de Montecristo* (1844–45) y *El tulipán negro* (1850). Su hijo ilegítimo Alexandre Dumas (1824–95), llamado Dumas *hijo*, es conocido sobre todo por su drama *La dama de las camelias* (1848), en la que se basa la ópera *La Traviata*, de GIUSEPPE VERDI, y diversas películas posteriores con el título *Camille*.

**Dumfries** Ciudad (pob., est. 1995: 31.000 hab.) y municipio real, centro administrativo de la región de Dumfries y Galloway, sudoeste de Escocia. Situada en el condado histórico de Dumfriesshire, la ciudad se encuentra en la ribera izquierda del río Nith cerca de la frontera con Inglaterra. Es el principal centro de actividad comercial de una región ganadera. El poeta ROBERT BURNS vivió en Dumfries en 1791–96, donde está enterrado; actualmente su casa es un museo.

**Dummer, Jeremiah** (1681, Boston, Mass, EE.UU.–19 may. 1739, Plaistow, Essex, Inglaterra). Abogado norteamericano y agente colonial. En Inglaterra, en 1708, defendió el derecho de Massachusetts sobre la isla Martha's Vineyard. Como agente colonial de Massachusetts (1710–21) y de Connecticut (1712–30) en Inglaterra, fue un diligente abogado de las colonias. En 1715 escribió un panfleto en defensa de los derechos estatutarios de las colonias de Nueva Inglaterra.

**Dummett, Sir Michael A(nthony) E(ardley)** (n. 27 jun. 1925, Londres, Inglaterra). Filósofo británico. El trabajo de Dummett ha tenido influencia en la filosofía del lenguaje, la metafísica, la lógica y la filosofía de las matemáticas; es también uno de los expositores más importantes de la obra de GOTTLOB FREGE. Se lo conoce principalmente por su defensa del antirrealismo (ver REALISMO) y su intento de explicar el significado de las oraciones en términos de "condiciones de asertividad" en vez de condiciones de verdad. Sus obras principales son *Frege: Philosophy of Language* [La filosofía del lenguaje de Frege] (1973), *Truth and Other Enigmas* [La verdad y otros enigmas] (1978), *The Logical Basis of Metaphysics* [La base lógica de la metafísica] (1991), y *The Seas of Language* [Los mares del lenguaje] (1993).

**Dumont d'Urville, Jules (-Sébastien-César)** (23 may. 1790, Condé-sur-Noireau, Francia–8 may. 1842, cerca de Meudon). Navegante francés. Sus exploraciones del Pacífico

sur (1826–29), dieron origen a una amplia revisión de las cartas de navegación del Mar del Sur y a una redesignación de los grupos insulares, que desde entonces pasaron a ser conocidos como Melanesia, Micronesia, Polinesia y Malasia. En 1830 llevó al rey CARLOS X a su exilio en Inglaterra. Zarpó hacia la Antártida en 1837 y aunque no pudo penetrar la masa de hielo, su expedición exploró el estrecho de Magallanes, descubrió la isla de Joinville y la Tierra de Luis Felipe, y avistó la costa de Tierra Adelia (llamada así en honor de su esposa) antes de regresar en 1840.

Jules Dumont d'Urville, grabado de Émile Lassalle al estilo de Maurin.
GENTILEZA DE LA BIBLIOTHÈQUE NATIONALE, PARÍS

**duna de arena** Colina, montículo o cresta formada por arena transportada por el viento o por otro material como partículas de arcilla. Las dunas se asocian comúnmente con regiones desérticas y costas marinas; existen grandes áreas de dunas en zonas de la Antártida no cubiertas por glaciares.

**Dunajec, río** Río del sur de Polonia. Nace en los montes Tatra cerca de la frontera con Eslovaquia, y recorre 251 km (156 mi) en dirección nordeste hacia el río VÍSTULA. Fue escenario de batallas encarnizadas durante la primera guerra mundial en la ofensiva austro-germana. En 1975 Checoslovaquia y Polonia modificaron su frontera a lo largo del Dunajec para permitir que Polonia construyera una represa para irrigar la región al sudeste de CRACOVIA.

**Dunant, (Jean-) Henri** (8 may. 1828, Ginebra, Suiza–30 oct. 1910, Heiden). Filántropo suizo. Tras haber sido testigo presencial de la batalla de SOLFERINO, organizó servicios de ayuda de emergencia para los heridos austríacos y franceses. En 1862 propuso la creación de servicios de socorro voluntarios en todos los países y propuso un acuerdo internacional que incluyera a los heridos de guerra. En 1864 fundó la CRUZ ROJA, que dio origen a la convención de GINEBRA. Continuó trabajando en favor del mejoramiento del trato a los prisioneros de guerra, la abolición de la esclavitud, el arbitraje internacional, el desarme y el establecimiento de una patria judía. En 1901 compartió con Frédéric Passy (n. 1822–m. 1912) el primer Premio Nobel de la Paz.

**Dunaway, (Dorothy) Faye** (n. 14 ene. 1941, Bascom, Fla., EE.UU.). Actriz de cine estadounidense. Actuó en varias obras del Off-Broadway (1962–67), y en 1967 debutó en el cine con *El suceso* (1967). Sus mejores interpretaciones, como en *Bonnie y Clyde* (1967, que la catapultó a su consagración internacional), *Chinatown* (1974) y *Network* (1976, premio de la Academia), fueron actuaciones plenas de matices que entregaron fuerza al espíritu de las películas. Después protagonizó los conocidos largometrajes *Queridísima mamá* (1981), *Barfly* (1987) y *Sueños de Arizona* (1993).

**Dunbar, Paul Laurence** (27 jun. 1872, Dayton, Ohio, EE.UU.–9 feb. 1906, Dayton). Escritor estadounidense. Hijo de antiguos esclavos, Dunbar fue el primer escritor afroamericano que intentó vivir de la literatura y uno de los primeros en lograr renombre nacional. Escribía para una audiencia en su mayoría blanca, utilizando dialecto negro y retratando el Sur anterior a la guerra civil en un tono idílico y pastoral. Entre sus libros de poemas, se cuentan *Oak and Ivy* [El roble y la hiedra] (1893), *Majors and Minors* [Mayores y menores] (1895) y *Lyrics of Lowly Life* [Canciones de la vida humilde] (1896). Sus poemas llegaron a una audiencia numerosa, y dio recitales en EE.UU. e Inglaterra. También publicó cuatro libros de cuentos y cuatro novelas, entre otros, *The Sport of the Gods* [El pasatiempo de los dioses] (1902).

Paul Laurence Dunbar, 1906.
GENTILEZA DE LA BIBLIOTECA DEL CONGRESO, WASHINGTON, D.C.

**Dunbar, William** (1460/65, Escocia–antes de 1530). Poeta escocés. Formaba parte de la corte de JACOBO IV. De los más de 100 poemas que se le atribuyen, la mayoría son composiciones breves de ocasión, que van desde la sátira trivial hasta himnos de exaltación religiosa. Entre sus obras más extensas, se cuentan la alegoría onírica hechicera del encanto *The Goldyn Targe*, la canción nupcial *El cardo y la rosa* y *The Flyting of Dunbar and Kennedie*, una extraordinaria obra de ataque personal a un rival. Dunbar fue el poeta cortesano (*makar*) más sobresaliente en la edad dorada de la poesía escocesa.

**Duncan I** (m. 1 ago. 1040, cerca de Elgin, Moray, Escocia). Rey de Escocia (1034–40). Nieto del rey MALCOLM II, su ascenso al trono violó el sistema según el cual la corona debía alternarse entre las dos ramas de la familia real. Fue desafiado por Macbeth, jefe militar y conde de Moray, que posiblemente tenía mayor derecho al trono. Macbeth mató a Duncan en 1040 y este fue muerto a su vez, en 1057, por el primogénito de Duncan, que asumió el trono como MALCOLM III CANMORE. La figura de Macbeth inspiró la obra homónima de WILLIAM SHAKESPEARE.

**Duncan, David Douglas** (n. 23 ene. 1916, Kansas City, Mo., EE.UU.). Reportero gráfico estadounidense. Después de graduarse de la secundaria, se convirtió en fotógrafo independiente. En 1946 se unió al equipo de la revista *Life* y cubrió la guerra de Corea (1950); sus fotografías, que representaban la vida del soldado común, fueron publicadas en *This Is War!* (1951). Volvió a su vida independiente y en 1956 conoció a PABLO PICASSO, con quien trabó amistad. Más tarde, Duncan publicó varios ensayos fotográficos de las obras de Picasso, entre ellos, *The Private World of Pablo Picasso* (1958) y *Los Picassos de Picasso* (1961).

**Duncan, Isadora** orig. **Angela Duncan** (26 may. 1877 o 27 may. 1878, San Francisco, Cal., EE.UU.–14 sep. 1927, Niza, Francia). Bailarina interpretativa estadounidense. Rechazó el formalismo del ballet clásico y basó su técnica en ritmos y movimientos naturales inspirados en la antigua Grecia, bailando descalza vestida con una túnica sin malla. Dado su escaso éxito en EE.UU., se trasladó a Europa en 1898. Durante su vida realizó giras por Europa ofreciendo presentaciones que la hicieron famosa; adquirió renombre por su falta de convencionalismo y fundó varias escuelas de danza. Murió estrangulada cuando su largo pañuelo se enredó en la rueda trasera del automóvil en que viajaba. Su énfasis en la "danza libre" la convirtió en precursora de la DANZA MODERNA, e inspiró a muchos artistas de vanguardia.

**Dundee** Ciudad y municipio real (pob., 2001: 145.663 hab.) del este de Escocia. Se encuentra en el histórico condado de Angus. Es un importante puerto, situado en el estuario del Tay, en el mar del NORTE. La primera vez que se menciona esta ciudad es a fines del s. XII; durante los siguientes cuatro o cinco siglos fue reiteradamente saqueada por los ingleses, con mucho derramamiento de sangre. Entre las construcciones históricas destaca las *City Churches*, tres iglesias separadas bajo un mismo techo, y que constituyen una atracción en el moderno centro urbano. Dundee fue un centro mundial de fabricación de yute en el s. XIX. Todavía hay producción textil, pero a partir de la segunda guerra mundial predomina la industria mecánica ligera. La Universidad de Dundee fue fundada en 1881.

**Dungannon** Distrito (pob., 2001: 47.735 hab.) de Irlanda del Norte. Creado en 1973, se extiende desde el lago NEAGH hasta el distrito de FERMANAGH y desde las colinas a los pies de los montes Sperrin hasta el río Blackwater y la República de Irlanda. Es esencialmente una zona pastoril, cuya historia está unida desde sus comienzos a los O'Neill, condes de TYRONE, cuya residencia principal fue la ciudad de Dungannon, capital del distrito; también es lugar donde se proclamó en 1782 la independencia del Parlamento irlandés.

**Dunham, Katherine** (n. 22 jun. 1910, Joliet, Ill., EE.UU.). Bailarina, coreógrafa y antropóloga estadounidense, conocida por su interpretación de danzas tribales y étnicas. En 1931 creó una escuela de danza en Chicago, su ciudad natal. En 1940 formó la primera compañía de danza estadounidense integrada exclusivamente por afroamericanos, para la cual compuso revistas basadas en sus

Katherine Dunham en *Revista tropical*. (1945–46).
GENTILEZA DE LA DANCE COLLECTION, BIBLIOTECA PÚBLICA DE NUEVA YORK, FUNDACIONES ASTOR LENOX Y TILDEN

investigaciones antropológicas en el Caribe. Entre sus primeras obras se cuentan *Tropics* [Revista tropical] (1943) y

*Le Jazz hot*. Más tarde obtuvo un Ph.D. en antropología de la Universidad de Chicago. Muchos bailarines afroamericanos famosos se formaron en sus escuelas de Chicago y Nueva York. En la década de 1950 realizó giras por Europa con su compañía. También compuso la coreografía de producciones escénicas de Broadway, óperas y películas.

**dunita** Roca ígnea verde amarillento a verde, compuesta casi en su totalidad por olivino. La cromita y la magnetita también aparecen en la dunita, tal como la espinela, la ilmenita, la pirrotina y en algunos casos el platino. Las dunitas pueden ser una fuente de CROMO. Entre los lugares donde se encuentra están el monte Dun en Nueva Zelanda (origen de su nombre), Sudáfrica y Suecia.

Dunita de Jackson County, Carolina del Norte, EE.UU.
GENTILEZA DEL ILLINOIS STATE MUSEUM; FOTOGRAFÍA, JOHN H. GERARD—EB INC.

**Dunkerque, evacuación de** (1940). En la segunda GUERRA MUNDIAL, la evacuación de la FUERZA EXPEDICIONARIA BRITÁNICA y otras tropas aliadas, que se encontraban cercadas por los alemanes, desde el puerto marítimo francés de Dunkerque hasta Inglaterra. Buques de la armada y cientos de embarcaciones civiles fueron utilizados en la evacuación que comenzó el 26 de mayo. Cuando esta finalizó, el 4 de junio, habían sido salvados cerca de 198.000 soldados británicos y 140.000 soldados franceses y belgas. El éxito de la operación se debió a la protección aérea de la ROYAL AIR FORCE (RAF) e (involuntariamente) a la orden de ADOLF HITLER, del 24 de mayo, de detener el avance de las fuerzas blindadas alemanas hacia Dunkerque.

**Dunmore, guerra de Lord** ver guerra de LORD DUNMORE

**Dunnet, cabo** Cabo del nordeste de Escocia. Promontorio redondeado que constituye el punto más septentrional de Escocia continental y que se interna en el mar del NORTE. Lo domina un faro de 105 m (346 pies) de altura, construido en 1831.

**Dunstable, John** (c. 1385, Inglaterra–24 dic. 1453, Londres). Compositor inglés. Su vida y su carrera son casi desconocidas. Después de su muerte se le atribuyeron los logros de todos sus contemporáneos ingleses, entre ellos, Leonel Power (n. circa 1380–m. 1445). Dejó al menos 50 composiciones, todas para tres o cuatro voces y casi todas sacras. Su armonía plena de acordes perfectos y el frecuente movimiento paralelo de las voces representaron una innovación importante que influyó en compositores como GUILLAUME DUFAY y Gilles Binchois (n. circa 1400–m. 1460), suavizando así la austeridad de la polifonía del s. XIV.

**Dunstano de Canterbury, san** (c. 909, cerca de Glastonbury, Inglaterra–19 may. 988, Canterbury; festividad: 19 de mayo). Arzobispo de Canterbury. Se desempeñó como principal consejero de los reyes de Wessex, comenzando por Edmundo I, que lo nombró abad de Glastonbury (c. 943). Durante el reinado de Edred, fue ministro de Estado, cargo desde el cual procuró pacificar la parte danesa del reino y reformar la Iglesia. Proscrito en 955, durante el reinado de Edwy, marchó al exilio en Flandes, pero en 957, el rey Edgar lo hizo volver y siguió adelante con sus reformas, una de las cuales consistió en reestructurar el monacato inglés según el modelo continental. En 959 fue nombrado arzobispo de Canterbury.

**duodecimanos** ver ITHNA ASARIYÁ

**duodeno** El primero y el más corto (23–28 cm o 9–11 pulg.) de los segmentos del INTESTINO DELGADO. Comienza en el píloro, esfínter del estómago, por donde el QUIMO se introduce en su interior y describe una curva descendente y luego ascendente. Los conductos del páncreas y la vesícula llevan bicarbonato al duodeno para neutralizar el ácido gástrico, enzimas pancreáticas para proseguir la digestión y sales biliares para emulsionar las grasas. La absorción de nutrientes se inicia en la parte inferior del duodeno, que tiene un revestimiento mucoso. La exposición al ácido gástrico vuelve al duodeno susceptible a sufrir ÚLCERAS PÉPTICAS, su problema más común. La compresión de la parte inferior del duodeno entre el hígado, el páncreas y los vasos sanguíneos importantes puede requerir tratamiento quirúrgico.

**Duparc, (Marie-Eugène-) Henri** (21 ene. 1848, París, Francia–12 feb. 1933, Mont-de-Marsan). Cancionista francés. Estudió música con CÉSAR FRANCK a la par que estudiaba derecho. Su carrera de compositor duró cerca de 16 años. Dejó de componer a los 36 años por razones psicológicas. Muy autocrítico, destruyó una ópera inconclusa y otras obras y reconoció solamente 13 canciones completas, entre ellas, "Invitación al viaje", "Phidylé", "Testamento" y "Éxtasis", como la obra de su vida. Casi todas las canciones, admiradas universalmente, fueron concebidas en su origen para piano y voz; con posterioridad orquestó ocho de ellas.

Henri Duparc.
J.P. ZIOLO

**Dupleix, Joseph-François** (1697, Landrecies, Francia–10 nov. 1763, París). Administrador colonial francés que intentó establecer un imperio francés en India. Su padre, director de la COMPAÑÍA FRANCESA DE LAS INDIAS ORIENTALES, le consiguió en 1720 un nombramiento en el consejo superior de Pondicherry, capital de la India francesa, y en 1742 fue nombrado gobernador de la Compañía. Combatió contra los británicos en India durante la guerra de sucesión AUSTRÍACA (1744) y luego trató de socavar la posición británica en el sur de India. Sus planes agotaron las finanzas francesas y, desacreditado, tuvo que regresar a Francia en 1754.

**DuPont Co.** *p. ext.* **E.I. du Pont de Nemours & Co**. Fabricante estadounidense de productos químicos, revestimientos y fibras. La empresa fue fundada en 1802 cerca de Wilmington, Del., por el inmigrante francés Éleuthère Irénée du Pont de Nemours, hijo del destacado economista Pierre-Samuel du Pont de Nemours (n. 1739–m. 1817). Originalmente fabricaba pólvora y otros explosivos. Después de operar casi un siglo como sociedad de personas, la empresa se constituyó como sociedad anónima en 1899 y comenzó a diversificar su línea de productos, en parte mediante importantes adquisiciones. DuPont desarrolló plásticos de nitrocelulosa en 1915 y caucho sintético en 1931. Posteriormente creó, entre muchos otros productos sintéticos, fibras de NAILON, orlón, dacrón, KEVLAR y lycra, además de películas mylar y resinas de TEFLÓN. La empresa fue administrada por la familia Du Pont hasta la segunda guerra mundial. En la actualidad es un conglomerado altamente diversificado, con participaciones en la industria química, agrícola, electrónica y del envasado.

**Dupuytren, Guillaume** *post.* **barón Dupuytren** (5 oct. 1777, Pierre-Buffière, cerca de Limoges, Francia–8 feb. 1835, París). Cirujano y patólogo francés. Dupuytren fue el primero en extirpar el maxilar inferior y en describir con claridad la patología de la dislocación congénita de la cadera. Entre otros adelantos, revisó la clasificación de las quemaduras y diseñó procedimientos para operar cánceres cervicales y para construir un ano artificial. Es más conocido por los procedimientos quirúrgicos para aliviar la contractura de Dupuytren, en la cual una fibrosis de la palma produce retracción permanente de uno o más dedos.

**duque** Título de nobleza europeo que representa el de mayor rango después de príncipes y reyes, excepto en los países en que existen títulos como archiduque o gran duque. La esposa de un duque es una duquesa. Los romanos dieron el título de *dux* a los altos mandos militares que tenían responsabilidad territorial. Fue adoptado por los invasores bárbaros del Imperio romano y usado en sus reinos, como asimismo, en Francia y Alemania por gobernantes de territorios muy extensos. En algunos países europeos, un duque es un príncipe soberano que gobierna un ducado independiente. En Gran Bretaña, donde no hubo títulos ducales hasta 1337, es un título hereditario.

**Dura Europos** Antiguo poblado en las riberas del río ÉUFRATES, Siria. Aunque originalmente fue un pueblo babilónico, fue reconstruido como colonia militar c. 300 AC bajo la dinastía SELÉUCIDA. Fue anexado por los romanos en 165 DC tras lo cual se convirtió en una fortaleza fronteriza. Poco después de 256 fue invadido y destruido por la dinastía SASÁNIDA. Sus ruinas muestran un cuadro inusualmente detallado acerca de su vida cotidiana y proveen información acerca de la fusión entre la cultura helenística y la semita.

**duración de la vida** Tiempo que transcurre entre el nacimiento y la muerte. Varía desde un día en la efímera hasta miles de años en algunos árboles. Sus límites parecen depender de la herencia, pero factores como las enfermedades (en seres humanos), desastres naturales, guerras, dieta y hábitos como el tabaquismo, lo reducen. La duración máxima de la vida es teórica; más significativo es el promedio de su duración, que las compañías de seguros de vida y los actuarios analizan y tabulan. Los progenitores longevos tienden a procrear descendientes longevos. La reducción de la mortalidad infantil, el control de las infecciones y las mejores condiciones de higiene y nutrición explican en gran medida su aumento, desde alrededor de 35 años, c. 1800, a más de 70 años, a fines del s. XX, en la mayoría de los países industrializados. La mayor edad, bien documentada, alcanzada por un ser humano es de 122 años.

**duración media** En RADIACTIVIDAD, el promedio de vida de todos los núcleos de una especie particular de átomos inestables. Este intervalo de tiempo es la suma de las vidas individuales de todos los núcleos inestables en una muestra, dividida por el número total de dichos núcleos en ella. Es el recíproco de la constante de desintegración. Para un isótopo dado, la duración media es siempre 1,443 veces su VIDA MEDIA. Por ejemplo, el plomo 209 se desintegra en bismuto 209 con una vida media de 3,25 horas y una duración media de 4,69 horas.

**duramen** Parte central del tronco del árbol. Por lo general, sus células contienen taninos u otras sustancias que la hacen oscura y a veces fragante. Mecánicamente, el duramen es firme, resistente a la descomposición y dificulta la penetración de productos químicos usados para preservar la madera, comparado con otros tipos de madera. Una o más capas de células de la albura, vivas y funcionales, se convierten periódicamente en duramen.

**Durance, río** *antig.* **Druentia** Río en el sudeste de Francia. Es el curso principal que baña el lado francés de los Alpes hacia el Mediterráneo y nace en la zona de Montgenèvre. Hasta su confluencia con el río RÓDANO por el sur de AVIÑÓN, recorre 304 km (189 mi). En la zona se construyeron grandes proyectos hidroeléctricos después de la segunda guerra mundial.

**Durand, Asher B(rown)** (21 ago. 1796, Jefferson Village, N.J., EE.UU.–17 sep. 1886, Jefferson Village). Pintor, grabador e ilustrador estadounidense. En 1823 ya había establecido su reputación como grabador, con su grabado de la *Declaración de independencia* de JOHN TRUMBULL y sus retratos de prominentes estadounidenses contemporáneos. Después se volcó a la pintura de paisaje, fue fundador de la escuela del RÍO HUDSON y uno de los primeros artistas estadounidenses en trabajar directamente desde la naturaleza. En 1826 cofundó la Academia nacional de grabado en la ciudad de Nueva York, de la que fue presidente (1845–61).

**Durango** Estado del centro-norte de México (pob., 2000: 1.448.661 hab.). Abarca un territorio de 123.181 km² (47.560 mi²) y su capital es DURANGO. La región occidental del estado, que ocupa parte de la Sierra Madre occidental, es rica en minerales, mientras que la región oriental abarca llanuras semiáridas destinadas a la ganadería. El río Nazas, con un curso de unos 600 km (375 mi), es el más grande del estado y es la principal fuente hídrica para la agricultura. A lo largo del curso bajo del río se encuentra la región algodonera denominada Comarca Lagunera, conformada por los estados de DURANGO y COAHUILA. La primera exploración realizada por europeos ocurrió en 1562; Durango compartió su historia colonial con CHIHUAHUA como región importante de Nueva Vizcaya; los dos estados se separaron en 1823.

**Durango** *ofic.* **Victoria de Durango** Ciudad, capital del estado de DURANGO (pob., 2000: 427.135 hab.), en el centro-norte de México. Está situada en un fértil valle de la SIERRA MADRE, a unos 1.890 m (6.200 pies) sobre el nivel del mar. Al norte de la ciudad se encuentra el cerro del Mercado, que representa uno de los yacimientos más grandes del mundo de hierro en estado casi puro. Poblada desde 1556, Durango fue la capital política y eclesiástica de Nueva Vizcaya, que abarcaba los actuales estados de Durango y CHIHUAHUA hasta 1823. La ciudad, conocida por largo tiempo por sus termas curativas, es un importante centro comercial y minero.

**Durant, William C(rapo)** (8 dic. 1861, Boston, Mass., EE.UU.–18 mar. 1947, Nueva York, N.Y.). Industrial estadounidense, fundador de GENERAL MOTORS CORP. En 1886 fundó una empresa de carruajes y en 1903–04 se unió a Buick Motor Car Co. (fundada por David Buick en 1902), una empresa nueva, pero al borde de la quiebra, la que logró reactivar rápidamente. En 1908 reunió a varios fabricantes de automóviles para constituir la sociedad GENERAL MOTORS CORP., pero perdió el control de la empresa dos años después. Junto con Louis Chevrolet (n. 1878–m. 1941) fundó Chevrolet Motor Co., empresa que adquirió el control de General Motors en 1915. Como presidente de General Motors Corp. hasta 1920, impulsó la constante expansión de la empresa.

**Durant, Will(iam James) y Ariel** *orig.* **Ada Kaufman** *o* **Ida Kaufman** (5 nov. 1885, North Adams, Mass., EE.UU.– 7 nov. 1981, Los Ángeles, Cal.) (10 may. 1898, Prosurov, Rusia– 25 oct. 1981, Los Ángeles). Escritores estadounidenses. Tras el enorme éxito de *Historia de la filosofía* (1926) de Will, escribieron juntos la obra en 11 volúmenes *Historia de la civilización* (1935–75), entre ellos *Rousseau and Revolution* [Rousseau y la revolución] (1967, Premio Pulitzer). Aunque participó en la redacción de todos los volúmenes, Ariel no apareció como coautora hasta el séptimo de ellos.

Will y Ariel Durant.
AP/WIDE WORLD PHOTOS

**Durante, Jimmy** *orig.* **James Francis Durante** (10 feb. 1893, Nueva York, N.Y., EE.UU.–29 ene. 1980, Santa Mónica, Cal.). Comediante estadounidense. A los 16 años de edad, ya tocaba el piano en clubes nocturnos en el barrio Bowery de Nueva York. En la década de 1920, el grupo formado por Durante, Lou Clayton y Eddie Jackson se destacó en locales de vodevil y en clubes nocturnos, y se presentaron en Broadway en la obra *Show Girl* (1929) de FLORENZ ZIEGFELD. Durante debutó en el cine con *Roadhouse Nights* (1930) y en los siguientes 30 años animó muchas películas y musicales con su voz ronca, sus dichos inoportunos y su bufonería bonachona. Fue apodado "Schnozzola", por su gran nariz, y es recordado por finalizar sus incontables programas de radio y televisión con la frase: "Buenas noches, Sra. Calabash, dondequiera que esté".

**Duras, Marguerite** *orig.* **Marguerite Donnadieu** (4 abr. 1914, Gia Dinh, Cochinchina–3 mar. 1996, París, Francia). Novelista, dramaturga, directora de cine y guionista francesa. Indochina fue el escenario de la primera novela exitosa de Duras, *Un dique contra el Pacífico* (1950). Su escritura se volvió cada vez más minimalista y abstracta. A veces se la asocia al movimiento del *nouveau roman* ("nueva novela"). Tal vez su novela más conocida sea la obra semiautobiográfica *El amante* (1984, Premio Goncourt; adaptada al cine en 1992), que trata de los amoríos entre una adolescente francesa y un hombre chino mayor; después, Duras publicó una versión revisada de esta obra en *El amante de la China del norte* (1991). Su guión original para *Hiroshima mon amour* (1959) y su adaptación al cine de su obra de teatro *India Song* (1975) fueron muy elogiados.

**duraznero** ver MELOCOTONERO

**Durban** Ciudad (pob., 1996: área metrop., 2.117.650 hab.) y puerto principal de la República de Sudáfrica. Ubicada en Natal Bay (bahía de Natal) en el océano Índico, fue el lugar de una instalación comercial europea desde 1824 y fue bautizada como Port Natal por los mercaderes. El terreno donde fue construido el antiguo fuerte (hoy un museo) fue cedido por el rey zulú CHAKA. Durban se fundó en 1835 en el emplazamiento original de Port Natal. Durante la década de 1840, los

Centro internacional de convenciones, Durban, Sudáfrica.
ARCHIVO EDIT. SANTIAGO

bóers entraron en conflicto con los británicos por el control de Durban. Es uno de los puertos comerciales más importantes del mundo y es el centro de operaciones de la industria azucarera sudafricana, así como de diversos productos manufacturados. El turismo también es importante, debido a la proximidad de la ciudad a reservas naturales y de caza y a las playas.

**Durero, Alberto** *alemán* **Albrecht Dürer** (21 may. 1471, ciudad imperial libre de Nuremberg–6 abr. 1528, Nuremberg). Pintor y grabador alemán. Trabajó como dibujante en el taller de orfebrería de su padre. A los 15 años de edad fue aprendiz de un pintor e ilustrador en su Nuremberg natal. Abrió su propio taller c. 1494 y comenzó a realizar xilografías y grabados en cobre. Sus largos viajes lo llevaron dos veces a Italia; es posible observar la influencia italiana en grabados como *Las cuatro brujas* (c. 1497) y *Adán y Eva* (1504). Se hizo conocido por sus penetrantes retratos y autorretratos de medio cuerpo. En 1506, en Venecia, completó su gran retablo *La fiesta del rosario* para la capilla alemana en la iglesia de San Bartolomeo. Más adelante, importantes obras incluyen su famosa serie de grabados en cobre sobre la *Pasión* (1507–13), así como: *San Jerónimo en su estudio, Melancolía I*

Alberto Durero; "Autorretrato con abrigo bordeado de piel", óleo sobre panel de madera, 1500.
ALTE PINAKOTHEK, MUNICH; FOTOGRAFÍA, BLAUEL/ GNAMM—ARTOTHEK

y *El caballero, la muerte y el diablo* (1513–14). De vuelta en Nuremberg trabajó para el emperador MAXIMILIANO I (1512–19). En 1515 ya había logrado fama internacional. En 1518 se convirtió en un devoto seguidor de MARTÍN LUTERO. Su pintura más notable es *Los cuatro apóstoles*, de 1526. Fue el artista del RENACIMIENTO más importante de Europa septentrional y tuvo muchos discípulos e imitadores.

**dureza** Resistencia de un MINERAL al rayado, medida en relación con una escala patrón de diez minerales, conocida como la escala de MOHS. La dureza es una propiedad diagnóstica importante en la identificación de un mineral. Hay una relación general entre dureza y composición química (por vía de la estructura cristalina [ver CRISTAL]); así, la mayoría de los minerales hidratados, haluros, carbonatos, sulfatos y fosfatos son relativamente blandos, como también la mayoría de los sulfuros (con dos excepciones que son la marcasita y la pirita). La mayoría de los óxidos anhidros y silicatos son duros. Ver también ENDURECIMIENTO.

**Durga** En el hinduismo, una de las formas de la diosa DEVI o Sakti (ver SAKTI), y la esposa de SHIVA. Nació completamente adulta, creada de las llamas que salieron de las bocas de BRAHMA, VISNÚ, Shiva y otros dioses, cuya energía colectiva (sakti) encarnó. Ellos la crearon para dar muerte al demonio-búfalo Mahisasura, a quien ellos eran incapaces de vencer.

Durga, miniatura rajasthani de la escuela Mewār, mediados del s. XVII; colección privada.
PRAMOD CHANDRA

Generalmente se representa montando un león o tigre y con cada uno de sus múltiples brazos sosteniendo un arma. Ver también DURGA-PUJA.

**Durga-puja** Festival hindú celebrado anualmente en el nordeste de India en septiembre-octubre en honor de la diosa DURGA. Se fabrican imágenes de la diosa, las cuales son adoradas por nueve días y luego sumergidas en el agua. La celebración incluye coloridas procesiones y muchas fiestas públicas y privadas.

**Durham** Condado administrativo (pob., 2001: 493.470 hab.), geográfico e histórico del nordeste de Inglaterra. Adyacente a la costa del mar del Norte, comprende la ciudad de DURHAM. El norte del condado está dividido por los valles de los ríos Wear y Tees; las tierras bajas del Tees cubren todo el sur. Bajo la dominación romana esta región tuvo un puesto de avanzada militar del muro de ADRIANO. Más tarde Durham fue incorporado al reino sajón de NORTHUMBRIA. No tuvo relevancia económica hasta el s. XIX, cuando, con la explotación de las minas de carbón, actualmente agotadas, pasó a ser clave para el crecimiento industrial de Gran Bretaña. Ahora la región está dedicada a la industria liviana.

**Durham** ver SHORTHORN

**Durham** *sajón* **Dunholme** Ciudad (pob., 2001: distrito, 87.725 hab.) del condado histórico y administrativo de DURHAM, en el nordeste de Inglaterra. Se encuentra en una península en el río Wear. Este emplazamiento defensivo natural, fortificado por GUILLERMO I (el Conquistador) contra los escoceses, se transformó en sede de los príncipes-obispos de Durham. En la época medieval fue un lugar de peregrinación; los restos de san Cutberto se conservan en su catedral (iniciada en 1093). Los obispos de Durham ayudaron a que la ciudad se constituyera en un centro educacional. En la ciudad destaca el Museo de la Universidad de Durham que alberga la colección Gulbenkian de arte oriental y arqueología.

**Durham, John George Lambton, 1er conde de** (12 abr. 1792, Londres, Inglaterra–28 jul. 1840, Cowes, isla de Wight). Administrador colonial británico en Canadá. Perteneció a la Cámara de los Comunes de Gran Bretaña (1813–28) y se desempeñó en el gabinete del conde GREY (1830–33). En 1838 fue designado gobernador general y lord alto comisionado de Canadá. Nombró un consejo ejecutivo nuevo para tranquilizar a los rebeldes francocanadienses del Bajo Canadá (más tarde, Quebec). Criticado en Inglaterra por su actuación, renunció. Después escribió el Informe Durham, que abogaba por la unión del Bajo con el Alto Canadá y la expansión de la autonomía para conservar la lealtad canadiense hacia Gran Bretaña.

**durian** Árbol (*Durio zibethinus*) de la familia de las Bombáceas y sus frutos, cultivado en Indonesia, Filipinas, Malasia y el sur de Tailandia. Es un árbol parecido al olmo, de hojas oblongas, ahusadas, y flores verde amarillento. Su fruto ovoide tiene una cáscara dura, espinosa, y contiene cinco compartimientos ovalados, cada uno con una pulpa comestible, de color crema parecida al flan, en los cuales hay incrustadas de una a cinco semillas del tamaño de una castaña; estas son comestibles si se asan. Muchos animales se comen los frutos maduros. Aunque el durian tiene un suave sabor dulce, también tiene un olor punzante, fétido. Rara vez se exporta.

**Durkheim, Émile** (abr. 1858, Épinal, Francia–15 nov. 1917, París). Cientista social francés. Desarrolló una sólida metodología que combinaba la investigación empírica con la teoría sociológica; por lo general, se lo considera el fundador de la escuela francesa de SOCIOLOGÍA. Durkheim estuvo profundamente influenciado por el filósofo AUGUSTE COMTE, y sus reflexiones sociológicas, que nunca se alejaron mucho de la filosofía moral en que se había formado, se expresaron por primera vez en *La división del trabajo social* (1893) y *El suicidio* (1897). A su juicio, la tecnología y la mecanización ponían en peligro las estructuras éticas y sociales. La DIVISIÓN DEL TRABAJO producía ALIENACIÓN entre los trabajadores y la mayor prosperidad de fines del s. XIX generaba codicia y pasiones que amenazaban el equilibrio de la sociedad. Durkheim puso de relieve la ANOMIA, o desorganización de la sociedad, y estudió el SUICIDIO como una decisión de renunciar a la vida. Después del caso de ALFRED DREYFUS, comenzó a considerar que la educación y la religión eran los medios más poderosos para reformar la humanidad y configurar nuevas instituciones sociales. Su obra *Las formas elementales de la vida religiosa* (1915) es un estudio antropológico, centrado principalmente en el TOTEMISMO, sobre los orígenes y las funciones de la religión, la que, según Durkheim, expresaba la conciencia colectiva de una sociedad y generaba solidaridad social. Escribió también obras influyentes sobre el método sociológico. Fue docente en las universidades de Burdeos (1887–1902) y de PARÍS (1902–17). Ver también MARCEL MAUSS.

**Durrānī, Aḥmad Shah** ver AḤMAD SHA DURRĀNĪ

**Durrell, Lawrence (George)** (27 feb. 1912, Jullundur, India–7 nov. 1990, Sommières, Francia). Escritor británico. Pasó la mayor parte de su vida en países mediterráneos, a menudo en cargos diplomáticos. Su obra más conocida es la tetralogía *El cuarteto de Alejandría*, integrada por las novelas *Justine* (1957), *Balthazar* (1958), *Mountolive* (1958) y *Clea* (1960), que exploran las vidas eróticas de un grupo de personajes exóticos en Alejandría, Egipto. Su creación poética –que incluye *Cities, Plains and People* [Ciudades, planicies y personas] (1946)– y sus libros testimoniales acerca de ciertas localidades, como *La celda de Próspero* (1945), *Reflexiones sobre una venus marina: viaje a Rodas* (1953) y *Limones amargos* (1957), donde se describen tres islas griegas, suelen considerarse sus mejores obras.

**Dürrenmatt, Friedrich** (5 ene. 1921, Konolfingen, cerca de Berna, Suiza–14 dic. 1990, Neuchâtel). Dramaturgo suizo. Sus obras, influenciadas por BERTOLT BRECHT y el TEATRO DEL ABSUR-

DO, fueron decisivas en el renacimiento del teatro alemán de posguerra. En sus tres primeras obras, *Está escrito* (1947), *El matrimonio del Sr. Mississippi* (1952) y *Un ángel llega a Babilonia* (1953), emplea algunas licencias cómicas sobre hechos históricos para expresar parábolas sobre la vida moderna. Su obra *La visita de la vieja dama* (1956) y el moderno drama de moralidades, *Los físicos* (1962), le valieron el reconocimiento internacional. Después de 1970 escribió novelas policiales, radioteatros, ensayos y adaptaciones. Sus trabajos han sido traducidos a más de 50 idiomas.

**Duryea, Charles E(dgar) y J(ames) Frank** (15 dic. 1861, Canton, Ill., EE.UU.–28 sep. 1938, Filadelfia, Pa.). (8 oct. 1869, Washburn, Ill., EE.UU.–15 feb. 1967, Saybrook, Conn.). Inventores de automóviles estadounidenses. Charles trabajó al comienzo como mecánico de bicicletas. Después de ver un motor de gasolina en una feria estatal, diseñó un automóvil con dicho motor, y en 1893, él y su hermano Frank construyeron el primer automóvil estadounidense, que condujeron exitosamente por las calles de Springfield, Mass. En 1895, Frank, conduciendo un modelo mejorado, triunfó en la primera carrera automovilística estadounidense celebrada en Chicago. En 1896 la compañía que formaron fabricó los primeros automóviles producidos en EE.UU. en forma comercial; se vendieron trece autos antes de que la empresa quebrara, y que los hermanos se separaran. Luego, ambos abrieron nuevas fábricas de automóviles; posteriormente, Frank desarrolló la limusina Stevens-Duryea, que fue producida hasta comienzos de la década de 1920.

**Duse, Eleonora** (3 oct. 1858, cerca de Vigevano, Lombardía, Imperio austríaco–21 abr. 1924, Pittsburgh, Pa., EE.UU.). Actriz italiana. Nacida en el seno de una familia de actores, debutó en los escenarios a la edad de cuatro años. En 1878 comenzó a actuar con mucho éxito en varias obras francesas y después, en 1885, inició giras por Europa y EE.UU. con su propia compañía. En la década de 1890 se enamoró del poeta GABRIELE

Eleonora Duse.
GENTILEZA DE LA BIBLIOTECA DEL CONGRESO, WASHINGTON, D.C.

D'ANNUNZIO y actuó en varias obras que él escribió para ella. A diferencia de su contemporánea SARAH BERNHARDT, no proyectó su propia personalidad sino más bien se internó en sus personajes. Fue la actriz más natural y expresiva de su tiempo y se destacó por sus papeles en las obras de HENRIK IBSEN. Se retiró en 1909, pero volvió a las tablas en 1921. Falleció durante una gira por EE.UU.

**Dushanbe** *ant. (hasta 1929)* **Dyushambe** *(1929–61)* **Stalinabad** Ciudad capital de Tayikistán (pob., est. 1998: 513.000 hab.). Ubicada a orillas del río Varsob, en el sudoeste del país, fue emplazada durante el período soviético en el lugar en que habían existido tres poblados, el mayor de los cuales, Dyushambe, formaba parte del kanato de Bujará; la antigua ciudad sufrió severos daños cuando la capturaron los soviéticos en

Taller de bordado en Dushanbe, Tayikistán.
THE J. ALLAN CASH

1920. En 1924 pasó a ser la capital de la nueva República Socialista Soviética de Tayik, lo que estimuló su rápido crecimiento industrial y demográfico. Es un empalme importante en materia de transporte, y concentra gran parte de la producción industrial del país.

**Dussek, Jan Ladislav** (12 feb. 1760 Čáslav, Bohemia–20 mar. 1812, St. Germain-en-Laye, Francia). Compositor y pianista bohemio (checo). Como pianista realizó giras muy exitosas por Europa y estudió con CARL PHILIPP EMANUEL BACH. Se sumó a la firma editora de música de su suegro en Londres (1792–99), pero huyó de Inglaterra para librarse de sus acreedores. Sirvió a dos mecenas principescos y pasó sus últimos años en la residencia de CHARLES-MAURICE DE TALLEYRAND. Figura de transición entre el clasicismo y el romanticismo, escribió unas 60 sonatas para violín, 15 conciertos para piano y 30 sonatas para piano admirables, que pueden haber influido en LUDWIG VAN BEETHOVEN.

**Düsseldorf** Ciudad (pob., est. 2002: ciudad, 570.765 hab.; área metrop., 1.315.736 hab.), capital del estado de Renania del Norte–Westfalia, en Alemania occidental. Ubicada a orillas del río RIN, es el centro cultural y administrativo de la zona industrial Rin-Ruhr. Obtuvo la carta de privilegio de ciudad en 1288 por el conde de Berg, Düsseldorf pasó a manos del linaje del Palatinado-Neuberg en 1609. A pesar de haber sufrido daños considerables en la guerra de los TREINTA AÑOS y en la guerra de sucesión ESPAÑOLA, más tarde resurgió. Fue traspasada a Prusia en 1815 y se desarrolló rápidamente gracias al establecimiento de las industrias de hierro y acero en la década de 1870. Aunque resultó seriamente dañada durante la segunda guerra mundial, sus antiguos edificios fueron restaurados y se contruyeron otros nuevos. En Düsseldorf se ubica el primer rascacielos alemán, Wilhelm-Marx-Haus (1924). Esta ciudad es el lugar de nacimiento de HEINRICH HEINE.

"El gran canal y el palacio del dux" (1725) obra de Canaletto que retrata el edificio de estos magistrados en Venecia.
FOTOBANCO

**Dust Bowl** Zona de las GRANDES LLANURAS de EE.UU. que se extendía por la parte sudeste de Colorado, el sudoeste de Kansas, la faja estrecha de territorio entre Texas y Oklahoma y el nordeste de Nuevo México. El término surgió después de la primera guerra mundial, cuando los pastizales de la zona se convirtieron en campos agrícolas. De clima seco por naturaleza, el cultivo intensivo acentuó el efecto de una grave sequía, a comienzos de la década de 1930, cuando los fuertes vientos levantaban la capa superior del suelo formando "ventiscas negras" que oscurecían el sol y amontonaban la tierra. Numerosos granjeros y rancheros huyeron de Dust Bowl rumbo a California y a otros lugares. Con la plantación de cortavientos y praderas, la zona pudo recuperarse a comienzos de la década de 1940.

**Duvalier, François** *llamado* **Papa Doc** (14 abril 1907, Puerto Príncipe, Haití–21 abril 1971, Puerto Príncipe). Presidente de Haití (1957–71). Después de titularse de médico en 1934, fue designado director general del Servicio nacional de salud pública en 1946, bajo la presidencia de Dumarsais Estimé, quien fue derrocado por Paul Magloire. Poco después de la renuncia de este (1956), lideró la oposición y asumió la presidencia. Redujo el tamaño del ejército y organizó a los *Tontons Macoutes* ("espantajos"), un cuerpo policial privado que aterrorizó y asesinó a los presuntos enemigos del régimen. Para intimidar a la oposición, recurrió a la práctica del VUDÚ.

Promoviendo el culto de su persona como encarnación semi-divina de la nación, en 1964 se declaró a sí mismo presidente vitalicio. La corrupción y el despotismo de su régimen aislaron a Haití, el país más pobre del hemisferio, del resto del mundo. A su muerte, le sucedió en el cargo su hijo de 19 años, Jean-Claude Duvalier ("Baby Doc"; n. 1951), quien fue un gobernante débil dominado por su madre y posteriormente por su esposa; instituyó ligeras reformas, pero el creciente malestar social lo obligó a exiliarse en Francia en 1986.

**dux** *o* **dogo** Principal magistrado de la República de VENECIA durante los s. VIII–XVIII. El cargo se creó cuando la ciudad estaba nominalmente sometida al Imperio bizantino y se hizo permanente en el s. VIII. El dux (latín: "caudillo") era escogido entre las familias gobernantes de Venecia y mantenía el cargo en forma vitalicia. Gozaba de amplios poderes, como lo demuestra el gobierno de ENRICO DANDOLO (r. 1192–1205), aunque a partir del s. XII la aristocracia puso límites a la autoridad del dux. Durante el mandato de Francesco Foscari (r. 1423–57), Venecia emprendió sus primeras conquistas en tierra firme italiana. El último dux fue depuesto cuando NAPOLEÓN I conquistó el norte de Italia en 1797.

**Dvaravati** Antiguo reino del Sudeste asiático (c. siglo VI–XIII). Primer reino MON, establecido en lo que actualmente es Tailandia, que tuvo tempranamente contactos comerciales y culturales con India, lo cual influyó en la escultura, la escritura, la legislación y las formas de gobierno mon. Conquistados sucesivamente por birmanos, jmer y thai (tai), los mon de Dvaravati transmitieron la cultura india a sus conquistadores.

**DVD** *sigla de* **digital video disc** (disco de vídeo digital, también, disco versátil digital). Tipo de disco óptico. El DVD representa la segunda generación de tecnología del CD. Al igual que un lector de CD, un lector de DVD utiliza un LÁSER de bajo poder para leer datos digitalizados (binarios) que han sido grabados en el disco en la forma de pequeñísimas muescas. Debido a que usa un formato digital, un DVD puede almacenar cualquier tipo de datos, entre ellos películas, música, texto e imágenes gráficas. Los DVD están disponibles en versiones de un solo lado y de doble lado, con uno o dos niveles de información por lado. Los DVD de un solo lado han llegado a ser el medio estándar para grabación de películas, reemplazando en gran parte a la cinta de vídeo en el mercado doméstico. La versión de dos niveles y doble lado puede almacenar unas 30 veces la información que almacena un CD estándar. Los DVD se hacen en formato ROM (memoria de sólo lectura) o en formatos borrables (DVD-E) y grabables (DVD-R). Aunque los lectores de DVD por lo general pueden leer CD, los lectores de CD no pueden leer los DVD. Se espera que estos últimos reemplacen finalmente a los CD, en especial en ESTACIONES DE TRABAJO para MULTIMEDIA.

**Dvina occidental, río** *ruso* **Západnaia Dviná** *letón* **Daugava** Río en el centro-norte de Europa. Nace en los montes Valdai de Rusia y fluye por 1.020 km (632 mi), describiendo un gran arco, primero hacia el sur a través de Rusia y Belarús y luego hacia el noroeste a través de Letonia. Desemboca en el golfo de RIGA, en el mar BÁLTICO. Desde la antigüedad ha sido una importante vía fluvial, cuyo curso superior se comunica a través de fácil transporte por tierra con los ríos DNIÉPER,

VOLGA y NEVÁ. Formó parte de la gran ruta comercial que unía la región del Báltico con Bizancio y el Oriente árabe. La presencia de rápidos y embalses ha restringido su navegabilidad.

**Dvina septentrional, río** *ruso* **Siévernáia Dviná** Río del norte de Rusia. Formado por la confluencia de los ríos Sujona y Yug, es una de las vías fluviales más extensas e importantes de la región noreuropea de Rusia. Fluye hacia el noroeste por 744 km (462 mi) hasta desembocar en la ensenada del Dvina del mar BLANCO, al sur de la ciudad de ARJÁNGUELSK. La mayor parte de su curso es navegable y era utilizado por los antiguos colonos y cazadores de pieles; se construyeron monasterios y poblados en las confluencias principales. Conserva su importancia económica y se comunica con la vía fluvial VOLGA-BÁLTICO a través del río Sujona.

**Dvořák, Antonín (Leopold)** (8 sep. 1841, Nelahozeves, Bohemia, Imperio austríaco–1 may. 1904, Praga). Compositor bohemio (checo). Hijo de un tabernero y carnicero rural, en 1857 se le permitió asistir a una escuela de órgano en Praga. Tocó la viola en una orquesta de teatro, con frecuencia bajo la dirección del compositor nacionalista checo BEDŘICH SMETANA, y finalmente encontró un empleo que le dejó tiempo para componer. JOHANNES BRAHMS colaboró en la publicación de las obras de Dvořák y en 1880 su fama se había difundido por toda Europa. Mientras se desempeñaba como director del nuevo conservatorio nacional de música en Nueva York (1892–95), compuso la sinfonía *Del nuevo mundo* (1893), su obra más conocida, que se presume basada en *spirituals* negros y otras influencias estadounidenses. Su música a menudo recurre a melodías folclóricas y es vista como una expresión del nacionalismo checo. Muy prolífico, es conocido principalmente por sus composiciones orquestales y de cámara. Sus obras incluyen nueve sinfonías, conciertos para piano, violín y violonchelo, dos serenatas, varios poemas sinfónicos, 14 cuartetos de cuerda, dos cuartetos para piano y dos quintetos para piano. Entre sus numerosas obras pianísticas destacan las *Danzas eslavas* para cuatro manos (1878, 1886). Su música sacra incluye un *Stabat Mater* (1877), un *Réquiem* (1890) y un *Te Deum* (1892). De sus 13 óperas, solamente *Rusalka* (1900) sigue en cartelera.

**Dyck, Anthony van** ver Sir Anthony VAN DYCK

**Dylan, Bob** *orig.* **Robert Allen Zimmerman** (n. 14 may. 1941, Duluth, Minn., EE.UU.). Cantautor estadounidense. Creció en la villa minera de Hibbing, Minn., adoptó el nombre del poeta DYLAN THOMAS y viajó a Nueva York en búsqueda de su ídolo WOODY GUTHRIE. A principios de la década de 1960 actuó profesionalmente en los cafés de Greenwich Village y publicó álbumes que lo convirtieron en el favorito de los críticos y devotos de la música folclórica. "Blowin' in the Wind" y "The Times They Are a-Changin" se convirtieron en los himnos del movimiento de los derechos civiles. En 1965, en un viraje artístico radical, adoptó instrumentos amplificados eléctricamente y los ritmos del rock and roll. Los álbumes hitos *Highway 61 Revisited* (1965) y *Blonde on Blonde* (1966) lo establecieron como una figura dominante de la música rock, y sus letras, influidas en parte por el movimiento BEAT, introdujeron complejidad poética en la música pop. Después de un accidente en motocicleta en 1966, experimentó otro giro musical completo y lanzó varios álbumes (destacando *Nashville Skyline*, 1969) caracterizados por elementos de la música country y un tono en sordina y reflexivo. Entre los más elogiados de sus muchos álbumes posteriores están *Blood on the Tracks* (1975), *Time Out of Mind* (1997) y *Love and Theft* (2001). Es quizás el escritor de canciones estadounidense más admirado e influyente de su tiempo.

**Dyushambe** ver DUSHANBE

**Dzerzhinski, Félix (Edmúndovich)** (11 sep. 1877, Dzerzhinovo, cerca de Minsk, Imperio ruso–20 jul. 1926, Moscú, Rusia, U.R.S.S.). Líder bolchevique ruso, jefe de la primera policía secreta soviética. Hijo de un noble polaco, desde 1897 fue arrestado en repetidas ocasiones, acusado de actividades revolucionarias. Después de la Revolución rusa de 1917, encabezó la recién creada Cheka, que se convirtió en la policía de seguridad de la Rusia soviética. Organizó los primeros campos de concentración en Rusia y se ganó la reputación de comunista fanático y despiadado. En 1924 fue puesto a cargo del Consejo económico supremo.

**E. coli** *p. ext.* **Escherichia coli** Especie de bacteria que vive en el estómago y los intestinos. La *E. coli* puede ser transmitida por el agua, la leche, los alimentos o las moscas y otros insectos. Las mutaciones pueden producir cepas que causan diarrea al liberar toxinas, las que invaden la mucosa intestinal o se adhieren a la pared intestinal. El tratamiento consiste principalmente en la reposición de líquidos, aunque en algunos casos son efectivos los medicamentos específicos. La enfermedad es, por lo general, autolimitada, sin evidencia de efectos duraderos. Sin embargo, hay una cepa peligrosa que causa diarrea sanguinolenta, insuficiencia renal y, en casos extremos, la muerte. La cocción adecuada de carnes, el lavado de alimentos, y la pasteurización de sidras previenen las infecciones de fuentes alimentarias contaminadas.

**Eagle** ver F-15

**Eakins, Thomas** (25 jul. 1844, Filadelfia, Pa., EE.UU.–25 jun. 1916, Filadelfia). Pintor estadounidense. Después de un temprano aprendizaje en la École des Beaux-Arts de París (1866–70), pasó la mayor parte de la vida en su Filadelfia natal. Reforzó sus estudios del modelo vivo en la Academia de Bellas Artes de Pensilvania con los de anatomía en una escuela de medicina. La obra *La clínica Gross* (1875), que representaba una operación quirúrgica, fue demasiado realista para sus contemporáneos, y, sin embargo, hoy se la considera su obra maestra. En 1876 comenzó a enseñar en la Academia de Pensilvania, pero fue obligado a renunciar en 1886 por haber trabajado con modelos desnudos en clases mixtas. Además de numerosos retratos, pintó escenas de paseos en bote y otros exteriores que reflejaban su fascinación por el cuerpo humano en movimiento. Su interés por la locomoción lo llevó a realizar tomas fotográficas (secuenciadas) de EADWEARD MUYBRIDGE, y a fotografiar tanto esculturas como pinturas. Es quizás uno de los pintores estadounidenses más sobresalientes del s. XIX. Su obra inspiró la corriente realista de la pintura estadounidense de principios del s. XX.

**Eales, John** (n. 27 jun. 1970, Brisbane, Australia). Rugbista australiano. Entre 1990 y 2001, Eales, que mide 2,01 m (6 pies 7 pulg.), exhibió una capacidad excepcional en todas las facetas del rugby mientras jugaba como segunda línea del Queensland y de la selección australiana. Con la selección (apodada Wallabies) ganó dos veces la Copa Mundial (1991 y 1999) y dos veces la Copa de las Tres Naciones (2000 y 2001). Fue capitán de los Wallabies de 1996 a 2001. En 1999 se le confirió la Orden de Australia (AM), por sus servicios a la comunidad y al rugby.

**Eames, Charles y Ray** (17 jun. 1907, St. Louis, Mo., EE.UU.–21 ago. 1978, St. Louis). (15 dic. 1912, Sacramento, Cal.–21 ago. 1988, Los Ángeles, Cal.). Diseñadores estadounidenses. Charles se formó como arquitecto, en tanto que Ray (n. Ray Kaiser) estudió pintura con HANS HOFMANN. Después de casarse en 1941, se mudaron a California donde diseñaron escenografías para películas e investigaron los usos de la madera terciada para mobiliario. En 1946 exhibieron sus muebles en el Museo de Arte Moderno de la ciudad de Nueva York (MOMA), lo que les permitió establecer contacto con la compañía de muebles de Herman Miller, para producir a gran escala sus sillas moldeadas en madera

Silla moldeada en madera terciada con relleno de caucho, diseñada por Charles y Ray Eames, 1946.
GENTILEZA DE HERMAN MILLER FURNITURE CO., ZEELAND, MICHIGAN, EE.UU.

terciada. El mobiliario de los Eames pronto se dio a conocer por su belleza, comodidad y elegancia. Después de 1955 realizaron películas educativas, entre las que destacó *Powers of Ten* (1969). Trabajaron como consultores de diseño para grandes corporaciones estadounidenses, entre ellas, la IBM.

**Earhart, Amelia (Mary)** (24 jul. 1897, Atchinson, Kan., EE.UU.–desaparecida 2 jul. 1937, cerca de isla Howland, océano Pacífico). Aviadora estadounidense, y primera mujer en volar sola a través del Atlántico. Earhart trabajó como enfermera del ejército en Canadá durante la primera guerra mundial, y más tarde como asistente social en Boston. Fue la primera mujer en cruzar el Atlántico, aunque como pasajera en 1928. En 1932 realizó el vuelo sola, siendo la primera mujer, y la segunda aviadora, en lograrlo. En 1935 se convirtió en la primera piloto en volar sola de Hawai a California. En 1937 partió con un navegante, Fred Noonan, en un vuelo alrededor del mundo; habían completado dos tercios de la distancia cuando su avión desapareció en el océano Pacífico central, sin dejar vestigio alguno. Las especulaciones sobre su destino han continuado hasta el presente.

Amelia Earhart.
CULVER PICTURES

**Early, Jubal A(nderson)** (3 nov. 1816, cond. de Franklin, Va., EE.UU.– 2 mar. 1894, Lynchburg, Va.). Jefe militar estadounidense de la Confederación. Egresó de West Point y prestó servicios en la segunda de las guerras SEMINOLAS y en la guerra MEXICANO-ESTADOUNIDENSE. Se opuso a la secesión, pero apoyó a Virginia, su estado natal, cuando este se unió a la Confederación. Combatió en las batallas de BULL RUN y en Virginia. En 1864 condujo fuerzas confederadas por el valle SHENANDOAH y amenazó a Washington, D.C., pero fue derrotado por las tropas de la Unión comandadas por PHILIP SHERIDAN. Privado del mando, huyó a México y luego a Canadá; en 1869 regresó a Virginia.

**Earnhardt, (Ralph) Dale** (29 abr. 1951, Kannapolis, N.C., EE.UU.–18 feb. 2001, Daytona, Fla.). Piloto de automovilismo estadounidense. En 1979 ganó el premio al debutante del año del campeonato Winston Cup de la serie National Association for Stock Car Auto Racing (NASCAR). A lo largo de su trayectoria, ganó siete campeonatos de esta competencia (1980, 1986–87, 1990–91 y 1993–94), igualando la marca de RICHARD PETTY. Famoso por su estilo de conducción, recibió el apodo de "El intimidador". Murió a causa de las lesiones sufridas en un choque cuando corría la última vuelta de la versión 2001 de las 500 millas de Daytona.

**Earp, Wyatt (Berry Stapp)** (19 mar. 1848, Monmouth, Ill., EE.UU.–13 ene. 1929, Los Ángeles, Cal.). Colonizador estadounidense. En la década de 1870 fue policía en Wichita y en Dodge City, Kan., donde trabó amistad con los pistoleros Doc Holliday y Bat Masterson. Más adelante trabajó como guardia en WELLS, FARGO & COMPANY. En 1881 se había trasladado a Tombstone, Ariz., y se ganaba la vida como jugador y guardia de una cantina. Su hermano Virgil fue jefe de policía municipal y los demás hermanos (James, Morgan y Warren) compraron propiedades y negocios. Una contienda con la pandilla Clanton culminó en un duelo a tiros en el O.K. Corral, donde murieron tres miembros de la pandilla. En 1882 su hermano Morgan fue asesinado y, en represalia, Wyatt, Warren y algunos amigos ultimaron a dos hombres a quienes atribuyeron el crimen. Acusado de asesinato, huyó a Colorado y luego se instaló en California. La obra de Stuart Lake, *Wyatt Earp, Frontier Marshal* [Wyatt Earp, alguacil de la frontera] (1931), escrita con su colaboración, lo retrata como un intrépido agente de la ley.

**Earvin Johnson, Jr.** ver Magic JOHNSON

**East, Edward Murray** (4 oct. 1879, Du Quoin, Ill., EE.UU.–9 nov. 1938, Boston, Mass.). Fitogenetista, agrónomo y químico estadounidense. Terminó la escuela secundaria a la edad de 15 años y obtuvo su M.S. en 1904. Se interesó sobre todo en la determinación y el control del contenido de proteínas y grasas del maíz, que influyen significativamente en su valor como alimento para animales. Sus investigaciones y las de GEORGE HARRISON SHULL condujeron al desarrollo del maíz híbrido actual. La producción comercial de semillas de maíz híbrido fue factible gracias al trabajo de su alumno Donald F. Jones (n. 1890–m. 1963). La labor de East contribuyó a posibilitar la realización de estudios en genética de poblaciones.

**East River** Estrecho que une la parte superior de la bahía de Nueva York con el estrecho de LONG ISLAND en NUEVA YORK, EE.UU. Separa a MANHATTAN y el BRONX de BROOKLYN y QUEENS. Tiene cerca de 26 km (16 mi) de largo y 200–1.200 m (600–4.000 pies) de ancho y es navegable según el flujo de marea. Conecta con el río HUDSON a través del río Harlem y el riachuelo de Spuyten Duyvil en el extremo norte de la isla de Manhattan. En el East River se encuentran las islas ROOSEVELT (anteriomente Welfare), Wards, Randalls y Rikers. Cuenta con varias instalaciones portuarias.

**East Sussex** Condado administrativo y geográfico (pob., 2001: 492.324 hab.) del sudeste de Inglaterra. Situado en el canal de la MANCHA, su centro administrativo está en LEWES. Un cordón de colinas de caliza conocido como las South Downs, surca la costa del condado; en el sudeste las zonas pantanosas recuperadas de Pevensey Levels han sido históricamente un importante lugar de acceso para los invasores. En East Sussex se han encontrado vestigios neolíticos, una fortificación de la EDAD DEL HIERRO sobre una colina y restos de la ocupación romana. Los sajones del sur dominaron la zona y, a su vez, fueron subyugados por el reino de WESSEX. En 1066, Guillermo de Normandía (ver GUILLERMO I) desembarcó en Pevensey y libró la batalla de HASTINGS. A lo largo de la costa, Hove, BRIGHTON, Peacehaven, Seaford, Eastbourne, Bexhill y Hastings forman una extensísima hilera de balnearios.

**East York** Municipio (pob., 2001: 115.185 hab.) en el sudeste de Ontario en Canadá. Con las ciudades de North York, TORONTO, Scarborough, YORK y ETOBICOKE forma el municipio de Toronto metropolitano. Complejo urbano residencial e industrial planificado, que fue establecido en 1967 mediante la unión del antiguo municipio de East York (creado en 1924) y la antigua ciudad de Leaside (fundada en 1819).

**Eastman, George** (12 jul. 1854, Waterville, N.Y., EE.UU.–14 mar. 1932, Rochester, N.Y.). Inventor y fabricante estadounidense. Perfeccionó en 1880 un proceso para fabricar placas secas para fotografía. En 1889 introdujo la película transparente y en 1892 reorganizó su compañía en Rochester como EASTMAN KODAK CO. La introducción de la primera cámara Kodak (una palabra acuñada que llegó a ser una marca registrada) ayudó a popularizar la FOTOGRAFÍA. Hacia 1927, Eastman Kodak era virtualmente un monopolio en la industria

George Eastman, fundador de la Eastman Kodak Co., 1926.
GENTILEZA DE LA BIBLIOTECA DEL CONGRESO, WASHINGTON, D.C.

fotográfica estadounidense y sigue siendo una de las mayores compañías de EE.UU. en este campo. La escuela de música de la Universidad de Rochester lleva su nombre (Eastman School of Music) en reconocimiento a sus generosas donaciones a la universidad.

**Eastman Kodak Co.** Gran empresa estadounidense fabricante de películas, cámaras, suministros fotográficos y otros productos de formación de imágenes. La sociedad se constituyó en 1901 como sucesora de una empresa fundada en 1880 por GEORGE EASTMAN, entre cuyas innovaciones están el perfeccionamiento de un proceso para la fabricación de placas secas, los rollos de películas (1884) y la cámara Kodak (1888), la primera cámara fácil de operar y transportar, lo que atrajo a un gran número de fotógrafos aficionados. Otras innovaciones posteriores de la empresa fueron el primer equipo para películas caseras, las películas para diapositivas en color fáciles de usar (Kodachrome), las cámaras de cartucho "Instamatic" y las cámaras hiperautomáticas "Disc". Sus oficinas centrales se encuentran en Rochester, N.Y. Ver también POLAROID CORP.

**Eastwood, Clint(on)** (n. 31 may. 1930, San Francisco, Cal., EE.UU.). Actor y director de cine estadounidense. Concitó la atención en la serie de televisión *Rawhide* (1959–66), y sus actuaciones en tres "spaghetti westerns" de SERGIO LEONE (1964–66) lo convirtieron en una estrella internacional. Regresó a EE.UU. para actuar en la exitosa *Harry, el sucio* (1971), que fue la primera de una serie de películas de acción en las que interpretaba héroes parcos y peligrosos. Dirigió y actuó en filmes como *Escalofrío en la noche* (1971), *El jinete pálido* (1985), *Los imperdonables* (1992, premio de la Academia), *Un mundo perfecto* (1993), *Los puentes de Madison* (1995) y *Million Dollar Baby* (2005, doble premio de la Academia por mejor película y director). Su afición al jazz lo llevó a dirigir y producir *Bird* (1988), largometraje que trata la vida de CHARLIE PARKER. Su estilo minimalista de actuación y dirección le ha otorgado el reconocimiento de la crítica, junto con un prolongado y sostenido éxito de taquilla.

**Eaton, Cyrus S(tephen)** (27 dic. 1883, Pugwash, Nueva Escocia, Canadá–9 may. 1979, cerca de Cleveland, Ohio, EE.UU.). Industrial y filántropo estadounidense-canadiense. Se inició en los negocios en 1907 y construyó varias centrales eléctricas en Canadá occidental; pronto invirtió en otras empresas de servicios públicos, bancos y siderúrgicas en EE.UU. En 1930 fusionó varias industrias para formar Republic Steel, la tercera siderúrgica estadounidense en orden de tamaño. Perdió la mayor parte de su fortuna en la GRAN DEPRESIÓN, pero al poco tiempo amasó otra. Partidario del desarme nuclear y de mejorar las relaciones entre la U.R.S.S. y EE.UU., ayudó a inaugurar las juntas PUGWASH en 1957.

**ébano** Madera de varias especies de árboles del género *Diospyros* (familia Ebenaceae), que se encuentran muy difundidas en las zonas tropicales. La mejor madera es muy pesada, casi negra, y proviene únicamente del DURAMEN. Por su color, durabilidad, dureza y capacidad de tolerar un alto grado de pulimento, se usa en ebanistería y taracea, teclas de piano, mangos de cuchillos y artículos torneados. El mejor ébano de India y Ceilán lo produce *D. ebenum*, que crece en abundancia al oeste de Trincomalee en Sri Lanka. El ébano de Jamaica, ébano americano o ébano verde provienen de *Brya ebenus*, un árbol o arbusto leguminoso.

**Ebb, Fred** ver John KANDER

**Ebbinghaus, Hermann** (24 ene. 1850, Barmen, Prusia Renania–26 feb. 1909, Halle, Alemania). Psicólogo alemán. Fue pionero en los métodos experimentales para medir la memoria y el aprendizaje mecánico, y demostró que la memoria se basa en asociaciones. Su bien conocida "curva del olvido" relaciona el olvido con el paso del tiempo. Sus obras principales son *Sobre la memoria* (1885) y *Principios de la psicología* (1902).

**Ebert, Friedrich** (4 feb. 1871, Heidelberg, Alemania–28 feb. 1925, Berlín). Político alemán. Oficial talabartero y sindicalista, se convirtió en presidente del PARTIDO SOCIALDEMÓCRATA DE ALEMANIA (SPD) en 1913. Bajo su liderazgo, el movimiento socialdemócrata adquirió una creciente influencia en la política nacional alemana. Tras estallar la revolución en 1918, formó un gobierno de coalición socialista. Contribuyó a establecer la constitución de Weimar y en 1919 fue elegido como el primer presidente de la República de WEIMAR. Al encarar las amenazas al nuevo gobierno, con el apoyo de los FREIKORPS, enfrentó en una guerra civil a socialistas y comunistas; también logró sofocar el putsch de KAPP. Su autoridad se vio debilitada en 1923 debido a la crisis derivada de la ocupación del RUHR, la decisión de su partido de retirarse de la coalición de gobierno y el frustrado putsch de la CERVECERÍA DE MUNICH de ADOLF HITLER. Murió en el cargo.

**Ebla** *actualmente* **Tell Mardij** Antigua ciudad del noroeste de Siria. Está ubicada al sur de ALEPO, y durante el apogeo de su poderío (c. 2600–2240 AC) dominaba lo que hoy es el norte de Siria, Líbano y partes del norte de MESOPOTAMIA, y comerciaba con estados ubicados en regiones tan distantes como Egipto, la meseta iraní y Sumer. Los registros de la ciudad, que datan del tercer milenio AC, fueron descubiertos virtualmente intactos durante excavaciones llevadas a cabo en 1975; estos ofrecen una rica fuente de información acerca de la forma de vida de la antigua región.

**Eblana** ver DUBLÍN

**Ébola, virus** Virus responsable de una FIEBRE HEMORRÁGICA grave y a menudo fatal. Se han registrado brotes en primates y en seres humanos. Los síntomas iniciales son fiebre, intensos dolores de cabeza y de los músculos e inapetencia; en pocos días aparecen coágulos de sangre y sangramientos profusos incontrolables, seguidos de náuseas, vómitos y diarrea. La muerte sobreviene en 8–17 días; la letalidad fluctúa entre 50% y 90%. No hay tratamiento conocido. Toma el nombre del río Ébola en el norte de la República Democrática del Congo, donde brotó por primera vez en 1976. El virus se presenta como largos filamentos, a veces ramificados o entretejidos. Las partículas virales contienen una molécula de ARN. Se desconoce cómo ataca a las células. Puede ser transmitido por contacto con líquidos corporales; las malas condiciones sanitarias y la falta de suministros médicos adecuados han sido factores en su diseminación.

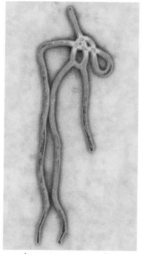

Virus Ébola, descubierto en África (1976), causante de la fiebre hemorrágica.
SCIENCE VU/CDC/VISUALS UNLIMITED/GETTY IMAGES

**Ebro, río** *antig.* **Iberus** Río del nordeste de España. Nace en la cordillera CANTÁBRICA y fluye 910 km (565 mi) en un curso sudoriental hacia el mar Mediterráneo, entre BARCELONA y VALENCIA. En cuanto a longitud, es el río más largo de España y el segundo de la península Ibérica. Es el mayor colector y posee la cuenca de drenaje más grande entre los ríos de España. Sólo es navegable en una porción que se extiende 25 km (15 mi) río arriba desde su delta.

**EBV** ver virus EPSTEIN-BARR

**Eça de Queiroz, José Maria de** (25 nov. 1845, Póvoa do Varzim, Portugal–16 ago. 1900, París, Francia). Novelista portugués. Hijo ilegítimo de un magistrado, comenzó la carrera de abogado, pero finalmente se dedicó a la literatura; más tarde ejerció diversos cargos diplomáticos. Se lo asocia a la generación del 70, grupo de intelectuales comprometidos con la reforma social y artística. Sus novelas, con las que introdujo el realismo y el naturalismo en la narrativa portuguesa, comprenden *El crimen del padre Amaro* (1876), *El primo Basilio* (1878) y su obra maestra *Los Maia* (1888), sátira que explora las secuelas de la decadencia de la sociedad portuguesa. A menudo se lo considera el más importante novelista de su país.

**Ecevit, Bülent** (n. 28 may. 1925, Constantinopla, Turquía). Poeta, periodista y político turco. Redactor del periódico del Partido Popular Republicano (PPR), fue elegido como miembro del PPR para ocupar un escaño en el parlamento turco en 1957. Siendo ministro del trabajo (1961–65), hizo de la huelga una forma legal de presión laboral por primera vez en la historia de Turquía. Asumió la presidencia de su partido en 1972 y fue primer ministro en la década de 1970. Como jefe de Gobierno, declaró una amnistía para todos los presos políticos. En 1974 autorizó la intervención militar de Turquía en Chipre después de que la guardia nacional, partidaria de la unión con Grecia, diera un golpe de Estado en esa isla. Fue nuevamente designado primer ministro en 1999.

**Echegaray (y Eizaguirre), José** (19 abr. 1832, Madrid, España–4 sep. 1916, Madrid). Dramaturgo español. Tras ser profesor de matemática en su juventud, tuvo diversos cargos en el gobierno, como el de ministro de economía, y ayudó a desarrollar el Banco de España. Su primera obra de teatro, *El libro talonario*, no se montó hasta que él cumplió 42 años; desde entonces escribió un promedio de dos obras de teatro al año durante el resto de su vida. Estos melodramas, olvidados ahora, fueron muy populares en su momento. Se admiraba a Echegaray por su fértil imaginación y sus hábiles efectos escénicos. En 1904 ganó el Premio Nobel de Literatura, junto con FRÉDÉRIC MISTRAL.

**Echinacea** Género al que pertenece la planta del mismo nombre (ver EQUINÁCEA). Esta especie, comúnmente llamada equinácea púrpura, se usa como una planta de arriate. Las hojas y raíces se utilizan en remedios herbales para reforzar el sistema inmune y en el tratamiento de resfríos e influenza.

**Eck, Johann** *orig.* **Johann Maier** (13 nov. 1486, Egg, Suabia–10 feb. 1543, Ingolstadt, Baviera). Teólogo católico alemán. Fue ordenado en 1508, se doctoró en teología en 1510 e inició una carrera vitalicia en la Universidad de Ingolstadt. Aunque inicialmente simpatizó con MARTÍN LUTERO, atacó sus NOVENTA Y CINCO TESIS por heréticas. En 1519 debatió con él y con Andreas Karlstadt (n. circa 1480–m. 1541), y LEÓN X le encargó que publicara e hiciera cumplir la bula papal que condenaba las Tesis. Su tratado, *Enchiridion contra los luteranos* (1525), resumió las creencias católicas impugnadas, las objeciones de los protestantes a ellas y las respuestas católicas a las objeciones; fue su obra más popular y el manual católico polémico más conocido del s. XVI.

**Eckert, J(ohn) Presper, Jr.** (9 abr. 1919, Filadelfia, Pa., EE.UU.–3 jun. 1995, Bryn Mawr, Pa.). Ingeniero estadounidense. Estudió en la Universidad de Pensilvania. En 1946, junto con JOHN W. MAUCHLY construyó una computadora digital, la ENIAC, la cual contenía una forma primitiva de los sistemas de circuitos utilizados actualmente en las computadoras de alta velocidad. En 1949 introdujo la BINAC (del inglés, Binary Automatic Computer). Su tercer modelo, la UNIVAC I (del inglés, Universal Automatic Computer), encontró muchos usos comerciales. Eckert obtuvo 85 patentes y en 1969 fue premiado con la Medalla nacional de ciencias.

**Eckert, Wallace J(ohn)** (19 jun. 1902, Pittsburgh, Pa., EE.UU.–24 ago. 1971, Englewood, N.J.). Astrónomo estadounidense. Obtuvo un Ph.D. en la Universidad de Yale. Fue uno de los primeros en aplicar equipos IBM de tarjetas perforadas para el procesamiento de datos astronómicos y para describir numéricamente las órbitas planetarias. A partir de 1945, como director del Laboratorio de computación científica Watson de la Universidad de Columbia, utilizó computadoras para determinar posiciones planetarias precisas e hizo importantes contribuciones al estudio de la órbita de la Luna, uno de cuyos cráteres ha recibido su nombre.

**Eckstine, Billy** *orig.* **William Clarence Eckstein** (8 jul. 1914, Pittsburgh, Pa. EE.UU.–8 mar. 1993, Pittsburgh). Cantante y director de orquesta de jazz estadounidense. Eckstine cantó en la gran orquesta de EARL HINES (1939–43) y después formó la suya en 1944. Eckstine contrató a varios de los innovadores del BEBOP debido a su afinidad con los nuevos sonidos, entre ellos, DIZZY GILLESPIE, CHARLIE PARKER y SARAH VAUGHAN. Después de disolver el grupo en 1947, logró mayor éxito popular como intérprete solista, especializándose en baladas caracterizadas por su profunda y resonante voz de barítono. Fue uno de los más grandes intérpretes de la canción popular y del blues en el jazz.

**eclampsia** ver PREECLAMPSIA Y ECLAMPSIA

**eclesia** (griego, *ekklesia*: "reunión de los convocados"). En la antigua Grecia, asamblea de ciudadanos de una CIUDAD-ESTADO. La eclesia ateniense ya existía en el s. VII; en tiempos de SOLÓN estaba integrada por todos los ciudadanos de sexo masculino de 18 años y más. Ejercía el poder político, lo que incluía el derecho a oír las apelaciones en el tribunal público, a elegir a los ARCONTES y a conferir privilegios especiales. Después de la discusión, los miembros votaban a mano alzada; una mayoría simple determinaba el resultado. No podía someter a votación asuntos nuevos, puesto que las mociones al respecto debían originarse en el BULÉ. En la mayoría de las ciudades-estado griegas hubo eclesias durante toda la época romana, aunque sus poderes se debilitaron durante el imperio.

**eclesiástica, heráldica** ver HERÁLDICA ECLESIÁSTICA

**eclipse** El paso de un cuerpo celeste o una parte de este, por la sombra arrojada por otro cuerpo, llamado cuerpo eclipsante. Desde la Tierra es posible observar dos tipos principales de eclipses –lunares y solares– en los cuales participan la Luna y el Sol. El tipo de eclipse dependerá de si la Tierra es el cuerpo eclipsante o bien es el cuerpo que atraviesa la sombra. En un eclipse lunar, la órbita de la Luna atraviesa la sombra proyectada por la Tierra. Los observadores ven que el brillo de la Luna llena disminuye en forma notoria, permaneciendo, sin embargo, débilmente visible. En un eclipse solar, la Luna es el cuerpo eclipsante, pasando entre la Tierra y el Sol y proyectando una sombra que viaja a través de la superficie de la Tierra iluminada por el Sol. Los observadores que se encuentran en la trayectoria de la sombra ven el disco solar total o parcialmente oscurecido por la silueta de la Luna. La sombra proyectada por el cuerpo eclipsante consiste en una

umbra central, en la cual no penetra ningún rayo solar (eclipse total), y la penumbra circundante, que es iluminada sólo por una parte del disco solar (eclipse parcial). Los eclipses solares visibles desde diferentes partes de la Tierra ocurren entre dos y cinco veces por año; casi todos los años hay un eclipse total de Sol. Cuando la Tierra está más cerca del Sol y la Luna más lejos de la Tierra, la silueta de la Luna cabe entera dentro del disco solar, observándose el Sol como un anillo luminoso en torno de la Luna (eclipse anular). Los eclipses lunares ocurren, por lo general, dos veces por año. Otras clases de eclipses son aquellos en que el Sol es eclipsado por Mercurio o Venus (llamados tránsitos), las estrellas lejanas por los planetas o satélites de los mismos (ocultaciones), y las estrellas entre sí cuando se trata de sistemas estelares múltiples (ver ESTRELLA VARIABLE ECLIPSANTE). Ver también rosario de BAILY.

**eclíptica** Gran círculo que es la trayectoria aparente del SOL a través de las constelaciones en el curso de un año; desde otro punto de vista, la proyección sobre la ESFERA CELESTE de la órbita de la Tierra en torno al Sol, la cual intersecta al plano formado por el ecuador celeste en los EQUINOCCIOS vernal y otoñal. Las constelaciones del ZODÍACO se encuentran ordenadas sobre la eclíptica.

**eclogita** Cualquier miembro de la familia de rocas metamórficas cuya composición original es similar a la del basalto. Las eclogitas consisten principalmente en PIROXENOS verdes (omfasita) y GRANATE rojo (granate piropo), con pequeñas cantidades de otros minerales como CIANITA y RUTILO. La presencia de estos minerales en la eclogita es el resultado de reacciones en minerales originalmente ígneos que han estado sometidos a presiones muy altas y a temperaturas de moderadas a relativamente altas.

**Eco** En la mitología GRIEGA, NINFA de la montaña transformada en una voz incorpórea. Según OVIDIO, su cháchara distrajo a HERA de las infidelidades de ZEUS y la diosa la castigó privándola de un lenguaje propio, y condenándole a repetir las últimas sílabas de las palabras oídas. Cuando NARCISO no correspondió a su amor, se desvaneció, y lo único que quedó de ella fue su voz.

**Eco, Umberto** (n. 5 ene. 1932, Alessandria, Italia). Crítico y novelista italiano. Ha enseñado en la Universidad de Bolonia desde 1971. En *Obra abierta* (1962) propone que lo característico de cierta música y literatura modernas es su ambigüedad, que invita al lector u oyente a participar en el proceso creativo e interpretativo. Exploró otras áreas de la comunicación y la SEMIÓTICA en su *Tratado de semiótica general* (publicado originalmente en inglés en 1976), *Semiótica y filosofía del lenguaje* (1984) y *Los límites de la interpretación* (1991). Entre sus novelas se cuentan *El nombre de la rosa* (1980; película, 1986), obra de misterio sobre un asesinato, muy erudita pero de gran éxito comercial; *El péndulo de Foucault* (1988), *La isla del día anterior* (1995) y *Baudolino* (2001).

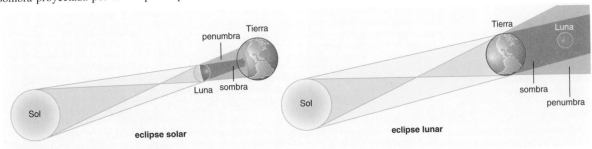

Un eclipse solar ocurre cuando la Luna pasa entre la Tierra y el Sol. Los observadores situados en la penumbra de la Luna ven el Sol cubierto en forma parcial; los que están en el cono de sombra o umbra ven el Sol completamente cubierto por la Luna. Un eclipse lunar ocurre cuando la Luna pasa por la sombra de la Tierra. En la penumbra, la Luna puede parecer más opaca; cuando entra en el cono de sombra, la Luna completa se oscurece bastante y es posible que adopte un matiz rojizo.

**École (Nationale Supérieure) des Beaux-Arts** Escuela de bellas artes (*beaux arts*) situada en París, Francia. Fue fundada en 1793, como resultado de la fusión de la Académie de Peinture et de Sculpture (Academia de pintura y escultura), fundada por CHARLES LE BRUN en 1648, y la Académie d'Architecture (Academia de arquitectura), fundada por JEAN-BAPTISTE COLBERT en 1671. Tradicionalmente allí se ha impartido docencia en dibujo, pintura, escultura, grabado y (hasta 1968) arquitectura; en esta última, el estilo BEAUX-ARTS ha sido particularmente influyente.

**ecolocación** Proceso fisiológico para localizar objetos distantes o invisibles (como una presa) emitiendo ondas sonoras que rebotan en tales objetos y se reflejan hacia el emisor. Los animales utilizan la ecolocación para orientarse, evitar obstáculos, hallar alimentos e interactuar socialmente. Casi todos los MURCIÉLAGOS emplean este proceso, como lo hacen la mayoría, si no todas, las BALLENAS DENTADAS (pero aparentemente no las BALLENAS BARBADAS), unas cuantas MUSARAÑAS y dos tipos de aves (guácharos y ciertos vencejos pequeños cavernícolas). Los pulsos de la ecolocación consisten en ráfagas sonoras breves a frecuencias que oscilan entre unos 1.000 Hz en pájaros y al menos 200.000 Hz en ballenas. Los murciélagos utilizan frecuencias que oscilan entre unos 30.000 y 120.000 Hz.

**ecología** Estudio de las relaciones entre los organismos y su entorno. La ecología fisiológica pone énfasis en las relaciones entre organismos específicos y las características fisicoquímicas de su entorno. Los ecologistas del comportamiento estudian la conducta de ciertos organismos cuando estos reaccionan a estímulos medioambientales. La ecología poblacional, incluida la GENÉTICA poblacional, es el estudio de los procesos que afectan la distribución y abundancia de las poblaciones de animales y plantas. La ecología comunitaria estudia cómo funcionan y se organizan las comunidades de plantas y animales. La paleoecología es el estudio de la ecología de los organismos FÓSILES. Generalmente, los ecologistas se concentran en grupos taxonómicos específicos o en ambientes particulares. La ecología aplicada pone en práctica los principios ecológicos en el manejo de poblaciones de animales y cultivos. Los ecologistas teóricos proporcionan simulaciones de problemas prácticos específicos y desarrollan modelos de importancia general para la ecología.

El Grand Foyer, uno de los salones lujosamente decorados del Ópera de París, de estilo Segundo Imperio, desarrollado en la École de Beaux-Arts.
FOTOBANCO

**ecología de sistemas** Rama de la ecología de los ecosistemas (el estudio de presupuestos energéticos, ciclos biogeoquímicos y aspectos alimentarios y conductuales de comunidades ecológicas) que persigue clarificar la estructura y función de los ECOSISTEMAS mediante la matemática aplicada, modelos matemáticos y programas computacionales. Se concentra en el análisis insumo-producto y ha alentado el desarrollo de la ecología aplicada: la puesta en práctica de principios ecológicos en el manejo de recursos naturales, la producción agrícola y en problemas de contaminación ambiental.

**ecología industrial** Disciplina que investiga el flujo de energía y materiales desde sus recursos naturales hasta el proceso de fabricación, el uso de los productos resultantes y su reciclado o eliminación final. La ecología industrial como ciencia nació a comienzos de la década de 1990. El análisis se hace desde dos ángulos: por una parte, estudia el ciclo de vida de productos y materiales; por otra, investiga la respuesta del medio ambiente frente a los procesos industriales de manera

de diseñar formas para minimizar el uso de energía, la contaminación y los desechos. El objetivo de los ecólogos industriales es crear industrias en las cuales todo desecho sea una materia prima para otro producto.

**e-commerce** ver COMERCIO ELECTRÓNICO

**econometría** Análisis estadístico y matemático de las relaciones económicas. La econometría crea ecuaciones para describir fenómenos como la relación entre los cambios en el precio y la demanda. Los econometristas calculan las FUNCIONES DE PRODUCCIÓN y las funciones de costos para las empresas, las funciones de OFERTA Y DEMANDA para las industrias, la distribución del ingreso en una economía, los modelos macroeconómicos y los modelos del sector monetario para los encargados de formular políticas, y los CICLOS ECONÓMICOS y el crecimiento a fin de hacer pronósticos. La información obtenida mediante estos modelos ayuda a las empresas del sector privado y a los gobiernos a tomar decisiones y definir las políticas MONETARIAS y FISCALES. Ver también RAGNAR FRISCH; MACROECONOMÍA; MICROECONOMÍA.

**economía** Ciencia social que analiza y describe las consecuencias de las decisiones tomadas en relación con recursos productivos escasos. La economía es el estudio de la forma en que individuos y sociedades deciden emplear esos recursos: qué bienes y servicios se producirán, cómo se producirán y cómo se distribuirán entre los miembros de la sociedad. La economía se divide habitualmente en MICROECONOMÍA y MACROECONOMÍA. La tasa de CRECIMIENTO ECONÓMICO, la tasa de INFLACIÓN y la tasa de DESEMPLEO son las principales preocupaciones de los macroeconomistas. Áreas especializadas de investigación Weconómica intentan responder interrogantes sobre diversas actividades económicas; entre estas áreas figuran economía agrícola, DESARROLLO ECONÓMICO, historia económica, economía del medio ambiente, organización industrial, comercio internacional, ECONOMÍA DEL TRABAJO, OFERTA MONETARIA y banca, finanzas públicas, economía urbana y ECONOMÍA DEL BIENESTAR. Los especialistas en economía matemática y ECONOMETRÍA suministran las herramientas que utilizan todos los economistas. Las áreas de investigación de la economía se traslapan con muchas otras disciplinas, especialmente historia, MATEMÁTICA, CIENCIA POLÍTICA y SOCIOLOGÍA.

**economía clásica** Escuela de pensamiento económico centrada en gran parte en Gran Bretaña. Se originó con ADAM SMITH y llegó a su madurez con la obra de DAVID RICARDO y JOHN STUART MILL. Las teorías de la escuela clásica abordan principalmente la dinámica del crecimiento económico. La economía clásica reacciona contra MERCANTILISMO y pone énfasis en la libertad económica. Destaca ideas como el LAISSEZ-FAIRE y la libre competencia. Muchos de los principios fundamentales de la economía clásica quedaron plasmados en la obra de Adam Smith *La riqueza de las naciones* (1776), donde sostiene que la riqueza de una nación es mayor cuando sus ciudadanos luchan por sus propios intereses. Los economistas neoclásicos, como ALFRED MARSHALL, demostraron que las fuerzas de la OFERTA Y DEMANDA restringen los recursos económicos a sus usos más eficientes. Ricardo profundizó y perfeccionó las ideas de Smith y formuló el principio de que el PRECIO de los bienes producidos y vendidos en condiciones competitivas tiende a ser proporcional a los costos de la MANO DE OBRA en que se incurre en su producción. La obra de Mill, denominada *The Principles of Political Economy* [Principios de economía política] (1848), dio mayor vigencia a estas ideas al relacionarlas con las condiciones sociales contemporáneas. Entre aquellos que modificaron la teoría de la economía clásica y llegaron a conclusiones muy distintas se encuentran KARL MARX y JOHN MAYNARD KEYNES.

**economía de defensa** Rama de la administración económica nacional preocupada de los gastos militares en tiempos de paz y de guerra. Surgió en respuesta a la mayor escala y sofisticación que adquirió la actividad bélica en el s. XX. La mayor parte de los países mantienen un nivel de preparación militar suficiente para desalentar a potenciales agresores, con el fin de evitar el enorme costo financiero y humano de la guerra, que incluye la pérdida de ingresos de los muertos o heridos, los gastos médicos permanentes de los incapacitados, y las pérdidas para la economía causadas por el desvío de recursos que podrían destinarse a aumentar la capacidad económica futura. La economía de defensa de tiempos de paz se concentra en problemas de asignación de recursos entre los sectores militar y civil; en el tamaño relativo y en la naturaleza de las distintas ramas de las fuerzas armadas, y en la elección y diseño de su armamento.

**economía de libre mercado** ver CAPITALISMO

**economía de oferta** Teoría que se centra en influir en la oferta de mano de obra y bienes mediante la aplicación de rebajas tributarias y la reducción de prestaciones como incentivos para trabajar y producir bienes. Fue presentada por el economista estadounidense Arthur Laffer (n. 1940) e implementada por el pdte. RONALD W. REAGAN en la década de 1980. Sus defensores sostienen que el crecimiento económico de la década de 1980 es prueba de su eficacia; sus detractores, en cambio, manifiestan que ese crecimiento estuvo acompañado de un gran déficit federal y especulación.

**economía del bienestar** Rama de la economía creada en el s. XX, cuyo objetivo es evaluar las políticas económicas en función de sus efectos sobre el bienestar de la comunidad. Los primeros teóricos definían BIENESTAR SOCIAL como la suma de las satisfacciones que un sistema económico puede brindar a un individuo. En la creencia de que era posible comparar el bienestar de dos o más individuos, argumentaban que un aumento del ingreso brindaría mayor satisfacción a una persona pobre que a una rica. Autores posteriores sostenían que era imposible hacer ese tipo de comparaciones con algún nivel de precisión. Luego se desarrolló un nuevo criterio más limitado: una situación económica se considera superior a otra si al menos una persona está en mejor posición económica sin que haya empeorado la posición económica de ninguna otra. Ver también EXCEDENTE DEL CONSUMIDOR; VILFREDO PARETO.

**economía del trabajo** Estudio acerca de cómo se distribuyen los trabajadores, cómo se definen sus remuneraciones y la forma en que diversos factores influyen en su eficiencia. La fuerza laboral de un país está conformada por todos los trabajadores remunerados, cualquiera sea su ocupación, y por quienes están desempleados, pero buscan trabajo. Muchos factores influyen en cómo se utilizan los trabajadores y cuánto ganan, lo que comprende la calidad de la fuerza laboral (p. ej., salud, nivel educacional, grado de movilidad, destreza y capacitación especial), las características estructurales de la economía (p. ej., proporción de industria manufacturera pesada, tecnológica y de servicios) y factores institucionales (entre ellos, la importancia y el poder de los SINDICATOS y de las asociaciones de empleadores, y la existencia de leyes de salario mínimo). También se consideran otros factores diversos, como las costumbres y las variaciones en el CICLO ECONÓMICO. Los economistas laborales aceptan ampliamente determinadas tendencias generales; por ejemplo, los niveles de salarios tienden a ser más altos en ocupaciones que implican alto riesgo, en empresas en que se requieren niveles de educación o capacitación más elevados, en economías con mayor proporción de esta clase de empresas, y en sectores industriales fuertemente sindicalizados.

**economía dirigida** Sistema ECONÓMICO en que los medios de producción son de propiedad pública y donde la actividad económica es controlada por una autoridad central. Los planificadores centrales determinan la combinación de bienes que habrán de producirse, asignan las materias primas, fijan las cuotas para cada empresa y definen los precios. La mayoría de los países comunistas han tenido economías dirigidas; los países capitalistas también pueden adoptar este sistema en caso de emergencia nacional (p. ej., en tiempos de guerra) para movilizar recursos con rapidez. Ver también CAPITALISMO; COMUNISMO.

**economía gerencial** Aplicación de principios económicos en la toma de decisiones en empresas comerciales u otras unidades administrativas. Los conceptos básicos provienen de la teoría microeconómica (ver MICROECONOMÍA), pero se han agregado nuevas herramientas de análisis. Por ejemplo, los métodos estadísticos son cada vez más importantes para calcular la demanda presente y futura de productos. Los métodos de investigación operativa y programación proporcionan criterios científicos para maximizar las UTILIDADES, minimizar los COSTOS y seleccionar la combinación más rentable de productos. La teoría de la toma de decisiones y la teoría de JUEGOS, que reconocen las condiciones de incertidumbre y de conocimiento imperfecto en que operan los gerentes comerciales, han contribuido a establecer métodos sistemáticos para evaluar las oportunidades de inversión.

**economía institucional** Escuela económica que floreció en EE.UU. durante las décadas de 1920 y 1930. Consideraba a la evolución de las instituciones económicas como parte del proceso más amplio del desarrollo cultural. THORSTEIN VEBLEN sentó las bases del institucionalismo con su crítica a la teoría económica tradicional. Procuró reemplazar el concepto de personas que adoptan decisiones económicas por una imagen más realista de personas en las que influyen las costumbres e instituciones cambiantes. JOHN R. COMMONS destacó la acción colectiva de diversos grupos de la economía, vistos dentro de un sistema de instituciones y leyes en constante evolución. Otros economistas institucionales estadounidenses fueron Rexford G. Tugwell y WESLEY C. MITCHELL. Ver también Escuela Histórica ALEMANA, ECONOMÍA CLÁSICA.

**economía política** Disciplina académica que explora la relación entre los individuos y la sociedad, y entre los mercados y el Estado, mediante métodos extraídos de la economía, la ciencia política y la sociología. El término proviene de los vocablos griegos *polis* (ciudad o Estado) y *oikonomos* (persona que administra un hogar). Por lo tanto, la economía política se ocupa de cómo se administran los países, considerando factores económicos y políticos. En la actualidad, este campo abarca varias áreas de investigación, a saber, la política de las relaciones económicas, los asuntos políticos y económicos nacionales, el estudio comparativo de los sistemas políticos y económicos, y el estudio de la economía política internacional.

**económico, sistema** Conjunto de principios y técnicas mediante las cuales una sociedad decide y organiza la propiedad y asignación de los recursos económicos. En un extremo, habitualmente denominado sistema de libre empresa, todos los recursos son de propiedad privada. Este sistema, según ADAM SMITH, se basa en la creencia de que el bien común se maximiza cuando se permite que cada miembro de una sociedad persiga sus propios intereses. En el otro extremo, generalmente denominado sistema comunista puro, todos los recursos racionales son de propiedad del Estado. Este sistema, según KARL MARX y VLADÍMIR LENIN, se basa en la creencia de que se requiere de la propiedad estatal de los medios de producción y el control gubernamental sobre cada aspecto de la economía para minimizar las desigualdades en la riqueza y lograr otros objetivos sociales consensuados. No existe ninguna nación en que se aplique alguno de estos extremos. En la medida en que se pasa del CAPITALISMO al SOCIALISMO y finalmente al COMUNISMO, aumenta la participación del Estado en la propiedad de los recursos productivos y hay una mayor dependencia de la PLANIFICACIÓN ECONÓMICA. El FASCISMO es un sistema híbrido, más bien político que económico, donde los recursos de propiedad privada se combinan en consorcios y se ponen a disposición de un Estado de planificación centralizada.

**Economist, The** Semanario periodístico y de opinión, fundado en 1843 y publicado en Londres. Se le suele considerar uno de los periódicos más importantes del mundo en su género. Entrega una amplia cobertura de noticias generales, especialmente de los procesos políticos internacionales que influyen en la economía mundial. Según las opiniones de sus fundadores y de su legendario editor WALTER BAGEHOT, esta publicación postula que el libre mercado es generalmente el mejor modelo para manejar un gobierno y una economía. La mitad de sus lectores son de América del Norte.

**ecosistema** Complejo de organismos vivos, su entorno físico y todas sus interrelaciones en una unidad espacial determinada. Los componentes abióticos (no biológicos) de un ecosistema comprenden los minerales, el clima, el suelo, el agua, la luz solar y todos los demás elementos no vivientes; los componentes bióticos son todos sus miembros vivientes. Existen dos fuerzas principales que vinculan estos componentes: el flujo de energía y el ciclado de nutrientes. La fuente fundamental de energía en casi todos los ecosistemas es la energía radiante del Sol; la energía y la materia orgánica pasan por la CADENA ALIMENTARIA de un ecosistema. El estudio de los ecosistemas se tornó más sofisticado a fines del s. XX; ahora es instrumental en la evaluación y control de los efectos medioambientales del desarrollo e industrialización agrícolas. Ver también BIOMA.

**ecoterrorismo** o **terrorismo ecológico** o **terrorismo ambiental** Destrucción o amenaza de destrucción del medio ambiente con el objeto de intimidar o ejercer coerción sobre los gobiernos. El término se ha aplicado también a delitos cometidos contra empresas u organismos de gobierno con el objeto de impedir actividades que se suponen dañinas para el medio ambiente o entorpecerlas. Son ejemplos de ecoterrorismo la amenaza de contaminar el suministro de agua o de destruir o deshabilitar empresas de energía eléctrica, y prácticas como esparcir ántrax. Otra forma de ecoterrorismo, a menudo denominada guerra ambiental, consiste en la destrucción, explotación o modificación deliberada e ilegal del medio ambiente como estrategia de guerra o en tiempos de conflicto armado. Ejemplos de lo anterior lo constituyen el uso militar por EE.UU. del defoliante denominado AGENTE NARANJA durante la guerra de VIETNAM y la destrucción de los pozos petrolíferos kuwaitíes por las fuerzas militares iraquíes en retirada durante la primera guerra del GOLFO PÉRSICO en 1991. Las acciones de algunos activistas ambientales también han sido descritas como ecoterrorismo. Estas actividades comprenden el ingreso no autorizado a los predios de empresas forestales y otro tipo de empresas y el entorpecimiento de sus operaciones por medio del sabotaje, así como la alteración sin causar daño ambiental de los recursos naturales con el objeto de hacerlos inapropiados para el uso comercial.

**ectópico, embarazo** ver EMBARAZO ECTÓPICO

**ectotermo** Cualquiera de los llamados animales de sangre fría; es decir, cualquier animal cuya regulación de su temperatura corporal dependa de fuentes externas, como la luz solar o la superficie calentada de una roca. Los ectotermos comprenden los PECES, ANFIBIOS, REPTILES e INVERTEBRADOS. Normalmente, las temperaturas corporales de los ectotermos acuáticos son muy cercanas a las del agua. Los ectotermos no requieren

tanto alimento como los animales de sangre caliente (ENDOTERMOS) del mismo tamaño, pero la mayoría no puede encarar tan bien los entornos fríos.

**ecuación** Afirmación de igualdad entre dos expresiones constituidas por variables y/o números. En esencia, las ecuaciones son preguntas, y el desarrollo de la matemática ha sido impulsado por intentos por encontrar respuestas a esas preguntas de manera sistemática. Las ecuaciones varían en complejidad desde simples ECUACIONES ALGEBRAICAS (que sólo involucran adición y multiplicación) hasta ECUACIONES DIFERENCIALES, ecuaciones exponenciales (que involucran expresiones exponenciales) y ECUACIONES INTEGRALES. Son utilizadas para expresar muchas de las leyes de la FÍSICA. Ver también sistema de ECUACIONES.

**ecuación algebraica** Afirmación matemática de igualdad entre expresiones algebraicas. Una expresión es algebraica si involucra una combinación finita de números, VARIABLES y operaciones algebraicas (adición, sustracción, multiplicación, división, elevación a potencia y extracción de una raíz). Dos tipos importantes de tales ecuaciones son las ecuaciones lineales, de la forma $y = ax + b$, y las ECUACIONES CUADRÁTICAS, de la forma $y = ax^2 + bx + c$. Una solución es un valor numérico que hace de la ecuación una afirmación verdadera cuando este sustituye a la variable. En algunos casos se la puede encontrar usando una fórmula; en otros, la ecuación debe reescribirse de manera más simple o usar otros métodos. Las ecuaciones algebraicas son particularmente útiles para modelar fenómenos de la vida real.

**ecuación cuadrática** Ecuación algebraica de particular importancia en la OPTIMIZACIÓN. Un nombre más descriptivo es el de ecuación polinomial (ver POLINOMIO) de segundo grado. Su forma estándar es $ax^2 + bx + c = 0$, y su solución queda determinada por la fórmula cuadrática

$$x = \frac{-b \pm \sqrt{b^2 - 4ac}}{(2a)}$$

que garantiza soluciones que pueden ser dos NÚMEROS REALES, un número real o dos NÚMEROS COMPLEJOS, dependiendo de que el discriminante, $b^2 - 4ac$, sea mayor que, igual a, o menor que cero.

**ecuación de continuidad** ver principio de CONTINUIDAD

**ecuación de diferencias finitas** ECUACIÓN que involucra diferencias entre valores sucesivos de una FUNCIÓN de una variable discreta (i.e., una definida por una secuencia de valores que difieren en la misma cantidad, a menudo 1). Una función de una variable de ese tipo es una regla para asignarle a ella una secuencia de valores. Por ejemplo, $f(x + 1) = xf(x)$ es una ecuación de diferencias finitas. Los métodos desarrollados para resolver tales ecuaciones tienen mucho en común con los métodos para resolver ECUACIONES DIFERENCIALES lineales, las que a su vez con frecuencia se aproximan usando ecuaciones de diferencias finitas.

**ecuación de estado** Cualquiera de una clase de ecuaciones que relacionan presión $P$, volumen $V$ y temperatura $T$ de una sustancia dada en EQUILIBRIO termodinámico. Por ejemplo, la ecuación $PV = nRT$, donde $n$ es el número de moles de gas y $R$ es la constante universal de los gases, relaciona la presión, el volumen y la temperatura de un GAS PERFECTO (o ideal). Los gases reales, los sólidos y los líquidos tienen ecuaciones de estado más complicadas. Ver también TERMODINÁMICA.

**ecuación de Green Bank** ver ecuación de DRAKE

**ecuación de Laplace** ver ecuación de LAPLACE

**ecuación del movimiento** Fórmula matemática que describe el MOVIMIENTO de un cuerpo relativo a un marco de referencia dado, en términos de la posición, VELOCIDAD o ACELERACIÓN del mismo. En MECÁNICA clásica, la ecuación básica del movimiento es la segunda ley de Newton (ver leyes del movimiento de NEWTON), la cual relaciona la fuerza actuante sobre un cuerpo con su MASA y aceleración. Cuando la fuerza es descrita en función del tiempo durante el cual está siendo aplicada, se puede deducir la velocidad y la posición del cuerpo durante ese intervalo. Otras ecuaciones del movimiento de un cuerpo son la ecuación de posición-tiempo, la ecuación de velocidad-tiempo y la ecuación de aceleración-tiempo.

**ecuación diferencial** Proposición matemática que contiene una o más DERIVADAS. Expresa una relación entre las tasas o velocidades de cambio de cantidades que varían de manera continua modeladas por funciones. Las ecuaciones diferenciales son muy comunes en física, ingeniería y en todos los campos que involucran el estudio cuantitativo de cambios. Se usan en casos en que se conocen las tasas de cambio, pero no así en una descripción formal del proceso que las origina. La solución de una ecuación diferencial es en general una FUNCIÓN cuyas derivadas satisfacen la ecuación. Las diferenciales se clasifican en varias categorías de gran amplitud. Las más importantes son las ECUACIONES DIFERENCIALES ORDINARIAS (EDO), en las cuales el cambio depende de una sola variable, y las ECUACIONES DIFERENCIALES PARCIALES (EDP), en las cuales el cambio depende de múltiples variables. Ver también DERIVACIÓN O DIFERENCIACIÓN.

**ecuación diferencial ordinaria** Ecuación que contiene DERIVADAS de una FUNCIÓN de una sola VARIABLE. Su orden es el de la derivada de mayor orden que contiene (p. ej., una ECUACIÓN DIFERENCIAL de primer orden involucra sólo la primera derivada de la función). Debido a que la derivada es una tasa o velocidad de cambio, tal ecuación determina cómo cambia una función, pero no especifica la función misma. Sin embargo, dadas suficientes condiciones iniciales, como un valor específico de la función, esta se puede encontrar por varios métodos, la mayor parte basados en la INTEGRACIÓN.

**ecuación diferencial parcial** En matemática, una ecuación que contiene DERIVADAS PARCIALES, y que expresa un proceso de cambio que depende de más de una variable independiente. Puede ser leída como una afirmación sobre cómo evoluciona un proceso sin especificar la función explícita que lo describe. Dado el estado inicial del proceso (tal como su tamaño en el tiempo cero) y una descripción de cómo está cambiando (i.e., la ecuación diferencial parcial), la función solución explícita puede ser encontrada por varios métodos, la mayoría basados en la INTEGRACIÓN. Entre las ecuaciones diferenciales parciales importantes están la ecuación del calor, la ecuación de onda y la ecuación de LAPLACE, las cuales son básicas en FÍSICA MATEMÁTICA.

**ecuación integral** En matemática, una ecuación con una función incógnita dentro de una integral. Un ejemplo es

$$f(x) = \int_{-\infty}^{\infty} \cos(xt)\,\varphi(t)\,dt$$

el caso en que $f(x)$ es conocida y debe encontrarse $\varphi(t)$, dadas ciertas condiciones sobre $f$. Estas ecuaciones son útiles para resolver ECUACIONES DIFERENCIALES.

**ecuación química** Método de escribir las características esenciales de una REACCIÓN QUÍMICA utilizando SÍMBOLOS QUÍMICOS (u otras abreviaturas acordadas). Por convención, los reactantes (presentes al principio) están a la izquierda, los productos (presentes en el final) a la derecha. Una flecha única entre ellos denota una reacción irreversible, y una flecha doble una reacción reversible. La ley de conservación de la MATERIA (ver ley de CONSERVACIÓN) requiere que cada ÁTOMO de la izquierda aparezca a la derecha (la ecuación debe balancearse); sólo cambian sus disposiciones y combinaciones. Por ejemplo, una MOLÉCULA de OXÍGENO que se combina con dos

moléculas de HIDRÓGENO para formar dos moléculas de agua se escribe $2H_2 + O_2 \rightarrow 2H_2O$. La DISOCIACIÓN de la sal en IONES sodio y cloruro se escribe $NaCl \rightarrow Na^+ + Cl^-$. Ver también ESTEQUIOMETRÍA.

**ecuaciones, sistema de** o **ecuaciones simultáneas** En álgebra, dos o más ecuaciones que deben ser resueltas en forma conjunta (i.e., la solución debe satisfacer todas las ecuaciones en el sistema). Para que un sistema tenga una solución única, el número de ecuaciones debe ser igual al número de incógnitas. Aun entonces no se garantiza que haya una solución. Si existe una solución, el sistema es consistente; si no, es inconsistente. Un sistema de ecuaciones lineales puede representarse por una MATRIZ cuyos elementos son los coeficientes de las ecuaciones. Aunque sistemas simples de dos ecuaciones con dos incógnitas pueden ser resueltos por sustitución, sistemas de mayor tamaño son manejados de mejor forma con técnicas matriciales.

**ecuador** Círculo máximo de la Tierra que es equidistante de los polos geográficos y se encuentra en un plano perpendicular al eje de la Tierra. Este ecuador geográfico, o terrestre, divide la Tierra en hemisferios norte y sur y forma la línea de referencia imaginaria sobre la superficie de la Tierra desde la cual se mide la LATITUD (i.e., 0° de latitud). En astronomía, el ecuador celeste es el círculo máximo en el cual el plano del ecuador terrestre intersecta la esfera celeste; es por lo tanto equidistante a los polos celestes. Cuando el Sol se encuentra en el plano ecuatorial, el día y la noche tienen la misma duración en todo el mundo; esto ocurre en los EQUINOCCIOS.

Monumento a la Mitad del Mundo, que señala la latitud 0°, en las afueras de Quito, Ecuador. FOTOBANCO

## ECUADOR

▸ **Superficie:** 272.045 km² (105.037 mi²) incluida las islas GALÁPAGOS

▸ **Población:** 13.364.000 hab. (est. 2005)

▸ **Capital:** QUITO

▸ **Moneda:** dólar estadounidense

**Ecuador** *ofic.* **República del Ecuador** País del noroeste de Sudamérica. Cerca del 40% de la población es indígena (principalmente QUECHUA) y otro 40%, mestiza (mezcla de europeos e indígenas); el resto está compuesto principalmente de descendientes de españoles. Idioma: español (oficial). Religión: catolicismo, en forma predominante. Las tierras bajas que dan al Pacífico se elevan hasta alcanzar las cumbres y las tierras altas de la cordillera de los ANDES, la que da paso, hacia el este, a la parte ecuatoriana de la cuenca tropical del río AMAZONAS. La cordillera de los Andes se levanta en forma impresionante en dos cadenas que recorren el país de norte a sur y están separadas por altos valles. La mayor cumbre es el CHIMBORAZO, que se eleva a 6.267 m (20.561 pies); el cercano COTOPAXI, con 5.897 m (19.347 pies) de altura, es el volcán activo más alto del mundo. El país yace en una zona de gran actividad sísmica, propensa a la posibilidad de fuertes terremotos. Casi la mitad del territorio está cubierto de bosques, con selva tropical lluviosa al este. El país se ubica a ambos lados de la línea del ecuador. Su clima varía desde el tropical en las tierras bajas al templado en las tierras altas. Tiene una economía en desarrollo basada principalmente en los servicios, seguida por la manufactura y la agricultura. Las exportaciones incluyen principalmente petróleo crudo, bananas y mariscos. Es una república unicameral; el jefe de Estado y de Gobierno es el presidente. El territorio de lo que hoy es Ecuador fue conquistado por los INCAS en 1450 y dominado por España en 1534. Bajo los españoles formó parte del virreinato del PERÚ hasta 1740; a partir de entonces se integró al virreinato de NUEVA GRANADA. Obtuvo su independencia de España en 1822 como parte de la República de la GRAN COLOMBIA y en 1830 se convirtió en Estado soberano. Una sucesión de gobiernos autoritarios detentó el poder hasta

Vista de la ciudad de Quito, capital de Ecuador, situada en las laderas más bajas del volcán Pichincha.

SYLVAIN GRANDADAM/ROBERT HARDING WORLD IMAGERY/GETTY IMAGES

mediados del s. XX, dentro de los cuales las fuerzas armadas ocuparon un lugar prominente en la política. Disputas fronterizas llevaron a la guerra con el Perú en 1941; los conflictos bilaterales continuaron en forma periódica hasta que finalmente se demarcó la frontera en 1998. La economía prosperó durante la década de 1970 debido a las importantes ganancias derivadas de la exportación de petróleo, pero se deprimió en la década siguiente por la caída de los precios de este producto. En la década de 1990, disturbios sociales provocaron inestabilidad política y varios cambios en la presidencia. En una controvertida medida orientada a estabilizar la economía, en 2000 el dólar norteamericano reemplazó al sucre como la moneda de circulación nacional.

**ecumenismo** Movimiento en pro de la unidad o cooperación entre las Iglesias cristianas. El primer paso ecuménico importante fue la Conferencia misionera internacional de 1910, una asamblea del PROTESTANTISMO. Varias confesiones protestantes inauguraron la Conferencia vida y obra (sobre problemas sociales y prácticos) en 1925 y la Conferencia fe y orden (sobre doctrina y gobierno de la Iglesia) en 1927. Después de la segunda guerra mundial, se estableció el CONSEJO MUNDIAL DE IGLESIAS (CMI); en 1961 se incorporó a este la Conferencia misionera internacional. A partir del concilio VATICANO II (1962–65), la Iglesia católica (ver CATOLICISMO ROMANO) también ha mostrado gran interés en mejorar las relaciones entre las Iglesias y, junto con el patriarca de Constantinopla, levantó la excomunión de 1054. La Iglesia ortodoxa oriental (ver ORTODOXIA ORIENTAL) ha participado activamente en el movimiento desde 1920 y se unió al CMI desde su fundación. Generalmente, las confesiones protestantes más conservadoras o fundamentalistas se han abstenido de participar. Otro factor importante en el ecumenismo del s. XX fue la creación de Iglesias unidas que reconciliaron sectas disidentes, como la Iglesia unida de Cristo (1957) y la Iglesia luterana evangélica en América (1988).

**eczema** ver DERMATITIS

**edad de la piedra pulimentada** ver período NEOLÍTICO

**edad de la piedra tallada** ver período PALEOLÍTICO

**edad de piedra** Primer período conocido de la cultura prehistórica, que se caracteriza por el uso de instrumentos de piedra. El término no es muy utilizado en la actualidad por los especialistas. Ver PALEOLÍTICO; MESOLÍTICO; NEOLÍTICO; industria LÍTICA. Ver también EDAD DEL BRONCE; EDAD DEL HIERRO.

**edad de piedra media** ver período MESOLÍTICO

**Edad de Plata** En la literatura latina, período comprendido entre c. 18 DC y 133, inferior en sus logros literarios a la llamada Edad de Oro, a la que sigue cronológicamente. La

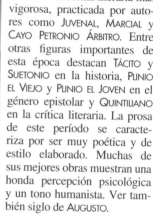

SÁTIRA era la forma literaria más vigorosa, practicada por autores como JUVENAL, MARCIAL y CAYO PETRONIO ÁRBITRO. Entre otras figuras importantes de esta época destacan TÁCITO y SUETONIO en la historia, PLINIO EL VIEJO y PLINIO EL JOVEN en el género epistolar y QUINTILIANO en la crítica literaria. La prosa de este período se caracteriza por ser muy poética y de estilo elaborado. Muchas de sus mejores obras muestran una honda percepción psicológica y un tono humanista. Ver también siglo de AUGUSTO.

**edad del bronce** Tercera etapa del desarrollo de la cultura material entre los pueblos antiguos de Europa, Asia y el Medio Oriente, posterior a los períodos PALEOLÍTICO y NEOLÍTICO y anterior a la EDAD DEL HIERRO. El término señala también el primer período en el que se utilizaron metales. La fecha en que se inició varía según la región; en Grecia y China comenzó antes de 3000 AC, en Gran Bretaña, después de c. 1900 AC. El inicio del período recibe a veces el nombre de calcolítico (cobre y piedra), en referencia a la utilización inicial de cobre puro (junto con su antecesora, la piedra). En 3000 AC, el uso del cobre era conocido en el Medio Oriente, se había extendido hacia el oeste en la zona del Mediterráneo y comenzaba a infiltrarse en Europa. Sólo en el segundo milenio AC se generalizó el uso del BRONCE propiamente tal. Esta edad se caracterizó por una mayor especialización y por la invención de la rueda y el arado tirado por bueyes. A partir de 1000 AC, la posibilidad de calentar y fundir el hierro puso fin a la edad del bronce.

**edad del cobre** Primera etapa de la EDAD DEL BRONCE. El comienzo de este período se denomina a menudo la edad calcolítica (cobre y piedra, c. 8000 AC), porque marca el inicio del uso del mineral de COBRE. Poco después de 6000 AC se descubrió en Anatolia (Turquía) la fundición de minerales para producir cobre puro. A partir de 5000 AC, la metalurgia del cobre con herramientas y armas fundidas condujo a la urbanización en Egipto y Mesopotamia. La metalurgia del cobre se extendió a India alrededor de 3500 AC y a Europa y China alrededor de 3000 AC. El mineral de cobre contiene ocasionalmente estaño, lo que hace difícil fechar la metalurgia de bronce. La edad del bronce comenzó c. 3500 AC en el Medio Oriente y se expandió por toda la antigüedad entre 3000 y 1800 AC. La edad del cobre empezó en el Nuevo Mundo c. 100 DC y la edad del bronce c. 1000 DC.

**edad del hierro** Última etapa tecnológica y cultural dentro de la secuencia de las edades de piedra, del bronce y del hierro (o sistema de las tres edades), en la cual el HIERRO reemplazó en gran medida al BRONCE en los utensilios y las armas. El inicio de la edad del hierro varió según la región: en el Medio Oriente y el sudeste de Europa empezó c. 1200 AC, pero en China sólo después de c. 600 AC. Aunque la producción a gran escala de utensilios de hierro trajo consigo formas de asentamiento más estables, el uso de este metal para la fabricación de armas permitió que estas se masificaran por primera vez, lo que dio origen a una serie de desplazamientos y conquistas de gran envergadura que no cesaron durante 2.000 años y que cambiaron la fisonomía de Europa y Asia. Ver también EDAD DEL BRONCE.

**edad glacial** ver GLACIACIÓN

**Edad Media** Período de la historia europea que se extendió, según límites fijados tradicionalmente, entre la caída del Imperio romano (Ver República e Imperio de ROMA) y el comienzo del RENACIMIENTO. En el s. V, el Imperio romano de Occidente declinó en cuanto a población, vitalidad económica, tamaño e importancia de las ciudades. También se vio profundamente afectado por una masiva migración de pueblos que había comenzado en el s. III. Al cabo de dos siglos, esos pueblos, con frecuencia llamados bárbaros, formaron nuevos reinos a partir de la decadencia del Imperio occidental, reinos que en los siglos siguientes asistieron a la fusión gradual de las tradiciones políticas y culturales de bárbaros, cristianos y romanos. El reino de más larga duración, el de los francos, sentó las bases de los estados europeos posteriores. De este reino surgió también CARLOMAGNO, el gobernante más destacado de la Edad Media, cuyo reinado fue un modelo para los siglos venideros. El colapso de su Imperio y una nueva oleada de invasiones provocaron una reestructuración de la sociedad medieval. Los s. XI–XIII marcaron el punto cúlmine de la civilización medieval. La Iglesia experimentó una reforma que fortaleció la posición del papado en la Iglesia misma y en la sociedad, pero dio pie a enfrentamientos entre los pontífices y el imperio. El aumento de la población, el florecimiento de las ciudades y la agricultura, el surgimiento de clases mercantiles y el desarrollo de las burocracias gubernamentales formaron parte de la renovación económica y cultural que tuvo lugar durante ese período. Entretanto, miles de caballeros siguieron el llamado de la Iglesia a unirse a las CRUZADAS. La civilización medieval alcanzó su pináculo en el s. XIII, con la aparición de la arquitectura GÓTICA, la creación de nuevas órdenes religiosas y la expansión del saber y las universidades. La Iglesia dominaba la vida intelectual, dando origen a la ESCOLÁSTICA de santo TOMÁS DE AQUINO. El ocaso de la Edad Media fue resultado del quiebre de los gobiernos, el gran cisma papal, la crítica de la teología y la filosofía medievales, y el colapso económico y demográfico causado por las hambrunas y las enfermedades.

**edafología** *o* **pedología** Disciplina que estudia la formación, morfología y clasificación de los suelos como cuerpos dentro del paisaje natural. La edafología busca entender cómo se han desarrollado las propiedades y patrones de distribución de los suelos en el mundo como un todo (lo que en conjunto es llamado la pedosfera) junto con las principales características del relieve, los ambientes biogeoquímicos y los hábitats de organismos vivientes. A través de su comprensión de las causas y magnitudes de las variaciones de los suelos, los edafólogos ayudan a ampliar el conocimiento de la superficie terrestre.

**Edda** Corpus de literatura antigua de Islandia. Es la fuente más detallada y completa para el conocimiento moderno de la mitología germánica, y está contenida en dos libros del s. XIII. La *Edda en prosa* (*Edda menor*, o *Snorra-Edda*; c. 1222), manual de poética escrito por SNORRI STURLUSON, explica la dicción y el metro de la poesía ESCÁLDICA y éddica y relata historias de la mitología nórdica. La *Edda poética* (*Edda mayor*, o *Sæmundar Edda*; c. 1250–1300) es una colección de poemas mitológicos y heroicos de autor desconocido, compuestos entre c. 800–1100. Estas austeras canciones son los antecedentes más antiguos que han llegado hasta hoy del Cantar de los nibelungos.

**Eddington, Sir Arthur Stanley** (28 dic. 1882, Kendal, Westmorland, Inglaterra–22 nov. 1944, Cambridge, Cambridgeshire). Astrónomo, físico y matemático británico. Ganó

todos los honores matemáticos en la Universidad de Cambridge. Fue asistente en jefe del Observatorio Real en Greenwich (1906–13); en 1914 fue director del observatorio de Cambridge. Religioso y pacifista, declaró que el significado del mundo no podría ser descubierto por la ciencia. Sus contribuciones más importantes fueron en astrofísica, donde sus estudios incluyeron la estructura estelar, fuentes subatómicas de energía estelar, estrellas enanas blancas y materia difusa en el espacio interestelar. Sus ideas filosóficas lo hicieron creer que la unificación de la teoría cuántica y la de la relatividad general permitiría el cálculo de ciertas constantes universales.

Sir Arthur Stanley Eddington.
GENTILEZA DE LA UNIVERSIDAD DE CHICAGO; FOTOGRAFÍA, OBSERVATORIO DE YERKES, WILLIAMS BAY, WIS., EE.UU.

**Eddy, Mary Baker** *orig.* **Mary Morse Baker** (16 jul. 1821, Bow, cerca de Concord, N.H., EE.UU.–3 dic. 1910, Chestnut Hill, Mass.). Líder religiosa estadounidense, fundadora de la CIENCIA CRISTIANA. Hija de descendientes de la Iglesia congregacionalista de las antiguas familias de Nueva Inglaterra, se casó en 1843; su esposo murió al año siguiente, y contrajo nuevas nupcias en 1853. Fue enfermiza casi toda su vida. A principios de la década de 1860 fue sanada de una enfermedad a la columna por Phineas P. Quimby (n. 1802–m. 1866), quien curaba las dolencias sin medicación. Permaneció bien hasta poco después de la muerte de Quimby; en 1866 sufrió una grave caída y perdió la esperanza de recuperarse hasta que sanó leyendo el Nuevo Testamento. Consideró que en esa ocasión había descubierto la Ciencia Cristiana y pasó varios años desarrollando su sistema. En 1875 publicó *Ciencia y salud con una clave de las Escrituras*, obra considerada por sus seguidores como inspirada por Dios. Tras divorciarse en 1873, se casó en 1877 con uno de sus seguidores, Asa G. Eddy (m. 1882). En 1879 se organizó la Iglesia científica de Cristo. En 1881, Eddy estableció el Colegio metafísico de Massachusetts; fundó además tres periódicos, en especial *The* CHRISTIAN SCIENCE MONITOR (1908).

Mary Baker Eddy, líder religiosa estadounidense.
GENTILEZA DE LA BIBLIOTECA DEL CONGRESO, WASHINGTON, D.C.

**edecán** *francés* **aide de camp** Oficial del estado mayor de un general, almirante u otro comandante de alto rango, que actúa como su secretario personal. En la actualidad son por lo general oficiales de rango inferior, y sus obligaciones son en gran medida sociales. El término también se usa para un oficial de alto rango que actúa como ayudante de un jefe de Estado.

**Edelman, Gerald Maurice** (n. 1 jul. 1929, Nueva York, N.Y., EE.UU.). Bioquímico estadounidense. Se graduó en la Universidad de Pensilvania y obtuvo un Ph.D. en la Universidad Rockefeller. Su trabajo con Rodney Porter (n. 1917–m. 1985) sobre los anticuerpos ganó el Premio Nobel de 1972. Modelando una molécula completa de anticuerpo, el equipo de Edelman observó que esta tenía más de 1.300 aminoácidos en una estructura de cuatro cadenas e identificó los lugares donde se fijan los antígenos. Centrándose en la formación y diferenciación de tejidos y órganos, descubrieron las moléculas de adhesión celular, proteínas que adhieren las células entre sí para constituir los tejidos. El intento de Edelman de formular una teoría general del desarrollo neural y de la función cerebral lo analiza en su obra *Neural Darwinism* [Darwinismo neural] (1987).

**edelweiss** Planta perenne (*Leontopodium alpinum*) de la familia de las COMPUESTAS, originaria de las regiones alpinas de Europa y América del Sur. Tiene 2–10 cabezuelas amarillas en un racimo denso. Debajo de estas hay 6–9 hojas de color blanco, lanceoladas, lanudas, dispuestas en forma de una estrella. La mayoría de las variedades son ornamentales.

Edelweiss (*Leontopodium alpinum*).
SIEGFRIED EIGSTLER–SHOSTAL

**edema** Acumulación anormal de líquido acuoso en los espacios intercelulares del TEJIDO CONECTIVO. Suele ser un síntoma de enfermedades renales, cardíacas, venosas o del sistema linfático, que afectan el balance hídrico celular, tisular y sanguíneo; el edema puede ser con fosita (cuando se comprime queda una huella) o sin fosita. El edema puede ser local (p. ej., las RONCHAS de las alergias) o generalizado (también llamado hidropesía), comprometiendo a veces tanto las cavidades corporales como los tejidos. El tratamiento debe generalmente centrarse en la causa subyacente.

**Eden, río** Río del norte de Inglaterra. Surge en las tierras altas que conectan el LAKE DISTRICT con las tierras altas de los PENINOS y sigue un curso tortuoso de 145 km (90 mi) en dirección noroeste hasta su estuario en el Solway Firth, ensenada del mar de IRLANDA. No es navegable.

**Eden, (Robert) Anthony, 1er conde de Avon** (12 jun. 1897, Windlestone, Durham, Inglaterra–14 ene. 1977, Alvediston, Wiltshire). Político británico. Tras combatir en la primera guerra mundial, fue elegido miembro de la Cámara de los Comunes en 1923. Se convirtió en ministro de asuntos exteriores en 1935, pero renunció en 1938, en protesta contra la política de apaciguamiento seguida por el primer ministro NEVILLE CHAMBERLAIN. Ocupó nuevamente el cargo en 1940–45 y 1951–55; contribuyó a solucionar la disputa petrolera anglo-iraní y acordó un armisticio en Indochina. Sucedió a WINSTON CHURCHILL como primer ministro en 1955 y trató de aliviar la tensión internacional dando la bienvenida en Gran Bretaña a NIKITA JRUSCHOV

Anthony Eden, 1er conde de Avon, fotografía de Yousuf Karsh.
© KARSH DE RAPHO/PHOTO RESEARCHERS

y NIKOLÁI A. BULGANIN de la Unión Soviética. Su caída comenzó con la fracasada intervención anglofrancesa en Egipto (1956), cuando este país se apoderó del canal de Suez (ver crisis del canal de SUEZ). Renunció en 1957, aduciendo mala salud.

**Ederle, Gertrude (Caroline)** (23 oct., 1906, Nueva York, N.Y., EE.UU.–30 nov. 2003, Wyckoff, N.J.). Nadadora estadounidense, la primera mujer que cruzó el canal de la Mancha. A principios de la década de 1920 estableció récords femeninos de estilo libre, y en los Juegos Olímpicos de 1924 ganó una medalla de oro compartida como parte de la posta de 400 m y dos medallas de bronce (100 y 400 m estilo libre). En 1926 recorrió los 56 km (35 mi) del canal de la Mancha en 14 h y 31 m., batiendo en 1 h y 59 m. el registro masculino.

**Édessa** Principal ciudad (pob., 1991: 18.000 hab.) de Macedonia, Grecia. Este importante centro comercial y agrícola está ubicado en un escarpado risco sobre el valle del río Loudhías. Los descubrimientos arqueológicos realizados en VERGINA han puesto en tela de juicio la hipótesis de que Édessa se sitúa en el mismo lugar de la primera capital de la antigua Macedonia,

Aigai. Codiciada por los búlgaros, bizantinos y serbios, Édessa fue conquistada por los turcos en el s. XV. En 1912 quedó bajo el dominio de Grecia.

**Edgar Atheling** (Hungría–c. 1125). Príncipe anglosajón. Fue propuesto como rey de Inglaterra después de la batalla de HASTINGS (1066), pero se sometió al servicio de los reyes normandos GUILLERMO I (el Conquistador) y GUILLERMO II. Las rebeliones en su favor continuaron en Inglaterra hasta 1069. Dirigió el ejército normando enviado por Guillermo I para conquistar Apulia, en el sur de Italia (1086), pero en 1091 fue despojado de sus tierras normandas por Guillermo II. En 1097, por orden de Guillermo, derrocó a Donald Bane, rey escocés hostil. Hacia 1102 fue a Tierra Santa en una de las CRUZADAS. Más tarde apoyó sin éxito a Robert Curthose, duque de Normandía, en contra de ENRIQUE I en su lucha por el trono inglés.

**Edgerton, Harold E(ugene)** (6 abr. 1903, Fremont, Neb., EE.UU.–4 ene. 1990, Cambridge, Mass.). Ingeniero eléctrico y fotógrafo estadounidense. Era un estudiante graduado del MIT (Instituto de Tecnología de Massachusetts), cuando en 1926 desarrolló un tubo de flash capaz de producir destellos de luz de alta intensidad en brevísimo tiempo: 1/1.000.000 de segundo. Es el mismo flash que se utiliza en fotografía hoy en día. Dado que también puede emitir destellos repetidos de luz en intervalos cortos y regulares, es un ESTROBOSCOPIO ideal. Con el nuevo flash, Edgerton fue capaz de fotografiar secuencias de gotas de leche cayendo sobre un platillo y balas desplazándose a velocidades de 24.000 km/h (15.000 mi/h). Las imágenes resultantes han sido apreciadas tanto por su belleza artística como por su valor para la industria y la ciencia.

**Edgeworth, Maria** (1 ene. 1767, Blackbourton, Oxfordshire, Inglaterra–22 may. 1849, Edgeworthstown, Irlanda). Escritora irlandesa de origen inglés. Desde los 15 años ayudó a su padre a administrar sus posesiones, lo que le permitió conocer bien la economía rural y a los campesinos irlandeses. Sus historias infantiles tempranas, publicadas como *The Parent's Assistant* [El ayudante del padre] (1796), introducen en la literatura inglesa los primeros personajes infantiles convincentes desde Shakespeare. *El castillo de Rackrent* (1800), su primera novela, reveló su capacidad de observación social y de crear diálogos auténticos. Otras obras notables son *Belinda* (1801), *Tales of Fashionable Life* [Cuentos de la vida a la moda] (1809–12), una obra de seis volúmenes que incluye la novela *El absentista*, centrada en los abusos de los terratenientes ingleses que abandonaban sus posesiones; *Patronage* [Patronazgo] (1814) y *Ormond* (1817).

Maria Edgeworth, detalle de un grabado de Alonzo Chappel, 1873.
GENTILEZA DEL DIRECTORIO DEL MUSEO BRITÁNICO; FOTOGRAFÍA, J.R. FREEMAN & CO. LTD.

**edición por computadora** Uso de una computadora personal para realizar publicaciones. La edición por computadora permite a un individuo combinar texto, datos numéricos y elementos gráficos en un documento que puede ser enviado a una impresora o a una fotoimpresora. Un sistema de edición por computadora típico incluye una computadora personal, una impresora de alta resolución y dispositivos de entrada como un ESCÁNER ÓPTICO. Los elementos de texto y gráficos son creados o manipulados comúnmente con varios programas separados y luego combinados con un programa para armar la página. Poderosos programas para edición por computadora ofrecen capacidades gráficas completas.

**edición y publicación editorial** Tradicionalmente, la selección, preparación y distribución de material impreso, como libros, periódicos, revistas y folletos. En la actualidad, la publicación editorial incluye la producción de materiales en formatos digitales como CD-ROM, asimismo, materiales creados o adaptados para la distribución electrónica. En sus orígenes, la publicación estaba restringida al ámbito de la religión o el derecho, para después convertirse en una enorme industria que difunde información de todo tipo. En el sentido moderno de una industria impresora, la publicación editorial tuvo sus comienzos en la Grecia helenística, en Roma y China. Después de la introducción del papel a Occidente desde China en el s. XI, la innovación más importante en el ámbito de la publicación editorial fue la invención de los tipos móviles por JOHANNES GUTENBERG. En los s. XIX y XX, los avances tecnológicos, el aumento de la alfabetización y del ocio, y la creciente necesidad de información, contribuyeron a una expansión sin precedentes de la publicación editorial. Entre sus desafíos en el mundo actual se cuentan los intentos de censura, las leyes de propiedad intelectual y el plagio, los derechos de autor y las comisiones de los agentes literarios, las técnicas competitivas de publicidad, la presión de las empresas que compran espacio de avisos publicitarios, la cual puede afectar la independencia editorial, la adquisición de empresas editoriales independientes por parte de los grandes conglomerados, y la pérdida de lectores a causa del surgimiento de otros medios como la televisión e internet.

**edificación** Técnicas e industria relacionadas con el montaje y levantamiento de estructuras. El hombre primitivo construía principalmente para cobijarse, usando métodos simples. Los materiales de construcción provenían de la tierra y la fabricación dependía de los límites de los materiales y las habilidades de los constructores. La secuencia de edificación involucraba, como hoy, primero la colocación de una FUNDACIÓN (o el suelo). El constructor montaba el sistema estructural, el material estructural (mampostería, barro o troncos) servía de esqueleto y de espacio útil. El tradicional muro soportante y el sistema de PILAR Y VIGA finalmente dieron lugar a estructuras de ARMAZÓN y los constructores se volvieron expertos en hacer construcciones con RESISTENCIA AL FUEGO y en sellarlas con una variedad de revestimientos (cubierta exterior) y terminaciones. Las construcciones de estructura de acero por lo general se cierran con MUROS CORTINA. En la construcción moderna cubrir el esqueleto del edificio es sólo el principio; luego los especialistas comienzan el grueso del trabajo en su interior, con la PLOMERÍA, la instalación eléctrica, la CVC (CALEFACCIÓN, VENTILACIÓN Y CLIMATIZACIÓN), las VENTANAS, el REVESTIMIENTO DEL PISO, el enlucido, las MOLDURAS, el REVESTIMIENTO CERÁMICO, los gabinetes y otros elementos. Ver también ARQUITECTURA.

**edificación en altura** Construcción de varios pisos, de una altura mayor que aquella a la cual las personas pueden subir a pie, por lo que requiere transporte mecánico vertical. La construcción de edificios de más de cuatro o cinco pisos de altura se hizo conveniente con la introducción de ASCENSORES seguros para pasajeros. Los primeros edificios en altura fueron construidos en EE.UU. en la década de 1880. El uso de marcos estructurales de acero y los sistemas de MUROS CORTINA de vidrio representaron nuevos adelantos en este tipo de construcción. Los edificios en altura se usan para habitación, hoteles, oficinas, y a veces comercio, manufactura ligera, e instalaciones educacionales. Ver también RASCACIELOS.

**Edimburgo** Ciudad (pob., 2001: 448.624 hab.), capital de Escocia. La ciudad y el activo puerto de Leith en el estuario de Forth se encuentran dentro del condado histórico de Midlothian. La localidad primitiva situada en el sudeste de Escocia y que ahora es conocida como la Ciudad Vieja, se levantó en el s. XI en torno al castillo de Edimburgo, residencia del rey Malcolm III MacDuncan. En 1329 ROBERTO I le otorgó a Edimburgo su carta constitucional; en 1437 pasó a ser la capital del reino

de Escocia. La ciudad fue destruida en 1544 a raíz de las guerras fronterizas con Inglaterra; su característica arquitectura de piedras surgió durante la reconstrucción. En el s. XVIII, Escocia vivió un renacimiento cultural e intelectual y Edimburgo albergó a figuras ilustres como DAVID HUME, ADAM SMITH, ROBERT BURNS y Sir WALTER SCOTT. También fue la cuna de la *Encyclopædia Britannica* (1768) y la *Edinburgh Review* (1802). A fines del s. XVIII la ciudad creció con la construcción de la Ciudad Nueva, de estilo georgiano, separada de la Ciudad Vieja por un valle. La ciudad es el centro de la cultura y la educación escocesas y en ella se encuentra la Universidad de EDIMBURGO, la Biblioteca Nacional, la Galería Nacional de Retratos y el Museo Real de Escocia. Es la sede del Parlamento escocés, que se reunió por primera vez en 1999.

Palacio Holyrood emplazado en el casco histórico de Edimburgo, Escocia, cuna de figuras ilustres de la cultura anglosajona.
PHILIP CRAVEN/ROBERT HARDING WORLD IMAGERY/GETTY IMAGES

**Edimburgo, festival de** Festival internacional de las artes, que otorga relevancia a la música y el teatro. Fue fundado en 1947 por RUDOLF BING y se realiza cada verano durante tres semanas. Su cartelera teatral incluye obras de las compañías internacionales más importantes. Algunas de las obras estrenadas en el festival han sido *El cóctel* (1949) de T.S. ELIOT y *La casamentera* (1954) de THORNTON WILDER. El festival paralelo, el Edinburgh Fringe, atrae a grupos de teatro aficionados y ha estrenado obras como *Beyond the Fringe* (1960) y *Rosencrantz y Guildenstern han muerto* (1966) de TOM STOPPARD. En música, el festival ofrece conciertos, recitales y óperas interpretadas por solistas, orquestas y compañías internacionales.

**Edimburgo, Universidad de** Universidad privada con sede en Edimburgo, Escocia. Fue fundada en 1583 como *college* (colegio universitario) bajo auspicio presbiteriano, y obtuvo el estatuto jurídico de universidad c. 1621, luego de que se instaurara una escuela de teología. A comienzos del s. XVIII se sumaron las escuelas de medicina y derecho, y posteriormente se crearon las facultades de música, ciencia, artes, ciencias sociales y medicina veterinaria. La universidad ha formado a un gran número de ilustres figuras del ámbito cultural, entre los que cabe mencionar a WALTER SCOTT, JOHN STUART MILL, THOMAS CARLYLE, CHARLES DARWIN, DAVID HUME, ROBERT LOUIS STEVENSON y ALEXANDER GRAHAM BELL.

**Edipo** En la mitología GRIEGA, rey de TEBAS que sin saberlo mató a su padre y desposó a su madre. Según la versión más común de la leyenda, un oráculo advirtió a Layo, rey de Tebas, que su hijo lo mataría. Cuando su esposa Yocasta dio a luz un hijo, Edipo, fue expuesto en la ladera de una montaña, pero fue salvado por un pastor y adoptado por el rey de Corinto. Ya mayor viajó a Tebas y se encontró con Layo, quien provocó una disputa; en la riña le mató. Posteriormente libró a Tebas de la destructiva ESFINGE al responder su acertijo; en recompensa recibió el trono de Tebas y la mano de la reina viuda, su madre. Tuvieron cuatro hijos, entre ellos, ANTÍGONA. Cuando finalmente supieron la verdad, Yocasta se suicidó y él se cegó y marchó al exilio. Ha sido el héroe de muchas tragedias, en especial, *Edipo rey* y *Edipo en Colona*, de Sófocles.

**Edipo, complejo de** En la teoría psicoanalítica, deseo de involucrarse sexualmente con el progenitor del sexo opuesto y los sentimientos de rivalidad con el padre del mismo sexo. El término fue introducido por SIGMUND FREUD en *La interpretación de los sueños* (1899) y proviene del mito de EDIPO, quien mató a su padre y se casó con su madre; su análogo femenino es el complejo de ELECTRA. Considerada una etapa normal en el desarrollo de un niño entre los tres y los cinco años, finaliza cuando este se identifica con el padre del mismo sexo y reprime sus instintos sexuales. Freud creía que el proceso de resolución del complejo de Edipo daba origen al SUPERYÓ.

**Edirne, tratado de** *o* **tratado de Adrianópolis** (14 sep. 1829). Pacto que concluyó la guerra RUSO-TURCA de 1828–29. Suscrito en Edirne (antigua Adrianópolis), Turquía, el tratado abrió los estrechos turcos a los buques rusos y otorgó al Imperio ruso algunas concesiones territoriales. Fortaleció su posición en Europa oriental y debilitó la del Imperio otomano, y prefiguró su dependencia del equilibrio de poder europeo y el desmembramiento de sus posesiones balcánicas.

**Edison, Thomas Alva** (11 feb. 1847, Milan, Ohio, EE.UU.–18 oct. 1931, West Orange, N.J.). Inventor estadounidense. Tuvo una formación escolar muy precaria. Instaló un laboratorio en el sótano de su padre a la edad de 10 años; a los 12 ganaba dinero vendiendo periódicos y golosinas en los trenes. Trabajó como telegrafista (1862–68) antes de tomar la decisión de dedicarse a la invención y al desarrollo empresarial. A lo largo de su carrera, estuvo fuertemente motivado por esforzarse en superar su sordera parcial. Desarrolló para la Western Union una máquina capaz de enviar cuatro mensajes telegráficos a través de un alambre, para terminar vendiendo el invento al rival de la empresa, JAY GOULD, en más de 100.000 dólares. Creó el primer laboratorio de investigación industrial del mundo, en Menlo Park, N.J. Allí inventó el transductor de botón de carbón (1877), todavía en uso en las bocinas de teléfonos y micrófonos; el fonógrafo (1877) y la bombilla eléctrica incandescente (1879). Para desarrollar esta última, recibió un adelanto de 30.000 dólares de financistas como J.P. MORGAN y los Vanderbilt. En 1882 supervisó, en el sur de Manhattan, la instalación del primer sistema comercial centralizado de energía de operación permanente del mundo. Después de la muerte de su primera esposa (1884), construyó un nuevo laboratorio en West Orange, N.J. Su primera gran actividad empresarial fue la comercialización del fonógrafo, el cual fue mejorado por ALEXANDER GRAHAM BELL después de la invención inicial de Edison. En el nuevo laboratorio, Edison y su equipo también desarrollaron una cámara de cine primitiva y un instrumento para ver cuadros en movimiento. Además desarrollaron la batería de almacenamiento alcalina. Aunque sus últimos proyectos no fueron tan exitosos como los primeros,

Thomas Alva Edison junto a su fonógrafo de papel de estaño, fotografía de Mathew Brady, 1878.

GENTILEZA DEL EDISON NATIONAL HISTORICAL SITE, WEST ORANGE, N.J., EE.UU.

Edison continuó trabajando hasta pasados los 80 años. Por separado o en conjunto con otros, consiguió un récord mundial de 1.093 patentes, cerca de 400 de ellas relativas a luz y energía eléctrica. Siempre inventó por necesidad, con el objetivo de encontrar algo nuevo que pudiera fabricar. Más que cualquier otro, sentó las bases para la revolución tecnológica del mundo eléctrico moderno.

**Edmonton** Ciudad (pob., 2001: ciudad, 666.104 hab.; área metrop., 937.845 hab.), capital de la provincia de Alberta, Canadá. Ubicada junto al río SASKATCHEWAN en el centro de la provincia, comenzó como una serie de puestos de intercambio de pieles en 1795. Con la llegada del ferrocarril y la afluencia de colonizadores a fines del s. XIX, Edmonton empezó a prosperar económicamente y en 1905 se convirtió en capital de la nueva provincia de Alberta. El descubrimiento de petróleo en la zona en 1947 estimuló enormemente el crecimiento de la ciudad, donde sigue predominando una economía basada en la producción de petróleo y la agricultura. Es el centro de distribución del noroeste de Canadá. Entre sus instituciones educacionales y culturales destaca la Universidad de Alberta (1906).

Vista de Edmonton, capital de la provincia canadiense de Alberta.
FOTOBANCO

**Edo, cultura** Época de la historia japonesa que corresponde al período de gobierno de los TOKUGAWA (1603–1867). TOKUGAWA IEYASU, el primer SOGÚN Tokugawa, escogió a Edo (actual Tokio) como la nueva capital de Japón, ciudad que se convirtió en una de las más grandes de su tiempo y en centro de una floreciente cultura urbana. En literatura, BASHO desarrolló una forma poética que más tarde se llamó HAIKU, e IHARA SAIKAKU escribió novelas con estrofas encadenadas cómico-virtuosas y humorísticas; en teatro, tanto el KABUKI (con actores) como el BUNRAKU (con marionetas) eran espectáculos para la gente citadina (los samuráis, a quienes les estaba prohibido ir al teatro, a menudo asistían disfrazados). El desarrollo de las técnicas de impresión policromada con bloques de madera puso al alcance de la gente común estampas de actores de kabuki populares o de cortesanas destacadas (ver UKIYO-E). Las narraciones de viajes exaltaban la belleza de los paisajes y despertaban el interés histórico de lugares en provincias apartadas; las peregrinaciones a templos o santuarios fuera de Edo se hicieron frecuentes. En el campo del conocimiento, el estudio del *kokugaku* ("saber nacional") concentró su atención en la poesía más antigua del Japón. El estudio de Europa y de la ciencia occidental, denominado *rangaku* ("saber holandés"), se hizo popular, a pesar del escaso contacto con Europa. También fue muy difundido el NEOCONFUCIANISMO. Ver también período GENROKU.

**Edom** Antiguo país del Medio Oriente, situado al sur del mar MUERTO. Es probable que los edomitas ocuparan la zona c. siglo XIII AC. Aunque estaban muy relacionados con los israelitas, permanecían en frecuente conflicto con ellos y es probable que hayan sido súbditos del reino israelita (s. XI–X AC). Ubicado en la ruta de comercio entre la península Arábiga y las costas del mar Mediterráneo, Edom fue conocido por sus trabajos en cobre. Más tarde fue conquistado por los nabateos, y los edomitas emigraron al sur de JUDEA. Edom y su vecino MOAB eran conocidos en las épocas macabea y romana como Idumea.

**Eduardo I** *llamado* **Eduardo Piernas Largas** (17 jun. 1239, Westminster, Middlesex, Inglaterra–7 jul. 1309, Burgh by Sands, cerca de Carlisle, Cumberland). Rey de Inglaterra (1272–1307). Hijo mayor de ENRIQUE III, apoyó a su padre en una guerra civil contra los barones, pero su temperamento violento contribuyó a la derrota de Enrique en la batalla de Lewes (1264). Triunfó sobre los rebeldes al año siguiente, al derrotar y dar muerte a su líder en Evesham. En 1271–72 se unió a la desastrosa CRUZADA de LUIS IX de Francia (la octava cruzada), y regresó luego a Inglaterra para suceder a su padre. Su reinado fue un período de elevación de la conciencia nacional, en el cual fortaleció a la corona frente a la nobleza. Fomentó el desarrollo del parlamento y desempeñó un importante papel en la definición del derecho consuetudinario inglés. Conquistó Gales (1277) y aplastó las rebeliones galesas contra el dominio inglés, pero su conquista de Escocia (1296), dentro de la cual figura su victoria sobre WILLIAM WALLACE, quedó anulada por rebeliones posteriores. En 1290 expulsó a los judíos de Inglaterra, que no serían readmitidos sino hasta 1655. Murió en una campaña contra ROBERTO I, que el año anterior se había proclamado rey de Escocia.

**Eduardo II** *llamado* **Eduardo de Caernarfon** (25 abr. 1284, Caernarfon, Caernarfonshire, Gales–sep. 1327, Berkeley, Gloucestershire, Inglaterra). Rey de Inglaterra (1307–27). Era hijo de Eduardo I. Provocó la ira de los barones al conceder el condado de Cornualles a su favorito, Piers Gaveston. Los barones redactaron entonces las Ordenanzas (1311), documento que limitaba el poder del rey sobre las finanzas y los nombramientos, y luego ejecutaron al arrogante Gaveston (1312). La derrota inglesa a manos de ROBERTO I en la batalla de BANNOCKBURN (1314) aseguró la independencia escocesa y dejó a Eduardo a merced de los poderosos barones, en especial Thomas de Lancaster. Eduardo derrotó y ejecutó a Lancaster en 1322, con lo cual pudo después liberarse del control de los barones y revocar las Ordenanzas. Su esposa, la reina Isabel de Francia, ayudó a su amante, Roger de Mortimer, a invadir Inglaterra junto con otros nobles descontentos y a deponer a Eduardo en favor de su hijo EDUARDO III. Eduardo II fue arrestado y probablemente asesinado.

**Eduardo III** *llamado* **Eduardo de Windsor** (13 nov. 1312, Windsor, Berkshire, Inglaterra–21 jun. 1377, Sheen, Surrey). Rey de Inglaterra (1327–77). Su madre, Isabel de Francia, depuso a su padre, EDUARDO II, y lo coronó a la edad de 15 años. Isabel y su amante, Roger de Mortimer, gobernaron en nombre de Eduardo durante cuatro años y lo convencieron de conceder la independencia a los escoceses (1328). En 1330, después de ordenar la ejecución de Mortimer, se convirtió en el único gobernante de Inglaterra. Al afirmar su derecho sobre la corona de Francia, dio inicio a la guerra de los CIEN AÑOS. En 1342 estableció la Orden de la JARRETERA. Derrotó a los franceses en la batalla de CRÉCY (1346) y capturó Calais (1347), aunque la falta de fondos lo forzó a firmar una tregua. La PESTE NEGRA golpeó a Inglaterra en 1348, pero la lucha continuó. Los escoceses se rindieron ante el rey en 1356, y el mismo año su hijo EDUARDO EL PRÍNCIPE NEGRO obtuvo una gran victoria para los ingleses en la batalla de POITIERS. En 1360 renunció a sus

Eduardo III, acuarela, s. XV; Biblioteca Británica (Cotton MS. Julius E. IV).

CON LICENCIA DE LA BIBLIOTECA BRITÁNICA

pretensiones sobre la corona francesa a cambio de Aquitania. La guerra se reanudó posteriormente cuando CARLOS V desconoció el tratado de Calais; Eduardo perdió Aquitania y en 1375 firmó una nueva tregua. En sus últimos años cayó bajo la influencia de su codiciosa amante, Alice Perrers, y de su hijo JUAN DE GANTE.

**Eduardo IV** (28 abr. 1442, Ruán, Francia–9 abr. 1483, Westminster, Inglaterra). Rey de Inglaterra (1461–70, 1471–83). Su padre, pretendiente al trono, fue asesinado en 1461. Aunque logró ser coronado, principalmente gracias a su primo el conde de WARWICK, esta alianza no perduró y después de muchas intrigas y luchas fue depuesto y huyó en 1470. Regresó al año siguiente y se convirtió en un importante protagonista de la guerra de las DOS ROSAS, al derrotar y dar muerte a Warwick y a casi todos los restantes líderes del partido de los Lancaster. Tras

Eduardo IV, retrato de un artista desconocido.
GENTILEZA DE LA NATIONAL PORTRAIT GALLERY, LONDRES

asesinar a ENRIQUE VI y rechazar un ataque a Londres, se afianzó en el trono por el resto de su vida. Invadió Francia, reino que había heredado y perdido casi en su totalidad. Aunque el intento fracasó, obtuvo un excelente arreglo financiero por medio de un tratado. Sus logros en el gobierno hicieron de su reinado una época de prosperidad y fortuna. Le sobrevivieron siete hijos; los dos varones fueron probablemente asesinados en la Torre de Londres y su hija mayor contrajo nupcias con ENRIQUE VII.

**Eduardo VI** (12 oct. 1537, Londres, Inglaterra–6 jul. 1553, Londres). Rey de Inglaterra e Irlanda (1547–53). Hijo de ENRIQUE VIII y JANE SEYMOUR, ascendió al trono después de la muerte de su padre, cuando aún era un niño. Durante su reinado, el poder lo ejerció primero su tío, el duque de SOMERSET (1547–49), y luego, el duque de NORTHUMBERLAND. Próximo a morir de tuberculosis, fue convencido de excluir a sus dos hermanastras (más tarde, reinas), MARÍA I TUDOR e ISABEL I, de la sucesión al trono y colocar en su lugar a Lady JANE GREY, nuera de Northumberland.

**Eduardo VII** *orig.* **Alberto Eduardo** (9 nov. 1841, Londres, Inglaterra–6 may. 1910, Londres). Rey de Gran Bretaña e Irlanda (1901–10). Hijo de la reina VICTORIA, asistió a Oxford y Cambridge. En 1863 casó con Alejandra (n. 1844–m. 1925), hija de CRISTIÁN IX. Conocido por su afición a las carreras y regatas, y por su conducta personal a veces escandalosa, la reina Victoria lo excluyó de la mayoría de los asuntos de Estado hasta que

Eduardo VII, rey de Gran Bretaña e Irlanda.
THE BETTMANN ARCHIVE/BBC HULTON

tuvo más de 50 años. Ascendió al trono a la muerte de su madre y su reinado contribuyó a restablecer el brillo de la monarquía, después del largo enclaustramiento de la reina viuda. Fue un soberano inmensamente popular, que contribuyó a preparar el terreno para la ENTENTE CORDIALE con su visita de Estado a París en 1903.

**Eduardo VIII** (23 jun. 1894, Richmond, Surrey, Inglaterra–28 may. 1972, París, Francia). Rey del Reino Unido (1936) que abdicó voluntariamente. Hijo de JORGE V, prestó servicios como oficial de Estado mayor en la primera guerra mundial. Después de la guerra realizó extensos viajes de buena voluntad por el Imperio británico y se hizo muy popular entre sus connacionales. En 1930 trabó amistad con Wallis Simpson y su esposo, y hacia 1934 se había enamorado de ella. En enero de 1936 ascendió al trono a la muerte de su padre. Como no logró obtener la aceptación social y política para su proyectado matrimonio con Simpson, abdicó en diciembre, convirtiéndose así en el único soberano británico en renunciar a la Corona en forma voluntaria. Le fue concedido el título de duque de Windsor y en 1937 se casó con Simpson, quien se convirtió en duquesa de WINDSOR. WINSTON CHURCHILL le ofreció ser gobernador de Bahamas durante la segunda guerra mundial (1940–45), tras lo cual la pareja vivió en París. Aunque eran considerados parte de la elite social, sólo en 1967 fueron invitados a asistir a una ceremonia pública oficial junto a otros miembros de la familia real.

**Eduardo el Confesor, san** (c. 1003, Islip, Inglaterra–5 ene. 1066, Londres; canonizado en 1161; día festivo original, 5 de enero; actual, 13 de octubre). Rey de Inglaterra (1042–66). Hijo de ETELREDO II, estuvo exiliado en Normandía durante 25 años (1016–41) mientras los daneses dominaban Inglaterra (ver CANUTO EL GRANDE). Durante los primeros 11 años de su reinado, el verdadero amo de Inglaterra fue Godwine, conde de Wessex. En 1051 Eduardo proscribió a Godwine y puso a normandos en altos puestos de gobierno, preparando así el camino para la conquista NORMANDA. Godwine continuó su oposición y su hijo Harold (ver HAROLD II) logró dominar Inglaterra después de 1053, sometiendo a Gales en 1063. En su lecho de muerte, Eduardo nombró a Harold sucesor en el trono, pero el duque de Normandía, el futuro GUILLERMO I, invadió Inglaterra para reclamar la corona que antes se le había prometido. Aunque no fue un gran gobernante, Eduardo fue célebre por su piedad religiosa, lo que le valió el epíteto de "el Confesor".

**Eduardo el Príncipe Negro** (15 jun. 1330, Woodstock, Oxfordshire, Inglaterra–8 jun. 1376, Westminster, cerca de Londres). Príncipe de Gales (n. 1343–m. 1376). Hijo de EDUARDO III, al parecer recibió su apodo porque usaba una armadura negra. Fue uno de los más destacados comandantes de la guerra de los CIEN AÑOS, al obtener una gran victoria en la batalla de Poitiers en 1356. Fue príncipe de Aquitania en 1362–72; su gobierno fue un fracaso, debido en gran parte a su propia responsabilidad. Regresó a Inglaterra enfermo y arruinado, y entregó formalmente el principado a su padre. No tuvo sucesor como príncipe de Aquitania. Aunque era heredero forzoso, nunca ascendió al trono. Su hijo se convirtió en RICARDO II.

**Eduardo, lago** Lago en África oriental. Uno de los grandes lagos del oeste del valle del RIFT, situado en la frontera de la República Democrática del Congo con Uganda; mide 77 km (48 mi) de largo y 42 km (26 mi) de ancho. Al noroeste está conectado con el lago GEORGE, que es más pequeño. El lago Eduardo desagua en el lago ALBERTO ubicado al norte, a través del río SEMLIKI; cuenta con abundante pesca y la fauna en sus costas está protegida por los parques nacionales VIRUNGA y RUWENZORI. Fue bautizado por HENRY MORTON STANLEY, quien visitó el lago en 1888–89.

**educación** Instrucción impartida en escuelas o entornos similares (educación formal) o en el mundo en general; transmisión de los valores y del conocimiento acumulado de una sociedad. En las culturas en desarrollo, generalmente existe escasa educación formal. Los niños aprenden de su medio ambiente y de sus actividades, y los adultos que los rodean actúan como profesores. En sociedades más complejas, en las que existe más conocimiento que transmitir, se hace más necesario aplicar medios más selectivos y eficientes de transmisión –la escuela y los profesores–. El contenido de la educación formal, su duración y quien la recibe, han variado ampliamente de cultura en cultura y de una era a otra, al igual que la filosofía de la educación. Algunos filósofos (p. ej., JOHN LOCKE) han considerado al individuo como una pizarra en blanco sobre la cual es posible escribir el conocimiento. Otros (p. ej., JEAN-JACQUES ROUSSEAU) han concebido el estado natural

del ser humano como deseable en sí mismo, motivo por el cual debe ser alterado lo menos posible; este punto de vista suele ser aceptado en la EDUCACIÓN ALTERNATIVA. Ver también CONDUCTISMO; JOHN DEWEY; EDUCACIÓN BÁSICA; EDUCACIÓN DIFERENCIAL; EDUCACIÓN PROGRESIVA; EDUCACIÓN SUPERIOR; ENSEÑANZA; ESCUELA PÚBLICA; JARDÍN INFANTIL; movimiento LYCEUM.

**educación alternativa** Educación que difiere en cierta forma de la que se imparte en las instituciones convencionales. Es posible encontrar ejemplos en escuelas públicas, privadas y en programas de estudio de educación en el hogar. El foco central estaría en estructuras alternativas (p. ej., clases abiertas), materias alternativas (p. ej., instrucción religiosa), o en relaciones alternativas (p. ej., informalidad entre estudiantes y profesores o entre estudiantes de diferentes edades). Cada uno de estos métodos aspira a proveer lo que parece estar faltando en la educación convencional, ya se trate de principios morales o éticos o del reconocimiento del estilo de aprendizaje individual y la CREATIVIDAD innata de cada niño.

**educación asistida por computadora** Uso de material educativo presentado mediante una computadora. A partir de la década de 1970, con el advenimiento de las microcomputadoras, su uso en las escuelas se ha generalizado desde la primaria hasta niveles universitarios y en algunos programas preescolares. Las computadoras educativas proporcionan información o desempeñan un rol tutorial, evaluando la comprensión de los estudiantes. Al proveer interacción uno a uno y producir evaluaciones inmediatas a las respuestas introducidas, las computadoras permiten a los estudiantes demostrar dominio y aprender nuevo material a su propio ritmo. Una desventaja es que la instrucción computarizada no puede ampliar la lección más allá del límite de la programación.

**educación básica** Tradicionalmente, la primera etapa de la educación formal, que se inicia entre los cinco y siete años de edad y finaliza entre los 11 y 13 años. A menudo está precedida por alguna forma de EDUCACIÓN PREESCOLAR y por lo general, en la escolaridad de influencia anglosajona, culmina con el denominado *middle school*, o *junior high school* (11–13 años), a pesar de que en algunas ocasiones ese segmento forma parte de la EDUCACIÓN SECUNDARIA. Casi todos los países están obligados a tener cierta forma de educación básica, a pesar de que en muchas naciones en desarrollo gran cantidad de niños no pueden cursar estudios de tiempo completo pasados los 10 ó 12 años. Generalmente, el programa de estudios de educación básica enfatiza la lectura y la escritura, la aritmética, el estudio de la sociedad y de las ciencias. Una estrategia de enseñanza fundamental supone trasladar al estudiante desde un ambiente inmediato y familiar a uno distante y no familiar, método que fue formulado por primera vez por JOHANN HEINRICH PESTALOZZI.

**educación continua** *o* **educación para adultos** Cualquier forma de enseñanza para adultos. En EE.UU., la Universidad de WISCONSIN fue la primera institución académica en ofrecer dichos programas (1904). El Empire College de la Universidad del estado de NUEVA YORK (SUNY) fue la primera institución destinada exclusivamente a la enseñanza de adultos (1969). La educación continua abarca métodos tan diversos como el estudio independiente; diversas formas de educación a distancia, como son los programas de radio o televisión, material en vídeos, internet, etc.; grupos de discusión y círculos de estudio; conferencias, seminarios y talleres, y clases presenciales de tiempo parcial o completo. Son comunes tanto los programas de nivelación como los programas de equivalencia de la educación secundaria y de la literatura básica. En los últimos años se ha ampliado enormemente la variedad de materias y se han incluido temas como mecánica de automotores, planes de jubilación y computación. Ver también movimiento de CHAUTAUQUA.

**educación diferencial** Educación destinada a estudiantes con necesidades especiales (como son los discapacitados en sentido físico o mental). El primero en proponer educación para los no videntes fue Valentin Haüy, que fundó un colegio en París en 1784; sus esfuerzos fueron seguidos por los de LOUIS BRAILLE. Con anterioridad a Haüy, hubo iniciativas para educar a los niños sordos; sin embargo, no fue hasta que Friedrich Moritz Hill (n. 1805–m. 1874) elaboró un método oral de instrucción que estableció formalmente la educación para los sordos. El desarrollo de un LENGUAJE DE SEÑAS estandarizado permitió un mayor avance en la instrucción de estos pacientes. Las iniciativas científicas para educar a niños con retardo se iniciaron merced a los esfuerzos de Jean-Marc-Gaspard Itard (n. 1775–m. 1838), destinados a adiestrar a un niño salvaje, conocido como el niño salvaje de Aveyron. El trabajo de Itard influyó en teóricos posteriores como Édouard Séguin (n. 1812–m. 1880) y MARÍA MONTESSORI. Los niños con discapacidades motrices, que antes eran considerados sujetos para la educación diferencial, suelen ser integrados en salas de clases de tipo estándar, a menudo con la ayuda de sillas de rueda y pupitres especiales. Los niños con trastornos del APRENDIZAJE y problemas de HABLA generalmente requieren de la aplicación de técnicas especiales, con frecuencia en forma individual. A niños con desórdenes conductuales o emocionales, se les pueden proporcionar servicios especiales terapéuticos y clínicos.

**educación física** Entrenamiento de la aptitud física y de las habilidades necesarias o la promoción de dicha actividad. Es un requisito en la mayoría de las escuelas primarias y secundarias de todo el mundo. Generalmente abarca CALISTENIA, GIMNASIA, deportes varios y algunos estudios sobre salud. Los diplomados en educación física tienen rango universitario en casi todos los países. El grueso de la enseñanza se imparte en gimnasios, aunque también se hace énfasis en los deportes al aire libre.

**educación, filosofía de la** Aplicación de métodos filosóficos a problemas y asuntos de la EDUCACIÓN. Entre los temas investigados por la filosofía de la educación están la naturaleza del aprendizaje, especialmente en niños, y el propósito de la educación, dentro de lo cual figura la pregunta de si los educadores deben tratar de desarrollar o inculcar virtudes morales y valores políticos (y en caso afirmativo, de qué manera deben hacerlo). Las figuras más importantes de la historia de la filosofía de la educación son PLATÓN, JEAN-JACQUES ROUSSEAU y JOHN DEWEY.

Clase de educación física en la escuela primaria.
J. CLARKE/TAXI/GETTY IMAGES

**educación mixta** ver COEDUCACIÓN

**educación parroquial** *o* **educación confesional** Educación ofrecida institucionalmente por un grupo religioso. El programa de estudios suele incluir estudios tanto religiosos como de carácter general. En EE.UU. y Canadá, la expresión educación parroquial se ha aplicado fundamentalmente a las escuelas de educación básica y secundaria mantenidas por las parroquias de la Iglesia católica, pero también se puede referir a escuelas dirigidas por organizaciones protestantes, judías, musulmanas y budistas, entre otras.

**educación preescolar** Educación de niños de hasta cinco o seis años de edad. Las instituciones de educación preescolar varían mucho alrededor del mundo, así como también sus denominaciones (p. ej., jardín infantil, guardería infantil, salacuna, escuela de párvulos, kindergarten). La primera teoría sistemática sobre pedagogía de la infancia fue propuesta por FRIEDRICH FROEBEL, fundador del JARDÍN INFANTIL. Otros teóricos influyentes fueron MARÍA MONTESSORI y JEAN PIAGET. La educación preescolar se centra en el desarrollo del lenguaje, para lo cual los profesores suelen dirigir juegos de audición y de habla. Ver también EDUCACIÓN BÁSICA.

**educación progresiva** Movimiento que surgió en Europa y América del Norte a fines del s. XIX, como reacción a la supuesta estrechez y formalismo de la educación tradicional. Uno de sus objetivos fundamentales era educar al "niño de manera integral", es decir, prestar atención tanto al desarrollo físico y emocional, como al progreso intelectual. Las artes creativas y manuales adquirieron importancia dentro del programa de estudios y se incentivó a los niños a experimentar y a pensar en forma independiente. Las ideas y prácticas del movimiento progresivo fueron fuertemente introducidas en EE.UU. por JOHN DEWEY.

**educación secundaria** Tradicionalmente, la segunda etapa de la educación formal, que se inicia entre los 11 y 13 años de edad y finaliza por lo general entre los 15 y 18 años. La distinción entre EDUCACIÓN BÁSICA y educación secundaria ha vuelto cada vez más difusa con la proliferación de los *middle schools*, los *junior high schools* (con estudiantes de 11–13 años) y otras divisiones.

**educación superior** Estudios que siguen a la EDUCACIÓN SECUNDARIA. Las instituciones de educación superior no sólo incluyen los COLLEGES (colegios universitarios) y las UNIVERSIDADES, sino también las escuelas profesionales en áreas como el derecho, teología, medicina, administración de empresas, música y arte. También abarcan las escuelas de perfeccionamiento de profesores, JUNIOR COLLEGES (colegio universitario con programas de estudio de dos años) y los institutos de tecnología. Al término de un determinado período de estudios se entrega un GRADO ACADÉMICO, un diploma o un certificado. Ver también EDUCACIÓN CONTINUA.

**educación técnica** Preparación académica y práctica de estudiantes para desempeñar ocupaciones relacionadas con la ciencia aplicada y la tecnología moderna. Enfatiza más bien la comprensión y la aplicación práctica de los principios básicos de la ciencia y matemática, en vez del logro de competencias en artes manuales, área que es propia de la enseñanza profesional. La meta de la educación técnica es graduar alumnos para ocupaciones intermedias entre los oficios calificados y las profesiones científicas o de ingeniería. A las personas que trabajan en estos empleos se les llama frecuentemente técnicos. Ver también CAPACITACIÓN DE PERSONAL.

**Edwards, Blake** *orig.* **William Blake McEdwards** (n. 26 jul. 1922, Tulsa, Okla., EE.UU.). Guionista, director y productor de cine estadounidense. En la década de 1940 actuó en películas y, con posterioridad, se consolidó como guionista, especialmente por *Mi hermana Elena* (1955) y *La misteriosa dama de negro* (1962). Creó la serie de televisión *Peter Gunn* (1958–60), y como director tuvo éxito con *Operación Pacífico* (1959), *Desayuno con diamantes* (1961), *La mujer 10* (1979) y *Victor/Victoria* (1982) que reestrenó en 1995 como musical en Broadway, protagonizada por su esposa, JULIE ANDREWS. Por sobre todo, fue conocido por *La pantera rosa* (1964) y sus continuaciones.

**Edwards, Gareth** (n. 12 jul. 1947, Gwaun-Cae-Gurwen, Gales). Rugbista galés. Considerado uno de los mejores jugadores de la historia del rugby, fue medio *scrum* del brillante equipo de Gales que ganó 11 veces en 16 temporadas (1964–78) el campeonato de las Cinco Naciones. Entre 1967 y 1978 disputó 53 partidos por su selección y diez por los Leones británicos. Jugando por Gales, anotó 20 *tries*, marca insólita para un jugador de su posición.

**Edwards, Jonathan** (5 oct. 1703, East Windsor, Conn., EE.UU. –22 mar. 1758, Princeton, N.J.). Teólogo estadounidense. El quinto de 11 hijos de un hogar estrictamente puritano (ver PURITANISMO), ingresó a la Universidad de Yale a los 13 años de edad. En 1727 fue nombrado pastor en la iglesia de su abuelo en Northampton, Mass. Sus sermones sobre la "justificación sólo por la fe" dieron origen a un renacimiento religioso en el valle del río Connecticut en 1734 y en la década de 1740, fue también una figura influyente en el GRAN DESPERTAR. En 1750 fue destituido de la iglesia de Northampton por un desacuerdo sobre quién merecía recibir la comunión y se convirtió en pastor en Stockbridge en 1751. Murió de viruela poco después de aceptar la rectoría de la Universidad de Nueva Jersey (actual Universidad de Princeton). Firme adherente al CALVINISMO, hizo hincapié en el pecado original, la predestinación y la necesidad de la conversión. Su sermón más famoso, "Los pecadores en manos de un Dios encolerizado", evoca vívidamente el destino de los pecadores impenitentes en el infierno.

**Edwards, Jorge** (n. 29 jul. 1931, Santiago, Chile). Escritor, periodista y diplomático chileno, abogado de profesión. Su constante dedicación al periodismo ha infundido a todos sus escritos los rasgos propios de la crónica y del REALISMO. Son conocidas sus polémicas obras testimoniales *Persona non grata* (1973), acerca de sus experiencias como diplomático en la Cuba de FIDEL CASTRO, y *Adiós, poeta* (1990), sobre PABLO NERUDA, con quien colaboró en la embajada chilena en París. En su creación narrativa es motivo recurrente la decadencia de la sociedad tradicional de su país. Tal es el caso de sus libros de cuentos *Gente de la ciudad* (1962) y *Máscaras* (1969), y de sus novelas *El peso de la noche* (1965), *Los convidados de piedra* (1978), *El museo de cera* (1981) y *El origen del mundo* (1996). Obtuvo el Premio Nacional de Literatura (1994) y el Premio CERVANTES (2000).

**Edwards, Robert** ver Patrick STEPTOE y Robert Edwards

**EFE** AGENCIA DE NOTICIAS de España. Fundada en 1938, a partir de la agencia Fabra-Havas, tuvo su origen en plena guerra civil ESPAÑOLA. Nació bajo la iniciativa del ministro del interior de la época, Ramón Serrano. Un año después se estableció como sociedad anónima. Presente en más de 100 países, es la principal proveedora de noticias para los medios de comunicación hispanohablantes. Se distingue por entregar información precisa, rápida y por su constante preocupación por el correcto uso del idioma español.

**efecto dominó** ver teoría del DOMINÓ

**efecto fotoeléctrico** Fenómeno en el cual un material emite partículas cargadas al absorber energía radiante (ver RADIACIÓN). A menudo se visualiza como la eyección de ELECTRONES desde la superficie de una placa metálica cuando la luz visible incide en ella. También puede suceder si la radiación está en el rango de longitudes de onda de la RADIACIÓN ULTRAVIOLETA, RAYOS X O RAYOS GAMMA. La superficie emisora puede ser sólida, líquida o gaseosa, y las partículas emitidas pueden ser electrones o iones. El efecto fue descubierto en 1887 por HEINRICH HERTZ y explicado por ALBERT EINSTEIN en un trabajo por el cual obtuvo el Premio Nobel.

**efecto fotovoltaico** Proceso en el cual dos materiales distintos en contacto directo actúan como una celda (o BATERÍA) eléctrica cuando incide luz u otra energía radiante sobre la unión. En los CRISTALES de ciertos elementos como SILICIO y GERMANIO, los ELECTRONES por lo general no pueden moverse libremente de átomo a átomo. La luz incidente en esos cristales provee la energía necesaria para liberar electrones de su ligadura. Estos electrones pueden cruzar la unión entre dos cristales distintos con más facilidad en una dirección que en la opuesta, de manera que un lado de la unión adquiere un voltaje negativo con respecto al otro. Mientras los dos materiales estén iluminados, la batería fotovoltaica puede seguir proporcionando voltaje y corriente. La corriente puede utilizarse para medir el brillo de la luz o como una fuente de energía, como en una CELDA SOLAR (o batería solar).

**efecto invernadero** ver efecto INVERNADERO

**efecto mariposa** ver COMPORTAMIENTO CAÓTICO

**efectos especiales** Efectos visuales artificiales o mecánicos incorporados en una película o un programa de televisión. Los primeros efectos especiales fueron creados mediante cámaras con lentes especiales o mediante trucos, como la proyección de una imagen con movimiento detrás de los actores. Con el desarrollo del impresor óptico se logró una mayor ductilidad y la posibilidad de combinar distintos trozos de película y cambiar parte de una imagen, lo que permitió crear efectos como hacer volar a un personaje por los aires. Los efectos especiales mecánicos también fueron creados en los estudios mediante el uso de cables, explosivos y marionetas, y con la construcción de pequeñas maquetas para simular escenas épicas, como las batallas. El creciente uso de la animación computarizada y de imágenes generadas por computadora ha producido efectos visuales cada vez más elaborados y realistas. Si bien antes cada estudio cinematográfico tenía su propio departamento de efectos especiales, hoy en día, los efectos son realizados por compañías privadas como Industrial Light and Magic, de GEORGE LUCAS, que se creó para diseñar los revolucionarios efectos de *La guerra de las galaxias* (1977) y otras películas posteriores.

**efemérides** Tablas con las posiciones de los cuerpos celestes a intervalos regulares, a menudo con información suplementaria. Construidas incluso desde el s. IV AC, las efemérides son aún esenciales para los astrónomos y navegantes. Las efemérides modernas se calculan usando computación intensiva y cuidadosas comprobaciones, después de que se conoce la descripción matemática del movimiento del objeto celeste. Muchas efemérides nacionales se publican regularmente; las estadounidenses, publicadas por primera vez en 1852, son consideradas las mejores. En la actualidad se publican junto con las del Reino Unido, bajo el nombre de *The Astronomical Almanac* [El almanaque astronómico].

**efemeróptero** Cualquier INSECTO del orden Ephemeroptera, que habita en arroyos y lagunas. Las cerca de 2.000 especies miden hasta 4 cm (1,6 pulg.) de largo, tienen alas anteriores triangulares, membranosas, alas posteriores redondas y más pequeñas, y dos o tres colas largas filiformes. En reposo, las alas se mantienen en posición vertical. Las piezas masticadoras de las larvas acuáticas son vestigiales en el adulto, el cual vive sólo el tiempo suficiente para aparearse y reproducir-

Efemeróptero (*Hexagenia bilineata*).
© ENCYCLOPÆDIA BRITANNICA, INC.

se. Los machos "danzan" en grandes enjambres para atraer a las hembras. Generalmente, la vida de un adulto sólo dura apenas unas cuantas horas (aunque al menos una especie vive hasta dos días); los poetas han utilizado los efemerópteros como símbolo de la naturaleza efímera de la vida.

**Éfeso** Antigua ciudad jónica griega; sus ruinas se ubican cerca de la actual localidad de Selçuk, al oeste de Turquía. Estaba situada al sur del río Caístro y en ese lugar se encontraba el templo de ARTEMISA. La tradición indica que fue fundada por los carios; era una de las 12 ciudades jónicas que participó en las guerras MÉDICAS y en la del PELOPONESO. Fue capturada por ALEJANDRO MAGNO c. 334 AC y prosperó durante la época HELENÍSTICA. Pasó a control de Roma en 133 AC y, bajo el emperador AUGUSTO, llegó a ser la capital de la provincia romana de Asia. Fue una de las sedes del cristianismo primitivo que fuera visitada por san PABLO; la Carta de Pablo a los Efesios estaba dirigida a los residentes de la ciudad. Los godos la destruyeron junto con el templo en 262 DC; ninguno fue recuperado. Se han llevado a cabo amplias excavaciones en el lugar actual de las ruinas.

**eficiencia** *o* **rendimiento** En mecánica, la medida de la efectividad con la cual un sistema aprovecha la energía que se le suministra. Se define como la razón entre el TRABAJO realizado por el sistema y la energía que recibe, que es el trabajo mecánico efectuado sobre el sistema. El rendimiento de un sistema real es siempre menor que 1, debido al ROZAMIENTO entre las partes móviles. Una máquina con un rendimiento de 0,8 entrega el 80% de la energía de entrada como trabajo producido (o de salida); el 20% restante es utilizado en vencer el roce. En una máquina ideal, teóricamente sin rozamiento, la energía de entrada y el trabajo producido son iguales, y el rendimiento sería 1, o 100%.

**éforo** (griego, *ephoros*). Título de los cinco principales magistrados espartanos, que constituían, junto con los dos reyes de ESPARTA, la rama ejecutiva del estado. El registro de éforos se remonta al año 754 AC. Todo ciudadano de sexo masculino podía ser elegido para el eforato, que presidía las reuniones de la GERUSÍA y la APELLA y daba cumplimiento a los decretos de estas. Sus amplios poderes en materia policial les permitían declarar anualmente la guerra a los ILOTAS, con autorización legal para atacarlos y ejecutarlos si era necesario. En caso de emergencia, podían incluso arrestar y enjuiciar a un rey.

**Egas Moniz, António Caetano de Abreu Freire** (29 nov. 1874, Avança, Portugal–13 dic. 1955, Lisboa). Neurólogo y estadista portugués. Introdujo la angiografía cerebral (1927–37). En 1936, junto con Almeida Lima, realizó la primera lobotomía prefrontal, y en 1949 compartió el Premio Nobel con WALTER RUDOLF HESS por el desarrollo de la lobotomía. Por sus graves efectos secundarios, Egas recomendó emplear la lobotomía sólo si fallaban todos los demás tratamientos. También se desempeñó en el poder legislativo portugués y, como ministro, presidió la delegación de Portugal ante la Conferencia de Paz en París.

Antonio Egas Moniz, c. 1950.
ARCHIV FUR KUNST UND GESCHICHTE, BERLÍN OCCIDENTAL

**egeas, civilizaciones** Civilizaciones de la edad del bronce que surgieron y florecieron c. 3000–1000 AC en la región que bordea el mar Egeo. Entre ellas destacan las asentadas en CRETA, las CÍCLADAS, la zona continental de Grecia al sur de Tesalia (incluido el Peloponeso), MACEDONIA, TRACIA y el oeste de Anatolia. Las más importantes fueron las civilizaciones MINOICA y MICÉNICA. A veces, el término se emplea también para referirse a las civilizaciones del período NEOLÍTICO que se desarrollaron en la misma región c. 7000–3000 AC.

Lindos, una de las numerosas islas del Egeo perteneciente al Dodecaneso, Grecia.
RAPHAEL VAN BUTSELE/PHOTOGRAPHER'S CHOICE/GETTY IMAGES

**Egeo, islas del** Islas griegas del mar EGEO, principalmente las islas CÍCLADAS, las Espóradas y el Dodecaneso. Las Cícladas constan de 220 islas aprox. Entre las islas del Dodecaneso o Espóradas meridionales se encuentran Kálimnos, Cárpatos, Cos, Leros, Patmos, RODAS y Sími. Las Espóradas o Espóradas septentrionales incluyen las islas Skiros, Skópelos y Skíathos.

**Egeo, mar** Brazo del MEDITERRÁNEO, ubicado entre Grecia y Turquía. Tiene una extensión de 610 km (380 mi) de largo y 300 km (186 mi) de ancho, abarca una superficie total de unos 214.000 km$^2$ (83.000 mi$^2$), su profundidad máxima es de 3.543 m (11.627 pies). Comunica con el mar NEGRO a través del estrecho de los DARDANELOS, el mar de MÁRMARA y el BÓSFORO. El Egeo fue la cuna de las primeras grandes civilizaciones de Creta y Grecia. THÍRA, una de sus numerosas islas, ha sido vinculada a la leyenda de ATLÁNTIDA.

**Eggleston, Edward** (10 dic. 1837, Vevay, Ind., EE.UU.– 4 sep. 1902, Lake George, N.Y.). Novelista e historiador estadounidense. Se convirtió en un predicador itinerante a la edad de 19 años; estuvo a cargo de diversas parroquias y editó varios periódicos. Retrata de manera realista la Indiana rústica en *The Hoosier School-Master* [El rector de Indiana] (1871). Entre sus otras novelas se cuentan *The End of the World* [El fin del mundo] (1872), *The Circuit Rider* [El corredor de circuitos] (1874), *Roxy* (1878) y *The Graysons* (1888). Más adelante abordó la historia; sus libros *Beginners of a Nation* [Iniciadores de una nación] (1896) y *Transit of Civilization from England to America* [Tránsito de la civilización de Inglaterra a América] (1900) contribuyeron al desarrollo del estudio de la historia social.

**égida** En la antigua Grecia, manto o peto de piel asociado con ZEUS. Fue usado principalmente por ATENEA, la hija de Zeus (cuya égida llevaba la cabeza de la MEDUSA), pero a veces también por otros dioses (p. ej., APOLO en la *Ilíada*).

**Egill Skallagrimsson** *o* **Egill Skalla-Grímsson** (c. 910, Borg, Islandia–990). Poeta islandés. Uno de los grandes vates escáldicos (ver poesía ESCÁLDICA), su vida aventurera y sus versos se conservan en la *Egils saga* (¿1220?), atribuida a su descendiente SNORRI STURLUSON. En la saga, Egill mata al hijo del rey Erik Bloodax y maldice al rey. Más adelante, cae en las manos de Erik, pero logra salvar su vida componiendo en una noche un extenso poema de alabanza a Erik, *Hofuthlausn* (c. 948). Tras la muerte de dos hijos, compone la elegía *Sonatorrek* (c. 961).

**Egina, isla de** Isla del golfo del mismo nombre, Grecia. Ubicada 26 km (16 mi) al sudoeste de El Pireo, tiene una superficie de 83 km$^2$ (32 mi$^2$). Su ciudad y puerto principal, Egina, está construida sobre la antigua urbe del mismo nombre. Habitada c. 3000 AC, se convirtió en potencia marítima después del s. VII AC; alcanzó su apogeo, descrito en la poesía de PÍNDARO, en el s. V AC. La rivalidad económica con Atenas ocasionó frecuentes guerras y en 431 AC, los atenienses deportaron a toda su población. En 133 AC quedó bajo dominio romano. Durante breve tiempo, fue la capital de la Grecia independiente (1826–28).

Ruinas del templo de Aphaia, isla de Egina, Grecia.
SUSAN MCCARTNEY–PHOTO RESEARCHERS

**Eginardo** *o* **Einhard** *o* **Eginhard** (c. 770, Maingau, Franconia–14 mar. 840, Seligenstadt, Franconia). Historiador y sabio franco. Consejero de CARLOMAGNO y de LUIS I el Piadoso, fue nombrado abad de varios monasterios y se le concedieron vastos territorios. En su biografía de Carlomagno (c. 830) analizó la familia, los logros, el gobierno y la muerte del emperador. La obra es una muestra del renacimiento del saber clásico en la corte carolingia.

**egipcia, arquitectura** Conjunto de residencias, palacios, templos, tumbas y demás construcciones del antiguo Egipto. La mayoría de los poblados egipcios se situaban en los terrenos aluviales del Nilo y por tanto se han perdido, pero las estructuras religiosas construidas en terrenos más elevados han perdurado en diversas formas. La arquitectura funeraria era por lo general grandiosa; la tumba no era simplemente un lugar para depositar el cadáver, sino que el hogar del difunto, provisto de bienes para asegurar su existencia eterna después de muerto. Los materiales más usados eran la madera y el adobe, pero desde el Imperio Antiguo (c. 2575–2130 AC) en adelante se utilizó la piedra para construir tumbas y templos. Los albañiles egipcios empleaban la piedra para reproducir las formas de los edificios de madera y adobe. Las MASTABAS y pirámides escalonadas se usaron como superestructuras de tumbas, pero la forma más característica del Imperio Antiguo fue la PIRÁMIDE propiamente tal. El mejor ejemplo es la monumental Gran Pirámide de Keops, en GIZA. A cierta distancia del área de las tumbas reales se ubicaban capillas sencillas con ESTELAS para enterrar a los plebeyos. En el Imperio Nuevo (1539–1075 AC), las tumbas reales se excavaban en la cara de un acantilado para desalentar el saqueo; en el Valle de los Reyes, TEBAS, se construyeron elaborados complejos funerarios y TEMPLOS mortuorios. Cabe distinguir dos tipos principales de templos: los de culto, para la adoración de los dioses, y los funerarios o mortuorios. Los más notables por su grandiosidad fueron los de LUXOR, KARNAK, ABIDOS y ABU SIMBEL, cuyos restos revelan sus construcciones a gran escala.

**egipcia, religión** Sistema de creencias politeístas del antiguo Egipto desde el cuarto milenio AC hasta los primeros siglos DC, que abarca tanto tradiciones populares como la religión cortesana. Las deidades locales que surgieron a lo largo del valle del Nilo tenían formas tanto humanas como animales, que fueron sintetizadas en deidades y cultos nacionales después de la unificación política c. 2925 AC. Los dioses no eran omnipotentes ni omniscientes, pero sí inmensamente superiores a los humanos. Sus caracteres no estaban bien definidos y coincidían en gran medida, sobre todo entre las deidades principales. Una deidad importante era HORUS, el dios-rey que gobernaba el universo y representaba al monarca egipcio terrenal. Otras divinidades principales eran RA, el dios sol; PTAH y ATÓN, dioses creadores; e ISIS y OSIRIS. El concepto de Ma'at ("orden") era fundamental: el rey mantenía el Ma'at tanto a nivel societal como cósmico. La creencia en la vida futura y la preocupación por ella impregnaron la religión egipcia, como lo atestiguan las tumbas y PIRÁMIDES que subsisten. La inhumación cercana al rey servía para asegurar el tránsito al otro mundo, así como los conjuros y contraseñas contenidos en el Libro de los MUERTOS.

**egipcio** Lengua CAMITOSEMÍTICA extinta, del valle del Nilo. Su extensa historia comprende cinco períodos: el egipcio antiguo o arcaico (c. 3000–2200 AC), ejemplificado en su mejor forma en un conjunto de inscripciones religiosas conocidas como los Textos de las Pirámides y en un conjunto de inscripciones autobiográficas existentes en tumbas; el egipcio medio (c. 2200–1600 AC), la lengua literaria clásica; el egipcio tardío (1300–700 AC), conocido en su mayor parte por medio de manuscritos; el demótico (c. 700 AC–400 DC), empleado en los períodos del dominio persa, griego y romano, y que difiere del egipcio tardío principalmente en el sistema gráfico, y el copto (c. 300 DC–por lo menos el s. XVII), idioma del Egipto cristiano, reemplazado en forma gradual por el árabe como lengua vernácula desde el s. IX en adelante, pero aún preservado en la liturgia de la Iglesia COPTA ORTODOXA. En su origen, el egipcio fue escrito en JEROGLÍFICOS, de los cuales se desprendieron el hierático, versión cursiva de los jeroglíficos, y el demótico, especie de simplificación taquigráfica del hierático. El copto se escribía en una versión modificada del alfabeto griego, con la adición de siete signos de la escritura demótica para indicar los sonidos que no existían en el griego.

**egipcio, arte** Conjunto de esculturas, pinturas y artesanía decorativa de los períodos dinásticos entre el tercer y el primer milenio del valle del Nilo, en el antiguo Egipto y NUBIA. El arte egipcio servía a aquellos en el poder como un fuerte instrumento de propaganda que perpetuaba la estructura social existente. Mucho de lo que ha perdurado está asociado con las tumbas antiguas. La evolución del arte en Egipto corría en forma paralela a la historia política del país y se divide en tres períodos: Imperio Antiguo (c. 2700–2150 AC), Imperio Medio (c. 2000–1670 AC) e Imperio Nuevo (c. 1550–1070 AC). Las tumbas y templos del Imperio Antiguo estaban decorados con relieves pintados vigorosa y brillantemente e ilustraban la vida diaria de la gente. Se establecieron reglas para retratar la figura humana, que especificaban proporciones, posturas y la ubicación de los detalles, generalmente ligados al nivel social del sujeto representado. La decadencia artística a fines del Imperio

Antiguo condujo a un renacimiento en el clima político más estable del Imperio Medio, notable por sus expresivas esculturas de reyes, excelentes esculturas en relieve y pintura. El Imperio Nuevo trajo consigo un magnífico florecimiento de las artes; grandes estatuas de granito y relieves murales glorificaban a gobernantes y dioses. La pintura se convirtió en un arte independiente y la artesanía decorativa alcanzó nuevas cimas. El tesoro de la tumba de TUTANKAMÓN tipifica la variedad de objetos de lujo creados. Ver también arquitectura EGIPCIA.

La Gran Esfinge de Gizeh y la pirámide de Kefrén, colosales ejemplos del arte egipcio.
FOTOBANCO

**egipcio, derecho** Derecho aplicado en Egipto desde c. 3000 AC hasta c. 30 AC. No se han conservado códigos egipcios, pero sí documentos legales, como escrituras y contratos. El faraón era la máxima autoridad en la solución de las controversias. Le seguía en orden de importancia el visir, quien dirigía todas las ramas de la administración del Estado, participaba como juez en las causas judiciales y designaba a los magistrados. Las partes en conflicto no eran representadas por abogados sino que se defendían personalmente, presentaban las pruebas documentales del caso y solían presentar testigos. Hombres y mujeres podían poseer y legar bienes, entablar acciones judiciales y testificar. Los delincuentes eran castigados con penas severas, pero en algunos períodos se reconocieron los derechos humanos fundamentales, incluso aquellos de los esclavos. El derecho egipcio influyó fuertemente en el derecho GRIEGO y en el ROMANO.

El río Nilo a su paso por el centro de El Cairo moderno, Egipto.
FOTOBANCO

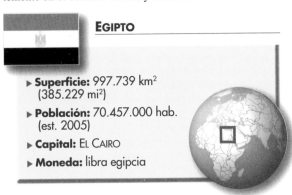

## EGIPTO

▸ **Superficie:** 997.739 km² (385.229 mi²)

▸ **Población:** 70.457.000 hab. (est. 2005)

▸ **Capital:** EL CAIRO

▸ **Moneda:** libra egipcia

**Egipto** *ofic.* **República Árabe de Egipto** *ant.* **República Árabe Unida** País del Medio Oriente. La población está compuesta principalmente de una mezcla homogénea de ancestros semíticos y hamíticos. Idioma: árabe (oficial). Religiones: Islam (oficial), principalmente sunní; cristianismo copto (minoría). Egipto se ubica en una zona que conecta las rutas que unen África, Europa y Asia. La mayor parte de su territorio está compuesto de áridos desiertos al occidente y al oriente, separados por el principal hito geográfico del país, el río NILO. Este curso fluvial forma un valle de fondo plano, generalmente de 8–16 km (5–10 mi) de ancho, que se abre en abanico en el delta, al norte de El Cairo, zona densamente poblada. El valle del Nilo (que comienza en el Alto Egipto) y el delta (Bajo Egipto), junto a oasis dispersos, sustentan la agricultura del país y concentran prácticamente a toda la población. Tiene una economía en desarrollo, principalmente socialista, aunque en parte también se orienta hacia la libre empresa. Está basada en forma importante en la industria, como la producción petrolera y en la agricultura. Es una república unicameral; el jefe de Estado es el presidente, mientras que el jefe de Gobierno es el primer ministro. Es una de las civilizaciones permanentes más antiguas del mundo. El Alto y Bajo Egipto fueron unificados c. 3000 AC, iniciándose así un período de grandes realizaciones culturales y una secuencia de gobernantes autóctonos que se extendió por unos 3.000 años. La historia antigua de Egipto se divide en los Imperios Antiguo, Medio y Nuevo, que abarcaron 31 dinastías y se prolongaron hasta 332 AC. Las PIRÁMIDES datan del Imperio Antiguo, el culto a OSIRIS y el refinamiento de la escultura corresponden al Imperio Medio, y la expansión territorial y el ÉXODO de los judíos se produjeron en el Imperio Nuevo. En el s. VII AC, fue invadido por los asirios y en 525 AC los persas aqueménidas establecieron una dinastía. La invasión de ALEJANDRO MAGNO en 332 AC dio inicio al período ptolemaico, de origen macedonio, y el ascendiente de ALEJANDRÍA como centro del saber y de la cultura helenística. Los romanos se mantuvieron en Egipto desde 30 AC hasta 395 DC; con posterioridad quedó bajo el control del Imperio bizantino. Después de que el emperador romano CONSTANTINO puso fin a la intolerancia hacia los cristianos en 313, surgió una Iglesia egipcia oficial, la COPTA ORTODOXA. Egipto quedó bajo control árabe en 642 y finalmente fue transformada en un Estado de lengua árabe, que tuvo como religión predominante el ISLAM. Gobernada por los omeyas (ver dinastía OMEYA) y los abasí (ver dinastía ABASÍ), en 969 pasó a ser el centro de la dinastía FATIMÍ. En 1250 la dinastía de los MAMELUCOS estableció un Estado que existió hasta 1517, cuando Egipto fue conquistado por el Imperio otomano. Sobrevino una declinación cultural y económica. En 1914, el país se transformó en un protectorado británico y en 1922 recibió su independencia nominal, cuando se estableció una monarquía constitucional. Un grupo de oficiales de ejército liderados por Gamal Abdel Nasser derrocaron al rey en 1952. La unión de Egipto y Siria mediante la constitución de la República Árabe Unida (1958–61) fracasó. Después de tres años de guerra con Israel (ver guerras ÁRABE-ISRAELÍES), Egipto, por entonces gobernada por el sucesor de Nasser, ANWAR EL-SADAT, firmó la paz con el Estado de Israel, lo que provocó la enemistad de varios países árabes. Sadat fue asesinado por extremistas islámicos en 1981 y le sucedió HOSNI MUBARAK, quien continuó las negociaciones de paz. Aunque Egipto formó parte de la coalición contra Irak durante la primera guerra del GOLFO PÉRSICO (1991), más adelante inició propuestas de paz con los países de la región, entre ellos Irak.

**egiptología** Estudio del Egipto faraónico desde los orígenes de la cultura egipcia (c. 4500 AC) hasta la conquista árabe (641 DC). La egiptología comenzó con el descubrimiento de la piedra de ROSETTA (1799) y la publicación de la *Description de l'Égypt* (1809–28) por los eruditos que acompañaron a Napoleón I en su campaña en Egipto. En el s. XIX, el gobierno egipcio abrió el país a los europeos, muchos de cuyos trabajos de recolección fueron un vulgar saqueo. En 1880, FLINDERS PETRIE introdujo en Egipto la excavación según métodos de control y registro científico, revolucionando la arqueología y remontando las teorías sobre los orígenes de Egipto hasta 4500 AC. El descubrimiento de la tumba de TUTANKAMÓN en 1922 aumentó el conocimiento público sobre la materia. En 1975 se efectuó en El Cairo el Primer Congreso Internacional de Egiptología. Muchos sitios sólo han sido explorados superficialmente.

**egirina** Mineral del grupo de los PIROXENOS, compuesto de silicato de sodio y hierro ($NaFe^{+3}Si_2O_6$), que se encuentra con frecuencia en rocas ígneas alcalinas, particularmente en sienitas (compuestas de un feldespato alcalino y un mineral ferromagnésico) y PEGMATITA sienítica. También se encuentra en ESQUISTOS. Por lo general, el color de la egirina varía entre verde oscuro y negro verdoso.

**eglantina** Pequeña ROSA silvestre (*Rosa eglanteria*) y otra variedad muy emparentada, *R. rubiginosa*, llamada eglantina roja o rosa mosqueta. La eglantina es espinosa con follaje fragante y numerosas florecillas rosadas, nativa de Europa y Asia occidental. Extensamente naturalizada en América del Norte, crece a la orilla de caminos y en pastizales desde el este de Canadá hasta

Tennessee y Kansas por el sudoeste, en EE.UU. La forma arbustiva, que puede crecer hasta una altura de 2 m (6 pies), sirve para aminorar el ruido del tráfico y hermosear carreteras.

**eglefino** Pez comestible, valioso, de Norteamérica (*Melanogrammus aeglefinus* familia Gadidae). Es morador bentónico que se alimenta de invertebrados y peces, parecido al BACALAO; tiene barbilla (sensor carnoso), dos aletas anales y tres dorsales, pero se distingue por una línea lateral oscura (más que clara) y una mancha oscura notoria detrás de las agallas. El dorso es grisáceo o pardusco y el vientre más claro. Crece hasta unos 90 cm (3 pies) de largo y llega a pesar unos 11 kg (25 lb).

Eglefino (*Melanogrammus aeglefinus*).
© ENCYCLOPÆDIA BRITANNICA, INC.

**Eglevski, André** (21 dic. 1917, Moscú, Rusia–4 dic. 1977, Elmira, N.Y., EE.UU.). Bailarín y profesor de ballet estadounidense de origen ruso. Dejó Rusia durante la niñez y estudió en París, llegando a ser primer bailarín del BALLET RUSO DE MONTECARLO a los 14 años de edad. En 1937 se trasladó a EE.UU. y bailó en diversas compañías antes de integrarse al NEW YORK CITY BALLET (1951–58), donde interpretó el papel principal en varios ballets de GEORGE BALANCHINE, como *Scotch Symphony* y *Caracole*. También enseñó en la School of American Ballet. En 1958 inauguró su propia escuela de ballet y, en 1961, fundó el Eglevski Ballet.

**égloga** Poema breve, habitualmente de tema pastoril, en forma de diálogo o soliloquio (ver PASTORAL). La égloga como forma pastoril apareció por primera vez en los IDILIOS de TEÓCRITO, fue adoptada luego por VIRGILIO, y revivió en el Renacimiento con DANTE, PETRARCA y BOCCACCIO. El *Shepheardes Calender* [Calendario de los pastores], de EDMUND SPENSER, serie de 12 églogas, fue el primer poema pastoril importante en inglés. Los poetas ingleses del s. XVIII utilizaron las églogas para componer versos irónicos sobre temas no pastoriles. A partir de entonces se distingue entre égloga y pastoral, de manera que el primero de los términos se refiere sólo a la forma de diálogo o soliloquio. En castellano, son muy conocidas las églogas de GARCILASO DE LA VEGA, por la maestría con que su autor supo adaptar a su lengua los recursos de los poetas del Renacimiento italiano, así como por su notable dominio de la forma y de la musicalidad del verso endecasílabo.

**ego** ver YO

**egoísmo** En ÉTICA, principio según el cual cada uno debe actuar para promover sus propios intereses. La gran ventaja de tal posición es que evita cualquier posible conflicto entre moralidad e interés propio; si es racional para cada cual perseguir el propio interés, la racionalidad de la moralidad es igualmente clara. La tesis prescriptiva del egoísmo ético puede distinguirse de la tesis descriptiva del egoísmo psicológico. Este último es una generalización sobre la motivación humana, en el sentido de que cada individuo actúa siempre de modo tal de promover sus propios intereses.

**Egospótamos, batalla de** (405 AC). Victoria naval de Esparta sobre Atenas que constituyó la batalla final de la guerra del PELOPONESO. Los espartanos, dirigidos por LISANDRO, sorprendieron a los atenienses anclados frente a Egospótamos, en Tracia, y les infligieron una derrota decisiva. Solo 20 de las 180 naves atenienses lograron escapar, y los espartanos ejecutaron a casi 4.000 prisioneros atenienses. La victoria permitió a los espartanos marchar sobre Atenas, que se rindió en 404 AC.

**Ehrenberg, Christian Gottfried** (19 abr. 1795, Delitzsch, Sajonia–27 jun. 1876, Berlín, Alemania). Biólogo alemán, explorador y fundador de la micropaleontología (estudio de los microorganismos fósiles). Se graduó en la Universidad de Berlín. Identificó y clasificó varias plantas, animales y microorganismos, terrestres y marinos. Probó que los hongos provienen de esporas y demostró la reproducción sexual de mohos y setas. Fue el primero en estudiar en detalle los corales, e identificó a los microorganismos del plancton como la causa de la fosforescencia del mar. Propuso la idea (impugnada por FELIX DUJARDIN) de que todos los animales, aun los más pequeños, tienen sistemas completos de órganos. Argumentando que un "tipo ideal" único se puede aplicar a todos los animales, trabajó en pos de un sistema amplio de clasificación.

**Ehrenburg, Iliá (Grigórievich)** (27 ene. 1891, Kíev, Ucrania, Imperio ruso–31 ago. 1967, Moscú, U.R.S.S.). Escritor y periodista ruso. Tras ser arrestado en su juventud por participar en actividades revolucionarias, se trasladó a París. Trabajó como corresponsal de guerra, luego regresó para escribir en periódicos soviéticos. Su primera novela y la mejor de sus obras es *Las extraordinarias aventuras de Julio Jurenito* (1922). Pronto se hizo partidario del régimen soviético y llegó a ser uno de sus voceros más efectivos en el mundo occidental. La vehemente antioccidental *La caída de París* (1941) fue seguida por *The Storm* [La tormenta] (1946–47) y *La novena ola* (1951–52). Tras la muerte de STALIN, las obras de Ehrenburg, entre ellas *El deshielo* (1954) y su autobiografía *Gentes, años, vida*, en 6 vol. (1960–66), se volvieron críticas respecto del legado estalinista.

**Ehrlich, Paul** (14 mar. 1854, Strehlen, Silesia, Prusia–20 ago. 1915, Bad Homburg vor der Höhe, Alemania). Científico médico alemán. Después de sus primeros trabajos sobre la distribución de sustancias extrañas en el cuerpo y sobre la nutrición celular, encontró aplicación a los medios de tinción en el diagnóstico (como el de la tuberculosis) y el tratamiento. También investigó sobre la tifoidea, los medicamentos antipiréticos y las enfermedades oculares. En un artículo expuso los diferentes consumos de oxígeno de los tejidos reflejaban la intensidad de sus procesos celulares. Ehrlich ideó un método para estimular la producción de antitoxinas, inyectando cantidades crecientes de toxina en animales; su trabajo fue crucial para desarrollar la antitoxina diftérica. En 1908 compartió el Premio Nobel con ÉLIE METCHNIKOFF. En 1910 desarrolló con Sahachiro Hata (n. 1837–m. 1938) el Salvarsan, el primer tratamiento efectivo contra la sífilis.

**Ehrlich, Paul R(alph)** (n. 29 may. 1932, Filadelfia, Pa., EE.UU.). Biólogo estadounidense. Estudió en la Universidad de Kansas y fue docente en la Universidad de Stanford desde 1959. Aunque gran parte de su investigación la hizo en entomología, se interesó sobre todo en el crecimiento demográfico desenfrenado. Su obra más influyente fue *The Population Bomb* (1968). En 1990 compartió el prestigioso Premio Crafoord de Suecia con EDWARD O. WILSON.

**Ehrlichman, John D(aniel)** (20 mar. 1925, Tacoma, Wash., EE.UU.–14 feb. 1999, Atlanta, Ga.). Asesor presidencial estadounidense que desempeñó un papel fundamental en el escándalo de WATERGATE. Se tituló de abogado en la Universidad de Stanford en 1951 y abrió un estudio jurídico en Seattle, Wash. En 1969 pasó a ser asesor del pdte. RICHARD NIXON en asuntos internos. Con H.R. HALDEMAN formó la llamada "guardia de palacio" que controlaba el acceso al presidente y filtraba la información dirigida a él. Pronto organizó un grupo apodado los "fontaneros" (plomeros), cuyo propósito era conseguir datos de inteligencia política y reparar las "filtraciones" de información a la prensa. Cuando algunos fontaneros fueron sorprendidos intentando entrar clandestinamente al cuartel general del Partido Demócrata, en el complejo Watergate, se vio implicado en el intento de encubrir la participación de funcionarios de la Casa Blanca. En 1973 debió renunciar. Condenado por conspiración, perjurio y obstrucción de la justicia, pasó 18 meses en la cárcel. Ver también papeles del PENTÁGONO.

**Eichendorff, Joseph, barón de** (10 mar. 1788, cerca de Ratibor, Prusia–26 nov. 1857, Neisse). Poeta y novelista alemán. Nació en el seno de una familia noble que perdió su castillo en las guerras napoleónicas. Posteriormente trabajó como funcionario del gobierno prusiano. Se unió a los líderes del ROMANTICISMO mientras estudiaba en Berlín. Su más importante obra en prosa, *Episodios de la vida de un holgazán* (1826), es considerada una de las cumbres de la narrativa romántica. En la década de 1830, escribió poemas que llegaron a ser tan populares como las canciones folclóricas e inspiraron creaciones de compositores como ROBERT SCHUMANN, FELIX MENDELSSOHN, JOHANNES BRAHMS, HUGO WOLF y RICHARD STRAUSS.

**Eichmann, (Karl) Adolf** (19 mar. 1906, Solingen, Alemania–31 may. 1962, Tel Aviv, Israel). Oficial alemán nazi. En 1932 ingresó al Partido Nazi y se convirtió en miembro de las SS de HEINRICH HIMMLER. En la segunda guerra mundial organizó la identificación, captura y traslado de judíos a AUSCHWITZ y otros campos de exterminio. En 1945 fue apresado por tropas estadounidenses, pero escapó y se instaló en Argentina. En 1960 fue capturado cerca de Buenos Aires y llevado a Israel, donde fue enjuiciado como criminal de guerra en un proceso que tuvo gran cobertura mundial. Finalmente, fue ahorcado por su participación en el HOLOCAUSTO.

**eider** Cualquiera de varias especies del gran PATO BUCEADOR (en las tribus Mergini y Somateria) de cuerpo redondo y pesado, con un pico gibado que les confiere un perfil inclinado característico. Los eiders producen el edredón, plumas que las hembras se sacan del pecho para forrar el nido y aislar sus huevos. El edredón se utiliza para relleno térmico de chaquetas, almohadas, colchas y sacos de dormir. Las hembras

Eider real (*Somateria spectabilis*).
© ENCYCLOPÆDIA BRITANNICA, INC.

son pardas, moteadas, pero los machos tienen patrones bien delineados, con un pigmento cefálico verde. Los eiders viven en las zonas frías del extremo boreal.

**Eider, río** Río, en el estado de SCHLESWIG-HOLSTEIN, en el norte de Alemania. Nace al este de Rendsburg y fluye en dirección al oeste a lo largo de 188 km (117 mi) y desemboca en el mar del Norte. Es navegable hasta Rendsburg. Formaba el límite norte del Imperio de CARLOMAGNO (768–814); fue reconocido como frontera del SACRO IMPERIO ROMANO en 1027, y conformó la tradicional frontera entre Schleswig y Holstein.

**Eiffel, torre** Una de las más típicas construcciones parisienses, construida para la Exposición Universal de 1889 a fin de conmemorar el centenario de la Revolución francesa. Concebida por el ingeniero Gustave Eiffel (n. 1832–m. 1923), la torre de 300 m (984 pies), de celosía abierta en hierro forjado, fue una obra maestra de la tecnología de la época. Haciendo uso de lo más avanzado en el conocimiento del comportamiento de arcos y RETICULADOS metálicos bajo carga, la estruc-

La torre Eiffel erigida en el campo de Marte de París.
FOTOBANCO

tura inició una revolución en la ingeniería civil y el diseño arquitectónico. La torre fue el edificio más alto del mundo hasta la conclusión del edificio CHRYSLER en 1930.

**Eigen, Manfred** (n. 9 may. 1927, Bochum, Alemania). Físico alemán. Obtuvo su doctorado en la Universidad de Gotinga en 1951. En 1967 compartió el Premio Nobel con Ronald Norrish (n. 1897–m. 1978) y George Porter (n. 1920) por el trabajo en REACCIONES QUÍMICAS extremadamente rápidas. Sus métodos, llamados técnicas de relajación, involucran la aplicación de descargas de energía a una solución y el seguimiento de las velocidades de los cambios posteriores (FOTÓLISIS rápida); las reacciones así estudiadas comprenden la formación del ion hidrógeno durante la DISOCIACIÓN del agua y el TAUTOMERISMO ceto-enol.

**Eijkman, Christiaan** (11 ago. 1858, Nijkerk, Países Bajos–5 nov. 1930, Utrecht). Médico y patólogo holandés. Mientras buscaba una causa bacteriana del BERIBERI, notó el parecido entre este y un trastorno nervioso observado en los pollos de su laboratorio. Finalmente demostró que la causa estaba en que su dieta era de arroz blanco en vez de ser de arroz integral, pero creyó que el trastorno era producido por una toxina, aun después de haberse demostrado que se debía a defi-

Christiaan Eijkman.
GENTILEZA DE LA ORGANIZACIÓN MUNDIAL DE LA SALUD

ciencia de tiamina. Su labor condujo al descubrimiento de las VITAMINAS y le valió el Premio Nobel en 1929, que compartió con FREDERICK GOWLAND HOPKINS.

**Einaudi, Luigi** (24 mar. 1874, Carrù, Italia–30 oct. 1961, Roma). Economista y político italiano. Fue docente en la Universidad de Turín (1900–43) y dirigió la *Rivista di storia economica* (1936–43). Adversario de los fascistas, huyó a Suiza en 1943. Regresó en 1945 y fue director del Banco de Italia (1945–48). Como ministro de presupuesto (1947), logró controlar la inflación y estabilizar la moneda. Fue el primer presidente (1948–55) de la República de Italia.

**Eindhoven** Ciudad (pob., est. 2001: 203.397 hab.), en el sur de los Países Bajos. Situada a orillas del río Dommel al sudeste de ROTTERDAM, recibió la carta que le otorgaba el título de ciudad en 1232 por Enrique I, duque de Brabante. Después de 1900 pasó de ser un pequeño poblado a convertirse en uno de los centros industriales más grandes de los Países Bajos, y en 1920 se anexionó cinco municipios colindantes. En la ciudad se encuentra una universidad técnica y las oficinas centrales de la PHILIPS ELECTRONICS NV.

**Einhard** ver EGINARDO

**Einstein, Albert** (14 mar. 1879, Ulm, Württemberg, Alemania–18 abr. 1955, Princeton, N.J., EE.UU.). Científico alemán, suizo y estadounidense. Nacido en una familia judía residente en Alemania, creció en Munich, pero su familia se mudó a Suiza en 1894. Trabajó como aprendiz de examinador en la oficina de patentes suiza en 1902 y al mismo tiempo empezó a producir trabajos teóricos originales que sentaron muchas de las bases para la física del s. XX. Se doctoró en la Universidad de Zurich en 1905, y es mismo año ganó fama internacional con la publicación de tres artículos: uno sobre el movimiento BROWNIANO, en el que demostró la existencia de las moléculas; otro sobre el EFECTO FOTOELÉCTRICO, en el cual demostró que la luz tiene naturaleza de partículas, y otro sobre su teoría especial de la RELATIVIDAD, el cual incluía su formulación de la equivalencia de masa y energía ($E = mc^2$). Fue titular de varias cátedras antes de convertirse en director del Instituto Kaiser Wilhelm de Berlín en 1914. En 1915 publicó su teoría de la relatividad general, la cual fue confirmada experimentalmente durante un eclipse solar en 1919 con observaciones de la desviación de la luz al pasar cerca del Sol. En 1921 recibió el Premio Nobel por su trabajo sobre el efecto fotoeléctrico, mientras que su trabajo sobre la relatividad aún seguía sujeto a controversia. Hizo contribuciones importantes a la teoría CUÁNTICA DE CAMPOS, y por décadas buscó descubrir la relación matemática entre el ELECTROMAGNETISMO y la GRAVITACIÓN, lo cual creía sería un primer paso hacia el descubrimiento de las leyes comunes que gobiernan el comportamiento de todas las cosas en el universo, pero tal teoría UNIFICADA DE CAMPOS siempre le fue esquiva. Sus teorías de la relatividad y la gravitación representaron un profundo avance sobre la física newtoniana y revolucionaron la investigación científica y filosófica. Renunció a su posición en la Academia de Prusia cuando ADOLF HITLER llegó al poder, y se trasladó a Princeton, N.J., EE.UU., donde se incorporó al Instituto para estudios avanzados. Aunque pacifista desde largo tiempo atrás, colaboró en persuadir al pdte. FRANKLIN D. ROOSEVELT en 1939 para iniciar el proyecto MANHATTAN para la producción de una bomba atómica, una tecnología a cuyo desarrollo contribuyeron en gran medida sus propias teorías, aunque él mismo no trabajó en el proyecto. Siendo el científico más eminente en los años de posguerra, declinó una oferta de ser el primer ministro del naciente Estado de Israel, y se convirtió en un fuerte impulsor del desarme nuclear.

Albert Einstein.
FOTOBANCO

**Einstein, relación masa-energía de** Relación entre la MASA (*m*) y la ENERGÍA (*E*) en la teoría especial de la RELATIVIDAD de ALBERT EINSTEIN, expresada en la fórmula $E = mc^2$, donde *c*, la velocidad de la LUZ, es igual a 300.000 km/s (186.000 mi/s). Aunque la masa y energía eran vistas como entes distintos en las teorías físicas anteriores, en la relatividad especial se considera que la masa de un cuerpo puede convertirse en energía de acuerdo con la fórmula de Einstein. Tal liberación de energía disminuye la masa del cuerpo (ver ley de CONSERVACIÓN).

**Eisai** (1141–1215). Monje japonés que introdujo el budismo ZEN rinzai en Japón. Originalmente, un monje tendai (TIANTAI), visitó China en dos ocasiones (1168, 1187) y regresó para enseñar un riguroso sistema de meditación basado en el uso de KOAN (acertijos). DŌGEN fue su discípulo.

**Eisenhower, doctrina** Declaración de política exterior estadounidense pronunciada por el pdte. DWIGHT D. EISENHOWER (1957). Prometía ayuda militar y económica a los gobiernos anticomunistas, en un momento en que los países comunistas entregaban armas a Egipto y ofrecían fuerte apoyo a los estados árabes. Formaba parte de la política de la GUERRA FRÍA formulada por JOHN FOSTER DULLES, con el fin de contener la expansión de la esfera de influencia soviética y mantuvo los compromisos asumidos en virtud de la doctrina TRUMAN.

**Eisenhower, Dwight D(avid)** (14 oct. 1890, Denison, Texas, EE.UU. –28 mar. 1969, Washington, D.C.). Trigésimo cuarto presidente de EE.UU. (1953–61). Se graduó en West Point (1915), luego prestó servicios en la Zona del canal de Panamá (1922–24) y en las Filipinas, a las órdenes de DOUGLAS MACARTHUR (1935–39). En la segunda guerra mundial, el general GEORGE MARSHALL lo destinó a la división de planificación de guerra del ejército (1941) y al poco tiempo lo puso al mando de las fuerzas estadounidenses en Europa (1942). Luego de planificar la invasión del norte de África, Sicilia e Italia, se le entregó el mando supremo de las fuerzas aliadas (1943). Planificó la campaña de NORMANDÍA (1944) y la conducción de la guerra en Europa hasta la rendición de Alemania (1945). Ascendió a general de cinco estrellas (1944)

y en 1945 pasó a ser jefe del estado mayor del ejército. Fue presidente de la Universidad de Columbia desde 1948 hasta su nombramiento como comandante en jefe de la OTAN, en 1951. Tanto los demócratas como los republicanos lo buscaron como candidato presidencial y en 1952, como candidato republicano, derrotó a ADLAI STEVENSON con la votación popular más alta hasta esa fecha. Nuevamente se impuso sobre Stevenson en 1956, con un triunfo aún más aplastante. Su política de apoyo a los países del Medio Oriente que encaraban el comunismo, manifestada en la doctrina EISENHOWER, continuó la política de CONTENCIÓN que adoptó el gobierno de HARRY TRUMAN (ver doctrina TRUMAN). Envió soldados federales a Little Rock, Ark., para hacer cumplir la integración en una escuela secundaria pública (1957). Cuando la Unión Soviética lanzó al espacio el Sputnik I (1957), fue criticado por no haber llevado a cabo el plan espacial de EE.UU.; su respuesta fue la creación de la NASA (1958). En las últimas semanas de su gobierno, EE.UU. rompió relaciones con Cuba.

**Eisenstaedt, Alfred** (6 dic. 1898, Dirschau, Prusia occidental–23 ago. 1995, Oak Bluffs, Mass., EE.UU.). Reportero gráfico estadounidense de origen alemán. Se convirtió en fotógrafo profesional en Berlín en 1929, y fue influenciado por ERICH SALOMON. Su obra apareció en varias revistas gráficas europeas durante la década de 1930. En 1935 llegó a la ciudad de Nueva York, donde se convirtió en uno de los primeros cuatro fotógrafos contratados por la revista *Life* (1936), a la que proporcionaría más de 2.500 historias en imágenes y 90 fotos de portada, incluidos sobresalientes retratos de reyes, dictadores, estrellas de cine y gente común.

**Eisenstein, Serguéi (Mijáilovich)** (23 ene. 1898, Riga, Letonia–11 feb. 1948, Moscú, U.R.S.S.). Director y teórico de cine ruso. Comenzó su carrera en 1920 como diseñador de decorados y vestuario en el teatro obrero de Moscú. Después de estudiar dirección teatral con VSIÉVOLOD MEYERHOLD, se dedicó al cine. En *La huelga* (1924) introdujo su influyente concepto del montaje cinematográfico, en que añade sorprendentes y a menudo contrastantes imágenes a la acción central con el fin de provocar el máximo impacto psicológico en el espectador. Perfeccionó su estilo en *El acorazado Potemkin* (1925), una película propagandística hecha por encargo y considerada una de las más influyentes de todos los tiempos. Entre sus otros largometrajes están *Octubre* (1928) y *La línea general* (1929). Después de un frustrante paso por Hollywood y México (1930–33) regresó a la Unión Soviética y realizó otros dos clásicos, *Alexander Nevsky* (1938) e *Iván el Terrible* (en dos partes, 1945–46).

**Eisner, Kurt** (14 may. 1867, Berlín, Prusia–21 feb. 1919, Munich, Alemania). Periodista y político alemán. Desde 1898 fue director de *Vorwärts*, periódico oficial del PARTIDO SOCIALDEMÓCRATA DE ALEMANIA (SPD). Ingresó al Partido Socialdemócrata Independiente en 1917, convirtiéndose más tarde en su líder. En noviembre de 1918 organizó una revolución socialista que derribó a la monarquía en Baviera, y asumió como primer ministro y ministro de asuntos exteriores de la nueva república bávara. Fue asesinado por un fanático reaccionario en febrero de 1919.

**Eisner, Michael (Dammann)** (n. 7 mar. 1942, Mount Kisco, N.Y., EE.UU.). Ejecutivo de la industria del entretenimiento estadounidense. Trabajó en la cadena estadounidense ABC-TV (1966–76) antes de presidir la Paramount Pictures (1976–84). En 1984 pasó a encabezar DISNEY CO. y su desempeño fue fundamental en el reposicionamiento de esta compañía como un importante estudio cinematográfico, con películas como *Mujer bonita* (1990). Además, restableció el prestigio de Disney en el ámbito de la animación clásica con *La bella y la bestia* (1991) y *El rey león* (1995), que también fueron exitosos musicales de Broadway. Desplegó la compañía hacia nuevos mercados, como la televisión, publicaciones, vídeos y viajes en cruceros.

**eisteddfod** (galés: "sesión"). Reunión formal de BARDOS y juglares galeses que tuvo su origen en las tradiciones de los bardos cortesanos medievales. Las primeras *eisteddfods* eran competencias entre músicos (especialmente arpistas) y poetas, de las que surgían nuevas formas musicales, literarias y oratorias. En 1451, la autoridad de la asamblea de Carmarthen estableció la disposición de los estrictos metros de la poesía galesa. El Eisteddfod nacional moderno, que se celebra anualmente desde el s. XIX, incluye premios para la música, prosa, dramaturgia y arte, pero su momento culminante sigue siendo la coronación del poeta vencedor.

**eje** Espiga o barra a la cual se acoplan o fijan ruedas que giran; usado con ruedas fijas (poleas), es una de las MÁQUINAS simples básicas para amplificar la FUERZA. En combinación con la RUEDA, el uso más antiguo del eje fue probablemente el de levantar cargas o cangilones con agua desde un pozo. Su principio de funcionamiento se ilustra con la fijación de ENGRANAJES grandes y pequeños en un mismo eje; una fuerza pequeña aplicada en el engranaje grande para hacer girar el eje es suficiente para superar una fuerza mayor aplicada al engranaje menor. La VENTAJA MECÁNICA de este dispositivo es igual a la razón de las dos fuerzas y también igual a la razón de los radios de los dos engranajes.

**ejecución hipotecaria** Procedimiento legal en virtud del cual los derechos del mutuario sobre un inmueble hipotecado pueden extinguirse si no cumple con las obligaciones pactadas en el contrato de mutuo. El mutuante puede entonces declarar exigible la totalidad de la deuda y requerir su pago mediante juicio hipotecario. La ejecución generalmente consiste en la venta del inmueble al mejor postor decretada judicialmente. A menudo el inmueble se lo adjudica el propio mutuante. Ver también HIPOTECA.

**ejecutivo, poder** En política, persona o personas que conforman la rama del gobierno a cargo de ejecutar o poner en vigor las leyes y designar a los funcionarios públicos, formular e instituir la política exterior e implementar representación diplomática. En EE.UU., un sistema de CONTROLES Y CONTRAPESOS mantiene el poder del ejecutivo más o menos equiparado con los poderes JUDICIAL y LEGISLATIVO. Ver también ALCALDE, PRESIDENTE, PRIMER MINISTRO.

**ejercicio** Entrenamiento del cuerpo que mejora la salud y la aptitud física. Los diferentes tipos de ejercicios tienen distintos propósitos, como los aeróbicos (ver AERÓBICA) para las funciones cardíacas y respiratorias, y para adelgazar; los ejercicios con pesas para reforzar los huesos y la fuerza muscular, y los de estiramiento para la flexibilidad. En MEDICINA FÍSICA Y REHABILITACIÓN se practican ejercicios específicos. Los beneficios incluyen reducción de la PRESIÓN SANGUÍNEA, mejor proporción de COLESTEROL HDL, mayor resistencia contra las enfermedades y mejor bienestar general.

**ejercicios de suelo** Disciplina de la GIMNASIA que consta de diversos movimientos de ballet y acrobacia (entre ellos saltos, saltos mortales y posiciones invertidas) ejecutados sin aparatos. Los ejercicios femeninos se realizan con acompañamiento musical; los masculinos, no lo incluyen. Todo el ejercicio debe ejecutarse con ritmo y armonía y debe estar concebido de modo de ocupar el mayor espacio posible de una superficie de 12 m (39 pies 4 pulg.) de lado. Fueron incorporados en los Juegos Olímpicos en 1936, en el caso de los hombres, y en 1952 en el de las mujeres.

**ejército** Fuerza armada de gran tamaño, organizada y entrenada para la guerra, especialmente en tierra. El término puede aplicarse a una unidad grande organizada para accionar en forma independiente o a la totalidad de la organización militar para guerra terrestre de un país o gobernante. El carácter y la organización de los ejércitos han variado a través de la historia. En diversos tiempos, los ejércitos se han organizado en torno a soldados de INFANTERÍA, o a guerreros montados (p. ej., CABALLERÍA),

o a hombres tripulando máquinas, y han estado constituidos por profesionales o aficionados, por MERCENARIOS combatiendo por paga o botín, o por patriotas que luchan por una causa. Ver también CONSCRIPCIÓN; Ejército de los ESTADOS UNIDOS DE AMÉRICA; FUERZA AÉREA; GUERRILLA; MILICIA; UNIDAD MILITAR.

**Ejército de liberación popular** Organización unificada de las fuerzas militares, navales y aéreas de China. Con más de 2.000.000 de efectivos, es el ejército más grande del mundo. Sus orígenes se remontan a 1927, cuando se produjo el levantamiento comunista contra los nacionalistas en Nanchang. Inicialmente llamado Ejército Rojo, en la época de ZHU DE aumentó sus tropas de 5.000 en 1929 a 200.000 en 1933. Sólo una fracción de esta fuerza sobrevivió a la LARGA MARCHA de repliegue ante los nacionalistas. Tras reconstruir su poderío, gran parte de esta milicia, el Octavo Ejército, combatió junto con los nacionalistas contra los japoneses en el norte de China. Finalizada la segunda guerra mundial, las fuerzas comunistas, bajo el nuevo nombre de Ejército de liberación popular, derrotaron a los nacionalistas, e hicieron posible la instauración de la República Popular de China en 1949. Ver también LIN BIAO; MAO ZEDONG.

**Ejército de Salvación** Movimiento internacional de caridad cristiana. Fue fundado en 1865 por WILLIAM BOOTH, con el fin de dar comida y techo a los pobres de Londres. Adoptó el nombre de Ejército de Salvación en 1878 y estableció la organización según un modelo militar. Sus miembros se llaman soldados y los oficiales tienen un escalafón que va desde teniente hasta brigadier. A los conversos se les pide firmar unos Artículos de Guerra y servir como voluntarios. Sus doctrinas son similares a las de otras confesiones protestantes evangélicas, aunque Booth no consideraba necesarios los SACRAMENTOS. Las reuniones se

William Booth, fundador del movimiento internacional Ejército de Salvación. FOTOBANCO

caracterizan por el canto y el palmoteo, la música instrumental, el testimonio personal, la oración libre y una abierta invitación al arrepentimiento. Con sede central en Londres, presta actualmente una amplia variedad de servicios sociales en más de cien países.

**Ejército Republicano Irlandés** *inglés* **Irish Republican Army (IRA)** Organización paramilitar republicana fundada en 1919, para poner fin al dominio británico en Irlanda del Norte y unificar esta provincia con la República de Irlanda. Este movimiento utilizó la fuerza armada para conseguir los mismos objetivos que el SINN FÉIN, aunque ambos siempre actuaron en forma independiente. Después de que se estableció el Estado Libre de Irlanda (1922), el IRA rehusó aceptar una IRLANDA DEL NORTE separada, por lo que la violencia continuó. Fue declarado ilegal en 1931 y la legislatura irlandesa dispuso que sus miembros fueran encarcelados sin juicio previo. En la década de 1960 ganó apoyo popular cuando los católicos de Irlanda del Norte iniciaron una campaña por los derechos civiles contra la discriminación ejercida por la mayoría protestante que imperaba. En 1969, el IRA se dividió en dos facciones: la oficial marxista, que renunció a la violencia, y los provisionales (provos), católicos del Ulster, comprometidos con el uso de tácticas terroristas contra los protestantes del Ulster y militares británicos, tácticas que incluyeron el asesinato de Lord MOUNTBATTEN en 1979 y la muerte de más de 3.000 personas. En 1994, el IRA declaró un cese el fuego y sus representantes políticos participaron en las conversaciones multipartidarias iniciadas en 1997. Las negociaciones dieron origen al acuerdo del Viernes Santo, mediante el cual el IRA aceptó que sus armas fuesen decomisadas (desarme). En 2000, la organización decidió permitir la inspección internacional de sus armas como un primer paso en el proceso de ponerlas "fuera de uso", aunque continuó resistiendo el decomiso.

**Ejército Rojo** Ejército de la Unión Soviética. Formado luego de la REVOLUCIÓN RUSA DE 1917, su primer jefe civil fue LEÓN TROTSKI, quien demostró ser un brillante estratega y administrador. Formado por trabajadores y campesinos, inicialmente careció de un cuerpo de oficiales, y Trotski se vio forzado a movilizar a oficiales del antiguo ejército imperial hasta que se pudiera entrenar un nuevo cuerpo de oficiales políticamente confiable. El PARTIDO COMUNISTA DE LA UNIÓN SOVIÉTICA (PCUS) puso comisarios en todas las unidades del ejército para asegurar la ortodoxia política. STALIN purgó la jefatura militar en 1937, dejando al ejército desmoralizado y sin preparación para el sorpresivo ataque alemán de 1941. En 1945 se había recuperado lo suficiente como para tener fuerzas que enteraban más de 11 millones de efectivos, superado en poderío sólo por el ejército estadounidense. En 1946 se le dio el nuevo nombre de ejército soviético. En 1960 las funciones de los comisarios se traspasaron a oficiales del ejército. Ver también U.R.S.S.

**ejido** En México, tierras de las aldeas existentes en el sistema indígena tradicional de tenencia de la tierra, consagrado por la ley mexicana en la década de 1920, que combina la posesión comunal con el uso individual. El ejido consta de tierras cultivadas, tierras sin cultivar, tierras de pastoreo y el fundo legal, o sitio del pueblo. La porción cultivada solía estar repartida en predios familiares, que hasta época reciente no podían ser vendidos, pero sí legados a descendientes. Aun cuando la REFORMA AGRARIA de mediados del s. XVIII apuntaba a la partición de las vastas posesiones de la Iglesia, también forzó a los indígenas a ceder sus ejidos. Las tierras de las aldeas fueron devueltas de acuerdo con la constitución de 1917. En 1992, el gobierno de CARLOS SALINAS DE GORTARI revocó la prohibición de vender los ejidos.

**Ekaterinoslav** ver DNIPROPETROVSK

**Ekron** Ciudad cananea y FILISTEA de la antigua Palestina. Fue una de las cinco ciudades del Pentápolis filisteo y estaba situada en lo que hoy es el centro de Israel. Aunque se le asignó a JUDÁ después de la conquista israelita, fue una fortaleza filistea durante los tiempos del rey DAVID; más tarde, fue asociada con la adoración al dios Belzebú. Capturada por Egipto (c. 918 AC), Ekron pagaba tributo a ASIRIA en el s. VII AC. Fue conocida con el nombre de Akkaron desde la época helenística.

**El** Deidad suprema de los semitas occidentales. En textos antiguos de Ras Shamra en Siria, era el esposo de la diosa madre Asherah y padre de todos los dioses, excepto de BAAL. Fue a menudo descrito como un anciano con barba blanca y alas. Los autores de las escrituras hebreas usaron esta denominación como sinónimo de Yavéh (el Dios de Israel) o como un término genérico para deidad.

**El-Alamein, batallas de** (junio-julio 1942; 23 de octubre–6 de noviembre, 1942). Dos batallas libradas en Egipto entre las fuerzas británicas y las del Eje durante la segunda GUERRA MUNDIAL. Las fuerzas del Eje, bajo el mando de ERWIN ROMMEL, comenzaron a avanzar hacia el oriente por la costa de África del norte, a principios de 1942. Aunque inicialmente fueron frenadas por los británicos, lograron llegar a El-Alamein el 30 de junio. La primera batalla terminó a mediados de julio con Rommel aún allí, bloqueado y a la defensiva. En octubre, fuerzas británicas, dirigidas por BERNARD LAW MONTGOMERY, iniciaron un arrollador ataque desde El-Alamein, derrotando a las fuerzas de Rommel, que eran muy inferiores en número. El 6 de noviembre, los británicos habían hecho retroceder a los alemanes a Libia.

**El Cid** ver El CID

**El Escorial** Palacio y monasterio al noroeste de Madrid, construido en 1563–67 por FELIPE II. Es el sepulcro de los soberanos de España y uno de los centros religiosos más grandes del mundo. Fue concebido por Juan Bautista de Toledo (m. 1567) y terminado por Juan de Herrera (n. 1530–m. 1597), quien es considerado el responsable de su estilo arquitectónico. Su planta es un rectángulo gigante, con una iglesia abovedada al centro, rodeada por el palacio, el monasterio, el colegio, la biblioteca, los claustros y patios. Los muros de granito macizo, aligerados sólo por una serie de ventanas sin adorno y pilastras dóricas sin ninguna riqueza decorativa, producen una austeridad superior a cualquier otra obra del Renacimiento italiano.

Fachada oriental del monasterio y palacio de San Lorenzo de El Escorial.
UPPERHALL LTD./ROBERT HARDING WORLD IMAGERY/GETTY IMAGES

**El Greco** ver El GRECO

**El Niño** En oceanografía y climatología, la aparición, cada ciertos años, de aguas superficiales inusualmente cálidas en el océano Pacífico a lo largo de la costa tropical oeste de Sudamérica. Afecta la pesca, la agricultura, y el clima local desde Ecuador hasta Chile y puede causar anomalías climáticas globales en el Pacífico ecuatorial, Asia y Norteamérica. El nombre (acortado de "El Niño Dios") fue usado originalmente por pescadores peruanos del s. XIX para describir el flujo anual de aguas ecuatoriales temperadas hacia el sur en época de Navidad. El término se utiliza ahora para describir un calentamiento oceánico intenso que se extiende desde el Pacífico oeste hacia Sudamérica. Este "acontecimiento anómalo" es causado por un debilitamiento inusual de los vientos alisios que normalmente soplan hacia el oeste, lo que a su vez permite que el agua tibia superficial se extienda hacia el este. Ver también LA NIÑA.

**El Paso** Ciudad (pob., 2000: 563.662 hab.) en el oeste del estado de Texas, EE.UU. Ubicada junto al río Grande del Norte (ver río BRAVO) al otro lado de Ciudad JUÁREZ, México, es la ciudad más grande de las que se encuentran en la frontera estadounidense-mexicana. La zona fue sitio de varias misiones desde el s. XVI; en 1827 se construyó la primera aldea en el sitio de El Paso. Se convirtió en territorio estadounidense en 1848, cuando se instaló una avanzada del ejército; la ciudad se planificó en 1859. Creció lentamente hasta 1881, cuando llegaron cuatro ferrocarriles; en una década la población de El Paso aumentó más de diez veces. El idioma español y la cultura mexicana caracterizan a la ciudad actual. Es el centro de actividad comercial y financiera de un extenso territorio y sede de la Universidad de Texas en El Paso (1913) y de Fort Bliss (Centro de defensa aérea del ejército de EE.UU.); se encuentra también el campo de prueba de misiles de White Sands.

## EL SALVADOR

▸ **Superficie:** 21.042 km²
(8.124 mi²)

▸ **Población:** 6.881.000 hab.
(est. 2005)

▸ **Capital:** SAN SALVADOR

▸ **Moneda:** dólar estadounidense

**El Salvador** *ofic.* **República de El Salvador** País de AMÉRICA CENTRAL. La mayor parte de la población es mestiza (mezcla de europeos e indígenas), con una pequeña cantidad de indígenas (en su mayor parte pipil) y descendientes de europeos. Idioma: español (oficial). Religión: catolicismo. Es el país más pequeño y más densamente poblado de América Central. Está cruzado por dos cadenas montañosas de origen volcánico, tiene una estrecha zona costera y una planicie central de altura en el sur. El clima es húmedo y caluroso en las tierras bajas y más fresco y lluvioso en las tierras altas. En las zonas más elevadas predominan densos bosques. Tiene una economía en desarrollo basada en el comercio, manufactura y agricultura; los principales cultivos de exportación son el café, la caña de azúcar y el algodón. Es una república unicameral; el jefe de Estado y de Gobierno es el presidente. Los españoles llegaron a la región en 1524 y hacia 1539 sometieron al reino Cuzcatlán, de los indígenas pipiles. El país fue dividido en dos distritos, San Salvador y Sonsonate, ambos integrados a Guatemala. Con el fin del dominio español en 1821, San Salvador fue incorporado al Imperio mexicano; cuando este colapsó en 1823, Sonsonate y San Salvador se asociaron para formar el nuevo estado de El Salvador al interior de las Provincias Unidas de Centroamérica. Se independizó en 1841. Los primeros años de república se caracterizaron por un alto grado de inestabilidad política; poderosos intereses económicos controlaron el país durante la mayor parte del s. XIX y principios del s. XX, después de lo cual se instauró un régimen militar que se prolongó desde 1931 hasta 1979. Las elecciones llevadas a cabo en 1982 instauraron un nuevo gobierno, pero, no obstante la promulgación de una nueva constitución en 1983, la guerra civil continuó a lo largo de la década de 1980. En 1992, un acuerdo trajo la paz, pero la violenta delincuencia se transformó en un grave problema. A pesar de los intentos de reforma económica, el país ha sufrido los efectos de la inflación y el desempleo al ingresar al s. XXI.

**Elagábalo** ver HELIOGÁBALO

**Elam** Antigua región del Medio Oriente. Estaba situada en el actual sudoeste de Irán, en la cabeza del golfo Pérsico y al este de la antigua BABILONIA; su capital era Susa (es por ello que algunas veces al país se le denomina Susania). Tenía lazos culturales cercanos con MESOPOTAMIA y permanecía en conflicto con los sumerios (ver SUMER) y acadios (ver ACAD) desde c. 3000 AC. En el s. XIII AC, llegó a ser un reino que abarcaba la mayor parte de Mesopotamia al este del TIGRIS y su poder alcanzaba casi hasta PERSÉPOLIS. Su dominio terminó cuando Nabucodonosor I de Babilonia (r. 1124–1103 AC) capturó Susa. Más tarde, Elam conformó una satrapía de la dinastía aqueménida de Persia y Susa pasó a ser una de sus capitales.

**eland** *o* **alce africano** Cualquiera de dos especies de ANTÍLOPE fácilmente domesticables, parecidos al buey (género *Taurotragus*) que vive en manadas en las planicies o en zonas poco boscosas del centro y sur de África. Es el más grande de los antílopes y puede llegar a tener una alzada de 1,8 m (6 pies) y pesar hasta 1.000 kg (2.200 lb). Tiene una melena oscura y corta, una papada que cuelga de la garganta y largos cuernos

en espiral. El eland común es marrón claro, se torna azul grisáceo con la edad, y generalmente está marcado con franjas blancas verticales y angostas. El eland gigante, o Derby, es marrón rojizo con cuello negruzco, franjas blancas verticales y sus cuernos son más macizos que los del eland común.

**elápido** Cualquiera de unas 200 especies de serpientes venenosas (familia Elapidae) de colmillos cortos fijados al frente de la mandíbula superior. Los elápidos habitan el Nuevo Mundo, África, Asia meridional, las islas del Pacífico y Australia. Delgados y ágiles, la mayoría son pequeños e inofensivos para los humanos, pero también comprenden las serpientes más grandes y letales. Su veneno es esencialmente neurotóxico, no obstante, contiene por lo general sustancias que dañan los tejidos corporales o las células sanguíneas. La mordedura, relativamente indolora, puede causar una muerte rápida por parálisis cardiorrespiratoria. Ver también COBRA; MAMBA; SERPIENTE DE CORAL y SERPIENTE NEGRA.

**elasticidad** Capacidad de un material deformado de recobrar su forma y tamaño originales cuando se retiran las fuerzas causantes de la deformación (ver DEFORMACIÓN Y FLUJO). La mayoría de los sólidos presentan algún grado de comportamiento elástico, pero generalmente existe un límite para la fuerza o tensión causante –el "límite elástico" del material– a partir del cual ya no es posible la recuperación total. Tensiones superiores al límite elástico hacen ceder o fluir a los materiales dúctiles, y el resultado es una deformación permanente o la ruptura. En los materiales frágiles la ruptura se produce con poca o ninguna fluencia previa. El límite elástico depende de la estructura interna del material; por ejemplo, el acero, aunque resistente, tiene un límite elástico bajo que le permite estirarse elásticamente sólo hasta un poco más de 1% de su longitud, mientras que el caucho puede estirarse elásticamente hasta alrededor de 1.000%. ROBERT HOOKE, uno de los primeros en estudiar la elasticidad, desarrolló una relación matemática entre el esfuerzo de tracción y la elongación.

**Elba, isla de** Isla frente a la costa occidental de Italia, en el mar TIRRENO. Con una superficie de 223 km² (86 mi²), es la isla más grande del archipiélago toscano. En 1802, Roma cedió la isla a Francia. Luego de su abdicación en mayo de 1814, NAPOLEÓN I fue deportado a Elba. La isla constituyó un principado independiente, con Napoleón como su gobernante hasta febrero de 1815, fecha en que regresó a Francia para iniciar los CIEN DÍAS. Después de ese episodio, Elba fue devuelta a la TOSCANA.

**Elba, río** *checo* **Labe** *antig.* **Albis** Río de Europa central. Una de las vías fluviales más grandes del continente, nace en los montes Gigantes (Karkonosze) en la frontera entre la República Checa y Polonia, y fluye hacia el sudoeste a través de Bohemia. Luego su curso sigue hacia el noroeste a través de Alemania y desemboca en el mar del Norte, cerca de Cuxhaven. De 1945 a 1990, formó parte de la frontera entre Alemania Oriental y Alemania Occidental. Mide 1.165 km (724 mi) de largo y se conecta, mediante canales, con el mar BÁLTICO, el río HAVEL y BERLÍN, la región industrial del RUHR y el RIN. Es navegable río arriba hasta PRAGA por barcazas de hasta 1.000 t a través del río MOLDAVA. HAMBURGO, Alemania, se encuentra 88 km (55 mi) río arriba desde su desembocadura.

Monte Elbrús, cumbre más alta de las montañas del Cáucaso.
AGENCIA NOVOSTI

**Elbrús, monte** Cumbre en las montañas del CÁUCASO en el sudoeste de Rusia. Constituye el pico más alto del Cáucaso y de Europa; es un volcán extinto con conos gemelos que alcanzan los 5.642 m

(18.510 pies) y 5.595 m (18.356 pies) de altura, respectivamente. Hay muchas vertientes de agua mineral entre los arroyos de sus laderas, mientras que 138 km² (53 mi²) del Elbrús están cubiertos por 22 glaciares. Es un importante centro de montañismo y turismo.

**Elburz, montes** Cadena montañosa del norte de Irán. Alcanza 900 km (560 mi) de largo y se extiende a lo largo de las costas meridionales del mar Caspio, del que lo separa una angosta faja de tierras bajas. Entre ellos está la cumbre más alta de Irán, el monte Damávand, con 5.771 m (18.934 pies) de altura. Los bosques de los Elburz abarcan cerca de 32.400 km² (12.500 mi²). Los tigres hircanos, que los hicieran famosos, son escasos y difíciles de encontrar, pero otros felinos, entre ellos el leopardo y el lince, aún son numerosos.

**Elder, John** (8 mar. 1824, Glasgow, Escocia–17 sep. 1869, Londres, Inglaterra). Ingeniero naval escocés. En 1854 desarrolló la máquina de vapor naval de doble expansión (que usa tanto vapor de alta presión como de baja presión), la que hizo posible que las naves de altamar ahorrasen el 30–40% del carbón que consumían, contribuyendo a hacer viables largas travesías hasta entonces imposibles por el reabastecimiento de combustible que requerían.

**Eldridge, (David) Roy** (30 ene. 1911, Pittsburgh, Pa., EE.UU.–26 feb. 1989, Valley Stream, N.Y.). Trompetista estadounidense, uno de los músicos de jazz más vitales y creativos de la era del swing. Recibió la influencia de saxofonistas como Coleman Hawkins y desarrolló una técnica rápida y ágil equiparada con una complejidad armónica. Tocó con Fletcher Henderson (1935–36) y se presentó con las grandes orquestas de Gene Krupa y Artie Shaw en la década de 1940. (Un apodo que refleja su talla, "Little Jazz", fue también el título de un disco que grabó con Shaw). Como principal representante de su instrumento en el estilo *swing*, ejerció una fuerte influencia en los músicos del bebop.

**Eleagnáceas** Familia compuesta por tres géneros de arbustos resistentes y arbolillos del hemisferio norte, especialmente en regiones esteparias y costeras. Las pequeñas y características escamas de las plantas les dan un lustre plateado o herrumbroso. Muchos miembros de la familia realizan la fijación del nitrógeno. Las bayas de varias especies son comestibles. Los arbustos ornamentales de esta familia incluyen *Shepherdia argentea*, el oleastro u olivo silvestre (*Elaeagnus angustifolia*), y el cambrón (*Hippophae rhamnoides*).

**eleacticismo** Escuela de filosofía presocrática que floreció en el s. V AC. Su nombre deriva de la colonia griega de Elea (Velia), en el sur de Italia. Se distingue por su monismo radical con su doctrina de lo Uno, según la cual todo lo que existe es una plenitud estática de Ser en cuanto tal y nada existe que esté en contraste o en contradicción con el Ser. Por eso, toda diferenciación, movimiento y cambio son ilusorios. Sus fuentes literarias consisten en unos pocos fragmentos (la mayoría de menos de diez líneas) preservados por autores clásicos posteriores: 19 de Parménides, cuatro de su discípulo Zenón de Elea y diez de otro discípulo, Meliso (c. siglo V AC). Ver también presocráticos.

**Eleazar ben Judah de Worms** *orig.* **Eleazar ben Judah ben Kalonymos** (1160, Maguncia, Franconia–1238, Worms). Místico judío alemán y estudioso del Talmud. Su esposa e hijas fueron asesinadas por los cruzados en 1196; sin embargo, continuó enseñando una doctrina de amor a la humanidad. Después de estudiar con Yehudá ben Samuel, con quien estaba emparentado, fue rabino en Worms (1201). Intentó unificar el misticismo de la Cábala con el Talmud. Su obra cumbre fue el código ético, *Rokeah* (1505). Creía que Dios mismo era incognoscible, pero que el *kavod*, un ángel regente que era una emanación de Dios, sí era cognoscible. Sus escritos son una fuente de información importante sobre el hasidismo medieval.

Eléboro verde (*Helleborus viridis*).
G.E. HYDE—THE NATURAL HISTORY PHOTOGRAPHIC AGENCY/EB INC.

**eléboro** Miembro de cualquiera de dos géneros de plantas herbáceas venenosas, *Helleborus*, de la familia de las Ranunculáceas (ver ranúnculo) y *Veratrum* (liliáceas). Algunas se cultivan como plantas ornamentales de jardín. El género *Helleborus* se compone de unas 20 especies de plantas perennes originarias de Eurasia; la mayoría casi no tienen tallo, con raíces gruesas y hojas divididas de pecíolos largos y flores vistosas. El género *Veratrum* contiene unas 45 especies, mejor llamadas eléboros falsos, en gran parte originarias de áreas húmedas del hemisferio norte. Tienen hojas simples y racimos de florecillas.

**elección** Proceso organizado por el cual los votantes manifiestan sus preferencias políticas en temas de interés público o en relación con candidatos para cargos públicos. El empleo de elecciones en la época moderna data del surgimiento de gobiernos representativos en Europa y América del Norte a partir del s. XVII. Las elecciones periódicas sirven para hacer responsables a los líderes de su desempeño y permiten un intercambio de influencia entre los gobernantes y los gobernados. La existencia de alternativas es una condición necesaria. Los votos pueden ser secretos o públicos. Ver también elección primaria, iniciativa y referéndum, plebiscito, sistema de partidos, sistema electoral.

**elección primaria** Mecanismo electoral para escoger al candidato de un partido para un cargo público. Este sistema oficial de primarias es característico de EE.UU., donde su uso se generalizó a principios del s. XX. La mayoría de los estados de este país lo emplean para elecciones de cargos a nivel estadual y para la presidencia nacional; en las elecciones presidenciales, se selecciona a los delegados para asistir a una convención nacional, donde votan por el candidato con el que están comprometidos. Las primarias cerradas están restringidas a los miembros del partido; a las primarias abiertas tienen acceso todos los votantes del distrito. El nombre de los candidatos para la elección primaria puede surgir ya sea, de una declaración de candidatura de un ciudadano que reúna los requisitos, de la nominación en una convención previa a la primaria o de una petición suscrita por un determinado número de votantes. A fines del s. XX y comienzos del s. XXI, los partidos políticos de algunos países (p. ej., Reino Unido, Israel y Chile) adoptaron procedimientos similares para la elección de su líder nacional. Ver también sistema de partidos, sistema electoral.

**elector** *alemán* **Kurfürst** Príncipe del Sacro Imperio Romano germánico, que tenía derecho a participar en la elección del emperador alemán. Aproximadamente desde 1273 y con la confirmación de la Bula de Oro de 1356, hubo siete electores: los arzobispos de Tréveris, Maguncia y Colonia; el duque de Sajonia, el conde palatino del Rin, el margrave de Brandeburgo y el rey de Bohemia. Mucho más tarde, fueron creados otros electorados: Baviera (1623–1778), Hannover (1708) y Hesse-Kassel (1803), pero ya en el s. XVII el cargo de elector era casi simbólico, pues los emperadores pertenecían de hecho a la casa de Habsburgo. El cargo desapareció con la abolición del imperio en 1806.

**electoral, sistema** Método y reglas para el cómputo de los votos en la determinación del resultado de las elecciones. Los ganadores pueden ser elegidos por mayoría simple, mayoría absoluta (más del 50% de los votos), votación extraordinaria (un porcentaje de la votación mayor de 50% de los votos) o unanimidad. Los candidatos a cargos públicos pueden ser elegidos directa o indirectamente. En algunas zonas se usa la representación proporcional para asegurar una distribución más justa de los escaños legislativos en circunscripciones donde el sistema de mayoría simple o absoluta puede dejarlas sin representación. Ver también ELECCIÓN PRIMARIA, sistema de MAYORÍA SIMPLE, sistema de PARTIDOS.

**Electra** En la leyenda griega, la hija de AGAMENÓN y Clitemnestra. Cuando su padre fue asesinado por Clitemnestra y su amante Egisto, salvó a su joven hermano ORESTES de sufrir igual suerte enviándolo lejos. Cuando Orestes regresó, Electra lo ayudó a matar a su madre y a Egisto. Luego se casó con el amigo de su hermano, Pílades. La historia es narrada en las tragedias de ESQUILO, SÓFOCLES y EURÍPIDES.

**Electra, complejo de** ver complejo de EDIPO

**electricidad** Fenómeno asociado con CARGAS ELÉCTRICAS estacionarias o en movimiento. La palabra proviene del griego *elektron* ("ámbar"); los griegos descubrieron que el ámbar frotado con pieles atraía objetos livianos, como plumas. Dichos efectos, debido a cargas estacionarias o electricidad estática, fueron los primeros fenómenos eléctricos en ser estudiados. Tan sólo a principios del s. XIX se demostró que la electricidad estática y la CORRIENTE ELÉCTRICA eran aspectos de un mismo fenómeno. El descubrimiento del ELECTRÓN, el cual lleva una carga que se designó como negativa, permitió mostrar que las diversas manifestaciones de la electricidad son el resultado de la acumulación o del movimiento de numerosos electrones. La invención de la bombilla incandescente (1879) y la construcción de la primera central generadora de energía eléctrica (1881) por THOMAS ALVA EDISON condujeron a la rápida introducción de la energía eléctrica en fábricas y hogares. Ver también JAMES CLERK MAXWELL.

**eléctrico, potencial** ver POTENCIAL ELÉCTRICO

**electro** ALEACIÓN natural o artificial de ORO con 20% de PLATA como mínimo, usada para hacer las primeras monedas conocidas en el mundo occidental. El electro natural por lo general contiene también cobre, hierro, paladio, bismuto y quizás otros metales. El color varía desde el del oro blanco hasta el del latón, según los porcentajes de los principales constituyentes y en especial del contenido de cobre. La primera acuñación en el mundo occidental, posiblemente en tiempos del rey Giges de Lidia (s. VII AC), consistió en lingotes irregulares de electro que llevaban su sello como garantía de que eran negociables por un valor predeterminado. Ver también ACUÑACIÓN.

**electrocardiografía** Método para registrar la CORRIENTE ELÉCTRICA de los latidos cardíacos, para obtener información sobre el CORAZÓN. El electrocardiograma (ECG) se obtiene mediante ELECTRODOS aplicados generalmente en brazos, piernas y pecho del paciente, conectados a un electrocardiógrafo, con el cual se registra la pequeñísima corriente eléctrica del corazón. Los movimientos ascendentes y descendentes del trazado reflejan las contracciones de las aurículas y los ventrículos. Las desviaciones del registro estándar normal apuntan a una posible cardiopatía y su ubicación, o reflejan los efectos de ciertas afecciones, como la hipertensión u otras enfermedades.

**electrocución** Método de ejecución en que la persona condenada es sometida a una fuerte descarga eléctrica. El prisionero es engrillado a una silla con cables y se le ajustan ELECTRODOS en la cabeza y en una pierna, de modo que la corriente fluya a través de su cuerpo. Un golpe eléctrico puede ser insuficiente para matar a la persona; si un médico no confirma la muerte, pueden aplicarse varias descargas. La silla eléctrica fue empleada por primera vez en 1890. También se denomina elec-

Electra y su hermano Orestes, escultura de Marcus Cossutius Menelaos, s. I AC.
FOTOBANCO

trocución a la muerte por otras causas de golpe eléctrico (p. ej., contacto accidental con cables de alto voltaje).

**electrodébil, teoría** Teoría que describe tanto la FUERZA ELECTROMAGNÉTICA como la FUERZA NUCLEAR DÉBIL. Aunque estas fuerzas parezcan ser diferentes, son de hecho facetas distintas de una fuerza más fundamental. Esta teoría, formulada en la década de 1960 por Sheldon Glashow (n. 1932), Steven Weinberg (n. 1933) y Abdus Salam (n. 1926), representa un hito científico del s. XX y les valió a los autores obtener un Premio Nobel en 1979. Fue validada en la década de 1980 con el descubrimiento de la PARTÍCULA W y la PARTÍCULA Z, predichas por la teoría. Ver también INTERACCIÓN FUNDAMENTAL; teoría UNIFICADA DE CAMPOS.

**electrodinámica cuántica** Teoría cuántica de las interacciones entre partículas cargadas y el CAMPO ELECTROMAGNÉTICO. Describe cuánticamente las interacciones de la luz con la materia así como también aquellas entre partículas cargadas. Sus fundamentos fueron establecidos por P. A. M. DIRAC, cuando descubrió una ecuación que describía el movimiento y el espín de los electrones que incorporaba tanto la MECÁNICA CUÁNTICA como la teoría de la RELATIVIDAD especial. La teoría, ya refinada y desarrollada al nivel alcanzado hacia fines de la década de 1940, descansa en la idea de que las partículas cargadas interactúan emitiendo y absorbiendo FOTONES. Se ha convertido en un modelo para otras teorías CUÁNTICAS DE CAMPOS.

**electrodo** CONDUCTOR eléctrico, generalmente metal, utilizado como uno de dos terminales para hacer circular CORRIENTE ELÉCTRICA a través de un medio conductor. Una celda voltaica simple, o BATERÍA, consiste en dos electrodos, por lo general uno de cinc y el otro de cobre, inmersos en una solución electrolítica (ver ELECTROLITO). Al producirse una reacción química en la solución, se juntan ELECTRONES en el electrodo de cinc, o CÁTODO, que se carga negativamente. Al mismo tiempo son extraídos electrones del electrodo de cobre, el ÁNODO, dándole así una carga positiva. La diferencia de carga produce una diferencia de potencial, o voltaje, entre los dos electrodos. Cuando estos son conectados por un alambre conductor, los electrones fluyen del cátodo al ánodo, produciendo una corriente.

**electroencefalografía** Técnica para registrar la actividad eléctrica del encéfalo, cuyas células emiten patrones definidos de impulsos eléctricos rítmicos. Con ELECTRODOS dispuestos en pares sobre el cuero cabelludo, se transmiten señales a un electroencefalógrafo, que las registra como espigas y ondas en un trazado llamado electroencefalograma (EEG). Los diferentes patrones de ondas en el EEG se asocian a estados normales y anormales de vigilia y sueño. Estos contribuyen a diagnosticar afecciones como tumores, infecciones y epilepsia. El electroencefalógrafo fue inventado por Hans Berger (n. 1873–m. 1941) en la década de 1920.

**electrófilo** ÁTOMO o MOLÉCULA que en una REACCIÓN QUÍMICA busca un átomo o una molécula que contenga un par de ELECTRONES disponibles para formar ENLACE o el extremo negativo de una molécula polar (ver ENLACE COVALENTE; DIPOLO ELÉCTRICO). En la teoría de enlace de Lewis (ver teoría ÁCIDO-BASE) propuesta en 1923 por el químico estadounidense Gilbert Lewis (n. 1875–m. 1946), los electrófilos son por definición los ácidos de Lewis. Algunos ejemplos son el ion hidronio ($H_3O^+$), el trifluoruro de boro ($BF_3$) y los HALÓGENOS flúor, cloro, bromo y yodo en forma molecular. Ver también ÁCIDO; NUCLEÓFILO.

**electroforesis** Movimiento de partículas eléctricamente cargadas en un fluido bajo la influencia de un CAMPO ELÉCTRICO. Las partículas migran hacia el ELECTRODO de la CARGA ELÉCTRICA opuesta, con frecuencia en una placa o losa recubierta de gel, pero algunas veces en un líquido que fluye en un papel. Originada alrededor de 1930 por Arne Tiselius (n. 1902–m. 1971) como una técnica para ANÁLISIS, la electroforesis se utiliza para analizar y separar COLOIDES (p. ej., PROTEÍNAS) o depositar recubrimientos.

**electroimán** Aparato que consiste en un núcleo de material magnético, como hierro, rodeado por una bobina por la que se hace circular una CORRIENTE ELÉCTRICA para magnetizarlo. Al suspenderse la corriente, el núcleo no queda magnetizado. Los electroimanes son particularmente útiles en donde se necesiten imanes controlables, como en aparatos en los que un CAMPO MAGNÉTICO debe ser variado, invertido, o conectado y desconectado en forma alternada. Con el diseño apropiado, un electroimán puede levantar varias veces su propio peso y ser utilizado en siderúrgicas y en patios de chatarra para levantar cargas de metal. Otros aparatos que utilizan electroimanes son los aceleradores de partículas, auriculares telefónicos, altavoces y televisores.

**electrólisis** Proceso en el cual la CORRIENTE ELÉCTRICA que se hace pasar a través de una sustancia causa un cambio químico, normalmente ganando o perdiendo ELECTRONES (ver OXIDACIÓN-REDUCCIÓN). Se realiza en una celda electrolítica que consiste en ELECTRODOS positivo y negativo (ánodo y cátodo, respectivamente) ubicados a cierta distancia, sumergidos en una SOLUCIÓN de ELECTRÓLITO que contiene IONES o en un compuesto iónico fundido. La corriente eléctrica entra a través del CÁTODO; los CATIONES cargados positivamente se desplazan hacia el cátodo por el medio líquido y se combinan con los electrones. Los ANIONES cargados negativamente depositan electrones en el ÁNODO. Así ambos se convierten en moléculas neutras. La electrólisis se utiliza de manera extensa en METALURGIA para extraer o purificar METALES a partir de MENAS o compuestos, y para depositar metales desde una solución (GALVANOPLASTIA). La electrólisis del CLORURO DE SODIO fundido produce SODIO metálico y CLORO como gas; la de una solución concentrada de cloruro de sodio en agua (salmuera) produce hidrógeno y cloro como gases, e hidróxido sódico (en solución), y la del AGUA (con una baja concentración de cloruro de sodio u otro electrólito disuelto) produce HIDRÓGENO y OXÍGENO.

**electrólito** Sustancia que conduce la CORRIENTE ELÉCTRICA como resultado de la DISOCIACIÓN de sus moléculas en partículas cargadas positiva y negativamente llamadas IONES. Los electrólitos más conocidos son ÁCIDOS, BASES y SALES, los cuales se ionizan cuando se disuelven en SOLVENTES polares como el agua. Muchas sales, como el CLORURO DE SODIO, se comportan como electrólitos cuando son fundidos en ausencia de solvente, dado que tienen ENLACES IÓNICOS. Los electrólitos más comúnmente utilizados son sales de metal disueltas (para GALVANOPLASTIA de metales) y ácidos (en BATERÍAS eléctricas). Ver también ELECTRÓLISIS.

**electromagnetismo** Rama de la física que trata de la relación entre la ELECTRICIDAD y el MAGNETISMO. Su unificación en un solo concepto está ligado a tres eventos históricos. El descubrimiento accidental de HANS C. ØRSTED, en 1820, de que las CORRIENTES ELÉCTRICAS producen CAMPOS MAGNÉTICOS, incitó a que se hicieran esfuerzos para demostrar que los campos magnéticos pueden inducir corrientes. MICHAEL FARADAY demostró en 1831 que un campo magnético variable puede inducir una corriente en un circuito, y JAMES CLERK MAXWELL predijo que un campo eléctrico variable tiene un campo magnético asociado. La revolución tecnológica atribuida al desarrollo de la generación de energía eléctrica y de las comunicaciones modernas puede rastrearse hasta estos tres hitos.

**electromiografía** Proceso de registro gráfico de la actividad eléctrica del músculo, que normalmente genera corriente eléctrica sólo al contraerse o cuando se estimula su nervio. Los impulsos eléctricos se ven en un OSCILOSCOPIO como un trazado de ondas y se registran como electromiograma (EMG), por lo general, junto con señales audibles. El EMG puede revelar si la debilidad o atrofia muscular se debe a una alteración neural (como en la ESCLEROSIS LATERAL AMIOTRÓFICA y la POLIOMIELITIS) o a daño o enfermedad muscular (miopatía).

**electrón** La PARTÍCULA SUBATÓMICA libre cargada eléctricamente más liviana que se conoce. Su carga es negativa (ver CARGA ELÉCTRICA) y es la carga básica de la ELECTRICIDAD. La masa de un electrón es pequeña, alrededor de la dos milésima parte de la masa de un ÁTOMO de hidrógeno común. En circunstancias normales, se mueve en torno al NÚCLEO de un átomo en ORBITALES que forman una nube de electrones ligados al núcleo, cuya carga es positiva, con distintos grados de fuerza. Los electrones más cercanos al núcleo están ligados en forma más estrecha. Es la primera partícula subatómica descubierta, identificada en 1897 por J. J. THOMSON.

**electrónica** Rama de la física que se ocupa de la emisión, comportamiento y efectos de los ELECTRONES, y de los dispositivos electrónicos. Los inicios de la electrónica pueden remontarse a experimentos con ELECTRICIDAD. En la década de 1880, THOMAS ALVA EDISON y otros observaron el flujo de corriente entre elementos en un tubo de vidrio al vacío. Un TUBO DE VACÍO de dos electrodos, construido por John A. Fleming (n. 1849–m. 1945), produjo una corriente de salida útil. El AUDION, inventado por LEE DE FOREST (1907), fue seguido de muchas mejoras. La invención del TRANSISTOR en los Laboratorios Bell (1947) inició una miniaturización progresiva de los componentes electrónicos que, para mediados de la década de 1980, dio como resultado los MICROPROCESADORES de alta densidad, los cuales a su vez condujeron a enormes avances en la tecnología computacional y en los sistemas automatizados basados en computadoras. Ver también SEMICONDUCTOR.

**electroquímica** Rama de la QUÍMICA que se preocupa de la relación entre la ELECTRICIDAD y el cambio químico. Muchas REACCIONES QUÍMICAS espontáneas liberan ENERGÍA eléctrica, y algunas de estas reacciones se utilizan en BATERÍAS y celdas de combustible para producir energía eléctrica. En forma inversa, la corriente eléctrica puede causar muchas reacciones que no ocurren en forma espontánea. En el proceso llamado ELECTRÓLISIS, la energía eléctrica se convierte directamente en energía química, que se almacena en los productos de la reacción. Este proceso es aplicado en la refinación de metales, en galvanoplastia, y para producir hidrógeno y oxígeno a partir del agua. El paso de la electricidad a través de un GAS generalmente causa cambios químicos, un tema que forma una rama separada dentro de la electroquímica. Ver también OXIDACIÓN-REDUCCIÓN.

**elefante** Cualquiera de las tres especies de UNGULADOS del orden Proboscidea (familia Elephantidae), caracterizadas por su gran tamaño, trompa larga, colmillos, patas macizas, orejas grandes y una cabeza enorme. Todas las especies son grisáceas a marrón, con pelo corporal áspero y ralo. La trompa la usan para respirar, beber y alcanzar el alimento. Los elefantes comen hierbas, hojas y frutos. El elefante de la sabana africana, o elefante de los chaparrales (*Loxodonta africana*), del África subsahariana, es el animal terrestre vi-

Elefante asiático (*Elephas maximus*).
© ENCYCLOPÆDIA BRITANNICA, INC.

viente de mayor tamaño: llega a pesar hasta 7.500 kg (16.500 lb) y tiene una alzada de 3–4 m (10–13 pies). El elefante de la sabana africana (*L. cyclotis*) es más pequeño. El elefante asiático (*Elephas maximus*), de Asia meridional y sudoriental, pesa unos 5.500 kg (12.000 lb) y mide unos 3 m (10 pies) de altura. Los elefantes viven en hábitats que comprenden desde la jungla espesa hasta la sabana, en pequeños grupos familiares guiados por las hembras de más edad. La mayoría de los machos viven solos, en manadas. Los elefantes migran estacionalmente. Pueden comer más de 225 kg (500 lb) de vegetación diariamente. La Unión Internacional para la Conservación de la Naturaleza y de los Recursos Naturales (UICN) considera que todas las especies están en peligro.

**elefante marino** Cualquiera de las dos especies más grandes de PINNÍPEDOS: el elefante marino septentrional (*Mirounga angustirostris*), de las islas costeras de California y Baja California, o el elefante marino austral (*M. leonina*), de las regiones subantárticas. Ambos son FOCAS gregarias sin orejas. El macho tiene una trompa inflable. La especie septentrional es amarillenta o marrón gris, la austral es azul gris. Los machos de ambas especies alcanzan una longitud de unos 6,5 m (21 pies), un peso de 3.530 kg (7.780 lb) aprox. y son mucho más grandes que las hembras. Los elefantes marinos se alimentan de peces y calamares o de otros CEFALÓPODOS. Durante la temporada reproductora, los machos luchan para establecer su territorio en playas y formar harenes de hasta 40 hembras.

**elegía** Poema lírico de tono reflexivo. La elegía clásica era cualquier poema escrito en dísticos elegíacos (que alternan versos hexámetros y pentámetros dactílicos). Hoy, el término puede referirse tanto a la forma métrica como al contenido, pero en la literatura inglesa, a partir del s. XVI, se utiliza el término para referirse a una lamentación en cualquier metro. Una variedad específica, con un patrón formal definido, es la elegía pastoral, como por ejemplo el *Lycidas* (1638) de JOHN MILTON. Los poetas de la escuela Graveyard, del s. XVIII, reflexionaban acerca de la muerte y la inmortalidad en elegías, entre las cuales la más famosa es *Elegía escrita en un cementerio de aldea* (1751), de THOMAS GRAY.

**elemento de transición** ver elemento de TRANSICIÓN

**elemento nativo** Cualquiera de los 19 elementos químicos que aparecen como MINERALES y se encuentran en la naturaleza sin estar combinados con otros elementos. Comúnmente se les divide en tres grupos: metales (platino, iridio, osmio, hierro, cinc, estaño, oro, plata, cobre, mercurio, plomo, cromo); semimetales (bismuto, antimonio, arsénico, telurio, selenio); y nometales (azufre, carbono). Los diferentes miembros del grupo de elementos nativos se forman bajo condiciones fisicoquímicas muy variadas y en tipos muy diferentes de rocas. Muchos yacimientos son lo suficientemente abundantes como para ser importantes a nivel comercial.

**elemento químico** Una de las 116 clases conocidas de sustancias que constituyen toda la MATERIA, a nivel de ÁTOMOS (las unidades más pequeñas de cualquier elemento). Todos los átomos de un elemento son idénticos en carga nuclear (número de PROTONES) y número de ELECTRONES (ver NÚMERO ATÓMICO), pero su MASA (PESO ATÓMICO) puede diferir si tienen diferentes números de NEUTRONES (ver ISÓTOPO). Cada elemento tiene un SÍMBOLO QUÍMICO de una o dos letras. Los elementos se combinan para formar una amplia variedad de COMPUESTOS. Todos los elementos con números atómicos mayores que 83 (bismuto) y algunos isótopos de elementos más livianos, son inestables y

## TABLA PERIÓDICA DE LOS ELEMENTOS

período / grupo

1* / Ia**  ...  18 / 0

Leyenda:
- metales alcalinos
- metales alcalinotérreos
- metales de transición
- otros metales
- otros no metales
- halógenos
- actínidos
- gases nobles
- elementos térreos raros (21, 39, 57–71) lantánidos (sólo 57–71)

| período | 1* Ia** | 2 IIa | 3 IIIb | 4 IVb | 5 Vb | 6 VIb | 7 VIIb | 8 | 9 VIIIb | 10 | 11 Ib | 12 IIb | 13 IIIa | 14 IVa | 15 Va | 16 VIa | 17 VIIa | 18 0 |
|---|---|---|---|---|---|---|---|---|---|---|---|---|---|---|---|---|---|---|
| 1 | 1 H | | | | | | | | | | | | | | | | | 2 He |
| 2 | 3 Li | 4 Be | | | | | | | | | | | 5 B | 6 C | 7 N | 8 O | 9 F | 10 Ne |
| 3 | 11 Na | 12 Mg | | | | | | | | | | | 13 Al | 14 Si | 15 P | 16 S | 17 Cl | 18 Ar |
| 4 | 19 K | 20 Ca | 21 Sc | 22 Ti | 23 V | 24 Cr | 25 Mn | 26 Fe | 27 Co | 28 Ni | 29 Cu | 30 Zn | 31 Ga | 32 Ge | 33 As | 34 Se | 35 Br | 36 Kr |
| 5 | 37 Rb | 38 Sr | 39 Y | 40 Zr | 41 Nb | 42 Mo | 43 Tc | 44 Ru | 45 Rh | 46 Pd | 47 Ag | 48 Cd | 49 In | 50 Sn | 51 Sb | 52 Te | 53 I | 54 Xe |
| 6 | 55 Cs | 56 Ba | 57 La | 72 Hf | 73 Ta | 74 W | 75 Re | 76 Os | 77 Ir | 78 Pt | 79 Au | 80 Hg | 81 Tl | 82 Pb | 83 Bi | 84 Po | 85 At | 86 Rn |
| 7 | 87 Fr | 88 Ra | 89 Ac | 104 Rf | 105 Db | 106 Sg | 107 Bh | 108 Hs | 109 Mt | 110 Ds | 111 Rg | 112*** (Uub) | 113*** (Uut) | 114*** (Uuq) | 115*** (Uup) | 116*** (Uuh) | | |

| serie lantánidos 6 | 58 Ce | 59 Pr | 60 Nd | 61 Pm | 62 Sm | 63 Eu | 64 Gd | 65 Tb | 66 Dy | 67 Ho | 68 Er | 69 Tm | 70 Yb | 71 Lu |
|---|---|---|---|---|---|---|---|---|---|---|---|---|---|---|
| serie actínidos 7 | 90 Th | 91 Pa | 92 U | 93 Np | 94 Pu | 95 Am | 96 Cm | 97 Bk | 98 Cf | 99 Es | 100 Fm | 101 Md | 102 No | 103 Lr |

\* Sistema de numeración adoptado por la Unión Internacional de Química Pura y Aplicada.

\*\* Sistema de numeración utilizado extensivamente, sobre todo en EE.UU., desde la mitad del siglo XX.

\*\*\* El descubrimiento de los elementos 112–116 no ha sido confimado. Los símbolos en paréntesis han sido asignados provisionalmente por la Unión Internacional de Química Pura y Aplicada.

La tabla periódica ordena los elementos en grupos (verticalmente), que comparten características físicas y químicas comunes, y en períodos (horizontalmente), según el número atómico y la configuración de la capa de electrones, en forma secuencial y creciente. Los elementos aparecen con su nombre completo en la página siguiente. Los elementos 112 al 116 han sido creados en forma experimental, pero no se les ha asignado un nombre aún.

| Elemento | Símbolo | Número atómico | Peso atómico * | Elemento | Símbolo | Número atómico | Peso atómico * |
|---|---|---|---|---|---|---|---|
| Actinio | Ac | 89 | 227,028 | Laurecio | Lr | 103 | (262) |
| Aluminio | Al | 13 | 26,9815 | Litio | Li | 3 | 6,941 |
| Americio | Am | 95 | (243) | Lutecio | Lu | 71 | 174,967 |
| Antimonio | Sb | 51 | 121,75 | Magnesio | Mg | 12 | 24,305 |
| Argón | Ar | 18 | 39,948 | Manganeso | Mn | 25 | 54,9380 |
| Arsénico | As | 33 | 74,9216 | Meitnerio | Mt | 109 | (268) |
| Astato | At | 85 | (210) | Mendelevio | Md | 101 | (258) |
| Azufre | S | 16 | 32,07 | Mercurio | Hg | 80 | 200,59 |
| Bario | Ba | 56 | 137,33 | Molibdeno | Mo | 42 | 95,94 |
| Berilio | Be | 4 | 9,01218 | Neodimio | Nd | 60 | 144,24 |
| Berkelio | Bk | 97 | (247) | Neón | Ne | 10 | 20,180 |
| Bismuto | Bi | 83 | 208,9804 | Neptunio | Np | 93 | 237,0482 |
| Bohrio | Bh | 107 | (264) | Niobio | Nb | 41 | 92,9064 |
| Boro | B | 5 | 10,81 | Níquel | Ni | 28 | 58,69 |
| Bromo | Br | 35 | 79,904 | Nitrógeno | N | 7 | 14,0067 |
| Cadmio | Cd | 48 | 112,41 | Nobelio | No | 102 | (259) |
| Calcio | Ca | 20 | 40,08 | Oro | Au | 79 | 196,9665 |
| Californio | Cf | 98 | (251) | Osmio | Os | 76 | 190,2 |
| Carbono | C | 6 | 12,011 | Oxígeno | O | 8 | 15,9994 |
| Cerio | Ce | 58 | 140,12 | Paladio | Pd | 46 | 106,42 |
| Cesio | Cs | 55 | 132,9054 | Plata | Ag | 47 | 107,868 |
| Cinc | Zn | 30 | 65,39 | Platino | Pt | 78 | 195,08 |
| Circonio | Zr | 40 | 91,22 | Plomo | Pb | 82 | 207,2 |
| Cloro | Cl | 17 | 35,453 | Plutonio | Pu | 94 | (244) |
| Cobalto | Co | 27 | 58,9332 | Polonio | Po | 84 | (209) |
| Cobre | Cu | 29 | 63,546 | Potasio | K | 19 | 39,0983 |
| Cromo | Cr | 24 | 51,996 | Praseodimio | Pr | 59 | 140,9077 |
| Curio | Cm | 96 | (247) | Prometio | Pm | 61 | (145) |
| Darmstadtio | Ds | 110 | 271 | Protactinio | Pa | 91 | 231,0359 |
| Disprosio | Dy | 66 | 162,50 | Radio | Ra | 88 | 226,0254 |
| Dubnio | Db | 105 | (262) | Radón | Rn | 86 | (222) |
| Einstenio | Es | 99 | (252) | Renio | Re | 75 | 186,207 |
| Erbio | Er | 68 | 167,26 | Rodio | Rh | 45 | 102,9055 |
| Escandio | Sc | 21 | 44,9559 | Roentgenio | Rg | 111 | 272 |
| Estaño | Sn | 50 | 118,71 | Rubidio | Rb | 37 | 85,4678 |
| Estroncio | Sr | 38 | 87,62 | Rutenio | Ru | 44 | 101,07 |
| Europio | Eu | 63 | 151,96 | Rutherfordio | Rf | 104 | (261) |
| Fermio | Fm | 100 | (257) | Samario | Sm | 62 | 150,36 |
| Flúor | F | 9 | 18,9984 | Seaborgio | Sg | 106 | (263) |
| Fósforo | P | 15 | 30,97376 | Selenio | Se | 34 | 78,96 |
| Francio | Fr | 87 | (223) | Silicio | Si | 14 | 28,0855 |
| Gadolinio | Gd | 64 | 157,25 | Sodio | Na | 11 | 22,98977 |
| Galio | Ga | 31 | 69,72 | Talio | Tl | 81 | 204,383 |
| Germanio | Ge | 32 | 72,61 | Tantalio | Ta | 73 | 180,9479 |
| Hafnio | Hf | 72 | 178,49 | Tecnecio | Tc | 43 | (98) |
| Hassio | Hs | 108 | (265) | Telurio | Te | 52 | 127,60 |
| Helio | He | 2 | 4,00260 | Terbio | Tb | 65 | 158,9254 |
| Hidrógeno | H | 1 | 1,0079 | Titanio | Ti | 22 | 47,867 |
| Hierro | Fe | 26 | 55,845 | Torio | Th | 90 | 232,0381 |
| Holmio | Ho | 67 | 164,930 | Tulio | Tm | 69 | 168,9342 |
| Indio | In | 49 | 114,82 | Uranio | U | 92 | 238,029 |
| Iridio | Ir | 77 | 192,22 | Vanadio | V | 23 | 50,9415 |
| Iterbio | Yb | 70 | 173,04 | Wolframio | W | 74 | 183,85 |
| Itrio | Y | 39 | 88,9059 | Xenón | Xe | 54 | 131,29 |
| Kriptón | Kr | 36 | 83,80 | Yodo | I | 53 | 126,9045 |
| Lantano | La | 57 | 138,9055 | | | | |

*Las cifras entre paréntesis indican el número de masa del isótopo más estable del elemento radiactivo.

radiactivos (ver RADIACTIVIDAD). Los elementos TRANSURÁNICOS, con números atómicos mayores que 92 (ver URANIO), creados artificialmente por bombardeo de otros elementos con neutrones u otras partículas, fueron descubiertos a partir de 1940. Los elementos más comunes (por peso) en la corteza terrestre son oxígeno, 49%; silicio, 26%; aluminio, 8%, y hierro, 5%. De los elementos conocidos, 11 (hidrógeno, nitrógeno, oxígeno, flúor, cloro y los seis gases nobles) son GASES bajo condiciones normales, dos (bromo y mercurio) son LÍQUIDOS (dos más, cesio y galio, funden alrededor o justamente por encima de la temperatura ambiente) y los demás son SÓLIDOS. Ver también TABLA PERIÓDICA.

**Elena, santa** (c. 248, ¿Drepanum?, Bitinia, Asia Menor–c. 328, Nicomedia; festividad en Occidente: 18 de agosto; en Oriente [con Constantino]: 21 de mayo). Emperatriz romana y madre de CONSTANTINO I. Era la esposa de CONSTANCIO I CLORO antes de que este se convirtiera en césar (subemperador), y dio a luz a Constantino antes de que Constancio la repudiara por razones políticas. Elena se convirtió al cristianismo por

influencia de su hijo. Implicada en la ejecución de su nuera (326), hizo una peregrinación a Tierra Santa y ordenó construir iglesias en el sitio de la Ascensión, en Jerusalén, y en el de la Natividad, en Belén. A fines del s. IV se le atribuía haber descubierto la cruz de Cristo.

**eleusinos, misterios** La religión MISTÉRICA más famosa de la antigua Grecia. Estaba basada en la historia de DEMÉTER, cuya hija PERSÉFONE fue raptada por HADES. Mientras buscaba a su hija, Deméter se detuvo en ELEUSIS, reveló su identidad a la familia real y enseñó sus ritos a los nativos. Los grandes misterios se celebraban en otoño y comenzaban con una procesión desde Atenas hasta el templo en Eleusis. Seguía un baño ritual en el mar, tres días de ayuno y observancia de ritos secretos. A los iniciados se les prometía la salvación personal y recompensas en la otra vida.

**Eleusis** *griego* **Elevsís** Ciudad en el este de Grecia, con ruinas de una antigua urbe. Es famosa por los misterios de ELEUSINOS y está ubicada aprox. 23 km (14 mi) al oeste de Atenas. Fue independiente hasta el s. VII AC, cuando Atenas se anexó la ciudad y convirtió los misterios eleusinos en una de las festividades religiosas más importante para los atenienses. El líder godo ALARICO I destruyó la ciudad en 395 DC. Estuvo abandonada hasta el s. XVIII, cuando renació como la moderna ciudad de Eleusis (griego Lepsina), actualmente un suburbio de Atenas. Se han desenterrado algunas ruinas, entre ellas la Sala de Iniciación, cuya construcción data de finales de la época micénica, unos 3.000 años atrás.

**elevador de granos** Edificio de almacenamiento de granos, por lo general una estructura de bastidores alta, metálica o de hormigón con compartimentos interiores; también, el aparato para cargar granos en un edificio. Un mecanismo común se compone de una tolva alimentadora, un largo foso de recepción abierto y rectangular, y una correa o cadena vertical sinfín con listones (travesaños) para transportar los granos hacia la parte superior del silo. La fuerza de gravedad permite que los granos elevados sean descargados en forma rápida y fácil desde canaletas de descarga.

**Elgar, Sir Edward (William)** (2 jun. 1857, Broadheath, Worcestershire, Inglaterra–23 feb. 1934, Worcester, Worcestershire). Compositor británico. Hijo de un afinador de pianos, llegó a dominar el violín y el órgano. Sus *Variaciones enigma* (1896) lo hicieron famoso; a esta obra siguió el oratorio *La visión de Geroncio* (1900), que muchos consideran como su obra maestra. Compuso en el idioma orquestal del romanticismo decimonónico tardío –caracterizado por melodías audaces, efectos tonales llamativos y el dominio de las grandes formas–, lo que estimuló el renacimiento de la música inglesa. Entre sus obras principales están las cinco marchas *Pompa y circunstancia* (1901–07), dos sinfonías (1908, 1911), conciertos para violín (1910) y violonchelo (1919), y los poemas sinfónicos *Cockaigne* (1901) y *Falstaff* (1913).

**Elgin, mármoles de** Colección de esculturas y fragmentos arquitectónicos de mármol de la antigua Grecia, que se

"Lapita peleando con un centauro", detalle de una métopa del Partenón de Atenas, uno de los mármoles de Elgin, Museo Británico.
HIRMER FOTOARCHIV, MUNICH

encuentran hoy en el MUSEO BRITÁNICO. Estas piezas fueron removidas del PARTENÓN de Atenas y de otros edificios por Thomas Bruce, lord Elgin (n. 1766–m. 1841), embajador ante el Imperio otomano, y enviadas por barco a Inglaterra entre 1802 y 1811. Elgin afirmaba estar salvando las obras de su destrucción a manos de los turcos, quienes por ese entonces controlaban Grecia. Obtuvo permiso de los turcos para remover "cualquier pedazo de roca" que contuviera figuras o inscripciones. Hasta 1816, año en que las compró la Corona, estas piezas permanecieron en su colección privada, lo que le valió duras críticas. La polémica aún continúa, dado que el gobierno griego con frecuencia reclama su restitución.

**Elgon, monte** Volcán extinto en la frontera entre Kenia y Uganda. Ubicado al nordeste del lago VICTORIA, su cráter, de cerca de 8 km (5 mi) de diámetro, contiene varias cumbres, de las cuales el Wagagai, con una altura de 4.321 m (14.178 pies), es la más alta. Los gishu (gisu), que hablan el idioma bantú, habitan las laderas occidentales del monte.

**Eliade, Mircea** (9 mar. 1907, Bucarest, Rumania–22 abr. 1986, Chicago, Ill., EE.UU.). Historiador estadounidense de origen rumano. Estudió SÁNSCRITO y filosofía india en la Universidad de Calcuta, y luego regresó para completar su docto-

rado en la Universidad de Bucarest, donde enseñó hasta 1939. En 1945 se trasladó a París para enseñar en la Sorbona y desde 1956 fue docente en la Universidad de Chicago. Enfocó sus estudios en la religión; consideraba que las experiencias religiosas eran fenómenos creíbles, manifestaciones de lo sagrado en el mundo, y en sus obras investigó las formas que habían adoptado en todo el mundo a través del tiempo. Fundó la revista *History of Religions* en 1961. Entre sus obras se cuentan *El mito del eterno retorno* (1949) e *Historia de las creencias y de las ideas religiosas* (3 vol., 1978–85); fue el editor de la *Encyclopedia of Religion* de 16 vol. (1987).

**Elías** *hebreo* **Eliyyahu** (c. siglo IX AC). PROFETA hebreo. La Biblia cuenta que reprobó los cultos extranjeros y derrotó a 450 profetas de BAAL en una competencia en el monte Carmelo. Al hacerlo, se enemistó con el rey ACAB y su esposa JEZABEL, quien lo forzó a huir al desierto. Más tarde fue llevado al cielo en un remolino, dejando tras sí a su sucesor, ELISEO. Su insistencia en que sólo el Dios de Israel tenía derecho al nombre de divinidad revela un MONOTEÍSMO plenamente consciente. También es reconocido como un profeta en el ISLAM.

"El milagro del profeta Elías", detalle, obra de Giorgio Vasari, s. XVI.
FOTOBANCO

**Élide** *o* **Elis** *griego* **Éleia** *o* **Ilia** Antigua región y ciudad-estado, en el noroeste del PELOPONESO, Grecia. Esta región, que limita con Akhaia, ARCADIA, Mesenia y el mar Jónico, fue conocida por la cría de caballos y como sede de los JUEGOS OLÍMPICOS. Aliada de Atenas durante la guerra del PELOPONESO, perdió gran parte de su territorio. Posteriormente, al acentuar el carácter sagrado de los Juegos Olímpicos, recuperó parte de sus tierras e incluso obtuvo cierta independencia después de la ocupación romana de Grecia (146 AC). Sin embargo, la caída del Imperio romano trajo su ruina. En esta localidad se encuentra el emplazamiento arqueológico de OLIMPIA, escenario de los juegos.

**Elion, Gertrude (Belle)** (23 ene. 1918, Nueva York, N.Y., EE.UU.–21 feb. 1999, Chapel Hill, N.C.). Farmacóloga estadounidense. Se graduó en el Hunter College. Como no encontraba un puesto de investigadora por su condición de mujer, enseñó inicialmente química en la escuela secundaria. En 1944 devino asistente de GEORGE HERBERT HITCHINGS en los laboratorios Burroughs Wellcome, donde desarrollaron medicamentos para la leucemia, trastornos autoinmunes, infecciones de las vías urinarias, gota, malaria y herpes viral, empleando métodos de investigación innovadores. Examinaron la bioquímica de las células humanas normales y de los agentes patógenos, y aplicaron los resultados para formular medicamentos que podían destruir o inhibir la reproducción de un patógeno determinado, pero con indemnidad de las células normales del hospedero. En 1988 compartieron, junto con JAMES BLACK, el Premio Nobel.

**Eliot, Charles William** (20 mar. 1834, Boston, Mass., EE.UU.–22 ago. 1926, Northeast Harbor, Me.). Educador y rector universitario estadounidense de gran influencia. Estudió en la Universidad de HARVARD, donde dictó las cátedras de matemática y química (1858–63), al igual que en el MIT (1865–69). En 1869, luego de haber analizado los sistemas educativos europeos, Eliot fue nombrado presidente de Harvard y rápidamente instauró un programa de reformas fundamentales. Abogó por obtener un lugar para las ciencias en la educación liberal, y reemplazó el programa de cursos para alumnos de pregrado por un sistema electivo. Durante la presidencia de Eliot se creó la escuela de posgrado de artes y ciencias (1890), se estableció el Radcliffe College (1894), se elevó la calidad de las escuelas profesionales, y la universidad se transformó en una institución de renombre mundial. Las reformas llevadas a cabo por Eliot tuvieron gran influencia en la educación superior estadounidense. En 1909, luego de renunciar, editó *Harvard Classics* (1909–10), obra de 50 vol.; asimismo escribió numerosos libros y se dedicó al servicio público.

**Eliot, George** orig. **Mary Ann Evans** post. **Marian Evans** (22 nov. 1819, Chilvers Coton, Warwickshire, Inglaterra– 22 dic. 1880, Londres). Novelista inglesa. Eliot fue criada en los rigurosos principios de la piedad evangélica, pero rompió con la ortodoxia religiosa alrededor de los 20 años. Trabajó como traductora, crítica y subeditora de la *Westminster Review* (1851–54). Más tarde se dedicó a la narrativa. Adoptó un seudónimo masculino para librarse de los prejuicios contra las novelistas mujeres. Su primera obra fue *Escenas de la vida clerical* (1858), a la que siguieron obras clásicas del género, como *Adam Bede* (1859),

George Eliot, dibujo al clarión de F.W. Burton, 1865.

GENTILEZA DE LA NATIONAL PORTRAIT GALLERY, LONDRES

*El molino junto al Floss* (1860), *Silas Marner* (1861), *Romola* (1862–63), *Felix Holt, the Radical* (1866) y *Daniel Deronda* (1876). Su obra maestra, *Middlemarch* (1871–72), propone un completo estudio de todas las clases de la sociedad provinciana. El método de análisis psicológico que desarrolló, llegaría a convertirse en un rasgo característico de la narrativa moderna. Tuvo una relación sentimental larga y feliz, aunque escandalosa, con el periodista, filósofo y crítico George Henry Lewes (n. 1817– m. 1878), un hombre casado; sus salones de los domingos por la tarde eran uno de los aspectos más brillantes de la vida intelectual victoriana.

**Eliot, John** (1604, Widford, Hertfordshire, Inglaterra–21 may. 1690, Roxbury, colonia Bahía Massachusetts). Misionero puritano inglés que evangelizó a los indios de la colonia Bahía Massachusetts. Emigró a Boston en 1631 y se desempeñó como pastor en una iglesia cerca de Roxbury. Con el apoyo de su congregación y de sus colegas ministros, inició una misión entre los aborígenes norteamericanos que dio origen a la creación, en 1649, de la primera comunidad genuina de indios cristianos (financiada principalmente desde Inglaterra). Sus métodos establecieron el modelo para las siguientes misiones de esta índole por casi dos siglos. Tradujo la Biblia a la lengua algonquina, que fue la primera Biblia impresa en América del Norte.

El poeta y Premio Nobel T.S. Eliot realizando un esquema de una obra dramática en el Institute of Advanced Study.

FOTOBANCO

**Eliot, T(homas) S(tearns)** (26 sep. 1888, St. Louis, Mo., EE.UU.–4 ene. 1965, Londres, Inglaterra). Poeta, dramaturgo y crítico británico de origen estadounidense. Eliot estudió en la Universidad de Harvard antes de mudarse en 1914 a Inglaterra, donde trabajó como editor desde principios de la década de 1920 hasta su muerte. Su primer poema importante y primera obra maestra modernista en inglés es el experimento radical *La canción de amor de J. Alfred Prufrock* (1915).

*La tierra baldía* (1922), que expresa con fuerza sorprendente la desilusión de los años de posguerra, lo consagró internacionalmente. Su primer volumen de ensayos, *The Sacred Wood* (1920), introdujo conceptos que fueron muy discutidos en la teoría crítica posterior a él. Se casó en 1915; su esposa era inestable mentalmente y se separaron en 1933 (volvió a casarse, esta vez felizmente, en 1957). Su conversión al anglicanismo en 1927 configuró todas sus creaciones posteriores. Su última gran obra fueron los *Cuatro cuartetos* (1936–42), cuatro poemas acerca de la renovación espiritual y de las conexiones del pasado y el presente personales e históricas. Entre sus ensayos influyentes posteriores, están *The Idea of a Christian Society* [La idea de una sociedad cristiana] (1939) y *Notas para la definición de una cultura* (1948). Su obra teatral *Asesinato en la catedral* (1935) es una versión en verso del martirio de santo TOMÁS BECKET; sus otras piezas teatrales, como *The Cocktail Party* (1950), son obras menores. A partir de la década de 1920 fue el poeta modernista más influyente de la lengua inglesa. Recibió el Premio Nobel de Literatura en 1948; a partir de entonces y hasta su muerte fue objeto de una admiración pública que ningún otro poeta del s. XX pudo igualar.

**elipse** Curva cerrada, es una de las SECCIONES CÓNICAS de la GEOMETRÍA ANALÍTICA, está formada por todos los puntos cuyas distancias a dos puntos fijos (focos) tienen una suma constante y determinada. El punto medio entre los focos es el centro. Una propiedad de la elipse es que la reflexión en la curva de un rayo emitido desde uno de sus focos pasará por el otro. En una sala elíptica, una persona susurrando en uno de sus focos es escuchada claramente por alguien ubicado en el otro foco. Un óvalo puede o no ajustarse a la definición de una elipse.

**Elisabethville** ver LUBUMBASHI

**Eliseo** (c. siglo IX AC). Profeta hebreo. Como sucesor de ELÍAS, fue un firme partidario de la tradición mosaica de Israel y enérgico enemigo de todos los dioses y cultos extranjeros. Instigó una revuelta en contra de la casa gobernante de Israel, la dinastía de Omri, que culminó en la muerte del rey y su familia. Su historia es narrada en las escrituras hebreas, en los libros de los Reyes 1 y 2.

**Elíseo** *o* **Campos Elíseos** En la antigua Grecia, paraíso reservado para los héroes a quienes los dioses habían concedido la inmortalidad. HOMERO lo describe como un país de felicidad perfecta situado en los confines de la Tierra, a orillas del río Océano. Desde la época de PÍNDARO (c. 500 AC) en adelante, el Elíseo fue imaginado como una morada para quienes habían vivido una vida honrada.

**Elista** *ant.* *(1944–57)* **Stepnoi** Ciudad (pob., est. 1999: 101.700 hab.), capital de la República Autónoma de Calmuquia del sudoeste de Rusia. Fundada en 1865, fue reconocida como ciudad en 1930. En 1944, cuando los calmucos fueron exiliados por STALIN por su presunta colaboración con los alemanes, la república fue disuelta y la ciudad pasó a conocerse con el nombre de Stepnoi. El nombre de Elista fue restituido en 1957. La agricultura es importante, y la ciudad es un centro de comercio para la zona.

**Elizabeth** Ciudad (pob., 2000: 120.568 hab.) del nordeste del estado de Nueva Jersey, EE.UU. Ubicada en la bahía de Newark junto a la ciudad homónima (ver NEWARK), se encuentra conectada a STATEN ISLAND a través de un puente. El asentamiento comenzó en 1664 con la compra de tierras a los indios DELAWARE. Allí se reunió la primera asamblea de la colonia (1668–82). Fue también escenario de cuatro combates militares durante la guerra de independencia de los ESTADOS UNIDOS DE AMÉRICA. Creció durante todo el s. XIX y en la actualidad es una ciudad sumamente industrializada con importantes operaciones portuarias. Fue la sede original de la Universidad de PRINCETON (1746) y allí vivieron también ALEXANDER HAMILTON y AARON BURR.

**Elizabeth, islas** Cadena de islas pequeñas en el sudeste del estado de Massachusetts, EE.UU. Se extienden 26 km (16 mi) hacia el sudoeste desde el extremo sudoccidental del cabo COD. Este grupo insular se encuentra entre la bahía BUZZARDS y el estrecho Vineyard. El navegante inglés Bartholomew Gosnold las avistó en 1602 y estableció una colonia de corta vida (tres semanas) en la isla de Cuttyhunk, ubicada en el extremo occidental, 18 años antes de la llegada del *Mayflower* a PLYMOUTH. Naushon, la isla más grande, fue base naval británica durante la guerra ANGLO-ESTADOUNIDENSE (1812). Las islas, que cubren una superficie de 36 km² (14 mi²) aprox., son principalmente de propiedad privada. Cuttyhunk es un centro de pesca deportiva muy concurrido.

**Eliyyahu** ver ELÍAS

**Ellasar** ver LARSA

**Ellesmere, isla de** Isla en Nunavut, Canadá. Es la más grande de las islas de la REINA ISABEL y se encuentra frente a la costa noroccidental de GROENLANDIA; se cree que fue visitada por los vikingos en el s. X DC. Con una extensión de 800 km (500 mi) y una anchura de 500 km (300 mi) aprox., presenta el terreno más accidentado del archipiélago ÁRTICO, con montañas imponentes y enormes campos de hielo. El cabo Columbia es el punto más septentrional de Canadá. En 1986 se estableció el parque nacional de la isla Ellesmere.

**Ellesmere, lago** Lago costero del este de la isla del SUR constituye en Nueva Zelanda. Situado en el lado meridional de la península de BANKS, este lago mareal es poco profundo y salino; con una extensión de 23 km (14 mi) por 13 km (8 mi) de ancho, no supera los 2 m (7 pies) de profundidad. Es asiento de grandes bandadas de aves acuáticas.

**Ellice, islas** ver islas GILBERT Y ELLICE

**Ellington, Duke** *orig.* **Edward Kennedy Ellington** (29 abr. 1899, Washington, D.C., EE.UU.–24 may. 1974, Nueva York, N.Y.). Pianista, director de orquesta de jazz, arreglista y compositor estadounidense. En 1924 formó su banda en Washington, D.C., y en 1927 ya se presentaba regularmente en el COTTON CLUB de Harlem. Hasta el final de su vida, su banda disfrutaría de la máxima reputación profesional y artística en el jazz. Conocido al comienzo por su peculiar sonido "jungle" –una descripción derivada del uso de gruñidos en bronces con sordina y de armonías lúgubres–, Ellington integró cada vez más elementos del blues en su música. Compuso teniendo presentes los sonidos

Duke Ellington.
REIMPRESIÓN CON AUTORIZACIÓN DE LA REVISTA *DOWN BEAT*

idiosincrásicos de sus instrumentistas. Varios de sus músicos desarrollaron la mayor parte de sus carreras con la banda, entre ellos, los saxofonistas JOHNNY HODGES y Harry Carney, el contrabajista JIMMY BLANTON, los trombones Tricky Sam Nanton y Lawrence Brown, y los trompetistas Bubber Miley y Cootie Williams. Un colaborador frecuente de Ellington fue el pianista BILLY STRAYHORN. Ellington compuso una gran cantidad de obras, entre otras, música bailable, canciones populares, obras de concierto de gran envergadura, teatro musical y partituras para cine. Entre sus composiciones más conocidas destacan "Mood Indigo", "Satin Doll", "Don't Get Around Much Anymore" y "Sophisticated Lady".

**Ellis, (Henry) Havelock** (2 feb. 1859, Croydon, Surrey, Inglaterra–8 jul. 1939, Washbrook, Suffolk). Investigador británico de la sexualidad. Médico que abandonó su práctica para dedicarse al estudio científico y literario. Su obra principal fue *Estudios de psicología sexual* (1897–1928), en siete volúmenes, una enciclopedia amplia y de avanzada sobre la biología, el comportamiento y las actitudes sexuales humanas, cuyos temas abarcan la homosexualidad, masturbación y fisiología de la conducta sexual. La venta del primer volumen provocó un juicio legal en el que el librero resultó arrestado por cargos de obscenidad; los volúmenes posteriores tuvieron que publicarse en EE.UU. y no estuvieron legalmente a disposición de la profesión médica hasta 1935. Ellis consideraba la actividad sexual como una expresión natural del amor y procuraba disipar los temores y la ignorancia generalizados que la rodeaban. Fue conocido también como el defensor de los derechos de la mujer.

Havelock Ellis.
THE MANSELL COLLECTION

**Ellis, isla** Isla en la parte superior de la bahía de Nueva York, en el sudeste del estado de Nueva York, EE.UU. Se encuentra al sudoeste de la isla de MANHATTAN y ocupa una superficie de 11 ha (27 acres) aprox. En 1808, el estado de Nueva York vendió la isla al gobierno federal. Fue el principal recinto de inmigración del país entre 1892 y 1943, cuando todo el proceso de tramitación de inmigración se trasladó a la ciudad de NUEVA YORK propiamente tal. En 1965 se convirtió en parte del monumento nacional de la estatua de la LIBERTAD; el restaurado vestíbulo principal es el emplazamiento del Museo nacional de emigración de la isla Ellis.

**Ellison, Ralph (Waldo)** (1 mar. 1914, Oklahoma City, Okla., EE.UU.–16 abr. 1994, Nueva York, N.Y.). Escritor estadounidense. Estudió música en el Tuskegee Institute antes de sumarse al proyecto federal de escritores. Alcanzó notoriedad con su novela *El hombre invisible* (1952), narrada por un joven afroamericano anónimo, en la que reflexiona amargamente sobre las relaciones raciales en EE.UU., y que está considerada entre las obras de ficción estadounidenses más destacadas desde la segunda guerra mundial. Más tarde publicó dos colecciones de ensayos *Sombra y acción* (1964) y *Going to the Territory* [Hacia el territorio] (1986), y se abocó a la labor de conferencista y docente. En 1999, John Callahan, su albacea literario, publicó una edición de su segunda novela inconclusa titulada *Juneteenth*.

**ello** *o* **id** En la teoría psicoanalítica freudiana, uno de los estratos de la personalidad humana, junto con el YO y el SUPERYÓ. El ello es la fuente tanto de los impulsos instintivos, como el sexual y la agresión, como también de las necesidades primarias que existen al nacer. Es totalmente irracional y se rige por el principio del placer, que busca, cada vez que es posible, la satisfacción inmediata de sus impulsos. En el adulto, sus procesos operativos son por completo inconscientes; sin embargo, suministra la energía necesaria para la vida mental consciente, y desempeña un papel importante, en especial, en las formas de expresión de los elementos irracionales, como la creación artística. Según SIGMUND FREUD, los principales métodos para desenmascarar sus contenidos son el análisis de los sueños y la asociación libre.

**Ellsworth, Oliver** (29 abr. 1745, Windsor, Conn., EE.UU.–26 nov. 1807, Windsor). Político, diplomático y jurista estadounidense. Se desempeñó en el Congreso CONTINENTAL (1777–83) y participó como coautor del compromiso de Connecticut (1787), que resolvió el tema de la representación en el congreso. En 1789 se convirtió en uno de los primeros senadores por Connecticut. Fue el principal autor de la ley judicial de 1789, que estableció el sistema federal de tribunales. Designado presidente de la Corte Suprema de los ESTADOS UNIDOS DE AMÉRICA en 1796, su mala salud lo obligó a renunciar en 1800.

**Elman, Mischa** (20 ene. 1891, Talnoye, Ucrania, Imperio ruso–5 abr. 1967, Nueva York, N.Y., EE.UU.). Violinista estadounidense de origen ucraniano. Desde los 10 años de edad estudió con Leopold Auer (n. 1845–m. 1930) en San Petersburgo e hizo su debut profesional a los 13 en Berlín. A continuación realizó giras por Alemania e Inglaterra y en 1908 se presentó por primera vez en EE.UU. Junto con JASCHA HEIFETZ y Efrem Zimbalist (n. 1889–m. 1985) estableció la "Escuela rusa" de interpretación del violín. Admirado por su melodía plena y su estilo apasionado, hubo compositores eminentes que escribieron varias piezas para él.

**Elsheimer, Adam** (bautizado el 18 mar. 1578, Francfort del Meno–dic. 1610, Roma, Estados Pontificios). Pintor y grabador alemán. Tras estudiar en Francfort, partió a Roma en 1600, donde comenzó a producir imágenes de temas clásicos italianos, escenas nocturnas y paisajes. Pintaba sobre pequeñas planchas de cobre y hacía dibujos y también aguafuertes. Solía representar la iluminación a la luz del fuego de vela y de luna. Su pintura *La huida a Egipto* (1609) fue la primera en presentar las constelaciones con precisión. Figura importante en el desarrollo de la pintura de paisaje del s. XVII, influyó en artistas holandeses, italianos y franceses. Murió a los 32 años de edad.

**Elssler, Fanny** (23 jun. 1810, Viena, Austria–27 nov. 1884, Viena). Bailarina austríaca. Estudió en Viena y realizó giras por Europa antes de debutar en la Ópera de París en 1834. Obtuvo un éxito inmediato gracias a su estilo cálido e intrépido, que contrastaba con el estilo frío y académico de MARIA TAGLIONI, la bailarina reinante en ese entonces. Introdujo la danza folclórica teatralizada, "danza de carácter" (*danse de caractère*), en el ballet. En 1840–42, Elssler fue muy aclamada durante una gira por EE.UU. Regresó a Europa y realizó más giras hasta retirarse a Viena en 1851.

Fanny Elssler en "La chatte métamorphosée en femme", litografía de M. Alophe, c. 1837.
GENTILEZA DE LA DANCE COLLECTION, NEW YORK PUBLIC LIBRARY, FUNDACIONES ASTOR, LENOX Y TILDEN

**Éluard, Paul** *orig.* **Eugène Grindel** (14 dic. 1895, Saint-Denis, París, Francia–18 nov. 1952, Charenton-le-Pont). Poeta francés. En 1919 conoció a ANDRÉ BRETON, Philippe Soupault y LOUIS ARAGON, con quienes fundaría el movimiento que denominarían SURREALISMO. Sus posteriores obras poéticas –*Capital del dolor* (1926), *Les dessous d'une vie ou la pyramide humaine* [Lo interior de una vida o la pirámide humana] (1926), *La rosa pública* (1934) y *Los ojos fértiles* (1936)– son consideradas lo mejor que produjo dicho movimiento. Después de la guerra civil española, abandonó la experimentación surrealista. Durante la segunda guerra mundial escribió poemas acerca de temas como el sufrimiento y la fraternidad, que se difundieron en secreto y fortalecieron la moral de la Resistencia. Sus obras de posguerra, entre ellas *El Fénix* (1951), presentan un tono más lírico.

**eluviación** Remoción de material disuelto o en suspensión desde una capa o capas del suelo por medio del movimiento hídrico cuando el agua lluvia excede la evaporación. Tal pérdida de material en solución se denomina a menudo lixiviación. El proceso de eluviación influye en la composición del suelo.

**Elytis, Odysseus** *u* **Odysseas Elytēs** *orig.* **Odysseus Alepoudhelis** (2 nov. 1911, Heraklion, Creta–18 mar. 1996, Atenas, Grecia). Poeta griego. Descendiente de una próspera familia cretense, en la década de 1930 empezó a publicar poesía, influenciado por el surrealismo francés. Sus dos primeras recopilaciones revelan su amor por el paisaje griego y el mar Egeo. Durante la segunda guerra mundial se unió a la resistencia antifascista y se transformó en una especie de vate de los jóvenes griegos. Uno de sus poemas más conocidos es *To axion esti* (Alabada sea, 1959); entre sus obras posteriores se cuentan *El soberbio sol* (1971) y *The Little Mariner* [El pequeño navegante] (1986). En 1979 recibió el Premio Nobel de Literatura.

**Elzevir, familia** *o* **familia Elsevier** Familia holandesa de comerciantes, editores e impresores de libros, de la cual 15 miembros trabajaron en el rubro entre los años 1587 y 1681. Operaban en La Haya, Utrecht y Amsterdam. Fueron conocidos principalmente por sus libros o ediciones del Nuevo Testamento griego y de los clásicos. Aunque el oficio de la familia disfrutó de una reputación casi legendaria, debido a la excelencia de la tipografía y de sus diseños, hoy sus trabajos son considerados simplemente como característicos de la alta calidad impresora que, en esos días, imperaba en Holanda.

**e-mail** ver CORREO ELECTRÓNICO

**Emancipación, edicto de** (3 mar. 1861). Manifiesto promulgado por ALEJANDRO II que liberó a los siervos del Imperio ruso. La derrota sufrida en la guerra de CRIMEA, el cambio experimentado en la opinión pública y el número y violencia crecientes de las revueltas campesinas habían convencido a Alejandro de la necesidad de la reforma. El edicto final fue un compromiso que no satisfizo plenamente a nadie, en particular a los campesinos. Concedió a los siervos su libertad personal inmediata, pero el proceso para que adquirieran tierras resultó lento, complejo y costoso. Aunque no logró crear una clase de campesinos propietarios económicamente viables, su repercusión psicológica fue inmensa.

**Emancipación, proclamación de la** (1863). Edicto del presidente estadounidense ABRAHAM LINCOLN que liberó a los esclavos de la Confederación. Cuando asumió el cargo, Lincoln deseaba conservar la Unión y sólo pretendía impedir que la esclavitud se extendiera a los territorios del oeste, pero luego de la secesión del Sur, no hubo más motivo político para tolerar la esclavitud. En septiembre de 1862 instó a los estados secesionados a regresar a la Unión bajo pena de declarar libres a sus esclavos. Ninguno de los estados regresó y Lincoln lanzó la proclamación el 1 de enero de 1863. El decreto no tenía vigencia en la Confederación, pero fue una fuente de inspiración moral para el Norte y desalentó a los países europeos de prestar apoyo al Sur. También tuvo un efecto práctico, pues permitió reclutar a soldados afroamericanos para el ejército de la Unión; en 1865 ya se habían alistado cerca de 180.000 soldados afroamericanos. La XIII enmienda de la constitución, ratificada en 1865, abolió oficialmente la esclavitud en todo el país.

**embajador** Representante diplomático de más alto rango de un gobierno ante otro o frente a un organismo internacional. Tal como fueron definidos y reconocidos en el Congreso de VIENA (1815), originalmente los embajadores eran considerados representantes personales del jefe del Ejecutivo de su país más que representantes de la nación, y su rango los habilitaba para reunirse personalmente con el jefe de Estado del país anfitrión. En sus orígenes, sólo las principales monarquías intercambiaban embajadores; EE.UU. no designó embajadores sino hasta 1893. Desde 1945, todas las naciones han sido reconocidas como iguales, y los embajadores o sus equivalentes se envían a todos los países con los cuales se mantienen relaciones diplomáticas. Antes del desarrollo de las comunicaciones modernas, a los embajadores se les confiaban amplios poderes;

desde entonces han visto reducido su papel al de portavoces de sus respectivos ministerios de relaciones exteriores.

**embarazo** Proceso de la gestación humana que ocurre en el cuerpo de la mujer a medida que el FETO se desarrolla, desde la FECUNDACIÓN hasta el nacimiento (ver PARTO). Se inicia cuando un ESPERMIO masculino viable y un ÓVULO proveniente del OVARIO se unen en la trompa de Falopio (ver FECUNDIDAD). El óvulo fecundado (cigoto) crece por división celular mientras avanza hacia el ÚTERO, donde se implanta en su revestimiento y se convierte en EMBRIÓN y luego en feto. Para el intercambio de nutrientes y desechos entre las circulaciones del feto y la madre se desarrolla una PLACENTA y un cordón umbilical. El saco amniótico contiene un líquido que rodea al feto, que lo protege y amortigua. Al comienzo del embarazo, los mayores niveles de ESTRÓGENO y PROGESTERONA suprimen la MENSTRUACIÓN, causan náuseas, a menudo con vómitos (malestar matinal), y agrandan las mamas preparándolas para la LACTACIÓN. A medida que el feto crece, también lo hace el útero, desplazando a otros órganos. El aumento normal de peso en el embarazo es de 9–11,5 kg (20–25 lb). Las necesidades nutricionales del feto requieren que la madre ingiera más calorías, especialmente proteínas, agua, calcio y hierro. Durante los primeros meses del embarazo se recomiendan suplementos de ácido FÓLICO para prevenir defectos del TUBO NEURAL. El cigarrillo, alcohol y muchas drogas legales e ilegales pueden causar TRASTORNOS CONGÉNITOS y deben evitarse durante el embarazo. A menudo se emplea imaginología de ULTRASONIDO para monitorizar el avance estructural y funcional del feto en crecimiento. La fecha de parto se estima en 280 días a contar de la última menstruación; el 90% de los nacimientos ocurren dentro de las dos semanas de la fecha estimada. Ver también AMNIOCENTESIS; NACIMIENTO PREMATURO; PREECLAMPSIA Y ECLAMPSIA.

**embarazo ectópico** o **embarazo extrauterino** Afección en que el óvulo fecundado se implanta fuera del ÚTERO (ver FECUNDACIÓN). Inicialmente puede parecerse al EMBARAZO normal, con cambios hormonales, AMENORREA y desarrollo de una placenta. Más adelante, la mayoría de las pacientes sufren dolor, a medida que el embrión crece y tracciona la estructura en que está implantado. La rotura de esta puede causar un sangramiento con riesgo vital. El embarazo tubario puede obedecer a una obstrucción al paso del óvulo por la trompa de Falopio. En el embarazo ovárico, el óvulo es fecundado antes de dejar el OVARIO. La implantación en otros lugares del abdomen se llama embarazo abdominal.

**embargo internacional** Acción legal que emprende un Estado o un grupo de Estados con el propósito de limitar la salida de buques o el movimiento de mercancías desde uno o más lugares hacia uno o más países. El embargo comercial es la prohibición de exportar a uno o más países. El embargo estratégico sólo restringe la venta de productos que contribuyen directa y específicamente al poderío militar de un país; por su parte, el embargo petrolero sólo prohíbe la exportación de petróleo. Los embargos de carácter más general a menudo permiten que se sigan exportando algunos productos (p. ej., medicinas y alimentos) por razones humanitarias. La mayoría de los embargos multilaterales incluyen cláusulas de escape que establecen un conjunto reducido de condiciones que permiten que los exportadores queden liberados de las prohibiciones. El embargo es un mecanismo de lucha económica que puede emplearse para una serie de fines políticos, incluso demostrar determinación, enviar señales políticas, tomar represalias por las acciones de otro país, obligar a un país a modificar su conducta, persuadiéndolo de no realizar actividades inconvenientes y debilitar su capacidad militar.

**Embargo, ley de** Ley aprobada por el Congreso de EE.UU. en diciembre de 1807, que cerró los puertos estadounidenses a todas las exportaciones y limitó las importaciones desde Gran Bretaña. La medida fue la respuesta del pdte. THOMAS JEFFERSON a la intromisión de los británicos y franceses en los movimientos de barcos mercantes neutrales de EE.UU. durante las guerras NAPOLEÓNICAS. El embargo tuvo escaso efecto en Europa, pero impuso una restricción impopular a los comerciantes y exportadores de Nueva Inglaterra (ver convención de HARTFORD). Una ley aprobada en 1809 levantó el embargo, pero los británicos continuaron interfiriendo la navegación de los buques estadounidenses, lo cual culminó en la guerra ANGLOESTADOUNIDENSE.

**Embden, Gustav Georg** (10 nov. 1874, Hamburgo, Alemania–25 jul. 1933, Nassau). Bioquímico alemán. Enseñó en la Universidad de Francfort del Meno desde su fundación en 1914. Realizó estudios sobre la química del metabolismo de los carbohidratos y la contracción muscular, y fue el primero en descubrir y vincular todas las etapas de la conversión del glicógeno en ácido láctico. Sus investigaciones se concentraron principalmente en los procesos químicos de los organismos vivientes, en especial los del metabolismo intermediario del tejido hepático. Con el desarrollo de una técnica para evitar el daño tisular, descubrió el importante papel del hígado en el metabolismo y realizó estudios preliminares que orientaron las investigaciones sobre el metabolismo normal de los azúcares y la diabetes.

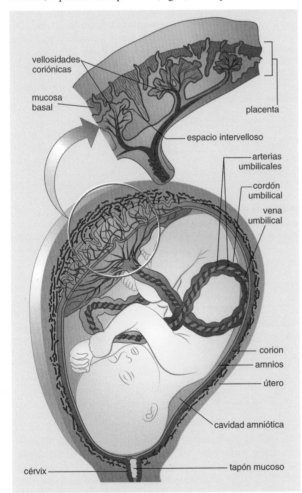

vellosidades coriónicas

mucosa basal

placenta

espacio intervelloso

arterias umbilicales

cordón umbilical

vena umbilical

corion

amnios

útero

cavidad amniótica

cérvix

tapón mucoso

Feto de término en el útero. El amnios, que se forma de la membrana embrionaria interior, envuelve al feto. El espacio entre el amnios y el feto (cavidad amniótica) está lleno de líquido amniótico acuoso. El corion, la membrana embrionaria más externa, ha desarrollado proyecciones digitiformes (vellosidades) en su superficie externa, las que han crecido y penetrado la capa de mucosa basal del útero. Las vellosidades coriónicas y la mucosa basal forman la placenta. La sangre de la madre llena los espacios intervellosos; el oxígeno y los nutrientes ingresan a las vellosidades y pasan al feto mediante la vena umbilical. Los materiales de desecho eliminados por el feto salen de las vellosidades hacia la sangre de la madre a través de las arterias umbilicales.

**Embden-Meyerhof-Parnas, ruta de** ver GLICÓLISIS

**embolia** Obstrucción del flujo sanguíneo por un émbolo, una sustancia (p. ej., un coágulo de sangre, un glóbulo de grasa de una lesión por APLASTAMIENTO, o una burbuja de gas) que normalmente no está presente en el torrente sanguíneo. La obstrucción de una arteria del cerebro puede causar un ACCIDENTE VASCULAR ENCEFÁLICO. La embolia pulmonar (en la arteria pulmonar o una de sus ramas) causa disnea, dolor torácico y necrosis de una parte del tejido pulmonar, con fiebre y taquicardia. La embolia en una arteria coronaria puede ocasionar un ATAQUE CARDÍACO. Ver también TROMBOSIS.

**embrague** Dispositivo para conectar y desconectar rápida y fácilmente un par de ejes coaxiales giratorios. Los embragues suelen estar colocados entre el MOTOR de impulsión y el eje de entrada a una máquina, lo que proporciona un medio conveniente para poner en marcha o detener la máquina sin detener el motor y para accionar el motor sin estar sometido a carga (como en un AUTOMÓVIL). Los embragues mecánicos proporcionan ya sea una transmisión positiva (sin deslizamiento) o una transmisión que depende de la fricción; los embragues centrífugos proporcionan un acoplamiento automático. El embrague de sobremarcha transmite TORQUE en sólo una dirección y permite que el eje de la máquina gire en rueda libre (continúe girando después de que el motor impulsor se haya detenido); en las bicicletas, por ejemplo, permite que el ciclista baje una cuesta sin mover los pedales.

**embriología** Estudio de la formación y el desarrollo del embrión y el feto. Antes del empleo generalizado del microscopio y del advenimiento de la biología celular en el s. XIX, la embriología se basaba en estudios descriptivos y comparativos. Desde los tiempos de Aristóteles se discutía si el embrión era un individuo preformado en miniatura, o una forma indiferenciada que se especializaba gradualmente. La última de estas teorías fue comprobada en 1827 cuando KARL ERNST BAER descubrió el óvulo de los mamíferos (huevo). El anatomista alemán Wilhelm Roux (n. 1850–m. 1924), destacado por sus estudios precursores en huevos de ranas (desde 1885), devino el fundador de la embriología experimental.

**embrión** Etapa inicial del desarrollo de un organismo en el ÓVULO o en el ÚTERO, durante la cual adquiere su forma esencial, órganos y tejidos. En los seres humanos, el organismo se denomina embrión durante las siete u ocho primeras semanas posteriores a la concepción, después de las cuales se llama FETO. En los mamíferos, el huevo fecundado, o cigoto, se segmenta (división celular sin crecimiento celular) para formar una esfera hueca o blástula. Durante la segunda semana después de la fecundación, en la gastrulación (diferenciación y migración celular) se constituyen tres tipos de tejidos, a partir de los cuales se desarrollan diferentes sistemas de órganos: el ectodermo que da origen a la piel y al sistema nervioso; el mesodermo forma los tejidos conectivos, el sistema circulatorio, los músculos y los huesos; y el endodermo que da origen al revestimiento del tubo digestivo, los pulmones y el sistema urinario. En los seres humanos, cerca de la cuarta semana, se pueden distinguir la cabeza y el tronco, y empiezan a formarse el encéfalo, la médula espinal y los órganos internos. A la quinta semana comienzan a aparecer las extremidades y el embrión alcanza unos 0,8 cm (0,33 pulg.) de largo. Al término de las ocho semanas, el embrión tiene cerca de 2,5 cm (1 pulg.) de largo y todos los cambios ulteriores que le ocurren se limitan principalmente al crecimiento y la especialización de las estructuras existentes. Cualquier TRASTORNO CONGÉNITO comienza en esta etapa. Ver también EMBARAZO.

**embutido** ver SALCHICHA

**emergencia** En la teoría de la EVOLUCIÓN, surgimiento de un sistema que no puede ser predicho o explicado a partir de condiciones anteriores. El filósofo de la ciencia británico G.H. Lewes (n. 1817–m. 1878) distinguió entre fenómenos resultantes y fenómenos emergentes. Los primeros son predecibles a partir de sus partes constitutivas (p. ej., una mezcla física de arena y polvo de talco). Los fenómenos emergentes son impredecibles en sus partes constitutivas (p. ej., un compuesto químico como la sal, que no se parece en nada al sodio y al cloro). La explicación evolutiva de la vida es una historia continua marcada por etapas en las cuales han aparecido formas fundamentalmente nuevas. Cada nuevo modo de vida, aunque arraigado en las condiciones de la etapa anterior, es inteligible sólo en términos de su propio principio ordenador. Estos son, así, casos emergentes. En la filosofía de la MENTE, los candidatos favoritos para la condición de fenómenos emergentes son los estados y sucesos mentales.

**Emergencia malaya** (1948–60). Período de inestabilidad que siguió a la creación de la Federación Malaya (precursora de Malasia o Malaysia) en 1948. El Partido Comunista malayo, mayoritariamente chino, alarmado ante las garantías especiales de derechos concedidas a los malayos (entre ellas, el mantenimiento de los sultanes), comenzó una insurrección guerrillera, que fue apoyada sólo por una minoría de los chinos. Los esfuerzos británicos encaminados a sofocar militarmente la insurrección fueron impopulares, en especial la reubicación de los campesinos chinos en "nuevas aldeas" bajo estricto control militar. Cuando los británicos dieron solución a las quejas políticas y económicas, los rebeldes quedaron cada vez más aislados, y la emergencia llegó a su fin. Ver también Tunku ABDUL RAHMAN; MALAYAN PEOPLE'S ANTI-JAPANESE ARMY (MPAJA).

**Emerita Augusta** ver MÉRIDA

**Emerson, P(eter) H(enry)** (13 may. 1856, Cuba–12 may. 1936, Falmouth, Inglaterra). Fotógrafo inglés. Se formó como médico y empezó a usar la fotografía como medio para un estudio antropológico en Anglia Oriental, Inglaterra. Las imágenes fueron publicadas en varios libros. Impulsor de la fotografía como medio de expresión artística, publicó un manual, *Naturalistic Photography* (1889), en el que esbozó su sistema estético ("naturalismo"), poniendo énfasis en que las imágenes deben parecer fotografías más que pinturas. El libro fue tan popular, que Emerson se hizo conocido como uno de los principales fotógrafos del mundo, y sus puntos de vista influyeron en gran parte de la fotografía del s. XX.

**Emerson, Ralph Waldo** (25 may. 1803, Boston, Mass., EE.UU.–27 abr. 1882, Concord). Poeta, ensayista y conferencista estadounidense. Emerson se graduó en la Universidad de Harvard, y en 1829 fue ordenado pastor de la Iglesia Unitaria. Sus cuestionamientos acerca de la doctrina tradicional lo llevaron a renunciar a la clerecía tres años después. Formuló su filosofía en la obra *Naturaleza* (1836), libro que contribuyó a dar inicio al TRASCENDENTALISMO en Nueva Inglaterra, movimiento del que pronto pasó a ser su exponente más destacado. En 1834 se trasladó a Concord, Mass., ciudad de su amigo HENRY DAVID THOREAU. Sus conferencias sobre el papel que le corresponde al erudito y acerca del debilitamiento de la tradición cristiana causaron gran controversia. En 1840, junto con MARGARET FULLER, colaboró en el lanzamiento del diario *The Dial*, que canalizaba las ideas trascendentalistas. Se hizo internacionalmente conocido por su obra *Ensayos* (1841, 1844), que incluye *Autoconfianza*, y *Hombres repre-*

Ralph Waldo Emerson, litografía de Leopold Grozelier, 1859.

*sentativos* (1850), un conjunto de biografías de personajes históricos. *The Conduct of Life* [La conducta de la vida] (1860), su trabajo de mayor madurez, revela un humanismo acendrado y una cabal conciencia de las limitaciones humanas. *Poemas* (1847) y *Día de Mayo y otros poemas* (1867) afianzaron su reputación de gran poeta.

**Emery, Bessie Amelia** ver Bessie HEAD

**Emesa** ver HOMS

**Emilia-Romaña** Región autónoma del norte de Italia (pob., est. 2001: 3.960.549 hab.). Con una superficie de 22.123 km² (8.542 mi²), su capital y principal ciudad es BOLONIA. En esta región, ubicada frente al Adriático, se encuentran el río PO en el norte y los montes APENINOS en el oeste y sur. Toma su nombre de la vía romana Emilia, construida c. 187 AC. Antiguamente, Emilia-Romaña comprendía los ducados de Parma y Módena, y la región papal de Romaña. Pasó a formar parte del Reino de Italia en 1861; la región actual fue creada en 1948. El fértil valle de Emilia en el norte la ha convertido en una de las regiones agrícolas más pujantes de Italia. Su industria procesadora de alimentos, al igual que la ganadería y la explotación lechera, constituyen actividades de gran importancia.

**Emín Bajá** *llamado* **Mehmeto** *orig.* **Eduard Schnitzer** (28 mar. 1840, Oppeln, Silesia–23 oct. 1892, Kanema, Estado Libre del Congo). Médico alemán, explorador y administrador colonial del Sudán egipcio. Adoptó un nombre turco cuando fue médico militar y funcionario administrativo del gobierno otomano. En 1876 se incorporó a las fuerzas británicas dirigidas por el gral. CHARLES GEORGE GORDON en Jartum. En 1878 fue nombrado gobernador de la provincia ecuatorial de Sudán. Durante la insurrección del movimiento MAHDISTA, el gobierno egipcio abandonó Sudán (1884) y Emín, aislado, fue rescatado por HENRY MORTON STANLEY en 1888. En una expedición al África ecuatorial murió a manos de árabes traficantes de esclavos. Mediante sus informes eruditos y colecciones de especímenes contribuyó en gran medida al conocimiento de la geografía, historia natural, etnología y lenguas africanas.

**emir** En el Medio Oriente musulmán, comandante militar, gobernador de una provincia o alto funcionario militar. El primero en llamarse a sí mismo emir fue el segundo CALIFA, UMAR IBN AL-JATTAB. El título fue utilizado por todos sus sucesores hasta la abolición del califato en 1924. En el s. X poseía el título de comandante de los ejércitos del califa en Bagdad. Posteriormente adoptaron los gobernantes de algunos estados independientes en Asia central, especialmente de Bujará y Afganistán. Los Emiratos Árabes Unidos, a pesar de su nombre, son todos gobernados por JEQUES.

## EMIRATOS ÁRABES UNIDOS

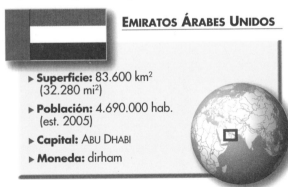

▸ **Superficie:** 83.600 km² (32.280 mi²)

▸ **Población:** 4.690.000 hab. (est. 2005)

▸ **Capital:** ABU DHABI

▸ **Moneda:** dirham

**Emiratos Árabes Unidos (EAU)** *o* **Unión de Emiratos Árabes** *ant.* **Estados de la Tregua** Federación de siete estados, en la región oriental de la península ARÁBIGA. Los estados son los emiratos de ABU DHABI (Abu Zabi), DUBAI, 'Ajmān, Sarya, Umm al-Qawayn, Ras al-Jayma y Fuyaira.

Vista nocturna de modernos edificios en la ciudad de Dubai, Emiratos Árabes Unidos.
JOSEF BECK/TAXI/GETTY IMAGES

La población nativa es árabe, pero existe un gran número de trabajadores inmigrantes de origen indio, pakistaní, bengalí e iraní. Idiomas: árabe (oficial), inglés, persa, urdu e hindi. Religiones: Islam (oficial), cristianismo e hinduismo. La baja planicie desértica de los Emiratos Árabes Unidos es interrumpida por las montañas Hajar a lo largo de la península de MUSANDAM. Tres puertos naturales de aguas profundas se localizan en el golfo de OMÁN. Los emiratos poseen aproximadamente una décima parte de las reservas mundiales de petróleo y una cantidad considerable de yacimientos de gas natural; ambas constituyen las principales industrias de la federación. Otras actividades económicas importantes son la pesca, el pastoreo de ganado y la producción de dátiles. La federación cuenta con un consejo asesor designado; el jefe de Estado es el presidente, y el jefe de Gobierno, el primer ministro. En 1820, los británicos firmaron un tratado de paz con los gobernantes de los territorios costeros. La región, antes denominada Costa de los Piratas, pasó a ser conocida como la Costa de la Tregua. En 1892, los jeques acordaron confiar a Gran Bretaña las relaciones exteriores. Aunque los británicos administraron la región desde 1843, nunca asumieron la soberanía; cada estado mantuvo un completo control del gobierno interno, hasta que en 1960 formaron el Consejo de los Estados de la Tregua, y en 1971 pusieron fin a los tratados de defensa con Gran Bretaña, estableciendo una federación compuesta de seis miembros. Ras al-Jayma se integró en 1972. Estados Unidos colaboró con la coalición de fuerzas contra Irak en la primera guerra del GOLFO PÉRSICO (1991).

**Emmett, Daniel Decatur** (29 oct. 1815, Mount Vernon, Ohio, EE.UU.–28 jun. 1904, Mount Vernon). Animador y letrista estadounidense. Hijo de un herrero de Ohio, a los 17 años ingresó al ejército como tocador de pífano. En 1843 ayudó a organizar a los Virginia Minstrels en Nueva York, una de las primeras compañías de MINSTREL SHOW. Se le atribuye la autoría de "Dixie" (1859), un "walk-around" (número de cierre de un *minstrel show*) que se convirtió en el himno nacional oficioso de la Confederación. Otras canciones suyas son "Old Dan Tucker" y "Blue-Tail Fly". También escribió melodías para banjo y manuales de instrucción musical.

**Emmy, premios** Premio que se entrega anualmente por el desempeño sobresaliente en la televisión estadounidense. Su nombre se originó de "immy", el apodo que se le daba al tubo de una cámara de televisión llamada *image orthicon*. Los Emmy son entregados por la Academia Nacional de las Artes y las Ciencias de la Televisión de EE.UU., fundada en 1946, y cuyos miembros votan por los programas, actores, directores y libretistas más destacados en categorías como drama, comedia y variedades.

**emoción** Aspecto afectivo de la CONCIENCIA. Generalmente, se considera que las emociones representan una síntesis de la experiencia subjetiva, de la conducta manifiesta y de la actividad neuroquímica. La mayoría de los investigadores sostienen que las emociones forman parte del legado evolutivo del ser humano y que cumplen fines adaptativos al sumarse tanto a la conciencia global como asimismo a la facilitación de la comunicación social. Se estima que algunos animales también tienen emociones, como lo describió inicialmente CHARLES DARWIN en 1872. En forma independiente, WILLIAM JAMES y Carl Georg Lange (n. 1834–m. 1900) propusieron una teoría muy influyente de las emociones. Esta sostenía que la emoción constituía una percepción interna de las reacciones fisiológicas ante los estímulos externos. WALTER B. CANNON objetó esta visión y enfocó su atención en el tálamo como fuente posible de los contenidos emocionales. Posteriores investigadores han dirigido su atención a la formación reticular, una estructura del tronco cerebral que integra la actividad cerebral y que puede atribuir valencia emocional a las percepciones y acciones. La PSICOLOGÍA COGNITIVA ha enfatizado la función que cumple la comparación, la conjunción, la evaluación, la MEMORIA y la atribución en la formación de las emociones. Todos los teóricos modernos concuerdan en que las emociones influyen en lo que el individuo percibe, aprende y recuerda, y que desempeñan un importante papel en el desarrollo de la PERSONALIDAD. Los estudios transculturales han mostrado que si bien muchas emociones son universales, sus contenidos específicos y modos de expresión varían considerablemente.

**Emory Foxx, James** ver Jimmie FOXX

**emotivismo** En metaética (ver ÉTICA), postura conforme a la cual los juicios morales no funcionan como enunciados de hecho, sino más bien como expresiones de los sentimientos del hablante o el escritor. Según los emotivistas, cuando decimos: "Usted actuó incorrectamente al robar ese dinero", no estamos expresando ningún hecho distinto del enunciado: "Usted robó ese dinero". Sin embargo, es como si hubiéramos enunciado ese hecho con un tono especial de aversión, porque al decir que algo es incorrecto, estamos expresando nuestros sentimientos de desaprobación hacia ello. El emotivismo fue expuesto por A. J. AYER en *Lenguaje, verdad y lógica* (1936) y desarrollado por Charles Stevenson en *Ética y lenguaje* (1945).

**empalme** ver ENSAMBLADURAS Y EMPALMES

**empatía** Capacidad para situarse en el lugar del otro, y de comprender los sentimientos, necesidades, deseos y acciones del otro. El actor o cantante empático es aquel que genuinamente siente lo que ella o él están representando. El espectador de un trabajo artístico o el lector de una obra literaria puede, en forma semejante, llegar a involucrarse en lo que ella o él observa o contempla. El uso de la empatía es una de las importantes técnicas de orientación psicológica desarrollada por CARL R. ROGERS.

**Empédocles** (c. 490, Acragas, Sicilia–430 AC, Peloponeso). Filósofo, estadista, poeta y fisiólogo griego. Sólo se conservan de sus escritos 500 líneas de dos poemas. Sostuvo que toda materia está compuesta de cuatro ingredientes básicos: fuego, aire, agua y tierra. Al igual que HERÁCLITO, postulaba que dos fuerzas, amor y lucha, interactúan para unir y separar las cuatro sustancias. Creía en la transmigración de las almas, y declaraba por ello que la salvación exigía abstenerse de la carne de los animales, cuyas almas podían haber residido alguna vez en cuerpos humanos.

El edificio Empire State, de 102 pisos, situado en la Quinta Avenida de Nueva York.
NEIL EMMERSON/ROBERT HARDING WORLD IMAGERY/GETTY IMAGES

**emperador** Título de los soberanos del antiguo Imperio romano y, como derivación, de diversos gobernantes europeos posteriores; se aplica también a algunos monarcas no europeos. CÉSAR AUGUSTO fue el primer emperador romano. Los emperadores bizantinos gobernaron en Constantinopla hasta 1453. CARLOMAGNO se convirtió en el primero de los emperadores de Occidente (más tarde emperadores del Sacro Imperio Romano) en el año 800. Después de que Otón I se transformara en emperador en 962, sólo los reyes alemanes conservaron el título. En otros lugares de Europa, los monarcas que gobernaban varios reinos (p. ej., ALFONSO VI, quien regía León y Castilla), a veces tomaban el título de emperador. La asunción del título por NAPOLEÓN I, como sucesor putativo de Carlomagno, constituyó una amenaza directa a la casa de HABSBURGO. La reina VICTORIA de Gran Bretaña tomó el título de emperatriz de India. Entre los pueblos no europeos cuyos gobernantes han sido denominados emperadores se puede mencionar a los chinos, japoneses, mogoles, incas y aztecas.

**Emperador Amarillo** ver SHI HUANGDI

**Empire State, edificio** Edificio de 102 pisos en la ciudad de Nueva York, con una esrcutra de marcos de acero según diseño de Shreve, Lamb & Harmon Associates y concluido en 1931. Con una altura de 381 m (1.250 pies), sobrepasó al edificio CHRYSLER para convertirse en el edificio más alto del mundo (hasta 1954). Se distingue por sus pisos superiores en RETRANQUEO.

**empirismo** Cualquiera de dos doctrinas filosóficas estrechamente relacionadas entre sí, una concerniente a los conceptos y la otra al conocimiento. La primera sostiene que la mayoría de los conceptos, si no todos, derivan en última instancia de la experiencia; la segunda afirma que la mayor parte del conocimiento, si no su totalidad, deriva de la experiencia, en el sentido de que su justificación supone necesariamente apelar a ella. Ninguna de las dos doctrinas implica a la otra. Diversos empiristas han admitido que algunos conocimientos son A PRIORI, o independientes de la experiencia, pero han negado que los conceptos lo sean. Por otra parte, algunos empiristas han negado la existencia del conocimiento a priori al tiempo que afirman la existencia de conceptos a priori. JOHN LOCKE, GEORGE BERKELEY y DAVID HUME son representantes clásicos del empirismo. Ver también FRANCIS BACON.

**emplazamiento judicial** Aviso por escrito que ordena comparecer ante un tribunal. En causas civiles (no criminales), comunica al demandado que debe comparecer y defenderse (p. ej., contestando una demanda) dentro de un plazo determinado, bajo apercibimiento de que si así no lo hiciere se procederá en su rebeldía. El emplazamiento también se utiliza en caso de delitos menores o faltas (p. ej., infracciones del tránsito) para que los denunciados o querellados comparezcan a contestar los cargos formulados en su contra. Ver también CITACIÓN JUDICIAL.

**Empson, Sir William** (27 sep. 1906, Hawdon, Yorkshire, Inglaterra–15 abr. 1984, Londres). Poeta y crítico británico. Estudió en Cambridge y después fue docente en Japón y China. Su obra precoz *Seven Types of Ambiguity* [Siete tipos de ambigüedad] (1930), en la cual sugiere que la incertidumbre o la coincidencia de significados en el uso de una palabra puede enriquecer la poesía en lugar de considerarla una falta, influyó enormemente en la crítica del s. XX; su estudio detenido de textos poéticos contribuyó a cimentar la NUEVA CRÍTICA. Entre sus obras posteriores figuran *Some Versions of Pastoral* [Algunas versiones de églogas] (1935) y *The Structure of Complex Words* [La estructura de las palabras complejas] (1951).

**Ems, río** Río en el noroeste de Alemania. Nace en Teutoburgo Wold (ver el bosque de TEUTOBURGO) y fluye generalmente hacia el noroeste y norte, a través de los estados de Renania del Norte-Westfalia y Baja Sajonia, por 371 km (230 mi) hacia el mar del NORTE. Su desembocadura es un ancho estuario (Dollart) que limita con los Países Bajos. En 1892-99, el río se canalizó y conectó con el canal Dortmund-Ems y con el RUHR, con el fin de proporcionar al distrito industrial del Ruhr un acceso por territorio alemán hacia el mar.

**Ems, telegrama de** (13 de julio, 1870). Telegrama enviado desde Ems, Alemania, a OTTO VON BISMARCK y luego publicado por este en una versión adulterada con el fin de ofender al gobierno francés. El telegrama informaba acerca de un encuentro entre el embajador francés y el rey GUILLERMO I de Prusia, en el cual este último se rehusó cortésmente a prometer que ningún miembro de su familia aspiraría al trono español, lo que habría constituido una amenaza para Francia. La versión publicada por Bismarck, que hacía parecer que ambos se habían insultado, precipitó la guerra FRANCO-PRUSIANA.

**emú** RATITE de Australia. Después del AVESTRUZ, el emú es la segunda ave viviente más grande. Mide más de 1,5 m (5 pies) de altura y generalmente pesa más de 45 kg (100 lb). El emú común (*Dromaius novaehollandiae*, familia Dromaiidae), único sobreviviente de varias formas exterminadas por los colonizadores, tiene un cuerpo macizo y patas largas. Ambos sexos son de color pardusco, con la cabeza y el cuello gris oscuro. Los emúes pueden correr a una velocidad de hasta 50 kph (30 mph); al verse acorralados, dan golpes con sus grandes pies. Se aparean para toda la vida y buscan su alimento, frutos e insectos, en pequeñas bandadas, pero a veces dañan los cultivos. Ver también CASUARIO.

Emú (*Dromaius novaehollandiae*).
© ENCYCLOPÆDIA BRITANNICA, INC.

**emulsión** Mezcla de dos o más líquidos en la que uno está disperso en el otro como gotitas microscópicas o ultramicroscópicas (ver COLOIDE). Las emulsiones son estabilizadas por agentes (emulsionantes) que (p. ej., en el caso del JABÓN o de moléculas DETERGENTES) forman una película en la superficie de las gotitas o imparten estabilidad mecánica (p. ej., en el caso de carbono coloidal, bentonita, PROTEÍNAS o polímeros de CARBOHIDRATO). Las emulsiones menos estables a la larga se separan de manera espontánea en dos capas líquidas; las más estables pueden ser destruidas desactivando el emulsionante por congelamiento o por calentamiento. Las reacciones de POLIMERIZACIÓN se realizan a menudo en emulsiones. Muchos productos conocidos e industriales son emulsiones aceite en agua (o/w, del inglés, *oil-in-water*) o agua en aceite (w/o): la leche es (o/w), la mantequilla (w/o), las pinturas de látex (o/w), ceras para piso y vitrificados (o/w), y muchos cosméticos y preparaciones para el cuidado personal y medicamentos (de uno de los dos tipos).

**enana blanca** ver ESTRELLA ENANA BLANCA

**enana marrón** ver ESTRELLA ENANA MARRÓN

**enanismo** Retardo del crecimiento que se traduce en un adulto de estatura anormalmente baja. Es causado por una variedad de trastornos hereditarios y metabólicos. El enanismo hipofisiario se debe a una HORMONA DE CRECIMIENTO insuficiente. Los enanismos hereditarios comprenden la acondroplasia, donde el tamaño del tronco es normal, pero con extremidades cortas y cabeza grande; la hipocondroplasia, similar a la anterior pero con cabeza de tamaño normal; y el enanismo diastrófico, con deformaciones esqueléticas progresivas e incapacitantes. La inteligencia es normal en estas formas de enanismo. Algunos tipos incluyen el retardo mental. El enanismo también puede ser causado por una inadecuada nutrición en la etapa inicial de la vida. (Ver RAQUITISMO).

**encaje** Tela ornamental calada, formada por el enlazado, entretejido, trenzado o retorcido de hebras originales y principalmente de lino. Casi todo el encaje artístico de alta calidad está hecho con una de dos técnicas: el encaje de aguja, una difícil técnica originada en Italia, y el encaje de bobina, una artesanía más difundida y original de Flandes. El arte del encaje es un logro europeo que se desarrolló no antes del Renacimiento. En 1600 ya se había convertido en una tela de lujo y en un importante artículo comercial. La Revolución industrial del s. XIX introdujo el uso de máquinas para fabricar encaje más barato, hecho de algodón, y terminó por desaparecer gradualmente de la moda masculina y femenina. En 1920, la industria encajera estaba llegando a su fin. Todavía se realiza a mano en Bélgica, Eslovenia y en otras partes, pero principalmente como artesanía local.

**encajes, producción de** Métodos para producir ENCAJE a máquina. La popularidad de los encajes hechos a mano condujo al invento de las máquinas encajeras en el s. XIX. Los primeros modelos exigían mecanismos técnicos intrincados, pero los diseños mejoraron, y aparecieron las máquinas encajeras Nottingham, principalmente para encaje tosco, y las máquinas Barmens. El encaje Schiffli, un tipo de bordado, se hace en máquinas modernas que evolucionaron de una versión manual y que usan agujas con puntas en ambos extremos. Se producen muchos tipos de encajes hechos a máquina, a menudo con redes de formas geométricas como fondo. La gran resistencia y el costo relativamente bajo de los hilos de fibra artificial han hecho posible una amplia oferta de encajes sutiles.

**encanto** (en inglés: "charm"). En FÍSICA DE PARTÍCULAS, propiedad o número cuántico (ver CUANTO (UN)) interno que se conserva en las interacciones fuerte y electromagnética, pero no en las débiles (ver FUERZA NUCLEAR FUERTE, FUERZA ELECTROMAGNÉTICA, FUERZA NUCLEAR DÉBIL). Las partículas "con encanto" contienen al menos un QUARK con encanto; el número de encanto de estos quarks es +1. Los antiquarks con encanto (ver ANTIMATERIA) tienen un número de encanto de −1. La primera partícula con encanto fue descubierta en 1974.

**Encarnación** En el cristianismo, doctrina fundamental que afirma que Dios se hizo hombre en JESÚS, el hijo de Dios y en la segunda persona de la Santísima TRINIDAD. En Jesucristo, las naturalezas divina y humana se unen, sin que ninguna de ellas pierda sus propiedades. Esta doctrina difícil de asimilar, dio origen a varias HEREJÍAS, algunas de las cuales negaron la naturaleza divina de Jesús y otras negaron su naturaleza humana. Para los creyentes ortodoxos, el conflicto fue resuelto en los concilios de NICEA (325 DC) y CALCEDONIA (451 DC).

**encefálico, accidente vascular** ver ACCIDENTE VASCULAR ENCEFÁLICO

**encefalitis** INFLAMACIÓN del encéfalo, casi siempre debido a una infección viral. Cierta clase de encefalitis (como la ESCLEROSIS MÚLTIPLE) ataca las vainas de mielina que aíslan las fibras nerviosas y no a las neuronas mismas. En la mayoría de los casos se presenta fiebre, cefalea, letargo y coma. Las convulsiones son más comunes en la infancia. Los signos neurológicos característicos son movimientos descoordinados e involuntarios y debilidad localizada. Los síntomas y una punción lumbar (para obtener líquido cefalorraquídeo para analizarlo) pueden establecer la presencia de esta enfermedad, pero no la causa. El tratamiento generalmente persigue aliviar los síntomas y asegurar un reposo tranquilo. Después de la recuperación pueden quedar varias secuelas.

**encéfalo** Concentración de tejido nervioso en el extremo frontal o superior del cuerpo de un animal. Maneja la información sensorial, controla los movimientos, es vital para los actos instintivos y constituye el centro del aprendizaje en los vertebrados superiores. El encéfalo de los vertebrados consiste en un encéfalo posterior (rombencéfalo), un encéfalo medio (mesencéfalo) y uno anterior (prosencéfalo). El rombencéfalo comprende el bulbo raquídeo y la protuberancia, que conecta la MÉDULA ESPINAL con los centros encefálicos superiores y transfiere información desde la CORTEZA CEREBRAL al CEREBELO. El mesencéfalo de los mamíferos, un centro principal de integración sensorial en otros vertebrados, sirve primariamente para vincular el rombencéfalo con el prosencéfalo. El cerebelo se conecta con el bulbo, la protuberancia y el mesencéfalo mediante grandes haces nerviosos. En el prosencéfalo, los dos hemisferios cerebrales están conectados por un grueso haz de fibras nerviosas (cuerpo calloso) y cada uno está dividido por dos surcos profundos en cuatro lóbulos (frontal, parietal, temporal y occipital). El cerebro, la parte más voluminosa del encéfalo humano, se ocupa de sus funciones más complejas. Las fibras nerviosas sensoriales y motoras de cada hemisferio se entrecruzan en el bulbo para controlar el lado opuesto del cuerpo.

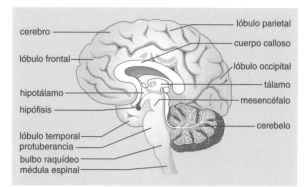

cerebro
lóbulo frontal
hipotálamo
hipófisis
lóbulo temporal
protuberancia
bulbo raquídeo
médula espinal

lóbulo parietal
cuerpo calloso
lóbulo occipital
tálamo
mesencéfalo
cerebelo

Corte sagital del encéfalo con sus estructuras principales. El cerebro, de gran tamaño, está dividido en dos mitades o hemisferios conectados por el cuerpo calloso, que es un haz de fibras nerviosas. Dos surcos dividen los hemisferios en cuatro lóbulos: frontal, temporal, parietal y occipital. En las circunvoluciones de la superficie exterior del cerebro, o corteza, que controla las actividades sensoriales o motoras, se encuentran muchas células nerviosas. El tálamo retransmite los impulsos sensitivos aferentes de la médula espinal a la corteza. Algunas funciones del hipotálamo son controlar la respiración y el flujo sanguíneo, regular la temperatura y controlar las emociones. La hipófisis está conectada al hipotálamo y es regulada por este. El mesencéfalo retransmite las señales entre el prosencéfalo y el rombencéfalo. El cerebelo, junto con el cerebro, desempeña un rol en los movimientos voluntarios y en el equilibrio. La protuberancia es un punto de relevo que conecta el bulbo raquídeo, el mesencéfalo, el cerebelo y el cerebro. El bulbo raquídeo, situado entre la protuberancia y la médula espinal, y que constituye una extensión de ambas, cumple una función vital en las respuestas reguladoras y reflejas involuntarias esenciales (como la respiración, la deglución y los latidos cardíacos) y retransmite las señales entre la médula espinal y otras partes del encéfalo.

© 2006 MERRIAM-WEBSTER INC.

**encefalopatía espongiforme bovina** ver enfermedad de las VACAS LOCAS

**encendido, sistema de** En un MOTOR DE GASOLINA, el medio usado para producir una chispa eléctrica que encienda la mezcla de combustible y aire en los cilindros para producir la fuerza motriz. El sistema de encendido se compone de una BATERÍA, que almacena energía eléctrica y es recargada por un generador, una bobina de inducción, un dispositivo para producir a intervalos regulares descargas de alto voltaje provenientes de la bobina de inducción, un distribuidor para repartir esas descargas entre los cilindros del motor y un conjunto de BUJÍAS DE ENCENDIDO que convierten esas descargas en chispas. La batería suministra una corriente eléctrica de bajo voltaje, generalmente de 12 voltios, que el sistema convierte en unos 40.000 voltios. El distribuidor dirige los sucesivos golpes de corriente de alto voltaje hacia cada bujía en el debido orden de encendido.

**enchapado** Recubrimiento de un METAL u otro material, como plástico o porcelana, con una superficie metálica no porosa, para mejorar su durabilidad y belleza. Los antiguos artículos enchapados ("el antiguo plaqué de SHEFFIELD") están hechos por el proceso inventado por THOMAS BOULSOVER, y consisten en un sándwich de cobre entre dos capas de plata. Hoy se hacen enchapados de oro, plata, acero inoxidable, paladio, cobre y níquel, sumergiendo un objeto en una solución que contenga el material de terminación deseado, el cual se deposita sobre el material base por acción química o electroquímica (ver GALVANOPLASTIA). Muchos enchapados se hacen con fines decorativos, pero aun en mayor número con el fin de aumentar la durabilidad y la resistencia a la CORROSIÓN de materiales más blandos. La mayoría de las piezas para automóviles, artefactos y utensilios domésticos, vajilla plana, quincallería, equipos de fontanería y electrónicos, alambres, productos para la aviación y aeroespaciales, y máquinas herramientas se enchapan con miras a la durabilidad. Ver también CHAPA EMPLOMADA; ESTAÑADO; GALVANIZADO.

**enchapado** ver REVESTIMIENTO

**encía** *o* **gingiva** Tejido conectivo cubierto de mucosa que rodea y se adhiere a la corona dental y el hueso alveolar del maxilar. Los bordes gingivales que rodean los dientes son libres y se extienden a los espacios interdentales. Las fibras de los ligamentos que sujetan los dientes en sus alvéolos penetran en la encía y la sostienen ajustadamente contra el diente. Las encías sanas, rosadas, moteadas y firmes tienen una sensibilidad limitada al dolor, temperatura y presión. Los cambios de color, la pérdida del moteado o una sensibilidad anormal son síntomas precoces de gingivitis, en la cual se forman cavidades entre la encía y los dientes, las que se infectan, inflaman y sangran, y en casos graves causan pérdida de dientes.

**enciclopedia** Obra de referencia que contiene información sobre todas las ramas del conocimiento o que trata, en forma exhaustiva, una rama en particular. Es autosuficiente y desarrolla los temas con más detalle que un DICCIONARIO. Su diferencia con el ALMANAQUE es que la información no está fechada ni tampoco proviene de textos pedagógicos, con la intención de que sea fácil de consultar y de rápida comprensión para una persona no especializada. Aunque generalmente está escrita en forma de varios artículos separados, las enciclopedias varían mucho de formato y contenido. Se considera que la *Cyclopaedia* (1728) de Ephraim Chambers es el prototipo de las enciclopedias modernas; la primera enciclopedia moderna fue la *Encyclopédie* francesa (1751–65). La enciclopedia general más extensa en inglés es la *Encyclopædia Britannica*.

**Enciclopedia** *francés* **Encyclopédie** Enciclopedia creada por los FILÓSOFOS franceses en el s. XVIII, una de las principales obras de la ILUSTRACIÓN. Bajo el título completo de *Diccionario razonado de las ciencias, las artes y los oficios*, se inspiró en el éxito alcanzado por la *Cyclopaedia; or An Universal Dictionary of Arts and Sciences* (1728) del británico E. Chambers. Bajo la dirección de DENIS DIDEROT y con la colaboración inicial de JEAN LE ROND D'ALEMBERT, entre 1751 y 1765 se publicaron 17 volúmenes; más tarde se agregaron otros hasta completar un total de 35. Aunque fue rechazada por eclesiásticos y funcionarios de gobierno conservadores y sometida a la censura, la *Encyclopédie* atrajo artículos de muchos pensadores importantes de la época, entre otros, JEAN-JACQUES ROUSSEAU, VOLTAIRE y el propio Denis Diderot, quienes fueron llamados los "enciclopedistas". Por su escepticismo, su énfasis en el determinismo científico y su crítica a los abusos cometidos por las instituciones legales judiciales y clericales contemporáneas, la obra tuvo una enorme influencia como expresión del pensamiento progresista previo a la REVOLUCIÓN FRANCESA.

**Encke, cometa** COMETA de brillo débil que tiene el período orbital más corto (cerca de 3,3 años) de todos los cometas conocidos. Observado por primera vez en 1786, fue el segundo cometa (después del cometa HALLEY) al cual se le determinó su período (en 1819, por Johann Franz Encke [n. 1791–m. 1865]). Encke también descubrió que el período del cometa disminuía en 2¹/₂ horas por cada revolución y que este efecto no podía ser explicado por la influencia gravitacional de los planetas. Aunque de manera más lenta, su período continúa disminuyendo aparentemente como efecto de la pérdida de sus gases.

**enclosure** En Europa occidental, proceso de división o consolidación de antiguas tierras comunales mediante el cercamiento (*enclosure*) de terrenos agrícolas delimitados de propiedad individual, desarrollado desde la baja Edad Media hasta el s. XIX. Antes del cercamiento, el suelo agrícola era usufructuado por propietarios individuales sólo durante la temporada de cultivo; después de la cosecha y antes de la siguiente temporada de cultivo, la tierra era usada por la comunidad para el pastoreo del ganado y otros propósitos. En Inglaterra, el proceso de cercamiento se inició en el s. XII, se intensificó con rapidez entre 1450 y 1640, y estuvo casi íntegramente completo a fines del s. XIX. En el resto de Europa, este proceso hizo modestos progresos hasta el s. XIX. En la actualidad, los derechos comunales sobre la tierra cultivable prácticamente no existen.

**encomienda** En la América colonial española, sistema mediante el cual la corona española definía el estatus de la población indígena en sus colonias. Consistía en una concesión por la corona de un número específico de indígenas residentes en un área determinada. Los beneficiarios (encomenderos) podían exigir tributos a los indígenas, a cambio de protegerlos y evangelizarlos. No incluía la concesión de tierras, pero, en la práctica, los encomenderos llegaron a controlar las tierras indígenas. Si bien la intención original era reducir los abusos del trabajo forzado, de hecho pasó a ser una forma de esclavitud.

**encriptación de datos** Proceso de encubrir información como "texto cifrado" o datos que serán ininteligibles para personas no autorizadas. La desencriptación es el proceso de convertir el texto cifrado a su formato original, llamado algunas veces texto plano (ver CRIPTOGRAFÍA). Las computadoras encriptan los datos aplicando un ALGORITMO a bloques de datos. Una clave personal conocida sólo por el transmisor del mensaje y el destinatario se usa para controlar la encriptación. Las claves bien diseñadas son casi invulnerables. Una clave de 16 caracteres de longitud, seleccionada al azar entre 256 caracteres ASCII, podría tomar más de los 15 mil millones de años de edad del universo en ser decodificada, suponiendo que el que perpetra el asalto intenta 100 millones de combinaciones de claves diferentes por segundo. La encriptación simétrica requiere de la misma clave tanto para la encriptación como para la desencriptación. La encriptación asimétrica o criptografía de clave pública requiere de una pareja de claves, una para encriptar y la otra para desencriptar.

**encuadernación** Unión de hojas de papel, pergamino o vitela con cubiertas para formar un LIBRO O CÓDICE. La encuadernación se desarrolló cuando el rollo fue reemplazado por el códice. Las primeras encuadernaciones solían estar espléndidamente decoradas, pero la encuadernación artística típica es de cuero decorado y fue producida por primera vez en los monasterios de la Iglesia copta egipcia. Los libros raros, los documentos históricos y los manuscritos pueden ser encuadernados a mano. En la actualidad, el trabajo de adherir la cubierta o tapa del libro a sus hojas se realiza a máquina.

**Encyclopædia Britannica** La más antigua y vasta enciclopedia general en lengua inglesa. Su primera edición de tres volúmenes fue publicada en 1768–71 en Edimburgo, Escocia. En las ediciones subsiguientes aumentó no sólo su tamaño sino también su reputación. Entre las ediciones más famosas se encuentran la novena (1875–89), conocida como "la enciclopedia del erudito", y la undécima (1910–11), que contó con la colaboración de más de 1.500 especialistas de prestigio mundial. También fue la primera en dividir tratados tradicionalmente extensos en artículos más breves. La edición actual, la decimoquinta (1974, con una importante revisión realizada en 1985), incorporó una nueva estructura que separa los artículos de mayor importancia de aquellos más breves. En la actualidad, la *Encyclopædia Britannica* también se encuentra en versiones de CD-ROM y on-line. Una serie de cambios en su propiedad terminaron con la compra en 1901 por editores estadounidenses; desde la década de 1940 se ha publicado en Chicago.

**Endesa España S.A.** Grupo español y uno de los mayores conglomerados eléctricos privados del mundo, con operaciones en 12 países. Desarrolla actividades de generación, transporte, distribución y comercialización de energía eléctrica y servicios relacionados. La compañía fue creada por el Estado español en 1944, con la construcción en 1945 de la central térmica de Compostilla, en la localidad leonesa de Ponferrada, España. En 1988, el Estado español inició la reducción de su participación en la compañía, proceso que terminó en 1998 con la totalidad de la empresa en manos privadas. En julio de 1999 culminó el proceso de reordenación societaria, cotizándose por primera vez las acciones de la compañía en las bolsas de valores españolas así como en la de Nueva York. Actualmente es la principal empresa eléctrica de España, Chile, Argentina, Colombia y Perú y tiene además una importante presencia en Brasil, Italia, Francia, Portugal y República Dominicana. Sus oficinas centrales se encuentran en Madrid.

**endibia** *o* **endivia** Planta hojuda anual comestible (*Cichorium endivia*) de la familia de las COMPUESTAS. Su presunto lugar de origen sería Egipto o Indonesia, y se ha cultivado en Europa desde el s. XVI. Los muchos tipos de endibia forman dos grupos: la endibia crespa o de hoja angosta (*C. endivia*, variedad *crispa*) y la endibia de Batavia o de hoja ancha (*C. endivia*, variedad *latifolia*), que también se llama escarola. La primera se usa principalmente en ensaladas y la última para cocinar.

**endocarditis** INFLAMACIÓN del revestimiento interno del corazón (endocardio), en asociación con una enfermedad no infecciosa (p. ej., LUPUS ERITEMATOSO sistémico) o causada por una INFECCIÓN, generalmente de las válvulas cardíacas. La infección bacteriana grave produce una forma aguda con fiebre, sudoración, escalofríos, dolor e hinchazón articular y EMBOLIAS. La endocarditis subaguda suele ser causada por bacterias que ordinariamente no son patógenas. La endocarditis bacteriana se trata con antibióticos por largo tiempo. En la endocarditis trombótica no bacteriana se forman coágulos en los bordes de las válvulas cardíacas.

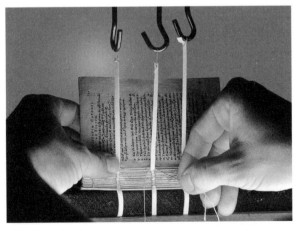

Proceso de encuadernación y restauración de un antiguo libro isabelino, empleando una técnica del s. XVI.
FOTOBANCO

Glándulas endocrinas del cuerpo humano.
© 2006 MERRIAM-WEBSTER INC.

**endocrino, sistema** Grupo de GLÁNDULAS sin conductos que secretan HORMONAS necesarias para el crecimiento y desarrollo normales, la reproducción y la HOMEOSTASIS. Las glándulas endocrinas principales son el HIPOTÁLAMO, HIPÓFISIS, TIROIDES, islotes de LANGERHANS, GLÁNDULAS SUPRARRENALES, PARATIROIDES, OVARIOS y TESTÍCULOS. Su secreción es controlada ya sea por los reguladores glandulares que detectan concentraciones altas o bajas de un producto químico y la inhiben o la estimulan, o por un complejo mecanismo en que participan el hipotálamo y la hipófisis. Los TUMORES productores de hormonas pueden desajustar este equilibrio. Las enfermedades del sistema endocrino resultan de la producción excesiva o insuficiente de una hormona o de una respuesta anormal a ella.

**endocrinología** Disciplina médica que se ocupa de la regulación de las funciones corporales por las HORMONAS y otros productos bioquímicos y del tratamiento de los desequilibrios del sistema ENDOCRINO. En 1841, FRIEDRICH GUSTAV HENLE identificó por primer vez las "GLÁNDULAS sin conductos" que secretan sus productos directamente en el torrente sanguíneo. La disciplina se estableció a principios del s. XX, cuando ERNEST H. STARLING, quien introdujo el término hormona, propuso que la regulación química y nerviosa de los procesos fisiológicos estaban ligadas. La terapia endocrina se basa en el reemplazo de las hormonas deficientes con extractos purificados. La tecnología nuclear ha conducido a nuevos tratamientos; el empleo de yodo radioactivo para el hipertiroidismo ha disminuido considerablemente la necesidad de extirpar la TIROIDES. La detección de cantidades mínimas de hormona por radio-inmunoensayo (ver RADIOLOGÍA) permite diagnosticar y tratar en forma precoz los trastornos endocrinos.

**endogamia** Apareamiento de individuos emparentados cercanamente. Lo opuesto es exogamia, apareamiento de organismos no emparentados. La endogamia sirve para mantener características deseables o eliminar las indeseables, pero a menudo resulta en menor vigor, tamaño y fertilidad de la descendencia por el efecto combinado de GENES dañinos que eran recesivos en ambos progenitores (ver RECESIVIDAD). El tipo más puro de endogamia

es la AUTOFECUNDACIÓN. En el cruzamiento entre descendientes del mismo linaje, las parejas se seleccionan sobre la base de sus relaciones con cierto ancestro superior. El cruzamiento retrógrado (de un híbrido de primera generación con uno de los tipos parentales) es un método común de endogamia.

**endogamia** ver EXOGAMIA Y ENDOGAMIA

**endometriosis** Trastorno del sistema reproductor femenino en el cual el endometrio (revestimiento interno del útero) se desarrolla en un sitio anormal debido a que algunos fragmentos endometriales, en lugar de salir del útero por la vagina (durante la menstruación), entran a la cavidad abdominal a través de las trompas de Falopio y se implantan en alguna de sus estructuras, habitualmente los ovarios. Los síntomas comprenden dolor en la menstruación, en el coito, al defecar y/u orinar; flujo menstrual abundante, sangre en la orina e infecundidad. El diagnóstico se precisa mediante LAPAROSCOPIA. El tratamiento incluye cirugía y hormonas para suprimir la ovulación durante seis a nueve meses.

**endorfina** Cualquiera de un grupo de PROTEÍNAS que se encuentra en el cerebro y que tiene propiedades parecidas al OPIO y opiáceos relacionados, que alivian el dolor. Descubiertas en la década de 1970, comprenden la encefalina, la betaendorfina y la dinorfina. Cada una es distribuida en patrones característicos a lo largo del sistema nervioso. Las endorfinas son liberadas en respuesta al DOLOR o al esfuerzo excesivo sostenido (causando, p. ej., estimulación endógena producida por las carreras de fondo). También se cree que tienen un rol en el control del apetito, la liberación de hormonas sexuales desde la HIPÓFISIS y en el colapso circulatorio (ver CHOQUE). Existe una firme evidencia de que están conectadas con los "centros del placer" en el cerebro y parecen activarse con la ACUPUNTURA. El conocimiento de su comportamiento tiene implicancias en el tratamiento de adicciones y del dolor crónico.

**endoscopia** Examen del interior del cuerpo mediante un instrumento insertado en un orificio natural o una incisión, en un procedimiento habitualmente ambulatorio. Entre los endoscopios figuran los del tracto digestivo superior (para esófago, estómago y duodeno), el colonoscopio (para colon) y el broncoscopio (para bronquios). Los instrumentos con FIBRA ÓPTICA son mucho más maniobrables, y pueden alcanzar lugares antes inaccesibles, causando bastante menos molestias. Con sus accesorios se pueden obtener muestras de tejido, extirpar pólipos y pequeños tumores, y remover cuerpos extraños.

**endotermo** Animales llamados de sangre caliente, esto es, aquellos que mantienen una temperatura corporal constante, independiente del entorno. Los endotermos comprenden las AVES y los MAMÍFEROS. Si la pérdida de calor excede la generación de calor, el metabolismo aumenta para compensar la pérdida o el animal tirita para elevar su temperatura corporal. Si la generación de calor excede la pérdida de calor, algunos mecanismos como el jadeo o la transpiración incrementan la pérdida de calor. A diferencia de los ECTOTERMOS, los endotermos pueden ser activos y sobrevivir a temperaturas externas bastante bajas, pero como deben producir calor continuamente, requieren altas cantidades de "combustible" (i.e., alimento).

**endurecimiento** En METALURGIA, el aumento de la DUREZA de un METAL inducido deliberada o accidentalmente por martilleo, LAMINACIÓN, trefilado (ver TREFILADO DE ALAMBRE) u otros procesos físicos. Las deformaciones iniciales impuestas por estos tratamientos debilitan el metal, pero debido a la estructura cristalina del mismo su resistencia aumenta con las deformaciones sucesivas. El fenómeno se explica porque los cristales resbalan entre sí, pero a causa de la complejidad de la estructura cristalina, mientras más se multiplican tales deslizamientos, más tienden a obstaculizar nuevos deslizamientos, ya que las diversas líneas de dislocación se entrecruzan. Esta oposición al deslizamiento de los cristales constituye el endurecimiento. Ver también CEMENTACIÓN; REVENIDO; TERMOTRATAMIENTO.

**endurecimiento de las arterias** ver ATEROESCLEROSIS

**Endymion** Género de la familia de las LILIÁCEAS, originaria de Eurasia. El jacinto silvestre (*E. nonscriptus*) y el jacinto español (*E. hispanicus*), que tienen racimos de flores azules acampanadas, se cultivan como plantas ornamentales de jardín; algunas autoridades las sitúan en el género emparentado *Scilla* de la misma familia. Muchas otras plantas se conocen comúnmente como jacinto silvestre, incluyendo especies de los géneros *Campanula, Eustoma, Polemonium* y *Clematis*. En EE.UU., el nombre jacinto silvestre se suele reservar para *Mertensia virginica*.

Especie *Mertensia virginica*, género *Endymion*.
© ENCYCLOPÆDIA BRITANNICA, INC.

**Eneas** Héroe mítico de Troya y Roma. Era hijo de AFRODITA y Anquises, y miembro de la familia real troyana. Según HOMERO, sólo fue superado por su primo HÉCTOR en la defensa de la ciudad durante la guerra de TROYA. La *Eneida* de VIRGILIO narra su huida después de la caída de Troya, llevando a su anciano padre sobre su espalda, y su viaje a Italia, donde sus descendientes se convirtieron en los gobernantes de Roma. Ver también DIDO.

**eneldo** Hierba anual o bienal parecida al HINOJO (*Anethum graveolens*) de la familia de las Umbelíferas (ver PEREJIL) o su fruto maduro secado (semillas) y sus extremos superiores frondosos, que se usan para sazonar alimentos. Originario de los países del Mediterráneo y del sudeste de Europa, el eneldo se cultiva en abundancia actualmente en Europa, India y América del Norte. La planta entera es aromática. En Europa oriental y Escandinavia se usan los pequeños tallos y las umbelas inmaduras para condimentar alimentos. El eneldo tiene un sabor cálido, ligeramente picante.

**energía** Capacidad de realizar TRABAJO. Existe en varias formas –como las energías CINÉTICA, POTENCIAL, TÉRMICA, QUÍMICA, eléctrica (ver ELECTRICIDAD) y NUCLEAR– y puede ser convertida de una a otra. Por ejemplo, las máquinas térmicas que queman combustible convierten energía química a energía térmica; las baterías convierten energía química a energía eléctrica. Aunque la energía puede convertirse de una forma a otra, no puede ser creada ni destruida; es decir, la energía total en un sistema cerrado permanece constante. Todas las formas de energía están asociadas con MOVIMIENTO. Por ejemplo, una bola que rueda tiene energía cinética, mientras que una bola que ha sido elevada desde el suelo tiene energía potencial, en cuanto tiene el potencial de moverse si es soltada. El CALOR y el trabajo involucran la transferencia de energía; el calor transferido puede convertirse en energía térmica. Ver también ENERGÍA DE ACTIVACIÓN; ENERGÍA DE ENLACE; ENERGÍA MECÁNICA; ENERGÍA DE PUNTO CERO; ENERGÍA SOLAR; POTENCIAL DE IONIZACIÓN.

**Energia** *llamada también* **RKK Energia** *ant.* **OKB-1** Importante empresa aeroespacial rusa, fabricante de vehículos espaciales, cohetes y misiles. Energia fue creada en 1946 como división de un instituto soviético que realizaba trabajos sobre misiles de largo alcance. Diez años después, dirigida por SERGUÉI KOROLEV, se transformó en la entidad de diseño independiente OKB-1. En la década de 1950 desarrolló el R-7 (SS-6), el primer misil balístico intercontinental del mundo; un R-7 modificado puso en órbita el primer satélite artificial (ver SPUTNIK). A la OKB-1 se debe que la Unión Soviética alcanzara un temprano liderazgo en la "carrera espacial", aunque fracasó en su proyecto secreto de adelantarse a EE.UU. por lograr un alunizaje tripulado. En 1974 se creó el conglomerado NPO Energia, del que OKB-1 era su centro. El principal objetivo de la empresa era desarrollar y operar estaciones espaciales (ver SALYUT, MIR). A principios de la década de 1990,

Energia llegó a ser la principal contratista de la parte rusa de la ESTACIÓN ESPACIAL INTERNACIONAL (EEI) (suministró para esta el módulo de hábitat y control Zvezda), pero posteriormente su papel se redujo. En 1994, la empresa fue rebautizada como RKK Energia y parcialmente privatizada. Después de la disolución de la Unión Soviética en 1991, Energia se asoció con servicios multinacionales de lanzamiento de satélites, los que utilizan la última fase del vehículo de lanzamiento Block DM para impulsar cargas útiles hacia órbitas geoestacionarias.

**energía alternativa** Cualquiera de las diversas fuentes renovables de energía que se pueden usar en lugar de los COMBUSTIBLES FÓSILES y el URANIO. Algunos creen que la fusión (ver FUSIÓN NUCLEAR) es la mejor opción energética a largo plazo, porque su fuente principal de energía sería el DEUTERIO, abundante en el agua común y corriente. Otros prefieren tecnologías más limpias como la ENERGÍA SOLAR, la ENERGÍA EÓLICA, la energía mareal, la de las olas, la ENERGÍA HIDROELÉCTRICA y la ENERGÍA GEOTÉRMICA. La energía contenida en tales fuentes renovables y virtualmente no contaminantes es inmensa en relación con las necesidades mundiales, pero hoy es posible convertir sólo una pequeña parte de ella en energía eléctrica a un costo razonable.

**energía atómica** ver ENERGÍA NUCLEAR

**energía cinética** Forma de energía que tiene un objeto a causa de su movimiento. El tipo de movimiento puede ser de traslación (movimiento a lo largo de un camino de un lugar a otro), rotación en torno a un eje, vibración, o cualquier combinación de movimientos. La energía cinética total de un cuerpo o sistema es igual a la suma de las energías cinéticas resultantes de cada tipo de movimiento. La energía cinética de un objeto depende de su MASA y VELOCIDAD. Por ejemplo, la cantidad de energía cinética $KE$ de un objeto en movimiento traslacional es igual a la mitad del producto de su masa $m$ por el cuadrado de su velocidad $v$, o sea, $KE = \frac{1}{2}mv^2$, siempre que la velocidad sea menor en relación a la de la luz. A velocidades más altas, la RELATIVIDAD cambia esta relación.

**energía, conservación de la** Principio de la física según el cual la ENERGÍA de interacción de los cuerpos o partículas en un sistema cerrado permanece constante, aunque puede tomar diferentes formas (p. ej., ENERGÍA CINÉTICA, ENERGÍA POTENCIAL, ENERGÍA TÉRMICA, energía en una CORRIENTE ELÉCTRICA, o energía almacenada en un CAMPO ELÉCTRICO, en un CAMPO MAGNÉTICO o en los enlaces químicos [ver ENLACE]). En 1905, con el advenimiento de la física de la RELATIVIDAD, la MASA fue reconocida como equivalente a energía. Al considerar un sistema de partículas de alta velocidad cuya masa aumenta como una consecuencia de su velocidad, las leyes de conservación de la energía y de conservación de la masa se convierten en una sola ley de la CONSERVACIÓN. Ver también HERMANN VON HELMHOLTZ.

**energía de activación** Cantidad mínima de ENERGÍA (CALOR, RADIACIÓN ELECTROMAGNÉTICA o energía eléctrica) requerida para activar ÁTOMOS o MOLÉCULAS a una condición en la cual es igualmente probable que experimenten una reacción o transporte químico, como lo es, el que vuelvan a su estado original. Los químicos postulan un estado de transición entre las condiciones iniciales y las condiciones del producto y teorizan que la energía de activación es la cantidad de energía requerida para estimular los materiales iniciales a "ascender" al estado de transición; la reacción entonces procede "en caída" para formar los materiales del producto. Los CATALIZADORES (como las ENZIMAS) disminuyen la energía de activación mediante la alteración del estado de transición. Las energías de activación son determinadas por experimentos que las miden como la constante de proporcionalidad en la ecuación propuesta por SVANTE ARRHENIUS, que describe la dependencia de la VELOCIDAD DE REACCIÓN respecto de la temperatura. Ver también CALOR DE REACCIÓN; ENTROPÍA.

**energía de enlace** ENERGÍA requerida para separar una partícula de un sistema de partículas o para dispersar todas las partículas del sistema. La energía de enlace nuclear es la energía requerida para separar un NÚCLEO atómico en sus PROTONES y NEUTRONES constituyentes. También es la energía que se liberaría combinando protones y neutrones individuales en un solo núcleo. La energía de enlace de un ELECTRÓN, o POTENCIAL DE IONIZACIÓN, es la energía requerida para remover un electrón de un ÁTOMO, MOLÉCULA O ION, y también la energía liberada cuando un electrón se une a un átomo, molécula o ion. La energía de enlace de un protón o neutrón individual en un núcleo es alrededor deun millón de veces mayor que la de un electrón individual en un átomo.

**energía de ionización** ver POTENCIAL DE IONIZACIÓN

**energía de punto cero** Energía vibracional retenida por las moléculas incluso a temperatura de CERO ABSOLUTO. Dado que la temperatura es una medida de la intensidad del movimiento molecular, sería de esperar que las moléculas estuvieran en reposo en el cero absoluto. Sin embargo, si las moléculas se detuvieran por completo, la posición y VELOCIDAD (cero) de los átomos se conocería con exactitud, siendo que el PRINCIPIO DE INCERTIDUMBRE afirma que esto no puede ocurrir, ya que no se puede conocer en forma simultánea el valor preciso de la posición y velocidad de un objeto. En consecuencia, aun en el cero absoluto las moléculas deben tener alguna energía de punto cero.

**energía eólica** Uso de la energía contenida en los vientos para producir fuerza motriz o energía eléctrica. Aun cuando el viento es irregular y disperso, contiene enormes cantidades de energía. Se han desarrollado sofisticadas TURBINAS eólicas para convertir esta energía en energía eléctrica. El uso de sistemas de energía eólica aumentó considerablemente en las décadas de 1980 y 1990. Alemania produce hoy más energía eólica que cualquier otro país. Existen en la actualidad unas 15.000 turbinas eólicas en funcionamiento en California, EE.UU. Ver también MOLINO DE VIENTO.

**energía, equipartición de la** Ley de la MECÁNICA ESTADÍSTICA que establece que en un sistema en EQUILIBRIO térmico, en promedio, una cantidad igual de energía está asociada con cada uno de los estados de energía independientes. Afirma específicamente que un sistema de partículas en equilibrio a una temperatura absoluta $T$ tendrá una energía promedio de $\frac{1}{2}kT$, donde $k$ es la constante de BOLTZMANN, asociada con cada grado de libertad. Por ejemplo, un ÁTOMO de un gas tiene tres grados de libertad (sus tres coordenadas de posición); por lo tanto, tendrá una energía media total por átomo de $\frac{3}{2}kT$.

**energía geotérmica** Energía obtenida utilizando el calor del interior de la Tierra. La mayoría de los recursos geotérmicos están en regiones de VULCANISMO activo. Los recursos explotados más fácilmente son las fuentes de agua termal, los géiseres, los pozos de barro hirviendo y las fumarolas. Los antiguos romanos usaron fuentes de agua termal para calentar baños y hogares y aún se encuentran usos similares en Islandia, Turquía y Japón. El mayor potencial de la energía geotérmica reside en la generación de electricidad. Fue utilizada por primera vez con ese propósito en Italia en 1904. Existen plantas de energía geotérmica en operación en Nueva Zelanda, Japón, Islandia, México, EE.UU. y otros lugares.

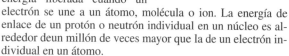

Generadores de turbinas eólicas en la sierra Tehachapi, California, EE.UU.
CHARLES C. PLACE/THE IMAGE BANK/GETTY IMAGES

**energía hidráulica** Energía producida por una corriente de agua al hacer girar una rueda o un artefacto similar. La RUEDA HIDRÁULICA, probablemente inventada en el s. I AC, se usó de manera profusa durante toda la Edad Media, y hasta no hace mucho tiempo, para moler granos de cereal, operar fuelles para hornos y otras finalidades. La TURBINA hidráulica, introducida en 1827, es más compacta y hace pasar el agua por una serie de álabes fijos y rotatorios. Las turbinas hidráulicas, empleadas en principio para el riego, hoy se usan casi exclusivamente para generar ENERGÍA HIDROELÉCTRICA.

**energía hidroeléctrica** ELECTRICIDAD producida por GENERADORES accionados por TURBINAS hidráulicas, que convierten en ENERGÍA mecánica la energía contenida en una masa de agua que cae o fluye rápidamente. El agua, situada a gran altura, se transporta por grandes tuberías o túneles (canales de carga) y hace girar las turbinas que accionan los generadores, los que a su vez convierten la energía mecánica de las turbinas en electricidad. Las ventajas de la energía hidroeléctrica sobre otras fuentes, como combustibles fósiles y fisión nuclear, son básicamente dos: se renueva en forma continua y no produce contaminación. Noruega, Suecia, Canadá y Suiza dependen mucho de la hidroelectricidad, porque tienen zonas industriales cercanas a regiones montañosas y lluviosas. En cambio, en países como EE.UU., Rusia, China, India y Brasil el aporte de la hidroelectricidad es mucho menor. Ver también ENERGÍA MAREAL.

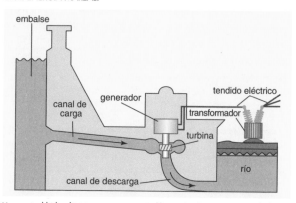

Una central hidroeléctrica genera energía liberando, de manera controlada, el agua del embalse de un río. El agua que fluye hace girar una turbina, la cual acciona un generador y produce electricidad. Un transformador aumenta el voltaje para que la energía se pueda transmitir a grandes distancias.
© 2006 MERRIAM-WEBSTER INC.

**energía libre** Medida del total de las energías combinadas dentro de un sistema, derivada de los calores de transformación, desorden y otras formas de energía interna (p. ej., cargas electrostáticas). Un sistema cambiará en forma espontánea para lograr una menor energía libre total. Así, la energía libre es la fuerza que impulsa hacia las condiciones de equilibrio. El cambio en la energía libre entre un estado inicial y uno final es útil para evaluar ciertos procesos termodinámicos y puede ser utilizado para juzgar si las transformaciones ocurrirán de manera espontánea. Existen dos formas de energía libre, con definiciones y aplicaciones diferentes: la energía libre de Helmholtz (ver HERMANN VON HELMHOLTZ), algunas veces llamada la función de trabajo, y la energía libre de Gibbs (ver J. WILLARD GIBBS).

**energía mareal** Electricidad producida por TURBINAS operadas por el flujo de las MAREAS. Existen grandes cantidades de energía disponible en las mareas de ciertas localidades, como la bahía de FUNDY en Canadá, donde su amplitud alcanza más de 15 m (50 pies), pero esta energía no es continua y varía con las estaciones del año. La primera central maremotriz moderna operante fue construida en Francia entre 1961 y 1967 y tiene 24 grupos electrógenos de 10.000 kilovatios cada uno.

**energía mecánica** Suma de la ENERGÍA CINÉTICA (EC) y de la ENERGÍA POTENCIAL (EP) de un sistema. La energía mecánica es constante en un sistema sobre el cual no actúan fuerzas disipativas, como el roce o la resistencia del aire. Por ejemplo, un péndulo que oscila sometido solamente a la gravitación, tiene máxima EC y mínima EP en el punto más bajo de su trayectoria, en donde su velocidad es máxima y su altura mínima. En cambio, tiene mínima EC y máxima EP en los extremos de su oscilación, en donde su velocidad es cero y su altura es máxima. Al moverse el péndulo, la energía es traspasada continuamente de una forma a la otra. Despreciando el roce en la sujeción y la resistencia del aire, la energía del péndulo es constante.

**energía nuclear** o **energía atómica** Energía liberada en cantidades significativas a partir de núcleos atómicos. En 1919, ERNEST RUTHERFORD descubrió que los rayos alfa podían disgregar el NÚCLEO de un ÁTOMO. Esto condujo finalmente al descubrimiento del NEUTRÓN y a la liberación de enormes cantidades de energía por el proceso de FISIÓN NUCLEAR. También se libera energía nuclear como resultado de la FUSIÓN NUCLEAR. La liberación de energía nuclear puede ser controlada o incontrolada. Los reactores nucleares controlan cuidadosamente la liberación de energía, mientras que en un ARMA NUCLEAR o en la FUSIÓN POR FISIÓN DESCONTROLADA en un reactor nuclear la liberación de energía es descontrolada. (Ver también REACCIÓN EN CADENA, RADIACTIVIDAD). Cerca de un tercio de toda la energía eléctrica mundial proviene actualmente de plantas de energía nuclear. Las armadas de varios países incluyen buques de guerra propulsados por energía nuclear; casi la mitad de los buques de guerra de EE.UU. son de propulsión nuclear. La mayoría de los reactores nucleares comerciales son reactores térmicos. Dos tipos de reactores de agua liviana o común (*light-water reactors*) en uso en el mundo son el reactor de agua en ebullición y el de agua a presión. En el reactor de neutrones rápidos refrigerados con metal líquido, el combustible (nuclear, o material fisionable) se utiliza con una eficiencia 60 veces mayor que en los reactores de agua liviana.

**energía potencial** Energía almacenada por un objeto en virtud de su posición. Por ejemplo, un objeto elevado desde el suelo adquiere energía potencial igual al TRABAJO realizado en contra de la fuerza de gravedad; cuando el objeto cae al suelo, la energía es liberada como ENERGÍA CINÉTICA. En forma similar, cuando un resorte se estira acumula energía potencial que es liberada al volver a su estado inicial. Otras formas de energía potencial son la energía potencial eléctrica, la ENERGÍA QUÍMICA y la ENERGÍA NUCLEAR.

**energía química** Energía almacenada en los enlaces de compuestos químicos. Puede ser liberada durante una reacción química, a menudo en forma de calor; tales reacciones se llaman exotérmicas. Las reacciones que requieren recibir calor para proseguir pueden almacenar parte de esa energía como energía química de los nuevos enlaces que se forman. El cuerpo de los seres vivos convierte la energía química contenida en los alimentos en energía mecánica y calor. En plantas de generación eléctrica, la energía química del carbón se convierte en energía eléctrica. La energía química de una batería también puede producir energía eléctrica mediante electrólisis.

**energía solar** Radiación del Sol que puede producir calor, generar electricidad o causar reacciones químicas. La energía solar es inagotable y no contaminante, pero no es una fuente eficiente de energía, ya que la atmósfera de la Tierra absorbe o dispersa más del 50% de la radiación solar que recibe. Los colectores solares recogen radiación solar y la transfieren como calor a un fluido portador. Posteriormente puede utilizarse para calefacción. Las CELDAS SOLARES convierten la radiación solar directamente a electricidad por medio del EFECTO FOTOELÉCTRICO.

**energía térmica** Energía interna de un sistema en equilibrio termodinámico (ver TERMODINÁMICA) en virtud de su temperatura. Un cuerpo caliente tiene más energía térmica que otro similar frío, pero una bañera grande con agua fría puede tener más energía térmica que una taza de agua hirviendo. La energía térmica puede ser transferida de un cuerpo a otro más frío de tres maneras: por conducción (ver CONDUCCIÓN TÉRMICA), CONVECCIÓN y RADIACIÓN.

**enfermedad articular digestiva** ver OSTEOARTRITIS

**enfermedad ocupacional** Enfermedad asociada con una ocupación determinada. Las largas horas de trabajo, la luz mortecina, la falta de aire fresco y las maquinarias peligrosas de la Revolución industrial fomentaron en general enfermedades y lesiones, pero ciertas ocupaciones (p. ej., la minería) conllevan riesgos específicos (p. ej., antracosis, un tipo de NEUMOCONIOSIS). Las innovaciones del s. XX (como el empleo de nuevos productos químicos y materiales radiactivos) causaron un aumento de determinados cánceres (p. ej., leucemia y cáncer óseo en trabajadores expuestos a radiaciones) y lesiones. Los así llamados "edificios enfermos" (en cuyo sistema de circulación de aire se desarrollan patógenos) contribuyen a los problemas de salud entre los oficinistas. La medicina ocupacional también comprende las tensiones emocionales relacionadas con el trabajo. Ver también ASBESTOSIS; MEDICINA LABORAL.

**enfermería** Profesión de la salud que presta atención física y emocional a enfermos y discapacitados, y promueve la salud de todas las personas mediante actividades como la investigación, la educación sanitaria y la atención de pacientes. La enfermería obtuvo reconocimiento como disciplina en el s. XIX gracias a las actividades de FLORENCE NIGHTINGALE. Muchas enfermeras se especializan (p. ej., en psiquiatría o en cuidados intensivos). Existen enfermeras practicantes, enfermeras clínicas, enfermeras anestesistas y enfermeras obstétricas que asumen tareas realizadas tradicionalmente por los médicos. Los grados en enfermería llegan hasta el doctorado y los cargos de planta incluyen la administración. Además del área sanitaria, las enfermeras ejercen en escuelas, fuerzas armadas, industrias y hogares privados. Las enfermeras comunitarias (salud pública) educan al público en temas como la nutrición y la prevención de enfermedades.

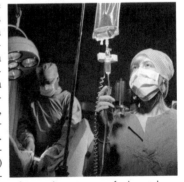

Enfermera clínica, integrante fundamental en el equipo médico durante una operación.
ARCHIVO EDIT. SANTIAGO

**enfisema pulmonar** Distensión anormal de los pulmones con aire, por lo general asociada al tabaquismo y a la BRONQUITIS crónica. El tejido elástico se degenera, interfiriendo seriamente en la espiración. Las paredes de los capilares desaparecen, dejando el tejido pulmonar seco y pálido. Las paredes de los ALVÉOLOS PULMONARES se rompen, de modo que los pulmones se llenan de sacos de aire. Los síntomas abarcan disnea aguda, pérdida de peso, piel azulosa, opresión pectoral y respiración sibilante. En el enfisema buloso, los alvéolos confluyen en grandes QUISTES aéreos que pueden romperse, produciendo colapso pulmonar (ver ATELECTASIA), o requerir cirugía. El enfisema es irreversible; normalmente sigue avanzando aun si se deja de fumar y puede culminar en la muerte. Ver también CARDIOPATÍA PULMONAR.

## enfriamiento por viento

Temperatura del aire estático que tendría el mismo efecto de enfriamiento sobre la piel desnuda que una combinación dada de temperatura y velocidad del viento. A medida que aumenta la velocidad del viento, la temperatura equivalente al enfriamiento por viento decrece; p. ej., una temperatura del aire de −1,1 °C (30 °F) con una velocidad de viento de 32,2 km/h (20 mi/h) produce un enfriamiento por viento de −8 °C (17 °F). Por lo general, el enfriamiento por viento es incluido en los informes meteorológicos con el fin de describir la sensación térmica.

| velocidad del viento (km/h) | temperatura (°C) | | | | | | | | | | | | | | | | | |
|---|---|---|---|---|---|---|---|---|---|---|---|---|---|---|---|---|---|---|
| calma | 4 | 2 | -1 | -4 | -7 | -9 | -12 | -15 | -18 | -21 | -23 | -26 | -29 | -32 | -34 | -37 | -40 | -43 |
| 8 | 2 | 0 | -4 | -7 | -11 | -13 | -17 | -20 | -24 | -27 | -30 | -33 | -37 | -40 | -43 | -46 | -50 | -53 |
| 16 | 0 | -2 | -6 | -10 | -13 | -16 | -19 | -23 | -27 | -31 | -33 | -37 | -41 | -44 | -47 | -50 | -54 | -58 |
| 24 | -1 | -3 | -7 | -11 | -15 | -17 | -21 | -25 | -29 | -33 | -35 | -39 | -43 | -47 | -49 | -53 | -57 | -61 |
| 32 | -1 | -4 | -8 | -12 | -16 | -18 | -22 | -26 | -30 | -34 | -37 | -41 | -45 | -49 | -51 | -55 | -59 | -63 |
| 40 | -2 | -5 | -9 | -13 | -17 | -19 | -23 | -27 | -31 | -35 | -38 | -42 | -46 | -50 | -53 | -57 | -61 | -65 |
| 48 | -3 | -5 | -9 | -13 | -17 | -20 | -24 | -28 | -32 | -36 | -39 | -43 | -47 | -51 | -54 | -58 | -62 | -66 |
| 56 | -3 | -6 | -10 | -14 | -18 | -21 | -25 | -29 | -33 | -37 | -40 | -44 | -48 | -53 | -55 | -59 | -64 | -68 |
| 64 | -3 | -6 | -10 | -15 | -19 | -22 | -26 | -30 | -34 | -38 | -41 | -45 | -49 | -54 | -56 | -60 | -65 | -69 |
| 72 | -4 | -7 | -11 | -15 | -19 | -22 | -26 | -31 | -35 | -39 | -42 | -46 | -50 | -54 | -57 | -61 | -66 | -70 |
| 80 | -4 | -7 | -11 | -16 | -20 | -23 | -27 | -31 | -35 | -40 | -42 | -47 | -51 | -55 | -58 | -62 | -67 | -71 |
| 88 | -4 | -7 | -12 | -16 | -20 | -23 | -27 | -32 | -36 | -40 | -43 | -47 | -52 | -56 | -59 | -63 | -67 | -72 |
| 96 | -5 | -8 | -12 | -16 | -21 | -24 | -28 | -32 | -37 | -41 | -44 | -48 | -52 | -57 | -60 | -64 | -68 | -73 |

enfriamiento por viento (°C) = $13{,}1267 + 0{,}6215T - 11{,}3627(V^{0,16}) + 0{,}3962T(V^{0,16})$   $T$ = temperatura del aire (°C)

tiempo de congelación: ▢ 30 minutos ■ 10 minutos ■ 5 minutos   $V$ = velocidad del viento (km/h)

fuente: Servicio Meteorológico de EE.UU.; Servicios Meteorológicos de Canadá

© 2006 ENCYCLOPÆDIA BRITANNICA, INC.

**enfurtido** Proceso que aumenta el espesor y la densidad de los tejidos de LANA, sometiéndolos a humedad, calor, rozamiento y presión hasta que se logra una contracción del orden de un 10–25%. La contracción se produce tanto en la urdimbre como en la trama (ver TEJEDURA), dando como resultado una tela suave, de acabado apretado, liviana, cálida y relativamente resistente a la intemperie. Un ejemplo común es la tela Loden, fabricada por primera vez en Austria en el s. XVI. Ver también FIELTRADO.

**engaño** En el derecho estadounidense, toda expresión de hechos falsa o engañosa, generalmente destinada a engañar o defraudar. Ocurre más comúnmente en los contratos de seguros y en los contratos relacionados con bienes raíces. La publicidad falsa también puede constituir la figura de engaño. Por lo general, todo contrato en que el consentimiento se haya obtenido mediante engaño puede declararse nulo y sin valor, y la parte engañada puede insistir en que se cumplan las condiciones ofrecidas.

**Engelbart, Douglas** (n. 30 ene. 1925, cerca de Portland, Ore., EE.UU.). Cientista computacional estadounidense. Obtuvo un Ph.D. en ingeniería eléctrica en la Universidad de California, Berkeley. En la década de 1960 instaló el Augmentation Research Center en el Instituto de investigación de Stanford, en Utah. Inventó el HIPERTEXTO, el despliegue de ventanas múltiples, el RATÓN y el *groupware* (uso de aplicaciones compartidas por un grupo de usuarios utilizando redes de área local). Su demostración de estas capacidades en 1968, en San Francisco, inició el proceso de desarrollo que condujo al sistema operativo WINDOWS de Microsoft. El grupo de Engelbart del Instituto de investigación de Stanford fue uno de los cuatro miembros originales de la ARPANET, precursora de la INTERNET. Después de jubilarse, condujo el Instituto Bootstrap e investigó formas de apoyo al trabajo cooperativo por medio de computadoras. En 1997 recibió el Premio Turing.

**Engels, Friedrich** (28 nov. 1820, Barmen, provincia del Rin, Prusia–5 ago. 1895, Londres, Inglaterra). Filósofo socialista alemán. Hijo de un industrial, con el tiempo llegó a ser un exitoso hombre de negocios que nunca permitió que sus críticas al capitalismo interfirieran en las operaciones rentables de su empresa. Durante su juventud se interesó en la filosofía de G.W.F. HEGEL, difundida por los

Friedrich Engels, detalle de un retrato por H. Schey.
AGENCIA NOVOSTI

jóvenes hegelianos, y se convenció de que la consecuencia lógica del HEGELIANISMO y la dialéctica era el comunismo. En 1844 publicó *La situación de la clase obrera en Inglaterra*. Colaboró en forma permanente y estrecha con KARL MARX, a quien conoció en Colonia, en la difusión del movimiento socialista. Después de convencer al segundo Congreso Comunista de que adoptara sus puntos de vista, ambos fueron autorizados para redactar el *Manifiesto comunista* (1848). Tras la muerte de su coautor (1883), se convirtió en la principal autoridad acerca de Marx y del MARXISMO. Además de sus propias obras, completó el segundo y tercer volumen de *El capital* sobre la base de los manuscritos incompletos y los apuntes en borrador de Marx.

**engranaje** Elemento de una máquina constituido por una rueda dentada fijada a un eje giratorio. Los engranajes funcionan en pares, en que los dientes de una de las ruedas engranan con los dientes de la segunda, para transmitir y modificar el MOVIMIENTO rotatorio y el TORQUE. A fin de transmitir el movimiento suavemente, las superficies de contacto de los dientes del engranaje deben estar meticulosamente configuradas conforme a un perfil específico. El más pequeño par de engranajes se conoce a menudo por el nombre de piñón. Si el piñón se encuentra fijo al eje de transmisión, el par actúa para reducir la velocidad y amplificar el torque; si el piñón se encuentra fijo al eje accionado, el par actúa para aumentar la velocidad y reducir el momento de torsión.

**engranaje diferencial** En la mecánica de automóviles, conjunto de ENGRANAJES que transmite la potencia del motor a un par de RUEDAS motrices, dividiendo la fuerza por partes iguales entre dichas ruedas, pero permitiéndoles seguir recorridos de diferente longitud, como cuando se vira en una esquina o se recorre un camino disparejo. En un camino recto, las ruedas giran a la misma velocidad, pero al virar en una esquina, la rueda externa tiene que recorrer un trecho mayor, y por lo tanto debe girar más rápidamente que la rueda interior a pesar de seguir ambas conectadas al motor. El diferencial del automóvil se inventó en 1827; usado originalmente en vehículos de vapor, era ya bien conocido cuando aparecieron los motores de combustión interna.

**ENIAC** Una de las primeras COMPUTADORAS DIGITALES electrónicas construida en EE.UU., en 1945, por J. PRESPER ECKERT y JOHN W. MAUCHLY. La enorme ENIAC, que pesaba 30 t y ocupaba una habitación completa, usaba cerca de 18.000 TUBOS DE VACÍO, 70.000 resistencias y 10.000 condensadores. En diciembre de 1945 resolvió su primer problema, cálculos para la BOMBA DE HIDRÓGENO. Después de su inauguración oficial en 1946, fue usada para preparar tablas de trayectorias de proyectiles de artillería y ejecutar otros cálculos militares y científicos.

**Enigma** Aparato usado por la fuerza militar alemana para encriptar mensajes estratégicos antes y durante la segunda guerra mundial. El algoritmo de encriptación de Enigma fue descifrado por los polacos a comienzos de la década de 1930, de manera que durante la guerra los mensajes alemanes eran interceptados y descifrados por los analistas de desencriptación de los aliados. (Ver también ULTRA).

**enjuta** Cada una de las áreas aproximadamente triangulares a ambos lados de un ARCO, limitada por una línea horizontal que pasa por su vértice, una línea que asciende en forma vertical desde el salmer, y la curva exterior del arco entre el salmer y el vértice. Cuando dos arcos colindan, toda el área entre sus vértices y la línea de imposta común es una enjuta. Si este espacio está relleno, como suele ocurrir, el resultado es un muro de enjuta o tímpano. En la arquitectura medieval, este se encontraba a menudo ornamentado. En edificios de más de un piso, la enjuta es el área entre el alféizar de una ventana y la cabeza de la ventana debajo de esta. En estructuras de acero u hormigón armado puede existir una viga alta en esta área: una viga de enjuta. El espacio triangular bajo una escalera también se conoce como enjuta.

**Enkidu** Amigo y compañero del héroe mesopotámico GILGAMESH. En la antigua *Epopeya de Gilgamesh*, Enkidu es un hombre salvaje creado por el dios ANU. Tras ser vencido por Gilgamesh, ambos se hicieron amigos (en algunas versiones Enkidu se convierte en el sirviente de Gilgamesh). Ayuda a Gilgamesh a matar al toro divino enviado por la diosa ISTHAR para destruirlos. Los dioses luego matan a Enkidu en venganza, lo que impulsa a su amigo a buscar la inmortalidad.

Sello caldeo que representa la *Epopeya de Gilgamesh*, en la que se narran las aventuras de Gilgamesh y Enkidu.
FOTOBANCO

**enlace** Cualquiera de las interacciones que explica la asociación de ÁTOMOS en MOLÉCULAS, IONES, CRISTALES, METALES y otras especies estables. Cuando los núcleos de los átomos y los ELECTRONES interactúan, tienden a distribuirse en forma tal que la energía total sea mínima; si la energía de un arreglo grupal es menor que la suma de las energías de los componentes, ellos se enlazan. La física y matemática del enlace fueron desarrolladas como parte de la MECÁNICA CUÁNTICA. El número de enlaces que un átomo puede formar –su VALENCIA– es igual al número de electrones que cede o acepta. Los ENLACES COVALENTES forman moléculas; los átomos se unen a otros átomos específicos compartiendo un par de electrones entre ellos. Si la forma en que los comparten es pareja, entonces la molécula no es polar; si es despareja, entonces la molécula es un DIPOLO ELÉCTRICO. Los ENLACES IÓNICOS son el extremo de una forma despareja de compartir; ciertos átomos ceden electrones, convirtiéndose en CATIONES. Otros átomos ganan electrones y se convierten en ANIONES. Todos los iones se mantienen unidos en un cristal por fuerzas electrostáticas. En los metales cristalinos, una forma difusa de compartir electrones enlaza los átomos (enlace metálico). Otros tipos son enlace de HIDRÓGENO, enlaces en COMPUESTOS AROMÁTICOS, enlaces covalentes coordinados, enlaces multicentro, ilustrado por boranos (hidruros de boro), en los cuales más de dos átomos comparten pares de electrones, y los enlaces en los complejos de coordinación (ver elementos de TRANSICIÓN), que todavía no son bien comprendidos. Ver también fuerzas de VAN DER WAALS.

**enlace covalente** Fuerza que mantiene unidos los ÁTOMOS en una MOLÉCULA, como una entidad separada específica (en contraposición a, p. ej., los agregados coloidales; ver ENLACE). En los enlaces covalentes, dos átomos comparten uno o más pares de ELECTRONES de valencia, para dar a cada átomo la estabilidad encontrada en un GAS NOBLE. En enlaces simples se comparte un par de electrones (p. ej., H—H en hidrógeno molecular); en enlaces dobles, dos (p. ej., O=O en oxígeno molecular o $H_2C=CH_2$ en etileno); en enlaces triples, tres (p. ej., HC≡CH en acetileno). En los enlaces covalentes coordinados se comparten pares adicionales de electrones con otro átomo, a menudo formando un GRUPO FUNCIONAL, como SULFATO ($SO_4$) o FOSFATO ($PO_4$). El número de enlaces y los átomos que participan en cada uno (incluido cualquier par de electrones adicionales) dan a las moléculas su CONFIGURACIÓN; las pequeñas cargas negativas y positivas en los extremos opuestos de un enlace covalente son la razón por la que la mayoría de las moléculas tienen algún grado de polaridad (ver ELECTRÓFILO; NUCLEÓFILO). El carbono en los compuestos orgánicos puede tener hasta cuatro enlaces simples, cada uno orientado a un vértice de un tetraedro; en consecuencia, ciertas moléculas presentan formas que son imágenes especulares unas de otras (ver ACTIVIDAD ÓPTICA). Los enlaces dobles son rígidos, conduciendo a la posibilidad de ISÓMEROS geométricos (ver ISOMERISMO). Algunos tipos de enlaces, como las uniones de AMIDA que unen los AMINOÁCIDOS en PÉPTIDOS y PROTEÍNAS (enlaces peptídicos), son aparentemente simples pero tienen algunas características de enlace doble a causa de la estructura electrónica de los átomos participantes. Las configuraciones de las ENZIMAS y sus sustratos, determinadas por sus enlaces covalentes (en particular los enlaces peptídicos) y sus enlaces de hidrógeno, son cruciales para las reacciones en que participan, las cuales son fundamentales para toda forma de vida. Ver también COMPUESTO AROMÁTICO; comparar ENLACE IÓNICO.

**enlace iónico** Atracción electrostática entre IONES de carga opuesta en un COMPUESTO químico. Se forma un enlace iónico cuando uno o más ELECTRONES son transferidos de un ÁTOMO neutro (comúnmente un METAL que se convierte en un CATIÓN) a otro (lo usual es un elemento o grupo no metálico que se convierte en un ANIÓN). Los dos tipos de iones se mantienen unidos por fuerzas electrostáticas en un sólido que no comprende MOLÉCULAS neutras como tales; más bien, cada ion tiene vecinos con carga opuesta, en una estructura cristalina global ordenada. Cuando, por ejemplo, los CRISTALES de sal común (CLORURO DE SODIO, NaCl) se disuelven en agua, se disocian (ver DISOCIACIÓN) en dos tipos de iones en cantidades iguales, los cationes sodio ($Na^+$) y los aniones cloruro ($Cl^-$). Ver también ENLACE; ENLACE COVALENTE.

**enlatado** Método para preservar los alimentos del deterioro mediante un envasado en latas que son herméticamente selladas y luego esterilizadas por medio de calor. El procedimiento fue inventado en 1809 por Nicolas Appert (n. circa 1750–m. 1841) de Francia, quien usó botellas de vidrio. En el s. XIX se utilizaron latas de hierro revestidas de estaño, selladas en la tapa, el fondo y la juntura, pero al comienzo del s. XX fueron reemplazadas por latas de acero revestidas de estaño, con junturas entrelazadas y sellos de polímeros. Más adelante, en el s. XX, se hicieron populares, en particular en la industria de bebidas, las latas de aluminio sin juntura (con sellado hermético de una sola plancha), cubiertas por una tapa de acero o de aluminio. En el enlatado moderno, los alimentos se hierven a altas temperaturas, se transfieren al envase previamente esterilizado y se sellan. Los alimentos enlatados se someten a suficiente calor para eliminar cualquier microorganismo subsistente. El proceso preserva la mayoría de los nutrientes, pero a menudo afecta la consistencia y el sabor.

**Ennin** (794, distrito de Tsuga, provincia de Shimotsuke, Japón–24 feb. 864, Japón). Budista japonés que fundó la rama Sammon de la secta Tendai (TIANTAI). Educado en el monasterio Enryaku-ji, cerca de Kioto, fue discípulo de SAICHO. Pasó nueve años estudiando el BUDISMO en China y en 847 DC regresó al país con 559 volúmenes de textos budistas chinos y con un sistema de notación musical para cantos religiosos que todavía se usa en Japón. Introdujo en el budismo japonés la práctica de cantar el nombre de Amida (AMITABHA) como un camino para renacer en el paraíso de Amida. Estableció además el esoterismo Tendai. Se convirtió en el principal sacerdote de su orden en 854 y sus enseñanzas fueron influyentes en el budismo japonés durante siglos.

**Ennio, Quinto** (239, Rudiae, sur de Italia–169 AC). Poeta, dramaturgo y satírico romano. El más influyente entre los primeros poetas latinos, es considerado el fundador de la literatura romana. Su obra épica *Annales* es un poema narrativo que cuenta la historia de Roma desde las andanzas de ENEAS hasta la época contemporánea del poeta; fue el poema épico nacional hasta que lo eclipsó la *Eneida* de VIRGILIO. Sobresalió en la tragedia al adaptar 19 dramas del griego, de los cuales sólo se han conservado alrededor de 420 versos.

**Enniskillen** *o* **Inniskilling** Ciudad (pob., est. 1995: 11.000) capital del condado de FERMANAGH en el sudoeste de Irlanda del Norte. Situada en una isla en el río Erne, era un punto estratégico para cruzar el lago ERNE. Fue incorporada por el rey de Inglaterra JACOBO I; Enniskillen derrotó al ejército enviado por JACOBO II en 1689 y se hizo famosa como bastión protestante. Al ser durante mucho tiempo una plaza fuerte, le dio su nombre a los Royal Inniskilling Fusiliers [fusileros reales de Inniskilling] y al 6th (Inniskilling) Dragoons, destacados regimientos del ejército británico. La ciudad es un mercado agrícola.

**Enrique I** *llamado* **Enrique Beauclerc** (francés: "Buen Sabio") (1069–1 dic. 1135, Lyons-la-Forêt, Normandía). Rey de Inglaterra (1100–35) y gobernante de NORMANDÍA (1106–35). Hijo menor de GUILLERMO I, se convirtió en rey a la muerte de GUILLERMO II. Su hermano mayor, Robert Curthose (ROBERTO II), regresó en 1101 de la primera CRUZADA para reclamar el trono inglés. Enrique lo apaciguó cediéndole Normandía, pero finalmente Roberto fue derrotado en 1106 por Enrique, quien conquistó Normandía y encarceló a su hermano. Se enfrentó a ANSELMO DE CANTERBURY en la llamada QUERELLA DE LAS INVESTIDURAS, pero se reconciliaron en 1107. Conservó el control de Normandía, pese a los repetidos ataques del hijo de Roberto, y nombró a su hija MATILDE como heredera del trono.

**Enrique I de Lorena** ver 3er DUQUE GUISA

**Enrique II** *o* **san Enrique** *alemán* **Heinrich** (6 may. 973, ¿Albach?, Baviera–13 jul. 1024, cerca de Gotinga, Sajonia; canonizado en 1146; festividad: 13 de julio). Duque de Baviera (como Enrique IV, 995–1005), rey germánico (1002–24) y emperador (1014–24), el último de la dinastía sajona (ver SAJÓN). Condujo una serie de campañas militares contra Polonia antes de acordar la paz en 1018. Impuso la autoridad germana en el norte de Italia y el 14 de febrero de 1014 fue coronado emperador por el papa Benedicto VIII. Para proteger al papado, combatió en Italia contra griegos y lombardos (1021). Fomentó la cooperación entre la Iglesia y el Estado, determinó que los obispos germánicos fuesen a la vez príncipes de la Iglesia y gobernantes seculares, y se hizo célebre por su piedad religiosa.

**Enrique II** *llamado* **Enrique de Anjou** *o* **Enrique Plantagenet** (1133, Le Mans, Maine–6 jul. 1189, cerca de Tours). Duque de Normandía (desde 1150), conde de Anjou (desde

1151), duque de Aquitania (desde 1152) y rey de Inglaterra (desde 1154). Hijo de Godofredo Plantagenet y de MATILDE, y nieto de ENRIQUE I, obtuvo vastos territorios en Francia al casarse con LEONOR DE AQUITANIA (1152). Invadió Inglaterra y, para poner fin a la guerra, el rey ESTEBAN lo nombró su heredero (1153). Como monarca, extendió sus posesiones en el norte de Inglaterra y el oeste de Francia, fortaleció la administración real y reformó el sistema judicial. Su intento de imponer la autoridad real a expensas de la Iglesia (ver constituciones de CLARENDON) provocó una disputa con su antiguo amigo, el arzobispo de Canterbury, santo TOMÁS BECKET, que terminó con el asesinato de este último y la posterior penitencia de Enrique en Canterbury (1174). Su reinado estuvo marcado por las disputas entre miembros de su familia, especialmente las luchas de precedencia entre sus hijos, como la de RICARDO I (Corazón de León) y JUAN (sin Tierra). Ricardo se alió con FELIPE II de Francia para expulsar a Enrique del trono (1189).

**Enrique II** *francés* **Henri** *orig.* **duc (duque) d'Orléans** (31 mar. 1519, Saint-Germain-en-Laye, cerca de París, Francia–10 jul. 1559, París). Rey de Francia (1547–59). Segundo hijo de FRANCISCO I, tuvo fuertes diferencias con su padre, acentuadas por la rivalidad entre sus respectivas amantes y por su apoyo al condestable Anne, duque de Montmorency (n. 1493–m. 1567). Aunque continuó muchas de las políticas de su progenitor, favoreció a la casa de GUISA, del catolicismo intransigente, y reprimió vigorosamente al protestantismo en su reino. Efectuó varias reformas administrativas, y en política exterior continuó la guerra de su padre contra el emperador CARLOS V hasta 1559, año en que firmó el tratado de CATEAU-CAMBRÉSIS. Este acuerdo fue consolidado mediante el matrimonio de su hija con FELIPE II de España. En un torneo organizado con este motivo fue golpeado en la cabeza por una lanza y murió a causa de la herida.

**Enrique II de Lorena** ver 5º duque de GUISA

**Enrique III** *alemán* **Heinrich** (28 oct. 1017–5 oct. 1056, Pfalz Bodfeld, cerca de Goslar, Sajonia). Duque de Baviera (como Enrique VI, 1027–41), duque de Suabia (como Enrique I, 1038–45), rey germano (1039–56) y emperador (1046–56). Obtuvo la soberanía sobre Bohemia y Moravia y dispuso la elección del papa Clemente II, que lo coronó emperador. Fue el último emperador en dominar al papado; en los años siguientes designó a otros tres papas. Apoyó la reforma eclesiástica propugnada por los monasterios de Cluny y Gorze. Casi fue depuesto por una rebelión (1054–55), y en sus últimos años su autoridad se debilitó en el nordeste de Germania, Hungría, el sur de Italia y Lorena.

**Enrique III** (1 oct. 1207, Winchester, Hampshire, Inglaterra–16 nov. 1272, Londres). Rey de Inglaterra (1216–72). Heredó el trono cuando tenía nueve años de edad, pero solo comenzó a gobernar cuando los rebeldes respaldados por los franceses fueron expulsados (1234). Perdió el apoyo de los barones a causa de su indiferencia hacia las tradiciones y el convenio de proporcionar fondos a INOCENCIO IV a cambio de la corona de Sicilia. Aunque los barones lo obligaron a aceptar las provisiones de OXFORD, repudió el acuerdo en 1261. Fue derrotado y capturado tras una rebelión que encabezó su antiguo favorito, Simón de MONTFORT, en 1264. Un año después su hijo

Sello de Enrique III, que muestra al rey entronizado; Museo Británico.

Eduardo (luego EDUARDO I) derrotó a su vez a los barones, y Enrique, débil y senil, le permitió que se hiciera cargo del gobierno de Inglaterra.

### Enrique III *francés* Henri *orig.* duque de Anjou

(19 sep. 1551, Fontainebleau, Francia–2 ago. 1589, Saint-Cloud). Rey de Francia (1574–89). Tercer hijo de ENRIQUE II y CATALINA DE MÉDICIS; dirigió el ejército real contra los HUGONOTES en las guerras de RELIGIÓN. Fue coronado después de la muerte de su hermano CARLOS IX. Durante las continuas guerras civiles hizo concesiones a los hugonotes, impulsando a los católicos a formar la LIGA SANTA. Cuando en 1584, el protestante Enrique de Navarra (luego ENRIQUE IV) se convirtió en heredero al trono, los católicos se alarmaron aún más y aunque trató de aplacar a la Liga Santa, una turba lo obligó a huir de París. En 1588 mandó asesinar a los líderes católicos Enrique, 3er duque de GUISA, y al cardenal Luis II de Lorena. Murió asesinado por un fraile jacobino fanático en 1589.

### Enrique IV *alemán* Heinrich

(11 nov. 1050, ¿Goslar?, Sajonia–7 ago. 1106, Lieja, Lorena). Duque de Baviera (1055–61), rey germano (1056–1106) y emperador (1084–1105/6). Ascendió al trono germano a la edad de seis años; su madre, mujer piadosa y espiritual, ocupó el cargo de regente hasta 1062, y Enrique obtuvo el control del gobierno en 1065, al alcanzar la mayoría de edad. Su reafirmación de los derechos reales provocó una rebelión en Sajonia (1073–75). Libró una larga lucha con el papa san GREGORIO VII en torno a la cuestión de la obediencia al pontífice y la investidura laica (ver QUERELLA DE LAS INVESTIDURAS). Gregorio lo excomulgó y liberó a sus súbditos de sus juramentos de lealtad. Con el fin de conseguir la absolución, se vio obligado a cruzar los Alpes en invierno y, según la tradición, permaneció descalzo en la nieve durante tres días frente al castillo de Canossa, donde se hospedaba el papa, antes de que este revocara su decisión. Los príncipes germanos lo abandonaron (1077) y eligieron a RODOLFO I como rey. En 1080, Gregorio lo excomulgó nuevamente y reconoció a Rodolfo. Enrique respondió conquistando Roma (1084) e instalando al antipapa Clemente III. En sus últimos años, sus hijos Conrado y Enrique encabezaron rebeliones en su contra.

Enrique IV, iluminación del manuscrito Ekkehardi historia, c. 1113.

GENTILEZA DEL MASTER AND FELLOWS DEL CORPUS CHRISTI COLLEGE, CAMBRIDGE; FOTOGRAFÍA, COURTAULD INSTITUTE OF ART, LONDRES

### Enrique IV *orig.* Henry Bolingbroke

(¿abr.? 1366, castillo de Bolingbroke, Lincolnshire, Inglaterra–20 mar. 1413, Londres). Rey de Inglaterra (1399–1413), el primero de tres monarcas de la casa de LANCASTER en el s. XV. Hijo de JUAN DE GANTE, al principio apoyó a RICARDO II contra el duque de Gloucester, pero se volvió en su contra después de ser desterrado en 1398. Invadió Inglaterra en 1399, obligando a Ricardo a rendirse y abdicar. Tras obtener la corona mediante la usurpación, logró consolidar su poder ante las repetidas rebeliones de nobles poderosos. Sin embargo, fracasó en sus esfuerzos por someter a los galeses dirigidos por OWEN GLENDOWER, fue derrotado por los escoceses, y resultó incapaz de superar las debilidades fiscales y administrativas de su gobierno, lo que contribuyó finalmente a la caída de la dinastía lancasteriana. Lo sucedió su hijo ENRIQUE V.

### Enrique IV *francés* Henri de Navarre

(13 dic. 1553, Pau, Béarn, Navarra–14 may. 1610, París). Rey de Navarra (como Enrique III, 1572–89), primer rey de Francia de la dinastía BORBÓN (1589–1610) y una de las figuras más populares en la historia de Francia. Fue criado como protestante y recibió instrucción militar del líder hugonote GASPARD II DE COLIGNY en las guerras de RELIGIÓN. Su matrimonio con MARGARITA DE VALOIS en 1572 fue la oportunidad para perpetrar la matanza de la noche de SAN BARTOLOMÉ seis días después. Retenido en la corte francesa desde 1572 hasta 1576, escapó para unirse a las fuerzas que luchaban contra ENRIQUE III. Combatió en la guerra de los TRES ENRIQUES, sobresaliendo como un líder sin rival. Accedió al trono después del asesinato de Enrique III en 1589, aunque debió combatir durante nueve años contra la Liga SANTA para asegurar su reino. En 1593 se convirtió al catolicismo para eliminar todo pretexto de resistencia a su reinado. Entró en París en medio de vítores en 1594, pero tuvo que emprender la guerra (1595–98) contra España, que apoyaba a los últimos opositores en Francia. Firmó el edicto de NANTES en 1598, dando término a 40 años de guerra civil. Con la ayuda de sus ministros, entre ellos el duque de SULLY, trajo orden y nueva prosperidad a Francia. Su primer matrimonio fue anulado y en 1600 casó con MARÍA DE MÉDICIS. En 1610 fue asesinado por un católico fanático.

### Enrique V

(¿16 sep.? 1387, Monmouth, Monmouthshire, Gales–31 ago. 1422, Bois de Vincennes, Francia). Rey de Inglaterra (1413–22) de la casa de LANCASTER. Hijo mayor de ENRIQUE IV, combatió contra los rebeldes galeses (1403–08). Como monarca, sofocó duramente una rebelión de los lolardos (1414) y una conspiración de los York (1415). Reclamó derechos sobre extensos territorios en Francia y emprendió una invasión (1415). Su asombrosa victoria en la batalla de AGINCOURT convirtió a Inglaterra en una de las principales potencias de Europa. Sus continuas victorias obligaron a los franceses a firmar el tratado de Troyes (1420), en virtud del cual se lo declaró heredero del trono francés y regente de Francia. Se casó con Catalina, hija del rey de Francia, pero cayó enfermo y murió antes de que pudiera regresar a su país.

Enrique V, pintura de un artista desconocido.

GENTILEZA DE LA NATIONAL PORTRAIT GALLERY, LONDRES

### Enrique VI *alemán* Heinrich

(otoño de 1165, Nimega, Países Bajos–28 sep. 1197, Messina, Italia). Rey germánico (1169–97) y emperador (1191–97) de la dinastía HOHENSTAUFEN, obtuvo el reino de Sicilia mediante el matrimonio. Coronado rey en 1169, asumió el gobierno del Sacro Imperio romano cuando su padre, FEDERICO I Barbarroja, se embarcó en una cruzada a Tierra Santa en 1189. Poco después de su coronación, enfrentó revueltas encabezadas por Enrique el León en Germania y TANCREDO en Sicilia, pero consiguió firmar la paz en 1194. Los intentos que hizo por convertir la corona imperial en hereditaria resultaron infructuosos, pero su hijo FEDERICO II llegaría a ser emperador después del gobernante güelfo OTÓN IV.

### Enrique VI

(6 dic. 1421, Windsor, Berkshire, Inglaterra–21/22 may. 1471, Londres). Rey de Inglaterra (1422–61, 1470–71). Hijo de ENRIQUE V, se convirtió en rey cuando aún era un lactante. Creció como un ser solitario estudioso y piadoso, que sufría episodios de inestabilidad mental. La política de Inglaterra estuvo marcada por las rivalidades entre una serie de ministros todopoderosos de las casas de Lancaster y York. Su incapacidad para gobernar llegó a ser una de las causas de la guerra de las DOS ROSAS. Durante su reinado, en 1461, un miembro de la casa de York fue proclamado rey como EDUARDO IV. Enrique huyó y regresó en 1464 en una fracasada rebelión lancasteriana, siendo finalmente capturado y hecho prisionero. Después de una disputa interna en la facción de los

York, fue restaurado en el trono en 1470. Eduardo inicialmente huyó, pero regresó a la brevedad para derrotar y dar muerte al conde de WARWICK, reconquistando así el poder. La muerte en batalla del príncipe Eduardo, heredero de Enrique, selló la suerte del rey cautivo, que fue asesinado en la Torre de Londres poco después.

**Enrique VII** *alemán* **Heinrich** (c. 1269/74, Valenciennes, Hainaut–24 ago. 1313, Buonconvento, cerca de Siena, Italia). Conde de Luxemburgo (como Enrique IV), rey germánico (1308–13) y emperador del Sacro Imperio romano (1312–13). El primer rey germánico de la casa de Luxemburgo, fortaleció la posición de su familia al obtener el trono de Bohemia para su hijo. Se convirtió en gobernante de Lombardía (1311), pero debió hacer frente a los conflictos entre GÜELFOS Y GIBELINOS. Aunque coronado emperador en Roma, fue incapaz de someter a Florencia y Nápoles, y fracasó en su intento de vincular sólidamente a Italia al imperio.

**Enrique VII** *orig.* **Enrique Tudor, conde de Richmond** (28 ene. 1457, castillo de Pembroke, Pembrokeshire, Gales–21 abr. 1509, Richmond, Surrey, Inglaterra). Rey de Inglaterra (1485–1509) y fundador de la dinastía TUDOR. Como conde de Richmond y miembro de la casa de LANCASTER, huyó a Bretaña después del triunfo de las fuerzas de la casa de York en 1471. Regresó después a Inglaterra, reagrupó a los adversarios de RICARDO III y derrotó a este en la batalla de BOSWORTH FIELD (1485). Se casó con Isabel de York y puso fin a la guerra de las DOS ROSAS, aunque las conspiraciones de los York continuaron. Hizo las paces con Francia (1492), los Países Bajos (1496) y Escocia (1499), y utilizó los matrimonios de sus hijos para establecer alianzas en Europa. Suscribió tratados comerciales y fomentó el comercio, gracias a lo cual Inglaterra se convirtió en país rico y poderoso. Su hijo ENRIQUE VIII lo sucedió en el trono.

**Enrique VIII** (28 jun. 1491, Greenwich, cerca de Londres, Inglaterra–28 ene. 1547, Londres). Rey de Inglaterra (1509–47). Hijo de ENRIQUE VII, casó con la viuda de su hermano, CATALINA DE ARAGÓN (la madre de MARÍA I TUDOR), poco después de su ascensión al trono en 1509. Su primer ministro, el cardenal THOMAS WOLSEY, ejerció casi completo control de la política en 1515–27. En 1527 quiso divorciarse de Catalina para casarse con ANA BOLENA, pero el papa CLEMENTE VII le negó la anulación. Wolsey, incapaz de ayudar al monarca, cayó en desgracia. El nuevo ministro, THOMAS CROMWELL, inició en 1532 una revolución cuando decidió que la Iglesia inglesa debía separarse de Roma, permitiendo así el matrimonio de Enrique con Ana en 1533. Un nuevo arzobispo, THOMAS CRANMER, declaró nulo el primer enlace. Al poco tiempo, Ana dio a luz a una niña, que luego fue ISABEL I. El principal logro de Enrique VIII fue convertirse en jefe de la Iglesia de INGLATERRA, hecho que tuvo consecuencias trascendentales. En un tiempo profundamente devoto del papado y recompensado con el título de Defensor de la Fe, fue excomulgado y se vio en la obligación de definir la naturaleza de la nueva Iglesia independiente. En la década de 1530, su poder se multiplicó, en especial por el traspaso a la Corona de la riqueza de los monasterios y por los nuevos impuestos eclesiásticos, pero su antigua reputación de hombre estudioso se vio menoscabada ante sus decisiones de ejecutar a quienes se le oponían, como a TOMÁS MORO, por rehusarse a aceptar el nuevo orden. Ana no le proporcionó el heredero varón y en 1536 fue ejecutada por cargos de adulterio. Se casó en seguida con JANE SEYMOUR, quien dio a luz un hijo, EDUARDO VI, pero murió en el parto. Tres años más tarde, por instigación de Cromwell, contrajo nupcias con ANA DE CLÈVES, pero la odió y exigió un rápido divorcio; hizo decapitar a Cromwell en 1540. La inquietud por perpetuar su dinastía lo atormentaba, lo que contribuyó a explicar su temperamento apasionado y sus numerosos matrimonios. En 1540 se casó con CATALINA HOWARD, pero hizo que la decapitaran por cargos de adulterio en 1542. Anexionó los territorios de Irlanda y Gales, emprendió una guerra contra Escocia, que se tradujo en una ruina financiera. En 1543 contrajo matrimonio con CATALINA PARR, quien le sobrevivió. A su muerte fue sucedido en el trono por su hijo Eduardo.

**Enrique el Navegante** *portugués* **Henrique o Navegador** *orig.* **Henrique, infante (príncipe) de Portugal, duque de Viseu, senhor (señor) da Covilhã** (4 mar. 1394, Oporto, Portugal–13 nov. 1460, Vila do Infante, cerca de Sagres). Príncipe portugués patrocinador de las exploraciones. En 1415 ayudó a su padre, JUAN I, a capturar la ciudad marroquí de Ceuta; fue primero gobernador de Ceuta y luego de la provincia portuguesa de Algarve. Estableció su propia corte en Sagres y patrocinó viajes de descubrimiento a las islas Madeira y a lo largo de la costa occidental de África. Como gran maestre de la Orden de Cristo, obtuvo fondos para financiar viajes destinados a la conversión de los paganos. Su patrocinio permitió el desarrollo de la carabela portuguesa, el mejoramiento de los instrumentos de navegación y el avance de la cartografía.

**Enriqueta María** *francés* **Henriette-Marie** (25 nov. 1609, París, Francia–10 sep. 1669, Château de Colombes, cerca de París). Reina de Inglaterra nacida en Francia, esposa de CARLOS I y madre de CARLOS II y JACOBO II. Hija de ENRIQUE IV, rey de Francia, y de MARÍA DE MÉDICIS, no estuvo ajena a la intriga política. Su práctica pública del catolicismo en la corte hizo que Carlos perdiera el apoyo de muchos de sus súbditos. Cuando las guerras civiles INGLESAS fueron inminentes, intentó sin éxito instigar un golpe militar para derribar a los partidarios del parlamentarismo. Sus esfuerzos posteriores para conseguir el apoyo del papa y de Francia y Holanda para la causa de Carlos despertaron la ira de muchos ingleses. El deterioro de la posición realista causó su huida a Francia en 1644. Nunca volvió a ver a su esposo, quien fue ejecutado en 1649.

Enriqueta María, detalle de una pintura al óleo al estilo de Sir Anthony Van Dyck.
GENTILEZA DE LA NATIONAL PORTRAIT GALLERY, LONDRES

**ensambladuras y empalmes** En arquitectura, la unión o acoplamiento de materiales de construcción. Todas las ensambladuras son detalladas con esmero por el arquitecto, atendiendo a la resistencia, el movimiento, el acoplamiento de unos elementos en otros y las incompatibilidades. El término empalmes se refiere sobre todo a la carpintería y a la ebanistería. Los tipos comunes de ensambladuras comprenden la cola de milano, usada para trabar perpendicularmente dos piezas planas, como los lados de un cajón; la ensambladura con clavijas, en la cual el enclavijado se emplea para dar resistencia al empalme, y la de espiga y mortaja, en la que una prolongación de una pieza (espiga) encaja en una muesca de la otra (mor-

Enrique VIII, célebre monarca inglés y fundador de la Iglesia de Inglaterra.
FOTOBANCO

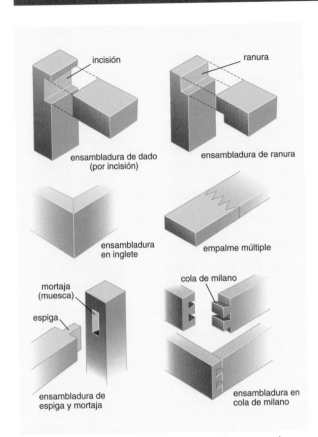

incisión
ranura

ensambladura de dado
(por incisión)

ensambladura de ranura

ensambladura
en inglete

empalme múltiple

mortaja
(muesca)

cola de milano

espiga

ensambladura de
espiga y mortaja

ensambladura en
cola de milano

Ensambladuras comunes usadas en carpintería. La de dado o incisión se logra insertando el extremo de una pieza en el surco rectangular (incisión) de otra. El ensamble de ranura consiste en unir piezas en un canal o entalladura (ranura) en el extremo de uno o ambos elementos. La ensambladura en inglete se consigue al empalmar dos extremos cortados en un ángulo. El empalme múltiple se usa para alargar un tablero entrelazando las proyecciones digitiformes. La de espiga y mortaja se logra insertando la prolongación (espiga) de una pieza en la entalladura o agujero (mortaja) de la otra. La ensambladura en cola de milano consiste en una o más espigas en forma de abanico que encajan firmemente en las muescas correspondientes.

© 2006 MERRIAM-WEBSTER INC.

taja), usada para unir un elemento horizontal con el elemento vertical de un marco.

**ensamblaje** Construcción tridimensional hecha de materiales domésticos como cuerdas y periódicos, o de cualquier tipo de material encontrado. El término, acuñado por JEAN DU-BUFFET en la década de 1950, ha sido aplicado al COLLAGE, al fotomontaje y al ensamblaje escultórico. Los dadaístas y los surrealistas presentaron ensamblajes READY-MADE, elevándolos a la categoría de arte por el solo hecho de exhibirlos. Más tarde, algunos de los artistas que trabajaron con la técnica fueron LOUISE NEVELSON y ROBERT RAUSCHENBERG, entre otros.

**ensaye** En ANÁLISIS químico, proceso para determinar las proporciones de metal, en particular metales preciosos, MENAS y productos metalúrgicos. La técnica más importante del ensaye nació en gran medida de los experimentos de los antiguos alquimistas y orfebres. Los metales preciosos tienden a presentarse como partículas dispersas, distribuidas al azar, de modo que para realizar el ensaye se requiere una muestra grande de mineral. Tales muestras de gran tamaño (que comúnmente contienen oro, plata y plomo) aún se ensayan de manera muy económica por medio de este antiguo método que implica varias etapas de calentamiento y enfriamiento. Existen métodos recientes más sofisticados, como el ANÁLISIS ESPECTROQUÍMICO, pero no son apropiados para el ensaye de minerales de metales preciosos, ya que al no ser homogéneas, las muestras que hay que usar tienen un tamaño tal que los instrumentos no son capaces de manejar. Ver también DESPLATE DEL ORO.

**ensayo** Composición literaria analítica, interpretativa o crítica, que generalmente trata el tema desde una perspectiva circunscrita y a menudo personal. Flexible y versátil, el ensayo fue perfeccionado por MICHEL DE MONTAIGNE, quien eligió el vocablo *essai* para enfatizar que sus composiciones eran "intentos" de expresar sus pensamientos y experiencias. Para algunos, el ensayo ha sido el vehículo de la crítica literaria y social, mientras que para otros podría servir para fines semipolíticos, nacionalistas o polémicos y tener un tono distante, travieso, serio o amargo.

**ensayo de impacto** Ensayo de la capacidad de un material para resistir golpes, usado por los ingenieros para predecir su comportamiento en condiciones reales. Muchos materiales fallan repentinamente al recibir un impacto en puntos donde tienen defectos, grietas o muescas. Los ensayos de impacto más comunes utilizan un péndulo oscilante que golpea una barra con muescas hasta producir la FRACTURA de la barra; se comparan las alturas antes y después del impacto para calcular la energía requerida para producir la fractura (ver RESISTENCIA DE MATERIALES). En el ensayo de Charpy, la probeta se sujeta horizontalmente entre dos barras verticales, de manera muy parecida al dintel sobre una puerta. En el ensayo de Izod, la probeta está parada en forma vertical, como un poste de cerca. Ver también MÁQUINA PARA ENSAYOS.

**enseñanza** Profesión del que instruye, principalmente en la escuela básica o secundaria o en universidades. El magisterio es una profesión relativamente nueva; tradicionalmente, los padres, las personas mayores, los líderes religiosos y los sabios eran los encargados de enseñar a los niños a comportarse, a pensar, y en qué creer. En el s. XVIII, Alemania introdujo el primer criterio formal para la formación de profesores. En el s. XIX, a medida que la sociedad se fue industrializando, el concepto de escolaridad se volvió más universal. En la actualidad, en las naciones industrializadas, la mayoría de los profesores son graduados universitarios. Por lo general, los programas de formación del magisterio comprenden cursos académicos, culturales o vocacionales, tanto generales como especializados, así como el estudio de los principios educativos, y de una serie de cursos profesionales combinados con experiencia práctica en un típico formato escolar. Muchos países exigen profesores con certificación profesional seguido de una capacitación formal. Ver también ASOCIACIÓN NACIONAL DE EDUCACIÓN, FEDERACIÓN ESTADOUNIDENSE DE PROFESORES (AFT).

**ensilaje** Plantas forrajeras (Ver FORRAJE) como maíz, legumbres y hierbas que se han cosechado en verde, cortado finamente, embalado en forma hermética y almacenado en silos, fosos o zanjas. El ensilaje bien almacenado fermenta rápido y se mantiene por varios meses. Se utiliza como pienso.

**Ensor, James (Sidney), barón** (13 abr. 1860, Ostende, Bélgica–19 nov. 1949, Ostende). Pintor y grabador belga. Se formó en Bruselas y pasó la mayor parte de su vida en su Ostende natal. En 1883 se unió al grupo conocido como los VEINTE, y comenzó a representar esqueletos, fantasmas, máscaras y otras imágenes de fantasía grotesca a modo de comentario social. La obra que realizó en este período ha sido frecuentemente descrita como SIMBOLISTA. Su pintura *Entrada de Cristo en Bruselas* (1888), hecha a base de manchas de colores sucios y de mal gusto, causó indignación. La continua crítica negativa que recibió lo llevó a sumergirse cada vez más en el cinismo, hasta que terminó en una reclusión total. Por la exhibición de *Entrada de Cristo en Bruselas* en 1929, el rey Alberto de Bélgica le otorgó un título de nobleza. Fue una de las influencias formativas del EXPRESIONISMO.

**enstatita** Silicato común en la familia de los PIROXENOS. Es la forma estable del silicato de magnesio ($MgSiO_3$, a menudo con hasta 10% de hierro) en rocas ígneas ricas en magnesio y en hierro. La enstatita cristaliza en el sistema ortorrómbico (tres ejes desiguales, ortogonales entre sí).

**entalpía** Suma de la energía interna $E$ y el producto de la PRESIÓN $P$ por el volumen $V$ de un sistema termodinámico (ver TERMODINÁMICA). Es decir, la entalpía es $H = E + PV$. Su valor está determinado por la temperatura, la presión y la composición del sistema en cada momento. De acuerdo con la ley de CONSERVACIÓN de la energía, el cambio en energía interna es igual al CALOR transferido al sistema menos el TRABAJO realizado por el sistema. Si el único trabajo es aquel realizado por un cambio de volumen a presión constante, el cambio de entalpía es exactamente igual al calor transferido al sistema.

**entameba** Cualquier PROTOZOO del género *Entamoeba*. La mayoría son parásitos intestinales de los vertebrados, incluidos los seres humanos. La *E. histolytica* causa la disentería amebiana humana. La infección del intestino grueso con *E. histolytica* suele ser asintomática; sin embargo, puede haber diarrea, dolor abdominal y fiebre por invasión y ulceración de las paredes intestinales. En los casos más graves puede afectar el hígado, pulmones, cerebro y bazo. Los quistes de *E. histolytica* se transmiten por los alimentos y el agua, también por las deyecciones de moscas y cucarachas. No se ha demostrado que la *E. gingivalis*, presente especialmente en bocas en mal estado higiénico, sea patógena.

**éntasis** Curva convexa que se talla o dibuja a una columna, aguja o elemento vertical similar, para evitar la ilusión óptica de concavidad o la impresión de debilidad que puede dar el ahusamiento normal. Exagerada en las obras griegas del ORDEN dórico, se vuelve más sutil en los s. V y IV AC. La éntasis también se encuentra ocasionalmente en las agujas góticas y en las columnas románicas de menor tamaño.

**Entebbe, operación** (3–4 jul. 1976). Rescate israelí de 103 rehenes de un avión de pasajeros francés secuestrado por miembros de la OLP (Organización para la Liberación de Palestina). El avión, que viajaba de Israel a Francia, fue secuestrado el 27 de junio y desviado a Entebbe, Uganda. Allí los secuestradores dejaron en libertad a 258 pasajeros no israelíes y mantuvieron cautivos a los demás, exigiendo que Israel liberara a 53 miembros de la OLP que estaban prisioneros. Como respuesta, Israel transportó a Uganda a 100 ó 200 soldados en aviones de carga escoltados por aviones de combate. En una operación brillantemente ejecutada, lograron el rescate, resultando muertos siete secuestradores, un soldado y tres rehenes.

Recepción con vítores al líder del escuadrón de rescate de Israel tras la operación Entebbe, 1976.
FOTOBANCO

**entendimiento** ver COMPRENSIÓN

**Entente cordiale** (francés: "Entendimiento cordial") (8 de abril, 1904). Acuerdo anglofrancés que resolvió numerosas disputas coloniales y puso fin al antagonismo entre Gran Bretaña y Francia. Otorgó libertad de acción a Gran Bretaña en Egipto y a Francia en Marruecos, y resolvió varias otras disputas imperialistas. El acuerdo redujo el virtual aislamiento de ambos países y fue, en consecuencia, inquietante para Alemania, que se había beneficiado de su antagonismo. La Entente allanó el camino para la cooperación diplomática anglofrancesa contra Alemania antes de la primera guerra mundial y para posteriores alianzas militares.

**Entente, Pequeña** ver PEQUEÑA ENTENTE

**entero** Número de valor absoluto positivo, negativo o cero. Los enteros son generados por el conjunto de números naturales 1, 2, 3, . . . y la operación de sustracción. Cuando un número natural es restado de sí mismo, el resultado es cero. Al restarle a un número natural otro mayor, el resultado es un entero negativo. De esta manera, todos los enteros pueden obtenerse a partir de los números naturales u ordinales, dando por resultado un conjunto de números cerrados bajo la operación de sustracción (ver teoría de GRUPOS).

**entierro** Práctica ritual mortuoria de restos humanos. El entierro suele tener por objeto facilitar el tránsito del difunto al más allá. La práctica de sepultar los restos humanos data de c. 125.000 años atrás. Los tipos de sepultura varían desde zanjas hasta grandes montículos funerarios y gigantescas tumbas de piedra, como las PIRÁMIDES. En el pasado también se utilizaron cuevas con fines mortuorios, p. ej., en los antiguos entierros hebreos, las cuevas sepulcrales (templos de roca) de India occidental y Sri Lanka, y los cementerios de la tribu dogon excavados en riscos. En estas prácticas ceremoniales suelen arrojar los restos humanos en el agua, como sucedía entre los vikingos. La cremación y el lanzamiento de cenizas en el agua es muy practicada, sobre todo en Asia. En India, los restos de los difuntos se arrojan en el sagrado río GANGES. Algunos pueblos (grupos amerindios, parsis, etc.) dejan los restos mortuorios a la intemperie para exponerlos a los elementos de la naturaleza. En muchos pueblos, al primer entierro sigue un segundo, después de un lapso que coincidiría con el período de descomposición del cadáver. Ello refleja la noción de que la muerte es un lento tránsito desde el mundo de los vivos al de los muertos. La costumbre judía exige un entierro rápido; se recita una plegaria llamada Kaddish a los pies de la sepultura y generalmente se levanta una lápida un año después del entierro. Los entierros cristianos suelen ir precedidos de un velatorio, en el que se "vigila" el cuerpo del difunto y en ocasiones va acompañado de una celebración. Los cadáveres de los musulmanes se colocan sobre su costado derecho y de cara a La Meca.

**entomología** Rama de la ZOOLOGÍA que se ocupa del estudio científico de los INSECTOS, como la taxonomía, morfología, fisiología y ecología. También se estudian aspectos aplicados de la entomología, como el impacto nocivo y beneficioso de los insectos sobre los seres humanos.

**entonación** En FONÉTICA, la conformación melódica de un enunciado. La entonación consiste principalmente en la variación del nivel tonal de la voz (ver TONO), pero en lenguas como el inglés también intervienen el acento y el ritmo. Mediante la entonación, se transmiten diferencias de significado expresivo (p. ej., sorpresa, duda). En muchas lenguas, la entonación desempeña una función gramatical, pues distingue un tipo de frase u oración de otra. Por ejemplo, "se ha ido" es una aseveración cuando se dice con tono descendente, pero es pregunta cuando se enuncia con tono ascendente.

**Entretención de noches árabes** ver Las MIL Y UNA NOCHES

**entropía** Medida de la ENERGÍA de un sistema que no ejerce TRABAJO, o el grado de desorden de un sistema. Es tal que la suma algebraica de todos los cambios de entropía en un proceso irreversible en un sistema y su entorno es igual al cociente entre la energía que deja de estar disponible para realizar trabajo y la temperatura absoluta más baja del entorno. Al agregar calor a un sistema que se mantiene a temperatura absoluta constante, el cambio de entropía es igual a la cantidad de calor agregada dividida por esa temperatura, y está relacionado al cambio de energía y volumen y a la temperatura y PRESIÓN. El concepto, propuesto por primera vez en 1850 por el físico alemán Rudolf Clausius (n. 1822– m. 1888), es presentado algunas veces como la segunda ley de la TERMODINÁMICA, la que afirma que la entropía aumenta durante los procesos irreversibles, como la mezcla espontánea de gases calientes y fríos, la expansión no controlada de un gas en un vacío y la combustión de un carburante, y se mantiene constante durante los procesos reversibles. En general, los procesos se realizan aumentando la energía no disponible para realizar trabajo. En el uso popular, no técnico, la entropía es mirada como una medida del caos o de cuán aleatorio es el estado de un sistema.

**enuresis** MICCIÓN reiterada en la cama o en la ropa, generalmente nocturna, en un niño normal de edad suficiente como para haber completado su adiestramiento para ir al baño. Puede ser voluntaria o involuntaria. Su probabilidad de presentarse aumenta con las situaciones vitales estresantes, el mal adiestramiento del control de esfínter y la marginación social crónica. Habitualmente se resuelve con el tiempo. El tratamiento consiste en educación familiar, estimular la confianza y terapia conductual. Una alarma para despertar al niño cuando empieza a orinarse ha demostrado ser muy efectiva, pero tarda en conseguir un éxito cabal. La farmacoterapia, aunque no es lo ideal, resulta a veces efectiva.

**envejecimiento** Cambios graduales en un organismo que incrementan el riesgo de fragilidad, enfermedad y muerte. Ocurren en una célula, un órgano o en todo el organismo, durante toda la vida adulta de cualquier ser viviente. Declinan las funciones biológicas y la capacidad de adaptarse al estrés metabólico. Los cambios en los órganos incluyen el reemplazo de las células cardiovasculares funcionales por tejido fibroso. En conjunto, los efectos del envejecimiento implican reducción de la INMUNIDAD, merma de la fuerza muscular, disminución de la memoria y otros aspectos cognitivos, y pérdida del color del pelo y de la elasticidad de la piel. En las mujeres, el proceso se acelera después de la MENOPAUSIA. Ver también GERONTOLOGÍA Y GERIATRÍA.

**envenenamiento de la sangre** ver SEPTICEMIA

**envenenamiento por drogas** ver INTOXICACIÓN MEDICAMENTOSA

**envenenamiento por hongos** *o* **intoxicación por setas** Efecto a veces fatal por comer alguna de las 70–80 especies venenosas de SETAS u hongos. Muchos contienen ALCALOIDES tóxicos. La más letal, *Amanita phalloides* ("canaleja"), causa violentos dolores abdominales, vómitos, diarrea con sangre, y grave daño hepático, renal y del sistema nervioso central, que conducen al coma. Más de la mitad de los afectados muere. El tratamiento con ácido tióctico, glucosa y penicilina o filtrando la sangre con carbón vegetal, puede ser efectivo. *A. muscaria* produce vómitos, diarrea, sudoración exagerada y confusión, con recuperación en 24 horas. La toxina de *Gyromitra esculenta* se destruye habitualmente con la cocción, pero en personas susceptibles afecta el sistema nervioso central y destruye las células sanguíneas, causando ictericia. Algunas setas venenosas se parecen a las inocuas, de modo que se debe tener suma cautela al cosechar setas silvestres.

**envenenamiento por pescado** Afección que se produce al ingerir variedades de peces venenosos. La mayoría de los casos se debe a una de tres TOXINAS: la ciguatera, de peces en cuya carne los DINOFLAGELADOS han producido toxinas; el tetraodon, una toxina nerviosa de ciertos peces parecidos al pez globo (fugu); el escombroide, de bacterias de la descomposición en peces de la familia de la caballa. El envenenamiento por mariscos al ingerir ciertos mejillones, almejas y ostras ha sido atribuido en algunos casos al plancton del que a veces se alimentan.

**Enver Bajá** (22 nov. 1881, Constantinopla, Imperio otomano– 4 ago. 1922, Baldzhuan, Turkestán). Militar y político del Imperio OTOMANO. Fue uno de los JÓVENES TURCOS que depusieron al sultán otomano ABDÜLHAMID II en 1908. Más adelante, fue gobernador de Banghāzī, Libia (1912), jefe del estado mayor del ejército otomano en la segunda guerra balcánica (1913) y ministro de guerra durante la primera guerra mundial (1914–18). Rival de MUSTAFÁ KEMAL ATATÜRK en el período de posguerra, intentó sin éxito obtener el apoyo soviético para derrocarlo (1920). Los soviéticos le permitieron que los ayudara a organizar repúblicas turcas y musulmanas en Asia central, pero se sumó a los rebeldes basmachi en su lucha contra la Unión Soviética. Fue abatido combatiendo al EJÉRCITO ROJO.

Enver Bajá, 1920.
FOTOBANCO

**enzima** Sustancia que actúa como un CATALIZADOR en los organismos vivos, regulando la VELOCIDAD de las REACCIONES QUÍMICAS de la materia viva, sin ser alteradas durante el proceso. Las enzimas reducen la ENERGÍA DE ACTIVACIÓN necesaria para iniciar estas reacciones; sin ellas, la mayoría de estas reacciones no tendrían lugar a una velocidad útil. Debido a que las enzimas no son consumidas, sólo son necesarias cantidades muy pequeñas. Las enzimas catalizan todos los aspectos del METABOLISMO de la célula, entre otros, la digestión de los alimentos, en la cual las moléculas grandes de nutriente (como proteínas, carbohidratos y grasas) son degradadas a moléculas más pequeñas; la conservación y la transformación de energía química, y la construcción de materiales y componentes celulares. Casi todas las enzimas son PROTEÍNAS; muchas dependen de un COFACTOR no proteico, ya sea un compuesto orgánico débilmente asociado (p. ej., una VITAMINA; ver COENZIMA) o un ION metal estrechamente unido (p. ej., hierro, cinc) o un grupo orgánico (que a menudo contiene metal). La combinación de enzima-cofactor provee una CONFIGURACIÓN activa, que a menudo incluye un sitio activo en el cual puede calzar la sustancia (sustrato) involucrada en la reacción. Muchas enzimas son específicas para un sustrato. Si una molécula competidora bloquea el sitio activo o le cambia su forma, la actividad de la enzima es inhibida. Si la configuración de la enzima es destruida (ver DESNATURALIZACIÓN), se pierde su actividad. Las enzimas se clasifican por el tipo de reacción que catalizan: (1) OXIDACIÓN-REDUCCIÓN, (2) transferencia de un grupo químico, (3) HIDRÓLISIS, (4) eliminación o adición de un grupo químico, (5) isomerización (ver ISÓMERO; ISOMERISMO) y (6) unión entre sí de unidades del sustrato (POLIMERIZACIÓN). La mayoría de los nombres de las enzimas terminan en *-asa*. Las enzimas son catalizadores quirales, produciendo a lo más uno de los posibles productos estereoisoméricos (ver ACTIVIDAD ÓPTICA). La FERMENTACIÓN del vino, el leudado del pan, el cuajado de la leche para producir queso y la fermentación de la cerveza son todas reacciones enzimáticas. Las enzimas son usadas en medicina en la destrucción de microorganismos que causan enfermedades, la estimulación de la cicatrización de heridas y el diagnóstico de ciertas enfermedades.

**enzima de restricción** PROTEÍNA (más específicamente, una endonucleasa) producida por BACTERIAS que cortan el ADN en sitios específicos a lo largo de su extensión. Se han encontrado miles de estas enzimas, de muchas bacterias diferentes; cada una reconoce una secuencia de NUCLEÓTIDO específica. En células bacterianas vivas, estas ENZIMAS destruyen el ADN de ciertos VIRUS invasores (BACTERIÓFAGOS), poniendo de este modo una "restricción" al número de cepas virales que pueden causar una infección; el propio ADN de la bacteria está protegido de la segmentación por grupos metilo (—CH₃), los cuales son agregados por enzimas en los sitios de reconocimiento para enmascararlos. En el laboratorio, las enzimas de restricción permiten a los investigadores aislar fragmentos de ADN que son de interés, como aquellos que contienen GENES y recombinarlos con otras moléculas de ADN; por este motivo se han convertido en herramientas muy poderosas de la BIOTECNOLOGÍA de RECOMBINACIÓN de ADN.

**eoceno** División principal del período TERCIARIO que va de 54,8 a 33,7 millones de años atrás. Sucede al PALEOCENO y precede al OLIGOCENO. El nombre, derivado del griego *eos* ("amanecer"), se refiere al amanecer de la vida reciente; durante el eoceno aparecieron todas las divisiones principales u órdenes de los mamíferos modernos, así como muchas órdenes de aves sustancialmente modernas. Los climas eran cálidos y húmedos. Los bosques templados y subtropicales estaban distribuidos ampliamente, pero los pastizales eran escasos.

**Eohippus** Nombre antiguo de un género de caballos ancestrales, llamados comúnmente caballos del alba, que medraron en América del Norte durante el EOCENO inferior (54,8–49 millones de años atrás). Ahora está clasificado con las especies europeas en el género *Hyracotherium*. El *Eohippus* tenía una alzada de 30–60 cm (1–2 pies) y estaba adaptado para correr, con sus extremidades posteriores más largas que las anteriores. El cuerpo era de construcción ligera, con piernas delgadas y pies elongados que tenían tres dedos funcionales (aunque los pies delanteros tenían cuatro dedos). El cráneo variaba de corto (primitivo) a uno relativamente largo (más caballuno).

**eón arqueano** ver ARQUEOZOICO

**Eolo** Dios griego de los vientos. En la *Odisea*, HOMERO lo representa como el gobernante mortal de la isla flotante de Eolia. Concede a ODISEO un viento favorable para su viaje y le da un odre que guarda los vientos desfavorables, pero los descuidados compañeros de Odiseo lo abren, liberando los vientos y llevando su nave de regreso a la costa de Eolia. Escritores ulteriores lo describieron más como un dios menor que como un ser humano. El ARPA EÓLICA lleva su nombre.

**eón** Extensión principal de tiempo geológico. Formalmente, los eones son las unidades mayores de tiempo geológico (las ERAS son las segundas en extensión), que corresponden al primer orden de magnitud. Se reconocen tres eones: el FANEROZOICO (desde el comienzo del período cámbrico hasta el presente), el PROTEROZOICO y el ARQUEOZOICO. Informalmente, el término eón a menudo se refiere a una extensión de mil millones de años.

**epagneul papillón** Raza de PERRO MINIATURA conocido desde el s. XVI, cuando se lo llamaba SPANIEL enano. Era el preferido de MARÍA ANTONIETA, y aparece en pinturas de los grandes maestros. Recibió su nombre (en francés: "mariposa") a fines del s. XIX, cuando se puso de moda una variedad con orejas grandes y erectas. Existe otra variedad de orejas caídas. Es un perro esbelto y garboso con una cola empenachada; tiene 28 cm (11 pulg.) o menos de alzada, y pesa hasta 5 kg (11 lb). Su pelaje, suave y espeso, es generalmente blanco con manchas más oscuras.

**Epaminondas** (c. 410, Tebas–362 AC, Mantinea). Estadista, estratega militar y líder tebano. En 371 derrotó a los espartanos en Leuctra, mediante una nueva estrategia que consistía en atacar primero el punto más fuerte del oponente con una fuerza abrumadora, convirtiendo a Tebas en el estado más poderoso de Grecia. Después dirigió otras cuatro expediciones victoriosas en el Peloponeso. En 370–369 liberó a los ILOTAS mesenios de la esclavitud espartana. En 362, a la cabeza de un gran ejército aliado, derrotó en MANTINEA a Esparta, Atenas y a sus aliados, pero resultó mortalmente herido en la batalla.

**eperlano** Cualquiera de ciertos peces comestibles, delgados, plateados y carnívoros (familia Osmeridae) que tienen una pequeña aleta carnosa. Los eperlanos viven en

Eperlano americano (*Osmerus mordax*).
© ENCYCLOPÆDIA BRITANNICA, INC.

los mares boreales fríos, y la mayoría de las especies desova en las desembocaduras de los ríos. El eperlano americano (*Osmerus mordax*), introducido desde el Atlántico hasta los Grandes Lagos, es el más grande y mide unos 38 cm (15 pulg.) de largo. El eperlano europeo (*O. eperlanus*) es similar. Entre las especies del Pacífico están el arenque arco iris, el capelín y el pez vela, el cual es tan aceitoso en época de desove que se puede secar y quemar como una vela. A veces, a los peces de flancos plateados (ver GRUÑÓN) y a otros peces no relacionados se les llama eperlanos.

**epicentro** Punto en la superficie de la Tierra que está directamente sobre la fuente (o foco) de un SISMO. En ese punto los efectos del sismo son por lo general los más severos. Ver también SISMOLOGÍA.

**Epicteto** (c. 55 DC–c.135). Filósofo griego vinculado al ESTOICISMO. Se desconoce su nombre original; *epiktetos* significa "adquirido". Tampoco se sabe si dejó algún escrito, pero

"Arquero bárbaro con traje escítico", plato ateniense de Epicteto, fines del s. VI AC.
GENTILEZA DEL DIRECTORIO DEL MUSEO BRITÁNICO

sus enseñanzas fueron transmitidas por su discípulo Arriano (c. 180 DC) en dos obras, *Coloquios* y *Enquiridión o Manual*. Epicteto creía que la verdadera educación consistía en reconocer que lo único que pertenece plenamente al individuo es la voluntad. Los seres humanos no son responsables de las ideas que se les presentan en la conciencia, pero son totalmente responsables del modo en que reaccionan ante ellas.

**epicureísmo** Doctrinas metafísicas y éticas enseñadas por EPICURO. En metafísica, los conceptos básicos del epicureísmo fueron el ATOMISMO; la causalidad mecánica limitada por la "desviación" espontánea de los átomos, lo cual da cuenta de la libertad de movimiento de hombres y animales; la infinitud del universo, y la existencia de dioses en cuanto naturalezas inmortales y beatíficas completamente ajenas a los sucesos del mundo. En ética, los conceptos básicos trataron la identificación del bien con el placer, y del bien supremo con la ausencia de dolor mental y físico; la limitación de todo deseo y la práctica de la virtud; el abandono de la vida pública, y el cultivo de la amistad. Debido a su carácter dogmático y a sus fines prácticos, el epicureísmo no se prestó fácilmente al desarrollo.

**Epicuro** (341, Samos, Grecia–270 AC, Atenas). Filósofo griego. Fue autor de una filosofía ética del placer simple, la amistad y la vida retirada (ver EPICUREÍSMO) y de una metafísica basada en el ATOMISMO. Su escuela en Atenas, el Jardín, compitió con la Academia de PLATÓN y el Liceo de ARISTÓTELES. A diferencia de estas escuelas, admitía mujeres e incluso a uno de los esclavos de Epicuro. Enseñó a evitar la actividad política y la vida pública. A pesar de las connotaciones usuales que tiene hoy el término "epicúreo", la vida en la escuela era simple. Fue una figura de vasto atractivo en Roma durante el s. I AC. El filósofo poeta LUCRECIO basó su obra en el pensamiento de Epicuro. Su atomismo fue revivido en el s. XVII por Pierre Gassendi (n. 1592–m. 1655).

**Epidauro** Ciudad de la antigua Grecia. Este importante centro de actividad comercial en el nordeste del PELOPONESO se hizo famoso en el s. IV AC por el templo de ASCLEPIO. Las excavaciones realizadas en el recinto sagrado han revelado la existencia de un templo y otras edificaciones, entre ellas, un teatro, un estadio y un hospital. Se han encontrado pequeñas ofrendas de arcilla, que representan partes del cuerpo, e inscripciones que dan cuenta de curaciones médicas de origen divino. La ciudad, originalmente jónica, se convirtió en dórica bajo la influencia de ARGOS, a la cual debía lealtad religiosa; permaneció políticamente independiente hasta la era romana.

**epidemia de influenza española** ver epidemia de INFLUENZA DE 1918-19

**epidemiología** Estudio de la distribución de las enfermedades en las poblaciones. Se centra más en los grupos que en los individuos y a menudo asume una perspectiva histórica. La epidemiología descriptiva encuesta las poblaciones para ver qué segmentos (p. ej., edad, sexo, grupo étnico, ocupación) son afectados por un trastorno, seguir sus cambios o variaciones en la incidencia o mortalidad en el tiempo y en diferentes lugares. Ayuda a identificar síndromes o sugerir asociaciones con factores de riesgo. La epidemiología analítica realiza estudios para verificar las conclusiones de las encuestas descriptivas o de las observaciones de laboratorio. La información epidemiológica sobre las enfermedades se usa para detectar a quienes tienen alto riesgo, identificar las causas, y tomar medidas preventivas, además de planificar nuevos servicios de salud.

**epidota** Cualquier miembro de un grupo de silicatos, de incoloro a verde o amarillo-verde, con la fórmula química general $A_2B_3(SiO_4)(Si_2O_7)O(OH)$, en la cual $A$ es a menudo calcio (Ca) y $B$ es por lo general aluminio (Al), aunque en ocasiones son sustituidos por otros elementos. Los minerales de epidota aparecen como productos

Epidota de la región del Delfinado, Francia.
GENTILEZA DEL ILLINOIS STATE MUSEUM, SPRINGFIELD; FOTOGRAFÍA, JOHN H. GERARD—EB INC.

de reacción de otros minerales (más antiguos) en rocas de metamorfismo regional de bajo grado (formadas en condiciones de temperatura y presión relativamente bajas), donde su ocurrencia se usa como un indicador del grado de metamorfismo.

**Epifanía** Festividad cristiana celebrada el 6 de enero. Uno de los días sagrados más antiguos del cristianismo (junto con NAVIDAD y PASCUA DE RESURRECCIÓN), la festividad se originó en la Iglesia oriental y fue adoptada por la Iglesia occidental en el s. IV. Conmemora la primera manifestación de JESÚS a los gentiles, representados por los MAGOS. Se cree que la víspera de Epifanía, llamada Noche de Reyes, marca la llegada de los magos a Belén. La festividad también conmemora el bautismo de Jesús por san JUAN BAUTISTA y el milagro de las bodas de Caná.

**epífisis** ver PINEAL

**epifita** Cualquier planta que crece o está fijada sobre otra planta u objeto, sólo para soporte físico. Las epifitas se encuentran en su mayor parte en las regiones tropicales y también se conocen como plantas aéreas, porque no están fijadas al suelo o a otra fuente nutriente obvia. Obtienen el agua y los minerales de la lluvia y de detritos sobre las plantas sustentadoras. Las ORQUÍDEAS, los HELECHOS y los miembros de la familia de las Bromeliáceas (ver ANANÁS) son epifitas tropicales comunes. Las epifitas de las regiones templadas son las ALGAS, HEPÁTICAS, LÍQUENES y MUSGOS.

**epigrama** Poema breve que trata en forma sucinta, directa y a menudo satírica un solo pensamiento o acontecimiento, y que por lo general termina con una ocurrencia o con un viraje ingenioso. Por extensión, el término se aplica a un decir conciso, sabio u ocurrente (a menudo paradójico), habitualmente en forma de una generalización. Entre los escritores de epigramas latinos figuran CAYO VALERIO CATULO y MARCIAL. La forma epigramática resurgió en el Renacimiento. Entre los maestros posteriores del epigrama están BEN JONSON; François VI, duque de LA ROCHEFOUCAULD; VOLTAIRE; ALEXANDER POPE; SAMUEL TAYLOR COLERIDGE; OSCAR WILDE y GEORGE BERNARD SHAW.

**epilepsia** Trastorno neurológico causado por disfunción paroxística de las neuronas del encéfalo (crisis). Se caracteriza por movimientos o sensaciones extraños en partes del cuerpo, conductas desusadas, alteraciones emocionales y a veces convulsiones y lapsos momentáneos de conciencia. Las crisis pueden deberse a actividad eléctrica anormal en la mayor parte o todo el encéfalo (generalizadas), o pueden originarse en áreas encefálicas específicas (parciales). Sus causas pueden ser tumores cerebrales, infecciones, anomalías genéticas o del desarrollo, accidentes encefálicos vasculares y traumatismos craneoencefálicos, aunque en la mayoría de los casos se desconoce la causa. El tratamiento se hace habitualmente con medicamentos anticonvulsivos; la neurocirugía puede ser beneficiosa si no se controlan las crisis con drogas.

**epilobio** Flor silvestre (*Epilobium angustifolium*) perenne de la familia de las OENOTHERAS. Sus espigas de flores blanquecinas a magenta, que crecen hasta una altura de 1,5 m (5 pies), puede ser una vista espectacular en praderas de la zona templada. Sus semillas permanecen latentes por muchos años, en espera del calor necesario para la germinación. El epilobio es una de las primeras plantas en aparecer después de un incendio de bosques o breñales; también cubre con rapidez terrenos de matorrales o de bosques que han sido desbrozados a máquina. Tiene un uso limitado en jardines silvestres, donde se debe contener y confinar cuidadosamente la planta.

Epilobio (*Epilobium angustifolium*).
© ENCYCLOPÆDIA BRITANNICA, INC.

**Epilobium** Género al que pertenecen unas 200 plantas, de la familia de las OENOTHERAS, especialmente el EPILOBIO (*E. angustifolium*). Las partes tiernas de algunas especies se pueden cocinar y comer como hierbas de condimento. Las plantas se cultivan a veces, pero hay que confinarlas cuidadosamente. El epilobio hirsuto (*E. hirsutum*) es similar al epilobio, pero posee hojas y pecíolos vellosos y pétalos florales con muescas; en el este de América del Norte se establece rápidamente en terreno desbrozado. La especie *E. obcordatum* tiene una forma de crecimiento bajo, procedente del oeste de EE.UU.

**epinefrina** *o* **adrenalina** Una de dos HORMONAS (la otra es NOREPINEFRINA) secretada por las GLÁNDULAS SUPRARRENALES, así como también en algunos terminales nerviosos (ver NEURONA), donde actúan como NEUROTRANSMISORES. Son similares químicamente y ejercen acciones semejantes en el cuerpo. Aumentan la frecuencia y la intensidad de la contracción cardíaca, incrementando la irrigación y elevando la PRESIÓN SANGUÍNEA. La epinefrina también estimula la degradación del GLUCÓGENO a GLUCOSA en el hígado, elevando los niveles de glucosa en la sangre, y ambas hormonas aumentan el nivel de los ácidos GRASOS libres en la circulación. Todas estas acciones preparan el cuerpo para la acción en momentos de tensión nerviosa o peligro, momentos que requieren aumentar el estado de alerta o el esfuerzo. La epinefrina se utiliza en incidentes médicos, como paro cardíaco, ASMA y reacciones alérgicas agudas (ver ALERGIA). Ver también DOPAMINA.

**epiornis** Cualquiera de un grupo de aves gigantes no voladoras del género extinto *Aepyornis* halladas como fósiles en depósitos del pleistoceno y pospleistoceno en Madagascar. La mayoría eran de cuerpo macizo (algunas medían más de 3 m, o 10 pies, de alto) y tenían un cráneo pequeño y un cuello largo y delgado. Es común encontrar restos de epiornis y sus huevos (que medían hasta 1 m, o 3 pies, de circunferencia). No hay certeza sobre sus ancestros.

**Epiro** Antigua región en el noroeste de Grecia. Limitaba con ILIRIA, MACEDONIA, TESALIA, ETOLIA, ACARNANIA y el mar Jónico. Durante el NEOLÍTICO estuvo habitada por pueblos provenientes del sudoeste de los Balcanes, quienes trajeron la lengua griega y probablemente fueron, entre otros, fundadores de MICENAS. Este fue el punto de partida de las invasiones DORIAS (1100–1000 AC) hacia Grecia. Una princesa de Epiro se desposó con FILIPO II de Macedonia; su hijo fue ALEJANDRO MAGNO. La zona se convirtió en provincia romana en el s. II AC y, más tarde, formó parte del Imperio BIZANTINO. En 1204 DC se constituyó en estado independiente y, en 1430, fue conquistada por los turcos otomanos. Grecia obtuvo la parte meridional de la región en 1919; la parte septentrional pertenece actualmente al sur de Albania.

**episcopal, sistema** Sistema de gobierno eclesiástico regido por los OBISPOS. Su origen se remonta al s. II DC, cuando los obispos eran elegidos para supervisar la prédica y el culto dentro de una región específica, actualmente llamada diócesis. Hoy los pastores de las congregaciones locales son sacerdotes y diáconos, pero sólo los obispos pueden ordenar sacerdotes, celebrar el rito de la CONFIRMACIÓN y consagrar a otros obispos. Sus deberes especiales están estrechamente vinculados con la idea de la SUCESIÓN APOSTÓLICA. Algunas iglesias protestantes abandonaron el sistema episcopal durante la REFORMA, pero las Iglesias católica, ortodoxa oriental, anglicana y luterana sueca, entre otras, lo conservaron.

**episoma** Cualquiera de un grupo de elementos genéticos constituidos por ADN, capaces de otorgar una ventaja selectiva a las bacterias en las que se encuentran. Los episomas pueden estar adheridos a la membrana celular bacteriana o devenir parte de su CROMOSOMA. Las células con episomas ofician de machos durante la conjugación, proceso de apareamiento en ciertas bacterias. Durante la conjugación, las células que carecen de episoma pueden recibir ya sea el episoma, o este más los genes a los cuales está adherido. Para determinar la localización de los genes en el cromosoma se han realizado experimentos de transferencia de genes desde células en cuyos cromosomas se han incorporado episomas.

**epistático, gen** GEN que determina si un rasgo determinado por otro gen se expresa o no. Por ejemplo, cuando está presente el gen del albinismo, también están los que determinan el color de la piel, pero estos no se expresan; se dice entonces que el gen del albinismo es epistático.

**epistemología** Estudio del origen, naturaleza y límites del conocimiento humano. Casi todos los grandes filósofos han hecho aportes a la literatura epistemológica. Algunos problemas históricamente importantes en epistemología son: (1) si algún tipo de conocimiento es posible, y en caso afirmativo, qué tipo; (2) si algún conocimiento humano es innato (i.e., está presente, en algún sentido, desde el nacimiento) o si por el contrario todo conocimiento significativo se adquiere por medio de la experiencia (ver EMPIRISMO; RACIONALISMO); (3) si el conocimiento es intrínsecamente un estado mental (ver CONDUCTISMO); (4) si la certeza es una forma de conocimiento y (5) si la función primaria de la epistemología es ofrecer justificación para amplias categorías de afirmaciones de conocimiento o meramente describir qué tipo de cosas son conocidas y cómo se adquiere ese conocimiento. Los problemas relacionados con (1) surgen en la perspectiva del ESCEPTICISMO, cuyas versiones extremas niegan la posibilidad del conocimiento de asuntos de hecho, el conocimiento del mundo externo, el conocimiento de la existencia y el problema de las otras MENTES.

**epitafio** Inscripción en una tumba, en verso o prosa, y por extensión, cualquier cosa escrita como si fuese a inscribirse en aquella. Probablemente, los epitafios más antiguos que se han conservado son aquellos escritos en los antiguos sarcófagos y ataúdes egipcios. Los ejemplos provenientes de la antigua Grecia son, a menudo, de interés literario. En tiempos de la reina Isabel I de Inglaterra los epitafios empezaron a adquirir un carácter más literario. Muchos de los epitafios más conocidos son textos literarios conmemorativos (por lo general, deliberadamente ocurrentes) que no están destinados a una tumba.

**epitalamio** *o* **epithalamion** Canción o poema nupcial en honor o alabanza de una novia o un novio. En la antigua Grecia, tales canciones eran una forma tradicional de invocar la buena fortuna en una boda, y a menudo de entregarse a la procacidad. Los primeros registros de epitalamios literarios son fragmentos escritos por SAFO; los tres ejemplos latinos más antiguos que se conservan pertenecen a CAYO VALERIO CATULO. Durante el Renacimiento se escribieron en Italia, Francia e Inglaterra epitalamios basados en los modelos clásicos; EDMUND SPENSER (1595) es considerado el autor más destacado de estos textos en inglés.

**época** Unidad de tiempo geológico que constituye una subdivisión de un PERÍODO. Se pueden hacer distinciones adicionales añadiendo términos de tiempo relativo, como temprano, medio y tardío. El uso del término está a menudo restringido a divisiones de los períodos TERCIARIO y CUATERNARIO.

**Epona** Diosa de los caballos en la antigua religión CELTA. Asociada con la majestad real y la fertilidad, fue llamada Epona en Galia, Rhiannon en Gales y Macha en Irlanda. Su culto era generalizado en el Imperio romano occidental y era difundido por miembros del ejército romano, en especial por las unidades de caballería.

**epopeya** Poema narrativo extenso, escrito en un estilo elevado, que celebra logros heroicos y trata temas de significancia histórica, nacional, religiosa o legendaria. Las epopeyas primarias (o tradicionales) se estructuran a partir de leyendas y tradiciones de una época heroica, y son parte de la TRADICIÓN ORAL; las epopeyas secundarias (o literarias) son escritas desde un comienzo, y sus poetas adaptan aspectos de las epopeyas tradicionales. Los poemas de HOMERO suelen considerarse las primeras epopeyas importantes y la fuente principal de convenciones épicas en Europa occidental. Estas convenciones comprenden el HÉROE como figura central, a veces semidivina; un marco dilatado, tal vez cósmico; batallas heroicas; largos viajes y la participación de seres sobrenaturales.

**epóxicas, resinas** Cualquiera de una clase de POLÍMEROS termoestables, poliéteres construidos a partir de MONÓMEROS con un grupo ÉTER que toma la forma de un anillo epóxido de tres miembros. Los conocidos adhesivos epoxi de dos partes consisten en una RESINA con anillos epóxido en los extremos de sus MOLÉCULAS y un agente de curado que contiene AMINAS o ANHÍDRIDOS. Cuando se mezclan, estos reaccionan para producir, después del curado, una red compleja con grupos éter uniendo los monómeros. Los epoxi son estables, fuertes y resistentes a los productos químicos corrosivos, además de ser excelentes adhesivos y útiles en los recubrimientos de superficies.

**EPROM** *sigla de* **erasable programmable read-only memory** Tipo de MEMORIA de computadora que no pierde su contenido cuando se suspende la energía y que puede ser borrada y vuelta a utilizar. Las EPROM se emplean generalmente para programas diseñados para uso repetitivo (como el BIOS), pero que pueden ser actualizadas con una versión posterior del programa.

**Epstein, Sir Jacob** (10 nov. 1880, Nueva York, N.Y., EE.UU.–21 ago. 1959, Londres, Inglaterra). Escultor británico de origen estadounidense. Estudió en París y se estableció en Inglaterra en 1905. Sus 18 figuras desnudas, conocidas como Estatuas Strand (1907–08), hicieron que fuera acusado de indecencia; su ángel desnudo en la tumba de OSCAR WILDE (1912) en París también fue atacado. En 1913 adhirió

Sir Jacob Epstein, 1949.
EB INC.

al VORTICISMO y desarrolló un estilo caracterizado por formas simples y superficies llanas talladas en piedra. Sus obras a menudo conservaban parte de la forma del bloque original que a veces modelaba en yeso. Es sobre todo conocido por las figuras religiosas y alegóricas talladas en enormes bloques de piedra y por bustos en bronce de celebridades. En ocasiones esculpió grupos monumentales en bronce, como *San Miguel y el demonio* (1958) para la catedral de Coventry.

**Epstein-Barr, virus (EBV)** Virus de la familia Herpesviridae, causa principal de la MONONUCLEOSIS INFECCIOSA aguda. El virus, así llamado en homenaje a dos de sus descubridores, infecta sólo a las células de las glándulas salivales y a un tipo de glóbulo blanco. La saliva es el único líquido corporal en que se ha comprobado la presencia de partículas infecciosas del virus. En las naciones menos desarrolladas, la infección con EBV se presenta en casi todos los niños antes de los cinco años de edad y no se acompaña de síntomas identificables. Cuando la infección se retrasa hasta la adolescencia o el comienzo de la adultez, el cuerpo responde por lo general en forma diferente, manifestándose la mononucleosis. Otros trastornos, más raros, también han sido asociados al virus, incluidos ciertos cánceres. No hay tratamientos específicos para ninguna de las formas de la infección por EBV, ni se han desarrollado vacunas.

**equidna** Cualquiera de tres especies de mamíferos ovíparos (MONOTREMAS) de la familia Tachyglossidae. Los equidnas son de cuerpo rechoncho y prácticamente sin cola. Tienen patas cortas con garras fuertes y espinas en la parte superior de su cuerpo pardusco. La trompa es estrecha, el hocico muy pequeño y la lengua es larga y pegajosa para alimentarse de termitas, hormigas y otros invertebrados del suelo. El equidna de pico corto, común en Australia y Tasmania, mide 30–53 cm (12–21 pulg.) de largo. Dos especies de equidnas de pico largo viven sólo en Nueva Guinea. Miden 45–78 cm (18–31 pulg.) de largo y tienen una trompa prominente que apunta hacia abajo. Como son apetecidos por su carne, su número está disminuyendo. Los equidnas exudan leche por unos orificios mamarios situados en la piel, que es lamida por las crías. Ver también ERIZO; OSO HORMIGUERO; PANGOLÍN.

Equidna (*Tachyglossus aculeatus*).
© ENCYCLOPÆDIA BRITANNICA, INC.

**equilibrio** Situación en la cual la FUERZA neta resultante que actúa sobre una partícula es cero. Un cuerpo en equilibrio no experimenta ACELERACIÓN y, a menos que sea perturbado por una fuerza externa, permanecerá en equilibrio en forma indefinida. Equilibrio estable es aquel en el que pequeños desplazamientos desde este estado, generados desde el exterior, producen fuerzas que tienden a oponerse al desplazamiento y regresan el cuerpo a su equilibrio. Equilibrio inestable es aquel en el que los más mínimos desplazamientos producen fuerzas que tienden a aumentarlos. Un ladrillo sobre el suelo está en equilibrio estable, mientras que una bola equilibrada sobre el filo de una navaja estaría en equilibrio inestable.

**equilibrio de poder** En las relaciones internacionales, contrapeso suficiente en lo que respecta al poder como para disuadir o impedir que un país o partido imponga su voluntad o interfiera en los intereses de otro país o partido. El término se comenzó a utilizar al finalizar las guerras napoleónicas para referirse a las relaciones de poder en el sistema de estados europeos. Hasta la primera guerra mundial, Gran Bretaña desempeñó el papel de sustentador del equilibrio en una serie de cambiantes alianzas. Después de la segunda guerra mundial, el equilibrio de poder en el hemisferio norte enfrentó a EE.UU. y sus aliados (ver OTAN) con la Unión Soviética y sus satélites (ver pacto de VARSOVIA) en un equilibrio de poder bipolar sustentado en la amenaza de una guerra nuclear. La defección de China del campo soviético hacia una postura no alineada, pero encubiertamente antisoviética, produjo un tercer nudo de poder. Con el colapso de la Unión Soviética (1991), EE.UU. y sus aliados de la OTAN fueron reconocidos universalmente como el mayor poder militar del mundo.

**equilibrio químico** Condición en el transcurso de una REACCIÓN QUÍMICA reversible, en la cual no ocurre ningún cambio neto en las cantidades de los reactantes y productos: los productos revierten a reactantes con la misma velocidad con que los reactantes forman productos. Desde el punto de vista práctico, la reacción bajo esas condiciones está terminada. Expresada en términos de la ley de acción de MASA, la VELOCIDAD DE REACCIÓN para formar productos es igual a la velocidad de reacción para reconstituir reactantes. La proporción de las constantes de velocidad de la reacción (i.e., de las cantidades de reactantes y productos, cada una elevada a la potencia apropiada), define la constante de equilibrio. Al cambiar las condiciones de TEMPERATURA O PRESIÓN cambia el equilibrio de la reacción; se puede utilizar una temperatura o una presión elevada para "acelerar" una reacción que en condiciones normales rinde poco producto. Ver también H.-L. LE CHÂTELIER.

**equinácea** Cualquiera de los tres géneros (*Echinacea, Ratibida* y *Rudbeckia*) de plantas de la familia de las Compuestas que se asemejan a las malezas, originarias de América del Norte. Algunas de las especies de cada género tienen flores radiadas con pétalos cóncavos. Las especies perennes con flores púrpuras, *E. angustifolia* y *E. purpurea*, se cultivan a menudo como plantas de arriate; tienen raíces negras de olor intenso y tallos vellosos. Estas dos especies, junto con *E. pallida*, se usan para preparar una hierba medicinal para el resfriado y la influenza. Las especies del género *Ratibida* tienen flores radiadas amarillas y flores tubulares parduzcas. Las equináceas de las praderas (*Ratibida columnaris* y *R. pinnata*) se cultivan en jardines de flores silvestres. Las especies del género *Rudbekia* tienen flores radiadas amarillas y flores tubulares pardas o negras. La RUDBECKIA (*Rudbeckia hirta*), la *R. bicolor* y la *R. laciniata* se cultivan como plantas de arriate.

**equino** Cualquier miembro del grupo de los UNGULADOS, familia Equidae, que comprende a especies como el CABALLO, CEBRA y ASNO SALVAJE actuales, todos del género *Equus*, como también más de 60 especies sólo conocidas por sus fósiles. Los equinos descienden del caballo del alba (ver EOHIPPUS). Los caballos salvajes, que antiguamente habitaban gran parte del norte de

Eurasia, eran más pequeños y tenían extremidades más cortas que sus descendientes domesticados. Ver también CABALLO DE PRZEWALSKI.

**equinoccio** Cualquiera de los dos momentos en cada año que el Sol está exactamente sobre el ECUADOR, y el día y la noche tienen la misma duración en toda la Tierra. También, cualquiera de los dos puntos en el cielo donde la ECLÍPTICA y el ecuador celeste (ver ESFERA CELESTE) se encuentran. El equinoccio vernal, cuando la primavera comienza en el hemisferio norte, ocurre aproximadamente el 21 de marzo, momento en que el Sol cruza el ecuador celeste hacia el norte. El equinoccio otoñal ocurre cerca del 23 de septiembre, en el momento en que el Sol atraviesa el ecuador celeste hacia el sur. Ver también SOLSTICIO.

**equinoccios, precesión de los** Variación de los puntos donde el Sol cruza el ecuador celeste, causada por la PRECESIÓN del eje de rotación de la Tierra. HIPARCO había notado que las posiciones de las estrellas se habían desplazado de manera sistemática respecto de mediciones anteriores, indicando que la Tierra, no las estrellas, se estaba moviendo. Esta precesión, una oscilación de la orientación del eje terrestre con un ciclo de casi 26.000 años, es causada por la gravitación conjunta del Sol y la Luna sobre el abultamiento ecuatorial de la Tierra. Los planetas también tienen cierta influencia en la precesión. Las intersecciones del eje terrestre con la ESFERA CELESTE definen los polos celestes norte y sur. La precesión provoca que estos puntos tracen círculos sobre el cielo y también hace que el ecuador celeste oscile, variando sus puntos de intersección (EQUINOCCIOS) con la ECLÍPTICA.

**equinodermo** Cualquiera de diversos INVERTEBRADOS marinos (filo Echinodermata) caracterizados por una cubierta dura y espinosa, un exoesqueleto calcáreo y una simetría corporal radial pentámera. Existen unas 6.000 especies agrupadas en seis clases: COMÁTULA (Crinoidea), ESTRELLAS DE MAR (Asteroidea), estrellas quebradizas y estrellas canasto (Ophiuroidea), ERIZOS DE MAR (Echinoidea), margaritas de mar (Concentricycloidea) y PEPINOS DE MAR (Holothurioidea). Los equinodermos se encuentran en todos los océanos, desde la zona intermareal hasta las fosas submarinas. La mayoría de las especies tienen numerosos pies tubulares o ambulacrales, modificados para la locomoción, respiración, construcción de túneles, percepción sensorial, alimentación y asimiento. El movimiento del agua a través de un sistema vascular acuático, compuesto de cinco canales principales y ramificaciones menores, controla la extensión y retracción de los pies tubulares. La mayoría de los equinodermos se alimentan de detrito microscópico o de materia en suspensión, pero algunos son fitófagos.

**equis** ver FER-DE-LANCE

**equitación** Arte de entrenar, montar y manejar CABALLOS. Una equitación de calidad requiere que el jinete controle la dirección, el andar y la velocidad del animal con máxima eficacia y el menor esfuerzo posible. Ayudas naturales son el equilibrio, la voz, las manos y piernas del jinete; la fusta, riendas, montura y espuelas son algunas de las ayudas artificiales. La equitación fue importante para los soldados de caballería y los vaqueros, y es el elemento fundamental de la DOMA.

**équite** (latín, *eques*: "jinete"). Caballero en la antigua Roma. Inicialmente, los équites (p. ext., *equites equo publico*, "jinetes con cabalgaduras financiadas por el erario público") formaban parte de la clase senatorial y eran los miembros más influyentes de los COMICIOS CENTURIADOS. A principios del s. IV AC podían ser équites hombres no pertenecientes a la clase senatorial, a

condición de que aportaran sus propios caballos. AUGUSTO los reorganizó como clase militar, separándolos de la política; los requisitos eran haber nacido libres, tener buena salud y buen carácter y poseer riqueza. En el s. I DC se permitió a los équites seguir carreras públicas, y desde entonces se dedicaron en particular a la administración de las finanzas.

**equity** En el derecho angloamericano, sistema jurídico que se basa en el concepto de lo razonable y equitativo, para distinguirlo de la aplicación mecánica de las normas del COMMON LAW. Los tribunales de *equity* (también llamados tribunales de "chancery" [cancillería]) surgieron en Inglaterra en el s. XIV como reacción a la creciente severidad de las reglas en materia de prueba y otras exigencias de los tribunales ordinarios. El sistema de *equity* aportó acciones o recursos que no existían en el viejo sistema que se regía por ÓRDENES JUDICIALES. Estas acciones a menudo comprendían cosas distintas de la simple indemnización de perjuicios, como el cumplimiento específico de las obligaciones contractuales, la ejecución de un FIDEICOMISO, la restitución de bienes adquiridos en forma ilícita, la imposición de obligaciones de hacer o de abstenerse de una conducta determinada (ver REQUERIMIENTO JUDICIAL), o la rectificación o anulación de documentos falsos o engañosos. Con el tiempo, los tribunales de *equity* establecieron sus propios precedentes, normas y doctrinas y comenzaron a competir con los tribunales ordinarios. Ambos sistemas fueron unificados en 1873. En EE.UU. también se establecieron tempranamente tribunales de *equity*, pero a comienzos del s. XX, la mayoría de ellos se habían combinado con los tribunales ordinarios para constituir un solo sistema. Los tribunales modernos aplican tanto principios legales como de *equity* y las reparaciones que otorgan se basan en ambos sistemas.

Caballo islandés desplazándose a paso tolt, suave marcha de carrera de equitación.
© PALL STEFANSSON/ICELAND REVIEW

**Er Hai, lago** Lago del oeste de la provincia de YUNNAN, China. Se encuentra en una cuenca profunda al pie del monte Diancang entre el curso superior del YANGTZÉ (llamado Chang Jinsha) y el MEKONG; mide unos 50 km (30 mi) de largo y 10–16 km (6–10 mi) de ancho. El sur de la cuenca se comunica con el este de Yunnan y la provincia de SICHUAN, y se encuentra en la vía principal a Myanmar (Birmania) por el sudoeste. La región circundante quedó sometida al control de China durante la era de la dinastía YUAN (a fines del s. XIII).

**era** Extensión de tiempo geológico; en su uso formal, unidad de tiempo geológico que corresponde al segundo orden de magnitud (el EÓN es más extenso). Se reconocen tres eras: el PALEOZOICO, MESOZOICO y CENOZOICO. Debido a las dificultades que involucra establecer cronologías exactas, las eras precámbrica (ver PRECÁMBRICO) o anteriores se clasifican independientemente. Una era se compone de uno o más PERÍODOS geológicos.

**ERA** ver enmienda sobre la IGUALDAD ANTE LA LEY

**era de los buenos sentimientos** ver era de los BUENOS SENTIMIENTOS

**erario (de Saturno)** Tesoro público de la antigua Roma depositado en el templo de Saturno. Durante la República (509–27 AC), el tesoro era administrado por dos cuestores (ver CUESTOR) bajo el control y supervisión del Senado. Todos los ingresos públicos eran depositados en el erario, y de él provenían los pagos aprobados. Durante el principado (27–305 DC), el erario perdió recursos e importancia cuando los emperadores y magistrados comenzaron a evadir el control del Senado y a extraer fondos directamente de los *fisci* (tesoros provinciales). A contar del año 6 DC, AUGUSTO recurrió a impuestos para financiar el erario militar, tesoro público destinado a pagar a los veteranos, y el erario de Saturno se convirtió en el tesoro de la ciudad de Roma.

**Erasmo de Rotterdam** (27 oct. 1469, Rotterdam, Holanda–12 jul. 1536, Basilea, Suiza). Sacerdote y humanista holandés, considerado el mayor sabio europeo del s. XVI. Hijo ilegítimo de un sacerdote y de la hija de un médico, ingresó a un monasterio y fue ordenado sacerdote en 1492. Estudió en la Universidad de París, viajó por toda Europa y recibió la influencia de TOMÁS MORO y JOHN COLET. El primer libro que lo hizo famoso fue *Adagia* (1500, 1508), colección anotada de proverbios griegos y latinos. Se hizo conocido por sus ediciones de autores clásicos, padres de la Iglesia y el Nuevo Testamento, como también por sus propias obras, entre ellas *Manual del caballero cristiano* (1503) y *Elogio de la locura* (1509). Empleó los métodos filológicos iniciados por los humanistas italianos, que contribuyeron a sentar las bases del estudio histórico-crítico del pasado. Sus críticas a los abusos eclesiásticos, alentó la creciente demanda en favor de una reforma, que encontró expresión tanto en la REFORMA protestante como en la CONTRARREFORMA católica. Aunque admiró muchos aspectos del pensamiento de MARTÍN LUTERO, fue presionado para atacarlo. Adoptó una postura independiente, rechazando tanto la doctrina de la predestinación de Lutero como los poderes reclamados por el papado.

**Eratóstenes de Cirene** (c. 276 AC, Cirene, Libia–c. 194, Alejandría, Egipto). Escritor científico, astrónomo y poeta griego. Se estableció en Alejandría c. 255 AC y fue director de su gran biblioteca. Es la primera persona de quien se sabe que haya calculado la circunferencia terrestre, aunque el valor exacto de las unidades que usó (estadios) es incierto. También midió la inclinación del eje de rotación terrestre con gran precisión, compiló un catálogo de estrellas, confeccionó un calendario que incluía años bisiestos, y trató de precisar las fechas de los eventos literarios y políticos desde el sitio de Troya.

**Erbakan, Necmettin** (n. circa 1926, Sinop, Turquía). Primer líder de un partido político islámico en ganar una elección general en Turquía (1995). Hijo de un juez de un tribunal religioso de la era otomana, estudió ingeniería mecánica antes de ser elegido integrante de la Gran Asamblea Nacional turca (parlamento) en 1969. A pesar de la fuerte tradición secular de Turquía y de sus leyes, que prohíben la formación de partidos basados en una ideología religiosa, formó un partido islámico en 1970 y otro en 1972, y ocupó en dos ocasiones el cargo de viceprimer ministro. Su tercer intento de formar un partido se tradujo en la fundación del PARTIDO REFAH, que obtuvo la mayoría de los asientos parlamentarios en las elecciones de 1995. Como primer ministro, formó un gobierno de coalición en 1996, pero su partido fue proscrito al año siguiente y a él se le prohibió actuar en política.

**Ercilla y Zúñiga, Alonso de** (7 ago. 1533, Madrid, España–29 nov. 1594, Madrid). Noble militar y poeta español. Desde 1548 sirvió como paje al entonces príncipe FELIPE II. En 1555 acompañó al virrey Andrés Hurtado de Mendoza al Perú. Ercilla continuó a Chile con el hijo de aquel, García Hurtado de Mendoza, quien había sido nombrado gobernador de dicho territorio, y en 1557–58 participó en su conquista.

Alonso de Ercilla y Zúñiga, autor del poema épico *La Araucana*.
GENTILEZA DE LA UNIVERSIDAD DE CHILE

Allí, en medio de azarosas condiciones bélicas, comenzó a escribir *La Araucana*, que pasó a ser el principal poema épico español moderno y el primero inspirado en América. Compuesto en OCTAVAS REALES, consta de 37 cantos. Fue publicado en España, tras el regreso de Ercilla, en tres partes (1569, 1578 y 1589). El poema evidencia su admiración por la gallardía y coraje de los indígenas araucanos, algo idealizados de acuerdo con el estilo del RENACIMIENTO, a la vez que realza las victorias guerreras de los tercios españoles. Nombrado duque de Lerma en 1564, Ercilla pasó sus últimos años en retirada austeridad.

**Erdös, Paul** (26 mar. 1913, Budapest, Hungría–20 sep. 1996, Varsovia, Polonia). Matemático húngaro. Demostró un teorema clásico de la teoría de los NÚMEROS (1933); junto con Aurel Wintner y Mark Kac fundó el estudio de la teoría probabilística de los números; con Paul Turan comprobó resultados importantes en la teoría de aproximaciones; y con Atle Selberg entregó una prueba elemental notable del teorema de los números primos (1949). Famoso por su excentricidad, viajó constantemente durante sus últimos 40 años, colaborando con cientos de matemáticos en numerosos problemas.

**Erech** ver URUK

**Erecteo** Legendario dios-rey de Atenas. Según la *Ilíada* de HOMERO, nació de la Tierra y fue criado por ATENEA, quien lo instaló en su templo en Atenas. Una tradición posterior lo asocia con una enorme serpiente que, según se creía, vivía en el templo. En una tragedia perdida de EURÍPIDES, Erecteo sacrificó a su hija Chthonia con el fin de obtener la victoria en la guerra y, como castigo, fue destruido por POSEIDÓN o ZEUS.

**eremita** ver ERMITAÑO

**Eretria** Antigua ciudad griega de la isla de EUBEA. Junto a su vecina CALCIS, se fundó CUMAS, en Italia (c. 750 AC), la primera de las colonias griegas en el oeste. Posteriormente, la rivalidad con su vecina desencadenó una guerra y durante el período clásico Calcis fue la ciudad más importante de Eubea. En 499–498 AC, trirremes de Eretria zarparon para apoyar la insurrección jónica contra PERSIA, motivo por el que DARÍO I destruyó la ciudad (490 AC) y deportó a su población. Fue reconstruida, aunque perdió su importancia durante el dominio macedonio y romano. Existen numerosas ruinas en su emplazamiento.

**Ereván** ver YEREVÁN

**Erfurt** Ciudad (pob., est. 2002: 200.126 hab.) del centro de Alemania. San BONIFACIO fundó un obispado en Erfurt en 742 DC, y c. 805 fue un importante centro en la frontera oriental del Imperio franco. Erfurt obtuvo la carta de derechos de municipio c. 1250 e integró la Liga HANSEÁTICA en el s. XV. La ciudad pasó a manos de Prusia en 1802 y formó parte de la SAJONIA prusiana hasta 1945. Erfurt fue el lugar del primer encuentro entre líderes de Alemania Oriental y Occidental en 1970. Entre los monumentos de la ciudad sobresalen su catedral del s. XII y el monasterio donde MARTÍN LUTERO fue monje (1505–08). Es una importante conexión vial y ferroviaria, y centro de actividad comercial.

**ergatividad** Tendencia de una lengua a hacer coincidir el sujeto o agente de un verbo intransitivo con el complemento u objeto, o paciente, de un verbo transitivo. Ello contrasta con lo que sucede en lenguas nominativo-acusativas, como el latín o el inglés, en que los sujetos de verbos transitivos e intransitivos coinciden gramaticalmente y se diferencian del complemento de un verbo transitivo. Entre las lenguas o familias de lenguas que muestran ergatividad en diversos grados, cabe señalar el sumerio, las lenguas CAUCÁSICAS, las ESQUIMAL-ALEUTIANAS, las MAYAS, las lenguas aborígenes de AUSTRALIA y muchas lenguas AMERINDIAS.

**ergonomía** *o* **ingeniería humana** *o* **ingeniería de factores humanos** Diseño de máquinas, herramientas y ambientes laborales que se ajusten de manera óptima al comportamiento y trabajo humano. Su objetivo es mejorar el aspecto práctico, la eficiencia y la seguridad de una persona que trabaja con una máquina o dispositivo en particular (p. ej., que utiliza un teléfono, automóvil o terminal de computadora). Probablemente, considerar al usuario ha sido siempre parte del diseño de las herramientas. Por ejemplo, la guadaña, uno de los implementos más antiguos y eficientes que utiliza el hombre, muestra un significativo grado de ingeniería ergonómica. Entre los ejemplos de artículos de uso común con mal diseño ergonómico se encuentran la pala de nieve y el teclado de computadoras y máquinas de escribir.

**Erhard, Ludwig** (4 feb. 1897, Fürth, Alemania–5 may. 1977, Bonn, Alemania Occidental). Economista y político alemán. Como ministro de economía (1949–63), fue el principal arquitecto de la recuperación económica de Alemania Occidental en la posguerra. Consiguió lo que ha sido llamado un milagro económico a través de su "sistema social de mercado", que se basaba en el capitalismo de libre mercado, pero que incluía medidas especiales en materia de vivienda, agricultura y programas sociales. En 1957 fue nombrado vicecanciller federal y en 1963 sucedió a KONRAD ADENAUER como canciller. Su gobierno se vio perturbado por una depresión económica y un déficit presupuestario, como asimismo por una relativa debilidad en su propio liderazgo, por lo que debió renunciar en 1966.

**Erica** Género de plantas con aproximadamente 500 especies de arbustos bajos, siempreverdes, de la familia de las ERICÁCEAS, la mayoría originarias de Sudáfrica. Algunas también existen en la región mediterránea y en el norte de Europa, y hay especies que fueron introducidas en América del Norte. Tienen pequeñas hojas angostas, dispuestas en verticilos asentados próximos a los brotes. Algunas especies africanas son arbustos grandes o árboles. El brezo blanco o arbóreo (*E. arborea*) también se conoce como arbusto espinoso. Algunas especies sudafricanas se cultivan en invernaderos frescos y al aire libre en el sudoeste de América del Norte.

**Ericáceas** Familia de plantas constituida en su mayoría por arbustos y arbolillos, como AZALEAS, RODODENDROS, LAUREL DE MONTAÑA, ARÁNDANOS y los arbustos bajos SIEMPREVERDES del género *Erica*. El gran porcentaje de unos 110 géneros y 4.000 especies son plantas cultivadas. Los miembros están ampliamente distribuidos y se extienden a la región subártica y a lo largo de cadenas montañosas hasta las regiones tropicales. A menudo son especies siempreverdes que medran en terreno abierto, yermo, con suelos generalmente ácidos y mal drenados. Ver también BREZO.

**Erickson, Arthur (Charles)** (n. 16 jun. 1924, Vancouver, Columbia Británica, Canadá). Arquitecto canadiense. Tuvo amplio reconocimiento por su proyecto para la Universidad Simon Fraser (1963–65), que diseñó junto con Geoffrey Massey, y que incluía una enorme plaza interior con tragaluz, una respuesta muy adecuada al clima fresco y lluvioso del lugar. Uno de sus proyectos, la plaza Robson en Vancouver (1978–79), es un gran centro cívico con cascadas, un jardín en el techo, plazas y escaleras con rampas integradas. Entre sus obras se destacan el Museo de antropología de la Universidad de Columbia Británica (1976), con su sucesión de pilares de hormigón y amplias extensiones de vidrio, y la embajada canadiense en Washington, D.C. (1989), una mezcla de elementos contemporáneos y neoclásicos que interactúa con el entorno.

**Ericsson, John** (31 jul. 1803, Långbanshyttan, Suecia–8 mar. 1889, Nueva York, N.Y., EE.UU.). Ingeniero naval e inventor suecoestadounidense. Se trasladó a Inglaterra en 1826, donde construyó una locomotora de vapor (1829) y más tarde ideó una máquina térmica y patentó una hélice de barco. Emigró a EE.UU. en 1839. Durante la guerra de Secesión propuso, diseñó y construyó un buque de guerra novedoso, el *Monitor* (ver batalla de HAMPTON ROADS). Su batalla naval con el *Merrimack* de la Confederación llevó al gobierno de la Unión a hacer un pedido de muchas naves similares. Propulsado únicamente por vapor y con una hélice y una torreta giratoria blindada, estableció un nuevo patrón para los buques de guerra estadounidenses que perduró hasta el s. XX. Más tarde desarrolló un TORPEDO y estudió los motores alimentados por energía solar.

**Eridú** Antigua ciudad sumeria en el golfo Pérsico. Aunque fue el principal puerto marítimo de SUMER y BABILONIA y estaba situada a orillas del río Éufrates cerca de la ciudad de UR, la acumulación de sedimentos trasladó la línea costera hacia el sur, razón por la cual las ruinas de la ciudad están hoy a unos 200 km (120 mi) al interior, en el actual Irak. Era venerada por ser la ciudad más antigua de Sumer, y su dios patrono era Enki (o Ea). Fundada sobre dunas c. quinto milenio AC, sus vestigios revelan la secuencia de la civilización ubaidí anterior a la escritura, con una larga sucesión de templos superpuestos que representan el desarrollo de una elaborada arquitectura de ladrillos de barro. Fue habitada hasta c. 600 AC.

**Erie** Ciudad (pob., 2000: 103.717 hab.) del noroeste de Pensilvania, EE.UU. Debe su nombre a los indios erie y se estableció un fuerte francés (1753) junto al lago ERIE. El sitio fue adquirido por EE.UU. en 1795, cuando se planificó la ciudad. Los astilleros navales cercanos construyeron la mayor parte de la flota que derrotó a los británicos en la batalla del lago Erie (1813) en la guerra ANGLO-ESTADOUNIDENSE. El desarrollo económico comenzó con la apertura del canal de Erie y Pittsburgh (1844) y con la construcción del ferrocarril en la década de 1850. Es el único puerto del estado de Pensilvania en el canal de SAN LORENZO y punto de embarque de muchos productos, como madera, carbón y petróleo. Si bien las primeras industrias eran principalmente agrícolas, en la actualidad los productos manufacturados, entre ellos los equipos eléctricos y maquinaria de construcción, están muy diversificados.

**Erie, canal** Vía fluvial histórica en el estado de Nueva York, norte de EE.UU. Se extiende desde BUFFALO, junto al lago ERIE, hasta ALBANY, sobre el río HUDSON. Encargado por el gob. de Nueva York, DeWitt Clinton, fue inaugurado en 1825. Conectó los GRANDES LAGOS con la ciudad de NUEVA YORK y contribuyó en gran medida al poblamiento del Medio Oeste, al permitir el transporte de gente y suministros. Ha sido ampliado varias veces y hoy mide 547 km (340 mi) de largo por 46 m (150 pies) de ancho y 4 m (12 pies) de profundidad. En la actualidad se usa principalmente para la navegación recreativa y es parte del sistema de canales del estado de Nueva York.

**Erie, lago** El cuarto lago más extenso de los cinco GRANDES LAGOS en EE.UU. y Canadá. Ubicado entre los lagos HURÓN y ONTARIO; forma el límite entre Canadá (Ontario) y EE.UU. (estados de Michigan, Ohio, Pensilvania y Nueva York). Mide 388 km (240 mi) de largo y alcanza un ancho máximo de 92 km (57 mi), con una superficie de 22.666 km$^2$ (9.910 mi$^2$). El lago Erie recibe las aguas del río DETROIT y el lago Hurón, en su extremo oriental desagua a través del río NIÁGARA. Es un eslabón importante del canal de SAN LORENZO; sus puertos cargan y descargan acero, hierro, carbón y granos. Antiguamente la zona fue habitada por los indios erie; cuando llegaron los franceses en el s. XVII, encontraron a los indios iroquíes habitando el lugar. Los británicos estaban en la región en el s. XVIII y las costas de EE.UU. se poblaron después de 1796. Fue el teatro de la batalla del lago Erie, uno de los combates de mayor relevancia en la guerra ANGLO-ESTADOUNIDENSE (1812).

**Erígena, Juan Escoto** *latín* **Johannes Scotus Eriugena** (810, Irlanda–c. 877). Teólogo, traductor y comentarista irlandés. En su sistema filosófico, que llegó a conocerse como escotismo, intentó integrar la filosofía griega y neoplatónica con la fe cristiana en obras como *De praedestinatione* [Acerca de la predestinación] (851), que fue condenada por las autoridades de la Iglesia. En la obra *De divisione naturae* [Acerca de la división de la naturaleza] (862–66) trató de conciliar el NEOPLATONISMO con la doctrina cristiana de la creación, obra que también fue condenada por sus resonancias panteístas. Sus traducciones al latín de las obras más importantes de la LITERATURA PATRÍSTICA griega las hizo accesibles a los pensadores occidentales. Recordado por el inconformismo de su pensamiento, se dice que sus estudiantes lo apuñalaron con sus plumas por tratar de hacerlos pensar.

**Erik el Rojo** *orig.* **Erik Thorvaldson** (floreció s. X, Noruega). Fundador del primer asentamiento europeo en Groenlandia (c. 986) y padre de LEIF ERIKSON. Nacido en Noruega, se crió en Islandia. Exiliado por el delito de homicidio c. 980, se hizo a la vela y desembarcó en Groenlandia. Con 350 colonos fundó una colonia que llegó a tener mil habitantes en el año 1000. En 1002, la colonia fue devastada por las enfermedades y se extinguió gradualmente, aunque se mantuvieron otros asentamientos nórdicos en la isla. Su historia está narrada en la saga islandesa titulada la *Saga de Erik*.

**Erikson, Erik H(omburger)** (15 jun. 1902, Francfort del Meno, Alemania–12 may. 1994, Harwich, Mass., EE.UU.). Psicoanalista estadounidense de origen alemán. Instruido por ANNA FREUD en Viena, en 1933 emigró a EE.UU., donde se desempeñó como psicoanalista infantil en Boston e ingresó a la Facultad de Harvard Medical School. En 1936 se trasladó a la Universidad de Yale, y en 1938 inició sus primeras investigaciones sobre las influencias culturales en el desarrollo psicológico; trabajó con niños sioux, y posteriormente con los indios yurok. Más tarde, enseñó en la Universidad de Californa en Berkeley, y se retiró en 1950, en la época del maccarthismo, después de rehusarse a firmar un juramento de lealtad a la constitución de EE.UU. Desde el punto de vista eriksoniano, la personalidad se desarrolla por medio de una serie de crisis de identidad, que deben ser superadas e internalizadas para estar preparado para la siguiente etapa del desarrollo; Erikson propuso ocho etapas. También se interesó por la psicología social, la interacción de la psicología con la historia, la política y la cultura. Sus obras principales son *Infancia y sociedad* (1950), *Young Man Luther* [El joven Lutero] (1958), *La verdad de Gandhi* (1969) e *Historia personal y circunstancia histórica* (1975).

**Erikson, Leif** ver LEIF ERIKSON

**Erinias** ver FURIAS

**Eris** Antigua personificación griega de la contienda. Su equivalente romana era Discordia. Hija de Nyx y hermana de ARES, fue conocida por su papel en el estallido de la guerra de TROYA. Despechada por no haber sido invitada a la boda de Peleo y Tetis, arrojó entre los convidados una manzana de oro con la inscripción "para la más bella". HERA, ATENEA y AFRODITA la reclamaron y ZEUS le asignó al troyano PARIS la tarea de decidir. Este premió con la manzana a Afrodita, quien a cambio lo ayudó a llevarse a la hermosa HELENA, hecho que desencadenó la guerra.

**eritema** Enrojecimiento anormal de la piel por aumento del flujo sanguíneo, causado por irritación y dilatación de los CAPILARES superficiales. Tiene una variedad de manifestaciones. En el eritema multiforme, un complejo sintomático que se observa en varias enfermedades, aparecen manchas de súbito, a menudo con un patrón en diana. En casos graves puede amenazar la vida; en casos leves, los síntomas pueden recidivar. El tratamiento con corticoides puede ser efectivo. En el eritema nodoso, una reacción de hipersensibilidad que suele asociarse con infecciones por ESTREPTOCOCOS, medicamentos, o con la enfermedad llamada sarcoidosis, aparecen nódulos rojos, dolorosos en la capa subcutánea de las pantorrillas. Suelen desaparecer al cabo de varias semanas y no recidivan. Otra forma de eritema es la PELAGRA.

**Eritras** Antigua ciudad de LIDIA. Localizada en la costa egea frente a la isla de QUÍOS, fue una de las 12 ciudades jonias. El lugar original de su asentamiento es incierto, pero desde el s. IV AC se ubicó en la moderna Ildır, donde son visibles restos de la muralla, el teatro y la ciudadela. Estableció diversas alianzas en la política griega del s. V AC, quedó bajo control persa y fue liberada por ALEJANDRO MAGNO en 334 AC. Convertida en ciudad libre en la provincia romana de Asia, se destacó por su vino y ganado caprino, así como por sus proféticas SIBILAS (Herophile y Athenais).

### ERITREA

▸ **Superficie:** 121.144 km² (46.774 mi²)

▸ **Población:** 4.670.000 hab. (est. 2005)

▸ **Capital:** ASMARA

▸ **Moneda:** nakfa

**Eritrea** *ofic.* **Estado de Eritrea** *tigrinya* **Ertra** País de África oriental. Se extiende cerca de 1.000 km (600 mi) a lo largo de la costa del mar Rojo e incluye el archipiélago Dahlak. No existe religión ni idioma oficial. La variada población está integrada por cristianos de habla tigrinya (ver TIGRÉ), cerca de la mitad del total, con una importante minoría de musulmanes y otros grupos. También coexisten el árabe, inglés e italiano. El territorio de Eritrea comprende desde las tierras altas centrales de clima templado hasta la planicie costera desértica, con una zona de sabana y bosques poco densos en las tierras bajas occidentales. Su economía está basada en el pastoreo de ganado y la agricultura de subsistencia. La industria, asentada en Asmara, incluye productos alimenticios, textiles y artículos de cuero; las exportaciones comprenden sal, pieles, cemento y goma arábiga. El gobierno es un régimen de transición unicameral; el jefe de Estado y de Gobierno es el presidente. Como asiento de los principales puertos del Imperio aksumite, estuvo vinculado a los inicios del reino etíope, pero mantuvo en gran parte su independencia hasta el s. XVI, cuando quedó bajo el control del Imperio OTOMANO. En los s. XVII–XIX, el control del territorio fue disputado entre Etiopía, los otomanos, el reino de Tigré, Egipto e Italia; en 1890 se transformó en colonia italiana. Eritrea fue utilizada como la base principal para llevar a cabo las invasiones italianas de Etiopía (1896 y 1935–36) y en 1936 pasó a formar parte de África Oriental Italiana. Fue capturada por los británicos en 1941, federada a Etiopía en 1952 y convertida en provincia de ese país en 1962. Sobrevinieron treinta años de guerra de guerrillas por grupos secesionistas de Eritrea. En 1991 se estableció un gobierno provisional en el país después del derrocamiento del gobierno etíope, y en 1993 se alcanzó la independencia. Una nueva constitución fue ratificada en 1997. En 1998 comenzó una guerra fronteriza con Etiopía, que concluyó con la victoria etíope en 2000.

**eritroblastosis fetal** *o* **enfermedad hemolítica del recién nacido** ANEMIA en el recién nacido causada cuando la embarazada produce ANTICUERPOS contra un ANTÍGENO de los glóbulos rojos de su feto. Una mujer Rh-negativa (ver sistema de grupo sanguíneo RH) con un feto Rh-positivo, cuyo grupo sanguíneo ABO es compatible con el suyo, puede tener una reacción inmune después del primer embarazo de esta índole al entrar los glóbulos rojos fetales a su torrente sanguíneo, generalmente durante el parto. Si la CLASIFICACIÓN DE LA SANGRE muestra incompatibilidad, se administra a la madre una inyección de anticuerpos anti-Rh después del parto, los que destruyen los ERITROCITOS fetales y así evitan problemas en futuros embarazos. Si la AMNIOCENTESIS detecta productos de destrucción sanguínea, la vida del feto puede salvarse con transfusiones de sangre Rh-negativa antes del nacimiento, o con transfusiones de recambio después de nacer. Las incompatibilidades ABO son más comunes, pero menos graves.

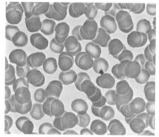

Células de glóbulos rojos humanos (eritrocitos).
MANFRED KAGE—PETER ARNOLD

### eritrocito o glóbulo rojo

Célula sanguínea que transporta oxígeno de los pulmones a los tejidos del cuerpo. La HEMOGLOBINA otorga a la célula y a toda la sangre su color. Los glóbulos rojos son pequeños, redondos, flexibles y cóncavos por ambas caras y carecen de NÚCLEO. Se desarrollan continuamente en varias etapas en la MÉDULA ÓSEA y se almacenan en el BAZO. En su forma madura viven 100–120 días. La sangre de un ser humano adulto tiene unos 5,2 millones de eritrocitos por mm³. Algunas afecciones cambian su forma (p. ej., ANEMIA PERNICIOSA, ANEMIA DREPANOCÍTICA) o su número (p. ej., ANEMIA, policitemia).

**erizo** Cualquiera de 14 especies de insectívoros de la familia Erinaceidae. Comen fundamentalmente insectos y otros artrópodos, pero también son fitófagos. Las nueve especies de erizos espinosos tienen espinas cortas sin púas en el dorso, cuerpo redondo, cabeza pequeña, cara alargada y una cola pequeña o ausente. Las especies miden entre 10 y 44 cm (4–17 pulg.) de largo. Los erizos espinosos son originarios de Gran Bretaña, el norte de África y Asia; una especie fue introducida en Nueva Zelanda.

Erizo (Erinaceus europaeus).
© ENCYCLOPÆDIA BRITANNICA, INC.

Las cinco especies de gimnuros, o erizos peludos, son asiáticos. Tienen pelos protectores ásperos, pero no espinas, y son extremadamente malolientes. El gimnuro común puede medir 46 cm (18 pulg.) de largo y tiene una cola de 30 cm (12 pulg.). Ver también PUERCO ESPÍN.

**erizo de mar** Cualquiera de unas 700 especies (clase Echinoidea) de EQUINODERMOS que se encuentran en todo el mundo. Los erizos de mar tienen un cuerpo globular cubierto de púas movibles, a veces venenosas, de hasta 30 cm (12 pulg.) de largo. Los poros del esqueleto interno alojan pies tubulares delgados, extensibles, a menudo con extremos succionadores. Viven en el lecho marino y utilizan sus pies tubulares o púas para moverse. La boca está situada en la cara ventral; los dientes son protruyentes para raspar algas y otros alimentos de las rocas. Algunas especies excavan escondites en coral, rocas, e incluso, acero. En algunos países se comen las ovas de ciertas especies.

Erizo de mar (Arbacia punctulata).
© ENCYCLOPÆDIA BRITANNICA, INC.

**Erlitou, cultura** Cultura neolítica (1900–1350 AC) de las llanuras centrales de China septentorial. Fue la primera sociedad con el rango de estado en China, cuyos restos arqueológicos han sido relacionados con la dinastía XIA. Se han descubierto vestigios de construcciones palaciegas, tumbas reales y caminos pavimentados, los que han llevado a plantear la hipótesis de que el sitio corresponde a las ruinas de una capital Xia. La cultura Erlitou cultivó una avanzada tecnología en bronce. Continúa siendo incierta la relación existente entre los bronces Erlitou y aquellos producidos con anterioridad en Qijia, en Gansu. Ver también cultura HONGSHAN; período NEOLÍTICO.

**Erment** o **Armant** griego **Hermonthis** Antigua ciudad del Alto Egipto. Situada en las cercanías de TEBAS, en la ribera occidental del NILO. Actual yacimiento arqueológico, fue la sede de un culto al Sol y lugar de coronación de reyes. Es lugar de origen de los reyes de TEBAS, que reunificaron a Egipto c. 2130 y gobernaron hasta 1939 AC. En excavaciones ejecutadas entre 1929–38 se descubrieron el Bucheum (necrópolis de los toros sagrados momificados), cementerios de varios períodos y otros vestigios, como el templo de Mentu, dios de la guerra.

**Ermitage** El museo más grande de Rusia y uno de los más importantes del mundo. Ubicado en San Petersburgo, su nombre deriva del pabellón "Ermitage", adyacente al Palacio de Invierno, construido en 1764–67 para CATALINA II la Grande, como una galería privada para sus preciadas colecciones. A su muerte, en 1796, se estimaba que estas llegaban a un total de 4.000 pinturas. Luego de que el Palacio de Invierno fuera destruido por el fuego en 1837, el Ermitage fue reconstruido y abierto al público por NICOLÁS I en 1852. Después de la Revolución bolchevique, las colecciones fueron transferidas al dominio público. En la actualidad el museo ocupa cinco edificios interconectados, que incluyen el Palacio de Invierno, y el Pequeño Ermitage, el Antiguo y el Nuevo Ermitage. Junto a miles de objetos de arte de Asia central, India, China, Egipto, América precolombina, Grecia y Roma, el museo alberga sobresalientes muestras de pintura occidental. La historia rusa está representada con material arqueológico desde tiempos prehistóricos.

**ermitaño** o **eremita** Individuo que rehúye la sociedad para vivir en soledad, a menudo por razones religiosas. Los primeros ermitaños cristianos aparecieron en Egipto en el s. III DC, cuando escaparon de la persecución retirándose al desierto, donde llevaron una vida de oración y penitencia. El primero fue probablemente Pablo de Tebas c. 250 DC. Entre otros ermitaños famosos se cuentan san ANTONIO ABAD, quien estableció una forma temprana de MONACATO cristiano en el s. IV, y el ermitaño de la columna san SIMEÓN ESTILITA. La vida comunitaria en los monasterios finalmente moderó la austeridad de la vida eremítica, la cual se extinguió en el cristianismo occidental, pero ha persistido en el oriental.

**Erne, lago** Lago del condado de FERMANAGH, IRLANDA DEL NORTE. Con un diámetro medio de 8 km (5 mi), el lago se compone del Erne superior, de poca profundidad y 19 km (12 mi) de longitud, y el Erne inferior con 29 km (18 mi) de longitud, unidos por un estrecho de 16 km (10 mi) que es parte del río Erne. Ambos lagos están sembrados de islas y cuentan con instalaciones recreativas. El río Erne recorre 116 km (72 mi) hacia el norte y cruza la frontera de Irlanda del Norte hasta desembocar en la bahía de Donegal.

**Ernst, Max** (2 abr. 1891, Brühl, Alemania–1 abr. 1976, París, Francia). Pintor y escultor francés de origen alemán. Abandonó sus estudios de filosofía y psicología en la Universidad de Bonn por la pintura. Después de servir en la primera guerra mundial, se convirtió en el líder del movimiento dadaísta (ver DADAÍSMO) en Colonia (1919) y trabajó con collage y fotomontaje. Una de sus obras características es *Le vaqueur et le poisson* (1920), composición extremadamente ilógica, hecha de fotografías recortadas de insectos, peces y dibujos anatómicos. En 1922 se estableció en París y fue uno de los fundadores del SURREALISMO, cuya obra destaca por lo imaginativa y experimental; pionero en la técnica del FROTADO, Ernst incursionó también en el AUTOMATISMO. Después de 1934, la irracional y caprichosa imaginería que se observa en sus pinturas, apareció además en sus esculturas. En 1941 se mudó a Nueva York, donde contrajo matrimonio con PEGGY GUGGENHEIM, su tercera esposa, y comenzó a colaborar con MARCEL DUCHAMP. Regresó a Francia en 1953, donde siguió produciendo obras líricas y abstractas.

Max Ernst, fotografía de Yousuf Karsh, 1965.
© KARSH DE RAPHO/PHOTO RESEARCHERS

**Eros** Dios griego del amor. Aunque HESÍODO afirmó que era uno de los primeros dioses nacidos del CAOS, después se dijo que era hijo de AFRODITA. Su equivalente romano era CUPIDO. Se representaba como un hermoso joven alado que llevaba un arco y un carcaj con flechas. En el arte y la literatura posterior se representó cada vez más joven, hasta convertirlo en un niño. Su centro de culto estaba en Tespia, pero también compartió un santuario con Afrodita en Atenas.

**Eros, asteroide** Primer ASTEROIDE cuya trayectoria se descubrió que estaba casi totalmente dentro de la órbita de Marte y el primero sobre el cual aterrizó un vehículo espacial. Descubierto en 1898 y nombrado en honor al dios griego del amor, Eros es un cuerpo alargado de aprox. 33 km (20,5 mi) en su dimensión mayor. Se puede acercar hasta 22 millones de km (14 millones de mi) de la Tierra. En el año 2000, el vehículo espacial Near Earth Asteroid Rendezvous (NEAR Shoemaker) orbitó Eros, recolectando datos durante un año entero, y en 2001 se posó sobre su superficie.

**erosión** Remoción de material superficial de la corteza de la Tierra y su transporte desde el punto de remoción por medio de agentes naturales. La erosión es causada por la acción del viento, ríos y arroyos, por procesos marinos (olas) y procesos glaciares. Las acciones complementarias de erosión y depósito o sedimentación operan con el viento, el agua en movimiento y el hielo para alterar los relieves existentes y crear otros nuevos. La erosión ocurre a menudo después de que la roca ha sido desintegrada o alterada por METEORIZACIÓN. El agua en movimiento es el agente erosivo natural más importante. La erosión causada por las olas del mar resulta principalmente del impacto de estas al romper sobre la costa y por la acción abrasiva de la arena y guijarros agitados por ellas. La erosión fluvial obedece a la acción abrasiva del sedimento contenido en el agua. La erosión glaciar ocurre por la abrasión superficial a medida que el hielo, incrustado con detrito, se mueve lentamente sobre el suelo, y arranca partículas rocosas de la superficie. El viento juega una función clave en regiones áridas puesto que la arena que arrastra desgasta la roca y desaloja la arena superficial de dunas no protegidas. La intervención humana, como la remoción de la vegetación natural para la agricultura o el pastoreo, pueden conducir a la erosión por viento y agua, o acelerar su proceso. Ver también EROSIÓN LAMINAR.

**erosión laminar** Desprendimiento de partículas de suelo por impacto de las gotas de lluvia y su remoción por el agua que fluye pendiente abajo como un manto, en vez de escurrir por canales definidos o riachuelos. El proceso remueve una capa más o menos uniforme de partículas finas desde la superficie total de un área, resultando a veces en una pérdida extensa de la capa de rico suelo vegetal. Por lo general la erosión laminar ocurre en campos recientemente arados o en otros sitios que tienen suelo poco consolidado y con escasa cubierta vegetal.

**error** En matemática aplicada, la diferencia entre un valor y una estimación del mismo. En estadística, un ejemplo común es la diferencia entre la edad media de un grupo dado de personas (ver MEDIA, MEDIANA Y MODA) y aquella de una muestra extraída del grupo. En ANÁLISIS NUMÉRICO, un ejemplo de error de redondeo es la diferencia entre el valor verdadero de PI y las expresiones con que comúnmente se lo sustituye, como 227 y otras versiones recortadas como 3,14159. Errores de truncamiento resultan al usar sólo algunos de los primeros términos de una serie infinita. El error relativo es la razón entre el tamaño de un error y el tamaño de la cantidad medida, y el porcentaje de error es el error relativo expresado en tanto por ciento.

**Erskine (of Restormel), Thomas Erskine, 1er barón** (10 ene. 1750, Edimburgo, Escocia–17 nov. 1823, Almondell, Linlithgowshire). Abogado escocés. Hijo menor de Henry David Erskine, 10° conde de Buchan. Luego de prestar servicios en la armada y en el ejército británico, ingresó a estudiar derecho y en 1778 fue admitido al ejercicio de la abogacía. Prosperó como abogado luego de ganar un emblemático caso por difamación, y continuó haciendo valiosos aportes a la protección de las libertades personales. Su defensa de políticos y reformadores acusados de traición y otros delitos afines, como la defensa sin éxito de THOMAS PAINE (1792), contuvo las medidas represivas tomadas por el gobierno británico en el período posterior a la Revolución francesa. Contribuyó al derecho penal al defender sobre la base de la nueva causal de "demencia" al presunto asesino de JORGE III. Se desempeñó en el parlamento (1783–84, 1790–1806) hasta que fue elevado a la dignidad de par (1806), y fue lord canciller (1806–07) en el "ministerio de todos los talentos" de William Grenville. En 1820 defendió a la reina Carolina, a quien JORGE IV llevó a juicio ante la Cámara de los Lores acusada de adulterio para privarla de sus derechos y título. Los alegatos de Erskine se caracterizan por su vigor, contundencia y lucidez y a menudo por su gran valor literario.

**Erté** orig. **Romain de Tirtoff** (23 nov. 1892, San Petersburgo, Rusia–21 abr. 1990, París, Francia). Ilustrador y diseñador de modas francés de origen ruso. En 1912 llegó a París, donde trabajó breve tiempo con el sastre PAUL POIRET. Entre 1916 y 1937 publicó en *Harper's Bazaar* elegantes ilustraciones altamente estilizadas en las que representaba modelos en poses afectadas contra interiores ART DÉCO. También diseñó escenografías teatrales y trajes para el Folies-Bergère en París (1919–30). En la década de 1920 vistió a los artistas de las producciones musicales estadounidenses, en especial a los del *Ziegfeld Follies*. Sus diseños siguen siendo profusamente reproducidos.

Traje de tarde en satín negro y blanco diseñado por Erté para *Harper's Bazaar*, 1924.
© SEVENARTS LIMITED

**Ervin, Sam** orig. **Samuel James Ervin, Jr.** (27 sep. 1896, Morganton, N.C., EE.UU.–23 abr. 1985, Winston-Salem, N.C.). Senador estadounidense (1954–74). Se desempeñó en la Corte Suprema de Carolina del Norte (1948–54) antes de ocupar un asiento en el senado de EE.UU. Experto constitucionalista de elocuencia, integró el comité que censuró al senador Joseph McCarthy y participó en la investigación de las actividades de extorsión laboral. En el decenio de 1960 dirigió a un grupo de obstruccionistas sureños que se oponían a las leyes relativas a los derechos civiles, mientras actuaba simultáneamente de campeón de las libertades civiles. Como presidente del comité especial que investigó el escándalo de WATERGATE, se convirtió en una suerte de héroe popular por su persistencia en buscar pruebas frente a los argumentos de privilegio ejecutivo que esgrimía la Casa Blanca. Su sentido del humor directo y desinhibido, su acento particular y su encanto inagotable acentuaron su popularidad.

**Erving, Julius (Winfield)** (n. 22 feb. 1950, Roosevelt, N.Y., EE.UU.). Astro del baloncesto estadounidense. Jugó dos años en la Universidad de Massachusetts antes de incorporarse al baloncesto profesional en la American Basketball Association (ABA). De 2 m (6 pies 7 pulg.) de altura, conocido por el apodo de "Doctor J" fue alero de los Virginia Squires (1971–73) y los New York Nets (1973–76), a los que llevó a ganar dos títulos de la ABA (1974 y 1976). Después de la fusión de la ABA y la NBA, fue transferido a los Philadelphia 76ers (1977–87), donde conquistó el título de la liga en 1983. Fue conocido por su tenaz defensa, sus creativas penetraciones hacia el aro y sus culminantes clavados.

**Erzberger, Matthias** (20 sep. 1875, Buttenhausen, Würtemberg, Alemania–26 ago. 1921, Selva Negra, Baden). Político alemán. Elegido para integrar el Reichstag en 1903, se convirtió en líder del ala izquierdista del PARTIDO DEL CENTRO. Durante la primera guerra mundial participó en la resolución del Reichstag que proponía una paz negociada sin ganancias territoriales. Encabezó la delegación alemana que firmó el armisticio y defendió la aceptación del tratado de Versalles. En 1919–20 fue vicecanciller y ministro de finanzas. Por el hecho de ser partidario de un sistema republicano democrático, fue víctima de una campaña de difamación de la extrema derecha. Renunció a su ministerio y posteriormente fue asesinado por guerrilleros nacionalistas.

**Esaki, Leo** orig. **Esaki Reiona** (12 mar. 1925, Osaka, Japón). Físico japonés. En 1956 fue nombrado físico jefe de la Corporación Sony y en 1960 se le otorgó una beca IBM para seguir investigando en EE.UU., uniéndose a continuación a los laboratorios de investigación de IBM en Yorktown, N.Y. Trabajó intensamente en el efecto TÚNEL en semiconductores y fabricó el diodo de efecto túnel, el que encontró amplias aplicaciones en computadoras y otros aparatos. Compartió el Premio Nobel de Física en 1973 con Ivar Giaever (n. 1929) y BRIAN JOSEPHSON.

**escabiosa** Cualquiera de unas 100 especies de hierbas anuales o perennes que forman el género *Scabiosa,* de la familia Dipsaceae, nativas de la Eurasia templada, la cuenca del Mediterráneo y las montañas de África oriental. Algunas son importantes plantas ornamentales, como la escobilla morisca (*S. atropurpurea*),hierba anual de Europa meridional. Todas las especies tienen las hojas dispuestas en rosetas basales y tallos hojosos. Las cabezuelas florales poseen una fila externa de flores femeninas y una fila de brácteas de aspecto foliáceo en su base. La escabiosa medicinal o mordisco del diablo pertenece al género *Succisa.*

**escala** En música, los tonos (o alturas) principales de una TONALIDAD o de un MODO, ordenados dentro de una octava. Las escalas se distinguen por el patrón de los INTERVALOS entre notas adyacentes. Una escala puede considerarse una abstracción de la MELODÍA, es decir, los tonos de una melodía dispuestos en orden escalonado.

Ejemplos de escalas: cromática, mayor y menor.
© 2006 MERRIAM-WEBSTER INC.

**escalada de montañas** ver MONTAÑISMO

**escalar** o **pez ángel** Cualquiera de varios peces del orden Perciformes. Los escalares más conocidos son los CÍCLIDOS de agua dulce (género *Pterophyllum*), populares en los acuarios domésticos. Son peces delgados y de cuerpo alargado, en general plateados, con marcas oscuras verticales, pero pueden ser parcial o totalmente negros; crecen hasta 15 cm (6 pulg.) de largo. Los escalares marinos de vivos colores pertenecen a la familia de los Pomacanthidae. Se encuentran en arrecifes tropicales del Atlántico e Indo-Pacífico, donde comen algas

e invertebrados marinos, y alcanzan una longitud máxima de 46 cm (18 pulg.).

**Escalda Occidental** Estuario en el sudoeste de los Países Bajos. Es una ensenada del mar del Norte en la desembocadura del río ESCALDA, que corre 50 km (30 mi) al oeste a través de las islas Delta hacia el mar del Norte. Desde el s. XVI ha constituido una importante ruta de transporte, cuando el emperador del Sacro Imperio romano CARLOS V designó VLISSINGEN su puerto de embarque desde los Países Bajos. Sigue operando como una importante ruta de navegación hacia muchos destinos, entre ellos AMBERES.

**Escalda, río** *francés* **Escaut** Río en Europa occidental. El Escalda nace en el norte de Francia, discurre por la parte occidental de Bélgica hacia la ciudad de AMBERES, continúa al noroeste y desemboca en el mar del NORTE, en territorio holandés; su recorrido alcanza los 435 km (270 mi). Junto con el bajo RIN y el MOSA, baña una de las zonas más densamente pobladas del mundo. Un canal ubicado en la parte occidental del río Escalda permite que, en condiciones de marea alta, embarcaciones de navegación oceánica lleguen a Amberes.

**escáldica, poesía** Poesía oral cortesana originaria de Noruega, pero desarrollada de preferencia por poetas islándicos (escaldos) entre los s. IX y XIII. La poesía escáldica es contemporánea de la poesía édica (ver EDDA), pero se distingue de ella por su metro, su dicción y su estilo. La poesía édica es anónima, sencilla y concisa, y a menudo adopta la forma de un diálogo dramático objetivo. Los escaldos se identificaban por su nombre. Sus poemas eran descriptivos, ocasionales y subjetivos, sus metros eran estrictamente silábicos en vez de ser libres y variables, y su lenguaje estaba adornado con símiles y metáforas. Los temas formales eran las historias míticas grabadas en escudos, la alabanza de los reyes, los epitafios y las genealogías.

**escalera** Serie o tramo de peldaños que proporcionan un medio para moverse de un nivel a otro. Las primeras escaleras parecen haber sido construidas con muros por ambos lados, como en el PILÓN egipcio que data del segundo milenio AC. Los romanos se destacaron por sus escaleras monumentales. El uso moderno del acero y el hormigón armado ha hecho posible las curvas y giros de los diseños contemporáneos. Las escaleras se han fabricado tradicionalmente de madera, mármol o piedra, y también de hierro o acero. La superficie horizontal de un peldaño se llama huella, y la vertical frontal, contrahuella. Las escaleras tradicionales de madera se construyen con largueros inclinados en el mismo ángulo de la escalera. Los largueros se aseguran con postes que sostienen también el pasamano, formando una balaustrada.

**escalera mecánica** Escalera móvil utilizada para transporte entre pisos o niveles en tiendas, aeropuertos, metros y otros recintos con gran afluencia de peatones. Las escaleras mecánicas modernas son accionadas mediante motores eléctricos que transmiten el movimiento a la escalera por medio de cadenas y engranajes. Dos rieles mantienen a la escalera alineada en su trayecto. A medida que los peldaños móviles se aproximan a un descanso, pasan a través de un dispositivo peineta; un interruptor corta la corriente si un objeto se atasca entre la peineta y algún peldaño.

**Escalígero, Julio César, y José Justo** orig. **Scaliger, Julius Caesar y Joseph Justus** (23 abr. 1484, Riva, República de Venecia–21 oct. 1558, Agen, Francia) (5 ago. 1540, Agen, Francia–21 ene. 1609, Leiden, Holanda). Académicos clasicistas. Julio trabajó en botánica, zoología y gramática, pero su principal interés era desarrollar una evaluación analítica y crítica del mundo de la antigüedad. Su libro más leído fue *Poética* (1561), donde utiliza la retórica y la poética grecorromana como fundamento para la crítica literaria. Su hijo, José Justo, un precoz estudioso del lenguaje, asistió a la universidad en Francia e Italia y enseñó en su país natal antes de hacerlo en la Universidad de Leiden, donde se hizo conocido como el más erudito de los académicos de su época. Sus principales obras fueron *Opus novum de emendatione temporum* [Revisión de la cronología histórica] (1583) y *Thesaurus Temporum* [Tesoro de cronología histórica] (1609), las cuales ordenaron la cronología de la historia antigua.

**escalpar** Remover en forma total o parcial el cuero cabelludo de la cabeza del enemigo. Principalmente, se conoce este procedimiento como una práctica guerrera de los indígenas de América del Norte. Si bien al principio estuvo restringida a las tribus del este, se difundió como resultado de las recompensas ofrecidas por los franceses, ingleses, holandeses y españoles por las cabelleras de enemigos indígenas y, a veces, de enemigos blancos. Muchos soldados y también estadounidenses no civilizados adoptaron esta costumbre. Entre los indios de las LLANURAS, aunque las cabelleras eran tomadas como trofeos de guerra, por lo general de enemigos muertos, algunos guerreros preferían una víctima viva. La operación no resultaba necesariamente fatal y algunas de las víctimas eran liberadas con vida.

**escama** *o* **cochinilla** Cualquier miembro de varias familias de INSECTOS chupasavia (orden Homoptera), cuyo cuerpo está cubierto de una capa cerosa (escama). Los huevos son protegidos por una masa cerosa y filamentosa del insecto escama hembra. Las escamas pueden atacar cualquier parte de una planta, pero cada especie tiene huéspedes específicos. Muchas especies son plagas vegetales dañinas; otras tienen valor comercial. Del insecto de la especie *Laccifer lacca* se obtiene la goma laca. De los cuerpos secos y pulverizados de la hembra de la especie *Dactylopius coccus* se obtiene un tinte rojo para el teñido de textiles. Ver también ESCAMA ALGODONOSA; ESCAMA DE SAN JOSÉ.

**escama algodonosa** ESCAMA (*Icerya purchasi*, del orden Homoptera) que constituye una plaga, particularmente en los CÍTRICOS de California, EE.UU. El adulto pone sus huevos rojos brillantes en una gran masa blanca característica que sobresale de una ramilla. Distribuida en todo el mundo, la escama algodonosa se encuentra en muchas otras plantas, como la acacia,

Escamas algodonosas (*Icerya purchasi*, aumentadas).

ROBERT C. HERMES—THE NATIONAL AUDUBON SOCIETY COLLECTION/PHOTO RESEARCHERS

el pitosporo y el sauce. La catarina australiana (ver MARIQUITA) es un enemigo natural que ha impedido que la escama destruya la industria cítrica californiana.

**escama de san José** Especie (*Aspidiotus perniciosus*) de ESCAMA descubierta en 1880 en San José, Cal., EE.UU., pero probablemente originaria de China. Una secreción gris cerosa (escama) cubre las hembras amarillas, que miden aprox. 1,5 mm (0,06 pulg.) de diámetro. La escama es elevada en el centro y está rodeada de un aro amarillo. Cada año, la hembra produce varias generaciones de crías. La escama de san José puede cubrir completamente las ramas de un árbol y finalmente matarlo.

**escanda** *o* **espelta** Subespecie (*Triticum aestivum spelta*) de TRIGO que tiene espigas y espiguillas laxas compuestas de dos granos de color rojo claro. El *Triticum dicoccon* lo cultivaban los antiguos babilonios y los primeros habitantes lacustres suizos; ahora se cultiva para forraje y se utiliza en cereales y productos horneados.

**Escandinava, península** Gran promontorio en Europa septentrional. Ocupada por Noruega y Suecia, tiene aprox. 1.850 km (1.150 mi) de longitud, una superficie de 750.000 km² (290.000 mi²) y se extiende hacia el sur desde el mar de BARENTS. Es principalmente montañosa; su ladera oriental desciende con una pendiente suave hacia el mar Báltico, mientras que su ladera occidental alcanza abruptamente la accidentada costa, formando fiordos.

**Escandinavia** Región de Europa septentrional. Por lo general la región comprende Noruega, Suecia y Dinamarca. A veces el término se usa de manera más amplia para incluir a Finlandia e Islandia. Noruega y Suecia ocupan la península ESCANDINAVA, mientras que Dinamarca es parte de la llanura septentrional europea. Los pueblos escandinavos comparten una cultura similar y hablan idiomas que constituyen un grupo afín de lenguas GERMÁNICAS.

**escáner óptico** Dispositivo de entrada de computadoras que usa un rayo de luz para escanear (explorar y traducir a señales eléctricas) códigos, texto o imágenes gráficas directamente a una computadora o a un sistema computacional. Los escáneres de CÓDIGO DE BARRAS son muy usados en terminales de puntos de venta en tiendas minoristas. Un escáner portátil o pluma lectora de código de barras es desplazado a través del código, o este es desplazado manualmente a través de un escáner inserto en el mostrador de una caja registradora o en otra superficie, y la computadora almacena o procesa de inmediato los datos del código de barras. Después de identificar el producto a través de su código de barras, la computadora determina su precio y alimenta esa información en la caja registradora. Los escáneres ópticos se emplean también en máquinas FAX y para introducir material gráfico directamente en una COMPUTADORA PERSONAL. Ver también OCR.

**escape de incendios** Medio de salida rápida de un edificio para ser usado principalmente en caso de incendio. Las ordenanzas de construcción definen como escape en caso de incendio a un pasaje cerrado y protegido, que va desde una abertura de acceso a través de una combinación de corredores, escaleras y puertas hacia un espacio exterior o vía pública. El término escape de incendios se refiere por lo general a balcones abiertos de fierro o acero con empinadas escaleras en el exterior de los edificios; a menudo es una adecuación posterior a su construcción en edificios antiguos. Es poco usual encontrar este tipo de instalación en construcciones nuevas. Existen otros medios de escape, como balcones que conducen a edificios adyacentes, o toboganes, estos últimos utilizados por lo general en hospitales.

**escarabajo** En la religión EGIPCIA, un símbolo de inmortalidad muy usado en el arte funerario. Se inspiraba en el ciclo de vida del ESCARABAJO. Las pelotas de estiércol que los escarabajos apisonan y usan para consumir, colocar sus huevos y alimentar a sus crías representaban un ciclo de renacimiento y fueron asociadas con la inmortalidad y con el tránsito del sol por los cielos. Muchos escarabajos eran fabricados con metales preciosos y usados como amuletos o sellos. Aparecieron por primera vez c. 2575–2130 AC y fueron labrados en gran número durante los reinos medio y nuevo.

**escarabajo** Cualquiera de unas 30.000 especies de ESCARABAJO (familia Scarabaeidae), que se hallan en todo el mundo. Son compactos, de cuerpo pesado y ovalado. Cada antena termina en tres placas aplanadas que se encajan para formar una porra. Los bordes externos de las extremidades anteriores pueden ser dentados o festoneados. Estas especies miden de 5 a 120 mm (0,2 – 4,8 pulg.) de largo e incluyen a uno de los insectos conocidos más pesados. Una especie de ESCARABAJO PELOTERO, *Scarabaeus sacer*, era sagrado para los antiguos egipcios. Muchas especies son plagas agrícolas (p. ej., el ESCARABAJO CETONIA, el ESCARABAJO JAPONÉS y el ESCARABAJO DE JUNIO); y también apetecidos por los coleccionistas de insectos por sus élitros grandes, duros, bellos y coloridos, además, muy lustrosos.

**escarabajo cetonia** Cualquiera de las diversas especies de ESCARABAJO (la mayoría de la subfamilia Melolonthinae). Los escarabajos cetonia adultos (género *Macrodactylus*) comen follaje; la hembra deposita sus huevos en el suelo y las larvas viven subterráneas durante años, alimentándose de raíces de plantas. El conocido escarabajo rosado, un escarabajo patilargo bronceado, se alimenta de flores y del follaje de uvas, rosas y otras plantas. Las aves de corral que comen larvas de escarabajo rosado se pueden envenenar.

**escarabajo de junio** Cualquier insecto del género *Phyllophaga*, perteneciente a la subfamilia Melolonthinae de ESCARABAJOS fitófagos de amplia distribución. Estos COLEÓPTEROS de color pardo rojizo aparecen comúnmente en los cálidos anocheceres primaverales del hemisferio norte y los atrae a la luz. De cuerpo pesado, miden 1,2–2,5 cm (0,5–1 pulg.) de largo y tienen élitros brillantes. Se alimentan de follaje y flores durante la noche, causando, a veces, daños considerables. Las larvas viven en el suelo, y pueden destruir los cultivos y praderas cortando la hierba de raíz. Se consideran una carnada de pesca excelente.

**escarabajo de la patata** Especie destructiva (*Lema trilineata*) de COLEÓPTERO foliar (familia Chrysomelidae). Mide menos de 6 mm (0,25 pulg.) de largo, es amarillo, con tres franjas negras en los élitros. Pone los huevos en el envés de las hojas de patata, de las cuales se alimentan las larvas y los escarabajos adultos. Las larvas son camufladas por los excrementos que los escarabajos apilan en su dorso. Cada año se producen dos generaciones; la segunda generación sobrevive al invierno en el suelo en estado de pupa. Ver también ESCARABAJO DE LA PATATA DE COLORADO.

**escarabajo de la patata de Colorado** COLEÓPTERO foliar (*Leptinotarsa decemlineata*, familia Chrysomelidae) originario del oeste de Norteamérica. Comenzó alimentándose de las hojas de la PATATA cultivada cuando se introdujeron las plantas a dicha región, y en 1874 se había convertido en una plaga importante y difundida. Su cuerpo es hemisférico, de unos 10 mm (0,4 pulg.) de largo, rojo anaranjado o amarillo, con listas negras en los élitros. Dependiendo del clima, los escarabajos de la patata pueden producir una a tres generaciones por año.

**escarabajo del pepino** Cualquiera de varios COLEÓPTEROS foliares (género *Diabrotica*) que son PLAGAS importantes. De color amarillo verdoso, con manchas o franjas negras, miden 2,5–11 mm (0,1–0,5 pulg.) de largo. El escarabajo del pepino listado y el manchado se alimentan de plantas de jardín, y las larvas, de sus respectivas raíces.

**escarabajo del reloj de la muerte** Insecto barrenador (especie de COLEÓPTERO *Xestobium refuvillosum*) que tiende a ser pequeño (menos de 1–9 mm o 0,5 pulg.) y cilíndrico. Al ser perturbado, repliega sus patas y se hace el muerto. Hace un sonido de clic o de tictac al golpear la cabeza o las mandíbulas contra los costados de los túneles que crea al barrenar muebles o maderas antiguas, un sonido que, de acuerdo a la superstición, predice la muerte.

**escarabajo descortezador** Cualquier miembro de la familia Scolytidae de COLEÓPTEROS, muchos de los cuales dañan gravemente los árboles. Los escarabajos descortezadores son cilíndricos, marrón o negros, y por lo general miden menos de 6 mm (0,25 pulg.) de largo. Un macho y las hembras (hasta 60 hembras con cada macho) perforan un árbol y forman en su interior una cámara donde cada hembra deposita sus huevos. Las larvas emergentes barrenan su salida de la cámara, formando una serie característica de túneles. Cada especie ataca árboles específicos, dañando raíces, tallos, semillas o frutos. Algunas

especies transmiten enfermedades (p. ej., los escarabajos descortezadores del olmo portan esporas fungosas de la GRAFIOSIS).

**escarabajo japonés** ESCARABAJO (*Popillia japonica*) que es una PLAGA importante de plantas. Introducido accidentalmente desde Japón a EE.UU. en 1916, es sabido que se alimenta de más de 200 especies de plantas. Sus larvas se nutren de raíces en el subsuelo; los adultos comen flores, frutos y follaje. Habitan desde Maine hasta Carolina del Sur y se han producido infestaciones en otras partes de Norteamérica. Los adultos, que miden 10 mm (0,4 pulg.) aprox. de largo, son de color verde metálico, brillante, con élitros marrón cobrizo. El control de esta plaga consiste en pulverizaciones con insecticidas, la aplicación de una bacteria inductora de enfermedades y la introducción de enemigos naturales del escarabajo japonés (ciertas especies de avispas y moscas parásitas).

Escarabajo rinoceronte (*Dynastes tityus*)

Escarabajo de junio (*Cotinus nitida*)

Escarabajo tigre (*Cicindela sexguttata*)

Criocero de los cereales (*Lema melanopa*)

Escarabajo del reloj de la muerte (*Catorama punctatum*)

Escarabajo de la patata de Colorado (*Leptinotarsa decemlineata*)

Cicloneda sanguínea (*Hippodamia convergens*)

Especies de escarabajo.
© ENCYCLOPÆDIA BRITANNICA, INC.

**escarabajo meloides** Cualquiera de unas 2.000 especies de COLEÓPTEROS (familia Meloidae) que secretan una sustancia irritante, la cantaridina, utilizada en medicina como irritante tópico para remover verrugas. Antes, la cantaridina se usaba generalmente para inducir ampollas, un remedio común para muchas dolencias, y los restos secos de la cantárida (*Lytta vesicatoria*) eran un ingrediente importante en los llamados filtros o bebedizos. Los escarabajos meloides adultos, por lo general de colores vivos, miden entre 3–20 mm (0,1–0,8 pulg.) de largo. Son tanto beneficiosos como dañinos para los seres humanos; las larvas se comen los huevos de los saltamontes, pero los adultos destruyen los cultivos.

**escarabajo pelotero** *o* **escarabajo del estiércol** Cualquier miembro de una subfamilia (Scarabaeinae) de ESCARABAJOS, que moldean el estiércol en una bola (a veces del tamaño de una manzana) con su cabeza acucharada y sus antenas remiformes. Su tamaño varía de 5–30 mm (0,2 a más de 1 pulg.) de largo. A comienzos del verano se entierra junto a la bola y se alimenta de ella. Avanzada la estación, la hembra deposita sus huevos en las bolas de estiércol, de las cuales se alimentan las larvas posteriormente. Por lo general son redondos, con élitros que exponen el extremo del abdomen. Pueden comer más que su propio peso en 24 horas y se consideran beneficiosos porque aceleran la conversión del estiércol en sustancias utilizables por otros organismos.

**escarabajo pulgón** Cualquier miembro de la subfamilia Alticinae de COLEÓPTEROS (familia Chrysomelidae), de presencia universal. Es diminuto (menos de 6 mm [0,25 pulg.] de largo) y de color oscuro o metálico. La patas traseras hipertróficas están adaptadas para saltar. Los escarabajos pulgones son PLAGAS importantes de plantas cultivadas (p. ej., uvas, pepinos, melones, tabaco, patatas y tomates). Los adultos se alimentan de las hojas y las larvas, de las raíces. Algunos escarabajos pulgones son portadores de enfermedades de plantas (p. ej., la ROYA temprana de la patata).

**escarabajo tigre** Cualquiera de unas 2.000 especies (familia Cicindelidae) de COLEÓPTEROS voraces, que se hallan en todo el mundo, pero principalmente en los trópicos y subtrópicos. La larva espera al borde de su escondrijo (hasta 0,7 m, o 2 pies, de profundidad) y atrapa los insectos (la presa) que se aproximan con sus mandíbulas falciformes. Los ganchos del abdomen lo anclan de modo que la víctima que forcejea no puede zafarse y es arrastrada a la madriguera para comérsela. Los adultos, delgados y de patas largas, que miden menos de una pulgada (25 mm) de largo, tienen mandíbulas prominentes que pueden infligir una mordedura dolorosa. Muchos son azul tornasolados, verde naranjo o carmesí.

**escariador** HERRAMIENTA de corte giratoria, de forma cónica o cilíndrica, usada para agrandar y terminar, a las dimensiones precisas, los agujeros que han sido perforados, taladrados o ahuecados previamente. No se puede usar un escariador para comenzar un agujero. Todos tienen estrías o surcos longitudinales y para cortar se puede usar los lados de la herramienta o la punta. Los escariadores están hechos de ACERO alto en carbono, ACERO RÁPIDO O CARBUROS cementados.

**escarlatina** Enfermedad infecciosa aguda causada por algunos tipos de ESTREPTOCOCOS. Los síntomas como fiebre, dolor de garganta, cefalea y, en los niños, vómitos, preceden en dos o tres días la aparición del exantema. La piel se descama en un tercio de los casos. La lengua, cubierta de saburra, se ve roja, hinchada y granulosa (lengua de fresa). Los ganglios están habitualmente hinchados. Las complicaciones con frecuencia afectan los senos paranasales, los oídos (a veces con MASTOIDITIS) y el cuello. Los ABSCESOS son comunes. Después puede desarrollarse NEFRITIS, ARTRITIS O FIEBRE REUMÁTICA. El tratamiento entraña PENICILINA, reposo en cama e ingestión adecuada de líquidos. La escarlatina se ha vuelto más benigna desde mediados del s. XX, al margen del uso de antibióticos.

**escatología** Doctrina teológica sobre las "cosas últimas" o el fin del mundo. Las escatologías mitológicas describen una eterna lucha entre el orden y el caos y celebran la eternidad del orden y la repetitividad del origen del mundo. La expresión más notable de escatología mitológica se encuentra en el HINDUISMO, que sostiene la creencia en grandes ciclos de destrucción y creación del universo. Las escatologías históricas se basan en hechos fechables que son considerados fundamentales para el progreso de la historia. Se encuentran en el judaísmo, el cristianismo y el islamismo. La escatología hebrea considera que las catástrofes que acosan al pueblo de Israel se deben a su desobediencia de las leyes y la voluntad de Dios y sostiene que la conformidad con el plan divino resultará en la renovación y el cumplimiento del propósito de Dios. En el cristianismo, se cree que el final de los tiempos comienza con la vida y el ministerio de Jesús, el MESÍAS, que regresará para establecer el REINO DE DIOS. El MILENARISMO se centra especialmente en la segunda venida de Cristo y en el reino de los justos en la Tierra. En el islamismo CHIITA se cree que el MAHDI, o restaurador de la fe, vendrá para iniciar el juicio final, en el que el bueno entrará al CIELO y el malo caerá al INFIERNO. En el BUDISMO, las tradiciones escatológicas están asociadas con el Buda MAITREYA y el BUDISMO DE LA TIERRA PURA, así como con los esfuerzos individuales por alcanzar el NIRVANA.

**escenografía** Composición estética de una producción teatral en la que interviene la iluminación, decorado, vestuario y sonido. El teatro griego del s. IV AC ya utilizaba elementos como lienzos pintados y plataformas rodantes; sin embargo, gran parte de las innovaciones escenográficas fueron desarrolladas en el teatro renacentista italiano, en el que era común el uso de telones de fondo pintados, construcciones escénicas en perspectiva y cambios sucesivos de decorado. Las técnicas italianas de escenografía fueron introducidas en Inglaterra en 1605 por INIGO JONES para sus mascaradas (funciones teatrales palaciegas). A fines del s. XIX, la escenografía fue influenciada por el neonaturalismo, que requería decorados históricamente fieles. En el s. XX, las escenografías se hicieron más sencillas para que la atención del público se concentrara en el actor. La escenografía ha sido influida en gran medida por los adelantos en la iluminación, desde el uso de velas en el Renacimiento, lámparas de aceite en el s. XVIII hasta las luces de gas y eléctricas en el s. XIX. La moderna iluminación teatral, que utiliza

consolas computarizadas para lograr complejos efectos, unifica todos los elementos visuales de una producción artística. Ver también TRAMOYA.

**escepticismo** Duda filosófica aplicada a las pretensiones de conocimiento en diversas áreas. Desde la antigüedad hasta los tiempos modernos, los escépticos han impugnado las posiciones admitidas de la metafísica, la ciencia, la moral y la religión. Pirrón de Elis (c. 360–272 AC) buscaba la tranquilidad mental mediante la evitación de todo compromiso con una posición particular; su concepción hizo surgir el pirronismo en el s. I AC, cuyos defensores se proponían suspender el juicio por medio de la oposición sistemática a diversas pretensiones de conocimiento. Uno de sus líderes posteriores, Sexto Empírico (s. II y III AC), procuró alcanzar un estado de imperturbabilidad. Entre los filósofos escépticos modernos figuran MICHEL DE MONTAIGNE, PIERRE BAYLE y DAVID HUME.

**Escévola, Quinto Mucio** (m. 82 AC). Legislador romano. Fue sucesivamente cónsul, gobernador de la provincia de Asia y, c. 89, asumió como *pontifex maximus*. Alrededor de 95 AC logró la aprobación de la *lex Licinia Mucia*, que eliminaba a ciertos grupos de las listas de ciudadanos, lo que condujo a la guerra SOCIAL de los años 90–88. Su principal obra fue un tratado sistemático de 80 vol. sobre derecho civil, que fue citado y utilizado con frecuencia por escritores posteriores. En su manual *Horoi* exponía, en forma sucinta, normas legales y explicaciones de términos legales; es la más antigua de las obras citadas en el Digesto de JUSTINIANO l.

**Escher, M(aurits) C(ornelis)** (17 jun. 1898, Leeuwarden, Países Bajos–27 mar. 1972, Laren). Artista gráfico neerlandés. Se hizo conocido por grabados en los que utilizó detalles realistas para lograr extrañas ilusiones ópticas, como escaleras que parecen conducir, desde un mismo nivel tanto hacia arriba como hacia abajo. Su obra cobró tinte surrealista al representar inesperadas metamorfosis de objetos corrientes. Sus trabajos, interesantes para matemáticos, psicólogos cognitivos y público general, fueron ampliamente reproducidos a lo largo del s. XX.

**Escila y Caribdis** En la mitología GRIEGA, dos monstruos que custodiaban el estrecho paso que ODISEO tenía que surcar en sus viajes. Esas aguas se identifican actualmente con el estrecho de MESSINA. En una orilla estaba Escila, un monstruo con seis cabezas de serpiente, en las cuales capturó y devoró a seis compañeros de Odiseo. En la orilla opuesta estaba Caribdis, la personificación de un remolino, que tres veces al día tragaba las aguas y luego las arrojaba. El náufrago Odiseo se salvó sujetándose a un árbol de la orilla hasta que su balsa emergió a la superficie.

**Escipión el Africano** *latín* **Publius Cornelius Scipio Africanus** (236–184/183 AC, Liternum, Campania). General romano en la segunda guerra PÚNICA. Nació en el seno de una familia patricia de la que provenían varios cónsules. Cuando era TRIBUNO militar, combatió en la batalla de CANNAS (216); pese a la derrota romana, Escipión logró escapar. Cuando aún era joven, conquistó Hispania para Roma en 206, expulsando a los cartagineses y vengando así la muerte de su padre. En 205, en calidad de CÓNSUL, recibió autorización para atacar a los cartagineses en África. En 202 derrotó a ANÍBAL en la batalla de ZAMA, lo cual puso fin a la

Moneda de plata de Cartago Nova, que se cree es un retrato de Escipión el Africano; Colección real de monedas y medallas, Museo Nacional de Dinamarca, Copenhague.
GENTILEZA DEL MUSEO NACIONAL DE DINAMARCA

segunda guerra púnica y le valió el título de "el Africano". Sus adversarios políticos, encabezados por MARCO PORCIO CATÓN, lo acusaron a él y a su hermano Lucio de ofrecer términos demasiado indulgentes a Macedonia después de la campaña que habían librado en el lugar y de no poder justificar el dinero que supuestamente habían recibido en esos acuerdos. Aunque no hubo pruebas de su culpabilidad, se retiró de la vida pública y murió en virtual exilio.

**Escipión Emiliano** *llamado* **el Segundo Africano o Numantino** *latín* **Publius Cornelius Scipio Aemilia nus Africanus Numantinus** (185/184–129 AC, Roma). General romano al que se atribuye la victoria final sobre CARTAGO. Era hijo natural de Paulo Emilio e hijo adoptivo de Publio Escipión, hijo de ESCIPIÓN EL AFRICANO. POLIBIO le inculcó los ideales de honor, gloria y éxito militar. Se distinguió por primera vez en la tercera guerra MACEDÓNICA (168). Luego combatió en España y pasó a África (150), donde dio pruebas de gran capacidad militar contra Cartago mientras era TRIBUNO militar, a raíz de lo cual surgió el clamor de que asumiera el mando de la campaña contra Cartago. Aunque no tenía la edad necesaria, fue elegido CÓNSUL en 147 y regresó a África. Sitió y destruyó Cartago (146), con lo cual se puso fin a la tercera guerra PÚNICA y se estableció la provincia de África. Nombrado cónsul nuevamente en 134, recibió el mando en la guerra celtíbera (ver CELTIBERIA), asegurando el control de Hispania después de sitiar y destruir Numancia (133). De regreso en Roma, adoptó una posición impopular con respecto a una ley apoyada por su amigo TIBERIO SEMPRONIO GRACO; debía pronunciarse públicamente sobre el asunto cuando murió en forma inesperada.

**escita** Miembro de un pueblo nómada de origen iranio que emigró desde Asia central hacia el sur de Rusia en los s. VIII–VII AC. Eran feroces guerreros y expertos jinetes, lo que les permitió establecer un imperio desde el oeste de Persia, a través de Siria y Judea, hasta Egipto, y expulsar a los CIMERIOS de su territorio en el Cáucaso y el norte del mar Negro. Aunque expulsados de Anatolia por los medos (ver MEDIA), dominaron un territorio que iba desde la frontera persa hasta el sur de Rusia y c. 513 AC rechazaron una invasión del rey persa DARÍO I. Su civilización dio origen a una acaudalada aristocracia ("realeza escita"), cuyas sepulturas contenían objetos de oro y otros materiales preciosos ricamente trabajados. El ejército estaba integrado por hombres libres; al presentar la cabeza de un enemigo, los soldados tenían derecho a una parte del botín. Combatían con arcos de doble curva, flechas en trifolio y espadas persas. Los ritos funerarios exigían el sacrificio de la viuda y los sirvientes del fallecido. En el s. V AC, la familia real se emparentó por medio del matrimonio con los griegos. Sucumbieron ante los SÁRMATAS en el s. II AC. Ver también arte ESCÍTICO.

**escítico, arte** Objetos decorativos, principalmente orfebrería, arreos y adornos de arneses de caballos, tiendas y carros producidos por tribus nómadas ESCITAS dispersas por Asia central y Europa oriental entre los s. VII AC y II DC. También se conoce como arte de las estepas y se compone principalmente de representaciones de bestias, reales o míticas, trabajadas en una amplia variedad de materiales que incluyen madera, cuero, hueso, aplicaciones de fieltro, bronce, hierro, plata, oro y electro. Sobresalen los adornos de oro con figuras de ciervos de cerca de 30 cm de largo, con las piernas flectadas bajo el cuerpo, usados probablemente como ornamentos centrales en escudos.

Hebilla de cinturón de oro escítica con incrustación de turquesa, de Siberia; Museo del Ermitage, San Petersburgo, Rusia.
AGENCIA NOVOSTI

**esclavitud** Condición en que una persona pertenece a otra. Jurídicamente los esclavos eran bienes muebles y carecían de los derechos que de ordinario corresponden a las personas libres. La esclavitud ha existido en casi todos los continentes, como Asia, Europa, África y América, y a lo largo de la mayor parte de la historia conocida. Los antiguos griegos y romanos aceptaron la esclavitud, al igual que los mayas, incas, aztecas y chinos. Los europeos empezaron a importar esclavos desde África al Nuevo Mundo a comienzos del s. XVI (ver trata de ESCLAVOS). Se estima que en la época del comercio transatlántico de esclavos salieron de África 11 millones de personas. A mediados del s. XIX, en EE.UU. había más de cuatro millones de esclavos, pese a que en 1809 se había prohibido su importación. La mayoría de los esclavos trabajaba en las plantaciones del Sur y su condición se regía por leyes sobre la ESCLAVITUD. Muchos de los esclavos enviados al Nuevo Mundo terminaban en Sudamérica, donde las duras condiciones a que estaban sometidos exigían su constante reposición. Con el auge del ABOLICIONISMO, en 1833 Gran Bretaña prohibió la esclavitud en sus colonias, y Francia lo hizo en 1848. Durante la guerra de Secesión, la Confederación abolió la esclavitud mediante la proclamación de la EMANCIPACIÓN (1863), decretada por el pdte. Abraham Lincoln. La esclavitud continúa existiendo en muchas partes del mundo, aunque ningún Estado la reconoce oficialmente. Ver también sentencia DRED SCOTT; leyes de los ESCLAVOS FUGITIVOS; SERVIDUMBRE; UNDERGROUND RAILROAD.

**esclavitud, leyes sobre la** En la historia de EE.UU., leyes que regulaban la condición jurídica de los esclavos, promulgadas por las colonias o estados que permitían la ESCLAVITUD. Los esclavos eran cosas y no personas. Tenían escasos derechos: no podían prestar testimonio en los tribunales cuando el caso involucraba a ciudadanos blancos; no podían celebrar contratos ni poseer bienes; no podían golpear a una persona blanca, aunque esta los hubiese atacado; no podían abandonar la propiedad del amo sin su autorización; no podían reunirse a menos que hubiera un blanco presente; no se les podía enseñar a leer ni escribir; y no se les permitía contraer matrimonio. Los infractores eran sometidos a severos castigos, entre ellos la pena de azotes, la marca con hierro candente, la prisión y la muerte. Ver también códigos NEGROS.

**Esclavo, Pequeño Lago del** ver PEQUEÑO LAGO DEL ESCLAVO

**Esclavo, río del** Río en el norte de la provincia de Alberta y el sur de los Territorios del Noroeste de Canadá. Forma parte integral del río MACKENZIE y discurre al norte 415 km (258 mi) desde el lago ATHABASCA antes de desembocar en el GRAN LAGO DEL ESCLAVO cerca de Fort Resolution. Recibe durante su curso al río Peace y varias corrientes pequeñas.

**esclavos fugitivos, leyes de los** Leyes estadounidenses de 1793 y 1850 (revocadas en 1864) que disponían la captura y retorno de los esclavos prófugos. La ley de 1793 permitía que un juez por sí solo decidiera la condición de un supuesto esclavo fugitivo. La oposición norteña condujo a que en los estados se promulgaran leyes de libertad personal que daban a los esclavos derecho a juicio con jurado, y que en 1810 inspiraron a muchas personas a apoyar el UNDERGROUND RAILROAD (red clandestina). En 1850, la presión acentuada del Sur obtuvo la promulgación de la segunda ley, como parte del COMPROMISO DE 1850. Esta norma legal imponía sanciones a los alguaciles federales que se negaran a exigir su cumplimiento y a las personas que ayudaran a los esclavos a huir; los fugitivos no podían declarar en su propia defensa, ni tampoco tenían derecho a un juicio con jurado. La severidad de la ley aumentó la simpatía por el movimiento abolicionista. Para contrarrestarla, los estados norteños promulgaron otras leyes de libertad personal, las cuales fueron citadas en 1860 por Carolina del Sur para justificar su SECESIÓN.

**esclavos, narrativa testimonial de** Narración auto-biográfica, escrita o verbal, de la vida de un fugitivo o ex esclavo, o de una parte significativa de ella. *A Narrative of the Uncommon Sufferings and Surprising Deliverance of Briton Hammon, a Negro Man* [Relato de los extraordinarios padecimientos y de la sorpresiva liberación de Briton Hammon, un hombre negro] (1760) se suele considerar el primer ejemplo de este género. El primer relato testimonial de un esclavo que se convirtió en un *best seller* internacional fue la obra en dos volúmenes *Interesting Narrative of the Life of Olaudah Equiano, or Gustavus Vassa, the African* [Relato de la vida de Olaudah Equiano, o Gustavus Vassa, el africano] (1789), pero recientemente (a comienzos del s. XXI) se han descubierto pruebas que sugieren que el autor nació en California del Sur y no en África, lo que implicaría que al menos una parte de la obra no es auto-biográfica. El período más importante de los relatos testimoniales de esclavos se dio en 1830–60. Algunos de ellos eran auto-biografías fácticas, mientras que otras estaban deformadas o se volvían sensacionalistas por el deseo de sus autores de generar simpatías pro causa abolicionista. El género alcanzó su apogeo con la autobiografía de FREDERICK DOUGLASS (1845). En el s. XX se recopilaron relatos documentales emanados de entrevistas grabadas con ex esclavos.

**esclavos, trata de** Captura, compra y venta de esclavos. La ESCLAVITUD ha existido en todo el mundo desde los tiempos antiguos, y el comercio de esclavos ha sido igualmente universal. Se capturaban esclavos entre los eslavos y los iraníes desde la antigüedad hasta el s. XIX, en los pueblos del África subsahariana desde el s. I DC hasta mediados del s. XX, y entre los pueblos germánicos, celtas y románicos en la época vikinga. Se crearon complejas redes comerciales: por ejemplo, en los s. IX–X, los vikingos podrían vender esclavos provenientes del este a los comerciantes árabes y judíos, quienes a su vez los trasladaban a Verdún y León, lugar donde podían ser vendidos en la España morisca y en el norte de África. El comercio transatlántico de esclavos es quizás el más conocido. En África se necesitaban mujeres y niños esclavos para destinarlos al trabajo o para la formación de una descendencia; a partir de c. 1500, los hombres capturados eran llevados a la costa y vendidos a los europeos. Luego se los transportaba al Caribe o Brasil, donde eran vendidos en subasta y distribuidos en todo el Nuevo Mundo. En los s. XVII–XVIII, los esclavos africanos eran intercambiados por melaza en el Caribe, producto con el cual se hacía ron en las colonias americanas y se intercambiaba en África por más esclavos.

**esclerodermia** *o* **esclerosis sistémica progresiva** Enfermedad crónica que endurece la PIEL y la fija a las estructuras subyacentes. La hinchazón y la acumulación de COLÁGENO causan pérdida de elasticidad. Su causa es desconocida. Afecta más a las mujeres y suele comenzar a los 25–55 años de edad, con inflamación intensa de los tejidos subyacentes, rigidez, dolor, tirantez y engrosamiento de la piel. Las manifestaciones sistémicas, que pueden aparecer años después, son fiebre, disnea, fibrosis pulmonar, miocarditis o pericarditis, trastornos gastrointestinales, disfunción renal y depósitos de calcio subcutáneos. La enfermedad puede al final estabilizarse o remitir gradualmente. Los ESTEROIDES pueden ser beneficiosos, y la medicina física y la rehabilitación con calor, masajes y ejercicios pasivos (movilización de las extremidades por el terapeuta) contribuyen a prevenir la rigidez y la deformación de las extremidades.

**esclerosis lateral amiotrófica (ELA)** Enfermedad degenerativa del sistema NERVIOSO que produce ATROFIA muscular y parálisis. Suele ocurrir después de los 40 años de edad, más a menudo en hombres. La mayoría muere en dos a cinco años por atrofia de los músculos respiratorios. Afecta las NEURONAS motoras; los músculos que controlan se debilitan y se atrofian. La debilidad suele empezar por las manos y avanza lentamente hacia los hombros. Las extremidades inferiores se debilitan y se ponen espásticas. Las variantes incluyen la atrofia muscular progresiva y la parálisis bulbar progresiva. En 1993 se descubrió un gen defectuoso responsable del 5–10% de los casos; este produce una versión ineficaz de una enzima que neutraliza radicales libres capaces de destruir las neuronas motoras.

**esclerosis múltiple** Enfermedad del ENCÉFALO y de la MÉDULA ESPINAL en que una destrucción gradual, en placas, de la vaina de mielina de las fibras nerviosas interrumpe o altera la transmisión de los impulsos nerviosos. Sus primeros síntomas pueden comprender debilidad o temblor de las extremidades, problemas visuales, alteraciones sensoriales, marcha inestable, y descontrol vesical, manifestaciones que se exacerban y remiten irregularmente. Los ataques son cada vez más agudos, y algunos síntomas se vuelven permanentes, a veces con PARÁLISIS completa. La sobrevivencia, desde el comienzo, es en promedio de 25 años, pero hay una forma rara aguda que avanza en pocos meses. La causa no está clara y el tratamiento es insatisfactorio. Los corticoides pueden ser paliativos. La esclerosis múltiple puede deberse a una respuesta inmunitaria retardada que ataca las vainas de mielina; las causas que se sugieren son varios virus comunes y también factores dietéticos.

**escocés, derecho** Prácticas e instituciones legales de Escocia. En 1707, cuando se unieron los parlamentos de Inglaterra y Escocia, los sistemas legales de ambos países eran muy diferentes. Escocia había complementado su derecho consuetudinario con principios de derecho civil adaptados de los sistemas que se aplicaban en Francia y Holanda. Su asimilación del derecho inglés a partir de la unión fue significativa, particularmente en el campo del derecho mercantil. El tribunal supremo de Escocia en materia civil es la "Court of Sessions", actualmente integrada por 18 jueces y dividida en la Cámara interna y la Cámara externa. En materia penal, el tribunal supremo es la Alta Corte de la Judicatura. De estos dos órganos dependen seis condados, cada cual cuenta con su propio tribunal de condado, que es una institución muy antigua. Los casos de menor importancia son resueltos por tribunales de distrito.

Panorámica de las ruinas de un castillo medieval junto al mar en Escocia.
HARVEY LLOYD/TAXI/GETTY IMAGES

**Escocia** País en el extremo septentrional del REINO UNIDO. Superficie: 78.789 km$^2$ (30.421 mi$^2$). Población (2001): 5.062.011 hab. Capital: EDIMBURGO. La población es una mezcla de ancestros celtas, anglos y normandos. Idiomas: inglés (oficial), gaélico escocés y escocés (inglés de Escocia). Religión: Iglesia de Escocia (presbiteriana; oficial). Moneda: libra esterlina. Escocia está compuesta por tres regiones principales. Las Highlands (Tierras Altas), ubicadas al norte, están cubiertas por una serie de lagos y los montes GRAMPIANOS. Las Lowlands (Tierras Bajas), donde están algunas de las mejores tierras de cultivo escocesas, comprenden las otras dos regiones principales: el Midland Valley (Tierras Bajas centrales) y las Tierras Altas meridionales; esta última zona se caracteriza por la presencia de mesetas separadas por valles estrechos y planos. El país tiene un clima marítimo templado. Importantes son las industrias carbonífera, petrolera, electrónica, forestal y de pesca marina. Los PICTOS habitaban la región cuando fue invadida por los romanos c. 80 DC. En el s. V se dividió en cuatro reinos encabezados por los pictos, escoceses, britanos y anglos. La unificación de los escoceses comenzó en el s. IX. La región sufrió una fuerte influencia anglicanizante desde el s. XI, y su gobernante fue obligado a rendir homenaje a la corona inglesa en 1174, lo que condujo a numerosas disputas en el futuro. Los reinos inglés y escocés se unificaron en 1603 cuando Jacobo VI, hijo de MARÍA I ESTUARDO, ascendió al trono como JACOBO I. Escocia pasó a formar parte del Reino Unido de Gran Bretaña en 1707, cuando los parlamentos de ambos gobiernos aprobaron la ley de UNIÓN. Los ingleses prevalecieron en dos rebeliones escocesas durante el s. XVIII, y después de 1745 la historia de Escocia pasó a formar parte de la historia de Gran Bretaña. No tiene un poder ejecutivo soberano, si bien conserva antiguos vestigios de soberanía en su propio sistema educacional y jurídico. En 1997, los escoceses aprobaron en un referéndum la posibilidad de establecer su propio parlamento en Edimburgo para decidir una amplia variedad de asuntos políticos, pero permaneciendo como integrante del Reino Unido. El parlamento escocés fue convocado por primera vez en 1999.

**escolástica** *o* **escolasticismo** Movimiento teológico y filosófico, iniciado en el s. XI, que buscaba integrar el pensamiento secular del mundo antiguo, ejemplificado por ARISTÓTELES, con el dogma implícito en las revelaciones del cristianismo. Su meta era alcanzar una síntesis del saber en la que la teología coronaría la jerarquía del conocimiento. Figuras principales de la escolástica temprana fueron PEDRO ABELARDO, san ANSELMO DE CANTERBURY, san ALBERTO MAGNO y ROGER BACON. El movimiento floreció en el s. XIII, inspirado en los escritos y doctrinas de santo Tomás de AQUINO. En el s. XIV, la escolástica ya estaba en decadencia, pero había sentado las bases de muchos renacimientos y revisitas en siglos posteriores, en particular bajo el papa LEÓN XIII (1879), quien buscó modernizar los planteamientos de los escolásticos medievales. Entre los filósofos modernos influenciados por este movimiento figuran JACQUES MARITAIN y Étienne Gilson (1884–1978).

**Escopas** *o* **Eskopas** (floreció s. IV AC, Grecia). Escultor y arquitecto griego. Antiguos escritores lo situaron al nivel de PRAXÍTELES y LISIPO, reconociéndolo como uno de los grandes escultores del período clásico tardío. Contribuyó a consolidar la expresión de fuertes emociones como tema artístico. Al parecer, trabajó en tres monumentos: el templo de Atenea Alea en Tegea, el templo de Artemisa en Éfeso y el mausoleo de Halicarnaso. De las muchas esculturas de bulto que se le atribuyen, la *Ménade* en Dresde y *Pothos* en Roma, son las más destacables.

**escopeta** Arma de fuego que se apoya en el hombro, de ánima lisa, diseñada para disparar numerosas municiones o perdigones que, luego de salir del cañón, cubren un blanco extenso. Se usa principalmente para abatir caza menor, como aves. Las primeras escopetas eran piezas para caza de aves y aparecieron en Europa en el s. XVI. En la década de 1880 se pusieron a la venta las escopetas de repetición, en las que podían cargarse varios tiros de una vez. El alcance de una escopeta moderna es de alrededor de 45 m (50 yd).

**escorbuto** *o* **deficiencia de vitamina C** Trastorno nutricional causado por deficiencia de VITAMINA C (ácido ascórbico). La deficiencia interfiere en la síntesis tisular, y produce hinchazón y sangramiento de encías, dientes sueltos; dolor y rigidez en las articulaciones y piernas; sangramiento subcutáneo y en los tejidos profundos; cicatrización retardada de heridas; y anemia. El flagelo del escorbuto que afectaba a los marineros en los largos viajes oceánicos y su relación con la dieta fue reconocido en 1753, cuando JAMES LIND demostró que bebiendo jugo de cítricos se curaba y prevenía, lo que condujo al concepto de enfermedades por deficiencia. Actualmente, el

escorbuto es raro, y la vitamina C en dosis adecuadas lo cura en cosa de días aunque sea grave.

**escoria** ROCA ÍGNEA pesada, oscura y vidriosa que contiene muchas cavidades en forma de burbujas. La escoria esponjosa, en la cual las burbujas son cáscaras muy delgadas de magma basáltico solidificado, se presenta como producto de erupciones explosivas (en Hawai) y como cortezas espumosas en algunas lavas. Otra escoria, a veces llamada ceniza volcánica, se asemeja a las cenizas de un horno de carbón.

**escoria** Subproducto que se forma en la FUNDICIÓN DE MINERAL, la SOLDADURA AUTÓGENA y otros procesos metalúrgicos y de combustión, a partir de las impurezas contenidas en los metales o minerales que se tratan. La escoria se compone en su mayor parte de ÓXIDOS mixtos de elementos como el silicio, el azufre, el fósforo y el aluminio, también de cenizas, y de productos que se originan por reacciones con los revestimientos del horno y con sustancias fundentes que se agregan como la piedra caliza. Durante la fundición o refinado de mineral, la escoria sobrenada en la superficie del metal líquido, protegiéndolo de la oxidación (ver OXIDACIÓN-REDUCCIÓN) atmosférica y manteniéndolo limpio. La escoria se enfría formando una sustancia granulada que se utiliza en la fabricación de cemento siderúrgico; también se usa como material para la construcción de caminos, como lastre y como fuente para producir fertilizante fosfatado.

**Escorial, El** ver EL ESCORIAL

**escorias, cono de** ver CONO DE CENIZAS

**escorpena** *o* **pez escorpión** Cualquiera de las numerosas especies de peces marinos carnívoros de la familia Scorpaenidae, especialmente aquellos del género *Scorpaena*, ampliamente distribuido en aguas templadas y tropicales. Tienen cabeza grande y puntiaguda y, en las aletas, espinas fuertes y a veces venenosas. Muchas especies se confunden con el entorno en virtud de su color apagado, aunque algunas presentan colores brillantes, a menudo rojo. Las especies más grandes alcanzan cerca de 1 m (40 pulg.) de largo. Las escorpenas yacen quietas en el fondo, por lo general entre las rocas. Ver también CABRILLA; DANIO CEBRA; PEZ LEÓN.

Escorpena o pez escorpión (*Scorpaena guttata*).
© ENCYCLOPÆDIA BRITANNICA, INC.

**escorpión** Cualquiera de unas 1.300 especies nocturnas de ARÁCNIDOS (orden Scorpionida, subfilo Chelicerata) de cuerpo delgado, cola segmentada guarnecida en la punta con un aguijón venenoso, y seis pares de apéndices. El primer par, pequeño, desgarra su presa: insectos y arañas. En el segundo par grande, las pinzas fuertes y en forma de garra, mantenidas horizontalmente al frente, las utiliza como sensores y atrapadores de presas, a la vez que le permiten succionar los fluidos de los tejidos. Los cuatro últimos pares, cada uno con una pinza, son ambulatorios. El veneno es una hemotoxina que, en humanos, causa hinchazón, enrojecimiento y dolor; o una neurotoxina que puede producir convulsiones, parálisis, alteraciones cardíacas y la muerte. La mayoría de los escorpiones pican a los humanos sólo si son provocados. Son cazadores nocturnos y gran parte de las especies son tropicales o subtropicales.

Escorpión (*Androctonus crassicauda*).
© ENCYCLOPÆDIA BRITANNICA, INC

**Escorpión** En astronomía, constelación situada entre Libra y Sagitario; en ASTROLOGÍA, el octavo signo del ZODÍACO, que rige aproximadamente el período comprendido entre el 24 oct. y el 21 nov. Su símbolo, un escorpión, alude al mito griego del que picó a ORIÓN. La leyenda explica por qué la constelación de Orión se oculta cuando Escorpión se levanta en el cielo. Otro mito griego dice que un escorpión fue la causa de que los caballos del Sol se desbocaran cuando los conducía el inexperto FAETÓN.

**Escoto, Juan Duns** (1266, Duns, Lothian, Escocia–8 nov. 1308, Colonia). Teólogo escolástico (ver ESCOLÁSTICA) y filósofo medieval escocés. Estudió y enseñó en Oxford, donde ingresó a los FRANCISCANOS, y luego ejerció como docente en la Universidad de París, de la cual fue alejado por breve tiempo debido a que apoyó al papa BONIFACIO VIII en su disputa con el rey FELIPE IV. En 1307 impartió clases de teología en Colonia, quizás para escapar de los cargos de herejía por su defensa de la doctrina de la INMACULADA CONCEPCIÓN, la que era rechazada por DOMINICOS y autoridades seculares. Sus dos obras principales son *Ordinatio* y *Quaestiones quodlibetales*, ambas dejadas inconclusas a su muerte.

Escribano de la nieve
(*Plectophenax nivalis*)

Escribano pintado
(*Passerina ciris*)

Especies de escribano.
© ENCYCLOPÆDIA BRITANNICA, INC.

**escribano** Nombre común de unas 37 especies de PINZÓN (género *Emberiza*) del Viejo Mundo, además de ciertas especies similares del Nuevo Mundo. Todos pertenecen a la familia Fringillidae, y muchos son reconocibles por su cabeza de colores vivos. Las especies *Emberiza* se alimentan de semillas, y normalmente crecen en el clima templado de Eurasia y desde el norte de África hasta India. El escribano de la nieve (*Plectophenax nivalis*) se reproduce en el extremo norte, y el escribano alondra (*Calamospiza melanocorys*) habita las Grandes Llanuras de EE.UU. Las especies de dicho país comprenden el escribano índigo (*Passerina cyanea*) y el escribano pintado (*Passerina ciris*). El macho pintado, con plumas rojas, verdes y azules, es el pájaro más colorido que se cría en EE.UU.

**escribano cerillo** Especie de ave canora (*Emberiza citrinella*, familia Emberizidae) que se halla desde Gran Bretaña hasta Asia central. El escribano cerillo mide 16 cm (6 pulg.) de largo y tiene un cuerpo marrón veteado, cabeza y pecho con matices amarillos y un canto rápido. En el sur de EE.UU., el CARPINTERO HORMIGUERO de cañón amarillo se denomina escribano cerillo debido a su tamborileo.

**escribir, máquina de** Aparato para escribir con caracteres de imprenta, especialmente aquel en que los caracteres son producidos por tipos de acero que estampan el papel a través de una cinta entintada. Los tipos se activan cuando se pulsan las teclas correspondientes desplegadas en un teclado, y el papel se mantiene presionado contra un rodillo (el rodillo portapapel) que se desplaza automáticamente junto con el carro al pulsar una tecla. La primera máquina práctica fue patentada en 1868 por CHRISTOPHER L. SHOLES; la compañía de armas de fuego Remington inició la producción comercial en 1874. Hacia fines del s. XIX la máquina de escribir ya dominaba las oficinas estadounidenses. La primera máquina de escribir eléctrica de oficina se introdujo en 1920. A partir de la década de 1970, las COMPUTADORAS PERSONALES y sus impresoras anexas comenzaron a reemplazar las máquinas de escribir.

**escritura** Sistema de comunicación humana de carácter visual que utiliza signos o símbolos asociados convencionalmente con unidades de lenguaje (ver LENGUA) –significados o sonidos– y registrados en materiales como papel, piedra o arcilla. La PICTOGRAFÍA fue precursora de la escritura. La logografía, donde los símbolos representan palabras individuales, por lo general se deriva de la pictografía. En la logografía se requieren miles de símbolos para todas las palabras y nombres posibles. En los sistemas fonográficos o fonéticos, el símbolo asociado a una palabra también representa palabras que se pronuncian en forma similar o idéntica. Los sistemas fonográficos o fonéticos pueden evolucionar hasta el punto en que los símbolos representan sílabas, constituyendo así un silabario. Un ALFABETO dispone de símbolos para todas las consonantes y vocales.

**escritura lineal A y lineal B** Formas lineales de ESCRITURA utilizadas por las civilizaciones EGEAS durante el segundo milenio AC. Ejemplos de escritura lineal A, como un silabario (sistema de escritura en el cual un carácter representa una sílaba completa) escrito de izquierda a derecha, datan desde 1850 AC hasta 1400 AC. Se desconoce la lengua escrita en lineal A. La escritura lineal B, adaptada de la lineal A, fue tomada de la civilización MINOICA por los griegos MICÉNICOS, probablemente c. 1600 AC, y utilizada para escribir el dialecto griego micénico. Se han encontrado ejemplos de la escritura lineal B en tablillas y jarrones de arcilla desde c. 1400–1200 AC. Estos textos representan la forma más antigua que se conoce del griego. La lineal B fue descifrada al griego por MICHAEL VENTRIS y John Chadwick en 1952.

**Escrituras** En las religiones, escritos sagrados que contienen buena parte de la literatura del mundo. Las Escrituras varían en cuanto a forma, volumen, antigüedad y grado de sacralidad. Casi todas fueron originalmente versiones orales, memorizadas por varias generaciones antes de ser puestas por escrito. Algunas religiones, principalmente el ISLAM, el HINDUISMO y el BUDISMO, todavía ponen un fuerte énfasis en la importancia de recitar o cantar las Escrituras en voz alta. La Biblia hebrea (ANTIGUO TESTAMENTO) constituye las Escrituras del JUDAÍSMO; la BIBLIA (Antiguo y NUEVO TESTAMENTO) conforma las Escrituras del CRISTIANISMO; y el CORÁN representa las Escrituras del Islam. Las Escrituras del hinduismo son los VEDAS y UPANISAD. Ver también ADI GRANTH; AVESTA; Libro del MORMÓN; SUTRA; TRIPITAKA.

**escrofularia** Cualquier planta del género *Castilleja* (familia de las ESCROFULARIÁCEAS), que contiene unas 200 especies de flores silvestres total o parcialmente parásitas, que obtienen su alimento de las raíces de otras plantas. Las flores bilabiadas, pequeñas y tubulares, están rodeadas en la parte superior por hojas de color brillante, lo que le da a la planta el aspecto de haber sido bañada en un pote de pintura roja, anaranjada, amarilla, rosada o blanca.

**Escrofulariáceas** Familia de plantas que abarca unas 4.000 especies de angiospermas de 190 géneros, presentes en todo el mundo. La familia es notable por sus numerosas especies ornamentales de jardín, como la boca de dragón (*Antirrhinum majus*) y la DIGITAL. El género *Antirrhinum* abarca unas 40 especies originarias del oeste de América del Norte y del Mediterráneo occidental. Otros miembros de la familia, incluida la LINARIA, son flores silvestres. Las flores de las Escrofulariáceas son tubulares y bilateralmente simétricas (bilabiadas).

Escrofularia (*Castilleja coccinea*).
© ENCYCLOPÆDIA BRITANNICA, INC.

**escrow** Instrumento, como un título, dinero o BIENES, que constituye prueba de una obligación entre dos o más partes y que queda en poder de un tercero. Este lo entrega únicamente si se cumple una condición determinada. En la práctica comercial, esta condición generalmente consiste en la ejecución de un acto (p. ej., un pago) por quien debe recibir el instrumento. El *escrow* también se utiliza en transacciones familiares (p. ej., cuando a raíz del fallecimiento de una persona se entrega un instrumento a un miembro de la familia).

**escuadra** Instrumento de medición que se compone de dos reglas dispuestas en un ángulo recto. La usan carpinteros y mecánicos para verificar la exactitud de un ángulo recto, como guía al trazar líneas sobre materiales antes de cortarlos, o para situar agujeros. En el dibujo o diseño mecánico, se utiliza un instrumento en forma de T, conocido como regla T, para establecer una referencia horizontal en el tablero de dibujo.

**Escudo Canadiense** Uno de los mayores ESCUDOS CONTINENTALES del mundo. Centrado en la bahía de Hudson, se extiende por ocho millones de km² (tres millones de mi²) sobre Canadá, desde los Grandes Lagos hasta el Ártico canadiense, y penetra en Groenlandia, con pequeñas extensiones dentro del norte de Minnesota, Wisconsin, Michigan y Nueva York, EE.UU. Es la mayor masa de roca precámbrica (ver PRECÁMBRICO) expuesta en la Tierra. La región, como un todo, está compuesta de rocas cristalinas muy antiguas cuya compleja estructura testimonia una larga historia de levantamientos y depresiones, formación de montañas y erosión.

**escudo continental** Cualquiera de las grandes áreas estables de poco relieve (poca variación en elevación) de la CORTEZA terrestre compuestas de rocas cristalinas precámbricas (ver PRECÁMBRICO). Estas rocas siempre presentan más de 570 millones de años de antigüedad y algunas llegan a tener hasta dos o tres mil millones de años. Existen escudos continentales en cada uno de los continentes.

**escudo de armas** Divisa heráldica que data del s. XII en Europa. Originalmente era una túnica de género usada sobre o en lugar de la armadura para establecer identidad en la batalla. En la heráldica, el escudo característicamente decorado está ornamentado con un timbre, un casco, un mantelete, un lema, una corona, una guirnalda y tenantes y estribos sobre un compartimiento. Las armas se adoptaron después como emblemas de escuelas, iglesias, gremios y corporaciones para indicar sus orígenes o historia. Ver también HERÁLDICA.

**Escuela de enseñanza práctica** *o* **Silhak** Escuela de pensamiento que surgió en Corea en el s. XVIII, orientada a ofrecer una aproximación práctica al arte de gobernar. Criticó el NEOCONFUCIANISMO, en especial su formalismo y preocupación, por el ritual. De los miembros de esta escuela emanaron muchas ideas sobre reforma social y desarrollo de la agricultura. Sus principales colaboradores fueron Yi Ik (n. 1681–m. 1763), quien escribió sobre la reforma agraria y la abolición de las barreras de clase, y Pak Chi-won (n. 1737–m. 1805), quien preconizó el desarrollo del comercio y la tecnología. La escuela contribuyó a la onda de modernización que se produjo después de la introducción de la cultura occidental en Corea a fines del s. XIX.

**escuela independiente** ver ESCUELA PÚBLICA

**escuela preparatoria** Institución educativa en que se prepara a los estudiantes para ingresar a una escuela secundaria. En Europa, donde la EDUCACIÓN SECUNDARIA ha sido selectiva, las escuelas preparatorias han sido las que instruían a los estudiantes que deseaban ingresar a las escuelas académicas secundarias. En América del Norte, donde el acceso a la educación secundaria ha sido menos competitivo, el término suele referirse a las escuelas secundarias privadas que preparan a los estudiantes para los *colleges* (colegios universitarios).

**escuela pública** *o* **escuela independiente** En Gran Bretaña, cualquier institución que pertenezca al pequeño grupo de escuelas secundarias pagadas que se han especializado en preparar estudiantes para la universidad y para el servicio público.

La denominación "escuela pública" data del s. XVIII, cuando las escuelas empezaron a atraer estudiantes que vivían más allá de su entorno inmediato, y entonces pasaron a ser "públicas" en oposición a las de carácter local. Dichas escuelas son de hecho escuelas "privadas" independientes del sistema estatal. Entre las escuelas más importantes exclusivamente para varones, cabe mencionar Winchester (1394), ETON COLLEGE, Westminster (1560) y el Colegio HARROW (1571). Entre las escuelas públicas para estudiantes de sexo femenino más conocidas cabe señalar Cheltenham, Roedean y Wycomb Abbey. Las escuelas públicas cultivaron un código social de comportamiento, habla y apariencia, que estableció la norma para la burocracia británica desde comienzos del s. XIX. Ver también EDUCACIÓN SECUNDARIA.

**escuela secundaria** En EE.UU., institución de EDUCACIÓN SECUNDARIA de tres a seis años de duración, dirigida a estudiantes de 14–18 años de edad. Las escuelas de cuatro años de duración son las más comunes; sus niveles se denominan *freshman* (9° grado), *sophomore* (10°), *junior* (11°) y *senior* (12°). Las escuelas secundarias más completas ofrecen cursos académicos generales, como asimismo asignaturas sobre temas especializados relativos al comercio, los negocios o materias de carácter técnico. Muchas escuelas secundarias en EE.UU. son gratuitas, pues se financian con fondos estatales. Generalmente, las escuelas secundarias privadas se clasifican en escuelas parroquiales (ver EDUCACIÓN PARROQUIAL) o ESCUELAS PREPARATORIAS.

**Esculapio** ver ASCLEPIO

**escultismo** *o* **scoutismo** Actividades de diversas organizaciones juveniles nacionales y mundiales encaminadas a la formación del carácter, la civilidad y las aptitudes individuales. El escultismo comenzó cuando ROBERT BADEN-POWELL publicó *El scoutismo para niños* (1908), en que describía los juegos y competencias que utilizaba para entrenar a las tropas de caballería en las técnicas de exploración, y concebía la posibilidad de formar grupos pequeños de niños que, bajo el liderazgo de uno de ellos, aprendieran las técnicas de rastreo, reconocimiento, cartografía y otras habilidades necesarias para la vida al aire libre. Tal como lo estableció Baden-Powell, los *boy scouts* (niños exploradores) constituían una organización para niños entre 11 y 15 años. La idea se hizo tan popular, que pronto se crearían organizaciones específicas para niñas (guías o *girl scouts*, 1910), niños más pequeños (lobatos, 1916) y adolescentes (ruteros).

**escultura** Arte producido especialmente al transformar materiales duros o plásticos en objetos tridimensionales, generalmente por medio del tallado o del modelado. Las obras pueden elaborarse como objetos de bulto redondo (escultura exenta), como también en relieves, o en entornos diversos y con una gran variedad de medios, entre ellos, arcilla, cera, piedra, me-

"Fuente de los cuatro ríos", escultura de Gian Lorenzo Bernini.
ARCHIVO EDIT. SANTIAGO

tal, tela, madera, yeso, goma y objetos diversos. Los materiales pueden ser tallados, modelados, moldeados, fundidos, forjados, soldados, cosidos o ensamblados y combinados. Se han encontrado variadas formas de este arte en prácticamente todas las culturas a lo largo de la historia. Hasta el s. XX, la escultura fue considerada un arte figurativo, pero a partir de 1900 se realizaron cada vez más obras no figurativas. El alcance del término se amplió durante la segunda mitad del s. XX. Los escultores actuales usan cualquier material y método de factura que sirva a sus propósitos y, por ende, el arte de la escultura ya no puede ser identificado con ningún material o técnica en particular. Ver también ESCULTURA CINÉTICA; LAND ART.

**escultura cinética** Escultura en la que el movimiento (ya sea con una parte accionada por motor o una imagen electrónica cambiante) constituye el elemento básico. El movimiento real fue un aspecto importante en la escultura del s. XX. Pioneros como NAUM GABO, MARCEL DUCHAMP, LÁSZLÓ MOHOLY-NAGY y ALEXANDER CALDER produjeron movimiento con diversos medios: agua, aparatos mecánicos y corrientes de aire (como en los MÓVILES de Calder). Tanto las obras neodadaístas como la auto-destructiva *Homenaje a Nueva York* (1960) de JEAN TINGUELY, encarnan el concepto de escultura que funciona como objeto y como "happening".

**escultura dedálica** *o* **escultura daidálica** Tipo de escultura figurativa atribuida por los griegos tardíos al legendario artista griego DÉDALO (Daidalos), asociada con la edad de bronce de Creta y a la temprana escultura arcaica en Grecia. La escultura dedálica revela influencias orientalizantes: cabello tipo peluca, grandes ojos y nariz prominente. El cuerpo femenino es plano y geométrico, con una cintura alta y drapeados amorfos. El estilo fue utilizado en figurillas, placas de arcilla y relieves decorativos en jarrones.

**escultura en cera** Figuras modeladas o moldeadas en cera de abejas, ya sea como piezas acabadas, o para ser usadas como moldes para la fundición en metal (ver fundición a la CERA PERDIDA) o para crear modelos preliminares. A temperaturas normales, la cera de abejas puede ser cortada y moldeada fácilmente, se derrite a baja temperatura, se mezcla con cualquier materia colorante, toma bien las tinturas en su superficie y su textura puede modificarse con una variedad de aditivos. Los antiguos egipcios usaban figuras de cera de deidades en sus ritos funerarios y los

Joven de la isla Samos arrodillado, escultura dedálica, c. 625 AC.
GENTILEZA DEL DEUTSCHES ARCHAEOLOGISCHES INSTITUT, ATENAS

romanos empleaban imágenes de cera como obsequios en las saturnales. MIGUEL ÁNGEL utilizó modelos de cera para realizar moldes preliminares de sus estatuas. Los retratos en medallones de cera fueron populares en el s. XVI y gozaron de una renovada popularidad en el s. XVIII. JOHN FLAXMAN hizo muchos retratos y figuras en relieve de cera, los que JOSIAH WEDGWOOD llevó a la cerámica. Todavía son populares las exhibiciones de figuras de cera, y entre ellas las más famosas son las de los museos de Madame TUSSAUD en Londres y otras ciudades.

**Escutari, lago de** *albanés* **Shkodër** El lago más grande de la península BALCÁNICA. Ubicado en la frontera entre Montenegro (ver SERBIA Y MONTENEGRO) y ALBANIA, tiene una superficie de 390 km² (150 mi²). Antiguamente, fue un brazo del mar Adriático. El lago está rodeado de montañas escarpadas, llanuras y pantanos, así como de pequeños pueblos famosos por sus antiguos monasterios y fortalezas.

**Esdras** (c. siglo IV AC, Babilonia y Jerusalén). Líder y reformador religioso judío. Restableció la comunidad judía después de su exilio en BABILONIA, persuadiendo al pueblo de JUDÁ de retornar a una estricta observancia de la ley mosaica. Actuó como comisionado del gobierno persa, que era tolerante con otras religiones, pero exigía orden y autoridad. Sus esfuerzos condujeron a la restauración del culto tradicional en el templo de JERUSALÉN reconstruido y la disolución de todos los matrimonios mixtos con paganos. A menudo es considerado el fundador del JUDAÍSMO moderno, por haber establecido una comunidad judía basada en la ley mosaica, que podía existir sin el amparo de un Estado judío. Su historia se narra en los libros de Esdras y NEHEMÍAS.

**Esdrelón** *hebreo* **Yizreel** Llanura en el norte de Israel. Con unos 40 km (25 mi) de largo, divide las regiones accidentadas de GALILEA por el norte y SAMARIA por el sur. Zona de paso en la ruta entre Egipto y la MEDIA LUNA FÉRTIL, era una vía de comercio y escenario de batallas en la antigüedad. Hacia el noroeste se encuentra la antigua ciudad de MEGIDDÓ. Como consecuencia de un mal drenaje natural, la llanura era pantanosa y estuvo escasamente habitada por muchos siglos; no obstante, desde 1920, se ha recuperado la tierra y se han instalado decenas de asentamientos que combinan la agricultura y la industria liviana. 'Afula es el principal centro urbano.

**esencialismo** En ONTOLOGÍA, tesis según la cual algunas propiedades de los objetos son esenciales a ellos. La "esencia" de una cosa es concebida como la totalidad de sus propiedades esenciales. Las teorías esencialistas difieren en cuanto a su concepción de qué significa decir que una propiedad es esencial a un objeto. El concepto de propiedad esencial está íntimamente relacionado con el concepto de necesidad, ya que una manera de decir que una propiedad P es esencial a un objeto O consiste en afirmar que la proposición "O tiene P" es necesariamente verdadera (ver NECESIDAD). Una manera general pero no muy informativa de caracterizar las propiedades esenciales consiste en afirmar que una propiedad es esencial a un objeto si el objeto no puede carecer de la propiedad y ser aún el objeto que es. Las propiedades del objeto que no son esenciales en este sentido reciben el nombre de accidentales. Ver también IDENTIDAD DE LOS INDISCERNIBLES.

**Esenin, Serguéi Alexándrovich** *o* **Yesenin, Sergei** (3 oct. 1895, Konstantínovo, Provincia de Riazán, Rusia–27 dic. 1925, Leningrado). Poeta ruso. De origen campesino, celebró lo que llamó la "Rusia de madera" (cultura tradicional) por sobre la sociedad industrializada y moderna, en una serie de volúmenes de poesía que comienzan con *Radunitsa* (1916). Estaba convencido de que la Revolución de 1917 llevaría a la realización del milenio del campesinado con que soñaba. Con la voz de un blasfemo y pendenciero exhibicionista, escribió versos salpicados de cinismo y lenguaje de las tabernas, como los que componen el volumen *La confesión de un granuja* (1921). En 1922 se casó con la bailarina estadounidense ISADORA DUNCAN, a pesar de que ninguno hablaba el idioma del otro. Sus esfuerzos por adaptarse a la época revolucionaria fueron infructuosos, razón por la que se suicidó a los 30 años de edad. A pesar de que su obra era cuestionada por las autoridades, Esenin fue un escritor muy popular en Rusia tanto en vida como después de su muerte.

**esenio** Miembro de una secta judía que existió en Palestina desde el s. II AC hasta el s. I DC. Los esenios formaron pequeñas comunidades monásticas, cuyos miembros observaban estrictamente las leyes de MOISÉS y el sabbat, y tenían comunidad de bienes. Se retiraron de la sociedad para evitar el culto en el templo de Jerusalén y se sustentaban con su trabajo manual. En general, sus comunidades excluían a las mujeres. Es probable que hayan escrito, copiado o recopilado los rollos del MAR MUERTO.

**Eṣfahān** ver ISFAHÁN

**esfalerita** *o* **blenda** Sulfuro de CINC (ZnS), principal mineral de cinc de interés comercial. Se encuentra mezclada con GALENA en los depósitos más importantes de plomo-cinc. Los yacimientos más importantes están en el valle del río Mississippi (EE.UU.), en Polonia, Bélgica y el norte de África. Ver también SULFURO.

Esfalerita de Baxter Springs, Kansas, EE.UU.
GENTILEZA DE LA TED AND ELISE BOENTE COLLECTION; FOTOGRAFÍA, JOHN H. GERARD—EB INC.

**esfera** En geometría, el conjunto de todos los puntos en el espacio tridimensional ubicados a la misma distancia (el radio) de un punto dado (el centro), o el resultado de rotar un círculo en torno a uno de sus diámetros. Los componentes y propiedades de una esfera son análogos a los de un círculo. Un diámetro es cualquier segmento de recta que conecta dos puntos de la superficie de una esfera y que pasa por su centro. La circunferencia corresponde a la longitud de cualquier círculo máximo, que es la intersección de la esfera con cualquier plano que pasa por su centro. Un meridiano se define como cualquier círculo máximo que pasa por un punto llamado polo. Una geodésica, la distancia más corta sobre la superficie de una esfera entre cualquier par de puntos de la misma, constituye un arco del círculo máximo que pasa por dicho par de puntos. La fórmula para determinar el área de la superficie de una esfera es $4\pi r^2$; su volumen se determina mediante $(^4/_3)\pi r^3$. El estudio de la esfera es básico para la geografía terrestre y conforma una de las principales áreas de la GEOMETRÍA EUCLIDIANA y de la GEOMETRÍA ELÍPTICA.

**esfera celeste** Superficie aparente en el cielo sobre la cual las estrellas parecen estar fijas. Con el propósito de establecer sistemas de COORDENADAS CELESTES para marcar la posición de los cuerpos celestes, se puede imaginar que la esfera celeste es una esfera real ubicada a una distancia infinita de la Tierra. El eje de rotación terrestre, extendido al infinito, toca esta esfera en los polos celestes norte y sur, en torno a los cuales el cielo parece rotar. La intersección del plano del ECUADOR con la esfera constituye el ecuador celeste.

**esfera de influencia** En política internacional, pretensión de un Estado de tener el control exclusivo o predominante de una zona o territorio extranjero. A partir de los últimos años de la década de 1880, las potencias coloniales europeas celebraron acuerdos que consistían en la promesa de no interferir en las actividades de cada una de ellas en esferas de influencia mutuamente reconocidas en África y Asia. Cuando terminó la expansión colonial, se hicieron comunes las pretensiones sobre esferas de influencia de carácter geopolítico más que jurídico; pueden citarse como ejemplos la pretensión de predominio de EE.UU. en el Nuevo Mundo conforme a la doctrina MONROE, de formulación muy anterior, y la expansión de la esfera de influencia de la Unión Soviética hacia Europa oriental luego de la segunda guerra mundial. Ver también CORTINA DE HIERRO.

**esfinge** Criatura mitológica con cuerpo de león y cabeza humana. Ocupa un lugar prominente en el arte y la mitología de Egipto y Grecia. A la esfinge alada de Tebas se le atribuía haber aterrorizado a la gente al exigir la respuesta a un acertijo que le habían enseñado las MUSAS –¿Qué es lo que tiene una voz y sin embargo tiene sucesivamente cuatro pies, dos pies y tres pies?–, y devorar a todas las personas que le respondían en forma incorrecta. Cuando EDIPO respondió correctamente "el hombre" –quien gatea en cuatro pies durante la infancia, camina en dos pies al crecer y se apoya en un bastón en la vejez– la esfinge se suicidó. En las artes, el ejemplo más antiguo y famoso es la gran esfinge de Giza, en Egipto, construida c. 2500 AC. La esfinge apareció en el mundo griego c. 1600 AC y en Mesopotamia c. 1500 AC.

**esfuerzo** ver TENSIÓN

**esgrima** Deporte de ataque y defensa con floretes, espadas o sables. Hay pruebas de que la esgrima se practicaba desde épocas antiguas hasta la Edad Media. En el s. XIV, el arte de la espada se convirtió en una actividad importante tanto en la guerra como en la vida cotidiana de los caballeros europeos, y en el s. XV ya se habían formado asociaciones de maestros de esgrima. Golpes secretos celosamente guardados de cada asociación pasaron a formar parte, con el tiempo, del repertorio habitual de la esgrima. A fines del s. XVII se habían impuesto ya diversas reglas y acuerdos. En la competencia moderna, excepto en los combates de sable, los tocados se dan sólo con la punta; en los combates de florete y sable, sólo se cuentan los tocados

a ciertos puntos del cuerpo del oponente, restricción que no se aplica en espada. Cada tocado válido significa uno o más puntos. La esgrima masculina se incorporó en los primeros Juegos Olímpicos modernos, en 1896; la esgrima femenina, en los Juegos de 1924. En 1936 se introdujo el puntaje electrónico, para eliminar la frecuente imprecisión del juicio humano.

**esgucio** MOLDURA cóncava o sección fuertemente arqueada de una muralla. La curva, por lo general, es un cuarto de círculo y sirve para rematar la unión entre muro y cielo (cielo cóncavo). Las secciones curvas pueden ser utilizadas para disimular fuentes de luz y así

Giovanna Trillini (atrás) de Italia defendiendo con éxito su título mundial de esgrima con florete ante Huifeng Wang de China en los Juegos Olímpicos de 1992.
ALLSPORT USA/PASCAL RONDEAU

obtener efectos especiales de iluminación. El término esgucio también se puede referir al sofito curvo que conecta la parte superior de un muro exterior con un alero.

**Eskopas** ver ESCOPAS

**eslabonado** En ingeniería mecánica, sistema de eslabones (barras) macizos, generalmente metálicos, conectados con dos o más eslabones por medio de articulaciones con pasador (bisagras o charnelas), juntas corredizas o articulaciones de rótula para formar una cadena cerrada o una serie de cadenas cerradas. Cuando un eslabón está fijo, los posibles movimientos de los demás eslabones con relación al fijo, y entre ellos, dependen del número de eslabones y del número y tipos de articulaciones o juntas. Con cuatro eslabones unidos con pasadores, por ejemplo, todos los eslabones se mueven en planos paralelos y sin que importe cuál de ellos esté fijo; los otros se mueven en un recorrido invariable en relación con el eslabón fijo. Con eslabones de diversas longitudes, este eslabonado de cuatro barras se transforma en un mecanismo útil para convertir el movimiento rotatorio uniforme en movimiento rotatorio no uniforme o el movimiento rotatorio continuo en movimiento oscilatorio. Es el mecanismo eslabonado más usado en la construcción de máquinas.

**eslalon** ver SLALOM

**eslava, religión** Creencias y prácticas religiosas de los antiguos pueblos eslavos de Europa oriental, como rusos, ucranianos, polacos, checos, eslovacos, serbios, croatas y eslovenos. La mayoría de las mitologías eslavas sostienen que Dios ordenó al DIABLO que le trajera un puñado de arena del fondo del mar, con la que creó la Tierra. La religión eslava se caracterizó a menudo por el DUALISMO, con un Dios Negro mencionado en las maldiciones y un Dios Blanco invocado para obtener protección o clemencia. También eran comunes los dioses del relámpago y el fuego. Los antiguos rusos parecen haber levantado sus ídolos a la intemperie, pero los eslavos del Báltico construían templos y cercaban los lugares sagrados, donde celebraban fiestas y efectuaban sacrificios animales y humanos. A menudo, estas fiestas incluían además banquetes comunitarios en los que se consumía la carne de los animales sacrificados.

**eslavas, lenguas** o **lenguas eslovenas** Rama de la familia de las lenguas INDOEUROPEAS hablada por más de 315 millones de personas en Europa central y oriental y en Asia septentrional. La familia eslava se divide generalmente en tres subgrupos: el eslavo occidental, que comprende el POLACO, el ESLOVACO, el CHECO y el sorbio o sorabo; el eslavo oriental, que incluye el RUSO, el UCRANIANO y el BELARUSO; y el eslavo meridional, que comprende el ESLOVENO, el SERBOCROATA, el BÚLGARO y el macedonio. El polaco pertenece al subgrupo lekhita de las lenguas eslavas occidentales, que también comprende el casuvio –hablado actualmente en Polonia occidental por menos de 150.000 personas y considerado en dicho país un dialecto polaco–, además de varias lenguas ya extinguidas. Un rasgo distintivo de este subgrupo es la conservación de las vocales nasales protoeslavas. Otro idioma sobreviviente es el sorbio o sorabo, hablado por alrededor de 60.000 a 70.000 personas en el este de Alemania. El lekhita occidental y el sorbio constituyen el remanente de lo que fue en el pasado un área eslavohablante mucho más extensa en Europa central. Esa área se germanizó gradualmente c. siglo IX. Dentro de las lenguas indoeuropeas, las lenguas eslavas son las más cercanas a la familia de las lenguas BÁLTICAS.

**eslavo** Miembro del grupo étnico y lingüístico más numeroso de Europa. Los eslavos viven principalmente en el este y sudeste de Europa, pero abarcan también el norte de Asia hasta el Pacífico. Suelen dividirse en eslavos orientales (rusos, ucranianos y belarusos), eslavos occidentales (polacos, checos, eslovacos y vendos o sorabos) y eslavos del sur (serbios, croatas, búlgaros, eslovenos y macedonios). Históricamente, los eslavos occidentales fueron integrados a Europa occidental; sus sociedades se desarrollaron al mismo tiempo que otras naciones europeas occidentales. Los eslavos orientales y meridionales sufrieron las invasiones de los mongoles y los turcos, y evolucionaron hacia formas de gobierno más autocráticas y centradas en el estado. La religión (básicamente ortodoxa y católica) divide a los eslavos, del mismo modo que el uso de los alfabetos CIRÍLICO y LATINO. Durante la Edad Media, en Bohemia, Polonia, Croacia, Bosnia, Serbia y Bulgaria se desarrollaron comunidades eslavas que legaron un importante patrimonio cultural, pero a fines del s. XVIII todas ellas habían sido absorbidas por sus poderosos vecinos (el Imperio otomano, Austria, Hungría, Prusia y Rusia). La historia de los eslavos orientales se caracterizó con frecuencia por intentos infructuosos de repeler a los invasores asiáticos. En el s. XVI, Moscovia (posteriormente Rusia) se embarcó en una política expansionista hacia el norte y centro de Asia; con el tiempo, la región se convirtió en el estado eslavo más poderoso. En el s. XIX, el PANESLAVISMO tuvo cierta influencia en la formación de los nuevos estados eslavos después de la primera guerra mundial, aunque a fines del s. XX, Checoslovaquia y Yugoslavia, que constituyeron dos intentos de integrar diferentes pueblos eslavos en una sola unidad política, se habían desintegrado, uno en forma pacífica, el otro de manera violenta.

**eslavo eclesiástico antiguo** La lengua ESLAVA más antigua, conocida por un pequeño conjunto de manuscritos de los s. X–XI, en su mayoría escritos en el alfabeto glagolítico (ver alfabeto CIRÍLICO). Los documentos del eslavo eclesiástico antiguo, todos ellos correspondientes a traducciones de textos eclesiásticos cristianos, se originaron en la misión realizada por los santos CIRILO Y METODIO a los eslavos de Moravia. Sin embargo, los manuscritos existentes, con la excepción de uno, fueron realmente copiados en regiones donde se hablaban lenguas del subgrupo eslavo meridional. La influencia de las lenguas vernáculas, comenzada en el s. XI, en determinadas áreas culturales (Serbia, Bulgaria-Macedonia, Ucrania y Rusia) dio origen a variaciones regionales en el eslavo eclesiástico. Este idioma se mantuvo como lengua literaria de la ORTODOXIA ORIENTAL en las regiones del eslavo meridional y oriental hasta los tiempos modernos, y continúa siendo la lengua litúrgica de la ortodoxia eslava y de la rama eslava de la Iglesia de RITO ORIENTAL.

**eslavófilos y occidentalizantes** Grupos opuestos de intelectuales rusos del s. XIX. Prominentes en las décadas de 1840 y 1850, los eslavófilos creían en la singularidad de la cultura rusa y sostenían que Rusia debía confiar en sus propias características y en su historia para determinar su desarrollo futuro. Esperaban restablecer la autocracia y la Iglesia a sus formas ideales, es decir, a las que tenían antes de que PEDRO I (el Grande) introdujera las reformas occidentales. Favorecían además la emancipación de los siervos y las libertades de expresión y de prensa. El movimiento eslavófilo declinó en la década de 1860, pero sus principios fueron adaptados y simplificados por nacionalistas radicales, partidarios del PANESLAVISMO y de los NARODNIKS (populistas) revolucionarios. En la posición contraria se encontraban los occidentalizantes, quienes veían a Europa occidental como un modelo para la modernización de Rusia.

**Eslavonia** Región histórica de CROACIA. Se extiende entre el río SAVA al sur y los ríos DRAVA y DANUBIO al norte y al este. Fue incorporada al reino de Croacia en el s. X. Como Eslavonia-Croacia, junto a DALMACIA e ISTRIA, constituye una de las tres regiones tradicionales de Croacia.

**eslizón** Cualquiera de unas 1.275 especies de LAGARTO (familia Scincidae) que viven en los trópicos y en regiones templadas de América del Norte. Tiene un cuerpo cilíndrico, cabeza cónica, y una cola larga y ahusada. Algunas especies miden 66 cm (26 pulg.) de largo, pero la mayoría, menos de 20 cm (8 pulg.). Algunos presentan extremidades pequeñas o carecen de ellas, y tímpanos hundidos. La mayoría habita en tierra o en madrigueras; otros son arbóreos o semiacuáticos. El eslizón come insectos y otros invertebrados pequeños. Las especies grandes son herbívoras, algunas ovíparas y otras, vivíparas.

**eslovaco** Lengua ESLAVA occidental de Eslovaquia hablada por alrededor de 5.600.000 personas en esa región y en enclaves en la República Checa, Hungría, el norte de Serbia y América del Norte. El eslovaco fue prácticamente una lengua no escrita hasta fines del s. XVIII, debido más que todo al largo dominio político de Eslovaquia por parte de Hungría, y al hecho de que la cultura literaria del CHECO, vecino lingüístico occidental del eslovaco, se desarrolló con anterioridad. El eslovaco literario actual quedó totalmente consolidado en la década de 1850 sobre la base de los dialectos eslovacos centrales.

## ESLOVAQUIA

▸ **Superficie:** 49.035 km² (18.933 mi²)

▸ **Población:** 5.384.000 hab. (est. 2005)

▸ **Capital:** BRATISLAVA

▸ **Moneda:** corona eslovaca

**Eslovaquia** *ofic.* **República de Eslovaquia** País de Europa central. Cerca del 90% de la población es eslovaca; los húngaros constituyen la minoría más numerosa. Idioma: ESLOVACO (oficial). Religiones: católica, protestante y ortodoxa. Los montes CÁRPATOS dominan el territorio, con tierras bajas en las regiones del sudoeste y sudeste. El río MORAVA y el DANUBIO forman parte de la frontera meridional. El país cultiva cereales, remolacha azucarera y hortalizas, y explota la crianza de cerdos, ovejas y ganado vacuno, pero la economía se basa en la minería y la manufactura; existen importantes reservas de mineral de hierro, cobre, magnesita, plomo y cinc. Es una república unicameral; el jefe de Estado es el presidente, y el jefe de Gobierno, el primer ministro. Fue poblada en los primeros siglos DC por tribus ilirias, celtas y germánicas. Los eslovacos se asentaron en la región alrededor del s. VI. Se transformó en parte de la Gran MORAVIA en el s. IX, pero fue conquistada por los MAGIARES c. 907. Permaneció al interior del reino de Hungría hasta el fin de la primera guerra mundial, cuando en 1918 los eslovacos se unieron a los checos para constituir el nuevo estado de Checoslovaquia. En 1938, Eslovaquia fue declarada una unidad autónoma al interior de Checoslovaquia; fue formalmente independiente bajo protección alemana entre 1939 y 1945, cuando se creó en Eslovaquia un Estado dirigido por un gobierno títere. Tras la expulsión de los alemanes, Eslovaquia se integró a una reconstituida Checoslovaquia, que cayó bajo el dominio soviético en 1948. En 1969, una asociación entre checos y eslovacos estableció la República Socialista de Eslovaquia. La caída del régimen comunista en 1989 condujo al resurgimiento del interés por la autonomía, y en 1993 Eslovaquia pasó a ser una nación independiente.

**eslovenas, lenguas** ver lenguas ESLAVAS

## ESLOVENIA

▸ **Superficie:** 20.273 km² (7.827 mi²)

▸ **Población:** 1.999.000 hab. (est. 2005)

▸ **Capital:** LJUBLJANA

▸ **Moneda:** tolar esloveno

**Eslovenia** *ofic.* **República de Eslovenia** País de la región noroccidental de los Balcanes, Europa meridional. La inmensa mayoría de la población es eslovena. Idioma: ESLOVENO (oficial). Religión: católica. El país es predominantemente montañoso y boscoso, con profundos y fértiles valles y numerosos ríos. Constituye una de las regiones de mayor prosperidad de los Balcanes; su economía se basa principalmente en las manufacturas. Se extrae carbón, plomo y cinc; también son importantes la actividad forestal, la ganadería y la agricultura, entre cuyos cultivos destacan las patatas, los cereales y las frutas. Eslovenia es una república bicameral; el jefe de Estado es el presidente, y el jefe de Gobierno, el primer ministro. Los eslovenos se asentaron en la región en el s. VI DC. En el s. VIII fue incorporada al Imperio franco de CARLOMAGNO, y en el s. X quedó bajo el control del SACRO IMPERIO ROMANO. Con la excepción del período entre 1809 y 1813, cuando NAPOLEÓN I gobernó la región, la mayor parte del territorio perteneció a Austria, hasta la formación del Reino de los SERBIOS, CROATAS Y ESLOVENOS en 1918. En 1946, Eslovenia pasó a ser una república constitutiva de YUGOSLAVIA y en 1947 recibió una parte del antiguo litoral italiano en el Adriático. En 1990, Eslovenia llevó a cabo la primera contienda electoral pluripartidista en Yugoslavia, lo que no acaecía desde antes de la segunda guerra mundial. En 1991 se separó de Yugoslavia y en 1992 su independencia fue reconocida internacionalmente.

**esloveno** Lengua ESLAVA meridional hablada por más de dos millones de personas en Eslovenia, en zonas colindantes a Italia, Austria y Hungría y en pequeños enclaves fuera de Europa. El texto eslavo más antiguo en alfabeto LATINO se denomina Manuscritos de Freising (c. 1000), y está escrito en los albores del esloveno. No existen nuevos testimonios posteriores de esta lengua sino hasta el s. XVI, cuando reformistas luteranos tradujeron la Biblia al esloveno.

Considerando el tamaño de la región en que se habla, la lengua presenta un notable grado de diversidad dialectal, intensificado probablemente por la geografía alpina del país y el largo período de dominio de gobernantes que no hablaban el esloveno.

**Esmalcalda, artículos de** Una de las confesiones de fe del LUTERANISMO, escritas por MARTÍN LUTERO en 1536, y consideradas por los jefes de Estado de la Liga de ESMALCALDA en 1537. Los artículos fueron la respuesta a una bula expedida por el papa PABLO III que convocaba a un concilio general de la Iglesia católica para tratar la REFORMA. Fueron preparados para determinar qué asuntos podían ser negociados con el CATOLICISMO ROMANO y qué temas eran intransables. La primera parte trata acerca de la unidad de Dios, la Santísima TRINIDAD, la ENCARNACIÓN y JESÚS; en estos asuntos no había ninguna discordancia con los católicos. La segunda trata sobre la JUSTIFICACIÓN por la fe, el punto principal en disputa. La tercera trata sobre materias como el PECADO, el arrepentimiento, los SACRAMENTOS y la CONFESIÓN.

**Esmalcalda, Liga de** Alianza defensiva de los estados protestantes del SACRO IMPERIO ROMANO. Fue instituida en 1531 en la pequeña ciudad alemana de Esmalcalda, para defender a las flamantes iglesias luteranas de los ataques del emperador católico CARLOS V. Por temor a que la liga se aliara con su enemigo FRANCISCO I de Francia, Carlos la reconoció de hecho hasta 1544, año en que acordaron la paz con Francisco, y más tarde la atacó militarmente hasta su destrucción total en 1547. Ver también artículos de ESMALCALDA.

**esmalte** Técnica decorativa en la que objetos de metal son adornados con un lustre vítreo opaco, fundido a la superficie mediante calor intenso. La superficie resultante es dura y durable y puede ser brillantemente colorida. Los objetos más adecuados para ser esmaltados son delicados y pequeños (p. ej. joyas, cajas de rapé, frascos de perfume, relojes) y están hechos de cobre, latón, bronce u oro. Los procesos más conocidos son el CLOISONNÉ y el CHAMPLEVÉ. El esmalte ya se producía en el s. XIII AC; alcanzó su nivel más alto en el Imperio bizantino y prosperó en la Europa medieval y renacentista. A principios del s. XX, CARL FABERGÉ produjo objetos de mucho valor fabricados en oro, esmalte y joyería. Ver también esmalte pintado de LIMOGES.

**esmalte alveolado** ver CLOISONNÉ

**esmeralda** Variedad verde-hierba del BERILIO altamente valorada como gema. Sus propiedades físicas corresponden a las del berilio. Sus poderes refractivos y dispersivos (i.e., su capacidad para desviar la luz y descomponer la luz blanca en sus colores constituyentes) no son considerables, por lo que las piedras cortadas muestran poco fulgor o fuego (rayos de color). El color que le da a esta piedra su valor se debe a la presencia de pequeñas cantidades de cromo. Colombia es el principal productor de gemas de calidad; también se extraen esmeraldas en Rusia, Australia, Sudáfrica y Zimbabwe. Las esmeraldas sintéticas son idénticas a los cristales naturales y pueden competir con estos en color y belleza.

**esmerejón** *o* **halcón palomero** HALCÓN pequeño, gris azulado (*Falco columbarius*, familia Falconidae), con cola de bandas blancas, angostas, que habita en las altas latitudes de Canadá, el oeste de EE.UU., hasta Colorado por el sur, las islas Británicas, Escandinavia e Islandia. La mayoría migra un poco más al sur de la región de

Mujeres eslovenas con atuendos típicos.
FOTOBANCO

crianza, pero algunos llegan hasta el norte de Sudamérica. El esmerejón vive en campo abierto, húmedo, o en bosques de coníferas y abedules. Por lo general, deposita sus huevos en el suelo entre los arbustos, pero puede ocupar el nido antiguo de un grajo o de una urraca en un árbol. Como cazador agresivo, otrora fue muy utilizado en CETRERÍA.

**esmeril** Roca granular que consiste en una mezcla de corindón (óxido de aluminio, $Al_2O_3$) y óxidos de hierro, como magnetita ($Fe_3O_4$) o hematita ($Fe_2O_3$). Es una sustancia oscura y densa que se asemeja mucho a un mineral de hierro. Turquía es el mayor productor del mundo. Usado por mucho tiempo como abrasivo o material para pulir, especialmente en papeles de lija, ha sido reemplazado en gran medida por materiales sintéticos como la alúmina. Hoy su mayor aplicación es como material antideslizante en suelos, escaleras y pavimentos.

**Esmirna** ver IZMIR

**Esnunna** *o* **Tell Asmar** Antigua ciudad en ruinas existente en el este de Irak. Lugar habitado desde antes del 3000 AC, durante la III dinastía de UR, fue la sede de un *ensi* (gobernador). Después del colapso de Ur, llegó a ser independiente, pero más tarde fue conquistada por HAMMURABI. Las lápidas encontradas en las cercanías de Babilonia, más conocidas como "leyes de Esnunna", predatan el código de HAMMURABI por cerca de dos generaciones y permiten apreciar el desarrollo de las leyes antiguas. Después de la era de Hammurabi, comenzó a decaer. Entre los artefactos sumerios que se han encontrado hay estatuillas de piedra que datan del tercer milenio AC.

**esófago** Conducto muscular que transporta por PERISTALSIS los alimentos desde la FARINGE hasta el ESTÓMAGO. En sus dos extremos hay sendos esfínteres (constricciones musculares), que se relajan para dejar pasar los alimentos y se cierran para impedir que retrocedan. Entre sus afecciones se cuentan las úlceras y los sangramientos, el ardor por acidez gástrica, la acalasia (falla en la apertura de uno o ambos esfínteres) y espasmos musculares. La ESCLERODERMIA puede comprometer el esófago.

**Esopo** Presunto autor de una colección de FÁBULAS griegas, casi con total certeza un personaje legendario. Si bien HERÓDOTO, en el s. V AC, afirmó que se trataba de un personaje real, "Esopo" probablemente no fue más que un nombre inventado para proveer un autor a fábulas centradas en animales. Las fábulas esópicas enfatizan las interacciones sociales de los seres humanos, y las moralejas que se desprenden de ellas tienden a incorporar consejos sobre cómo lidiar con las realidades competitivas de la vida. La tradición occidental de la fábula comienza, efectivamente, con estos relatos. Las ediciones modernas comprenden unas 200 fábulas esópicas.

"Esopo con un zorro", del medallón central de un kylix, c. 470 AC; Museo Gregoriano Etrusco, Ciudad del Vaticano.
ALINARI—ART RESOURCE/EB INC.

**espacio de producto interno** ver espacio de PRODUCTO INTERNO

**espacio euclidiano** En geometría, espacio de dos o tres dimensiones en el que rigen los axiomas y postulados de la GEOMETRÍA EUCLIDIANA; también, un espacio en cualquier número finito de dimensiones, en el que los puntos están definidos por coordenadas (una por cada dimensión) y la distancia entre dos puntos está dada por una FÓRMULA DE DISTANCIA particular, la pitagórica. La única concepción del espacio físico por más de 2.000 años, permanece como la manera más convincente y útil de modelar el mundo como objeto de la experiencia. Aunque los espacios no-euclidianos, como aquellos que emergen de la GEOMETRÍA ELÍPTICA y de la GEOMETRÍA HIPERBÓLICA, han llevado a los científicos a una mejor comprensión del universo y de la matemática misma, el espacio euclidiano se mantiene como el punto de partida para su estudio.

**espacio métrico** En matemática, conjunto de objetos provistos de un concepto de distancia. Los objetos pueden pensarse como puntos en el espacio, con la distancia entre ellos dada por una FÓRMULA DE DISTANCIA, tal que: (1) la distancia desde el punto A hasta el punto B es cero, si y sólo si A y B son idénticos; (2) la distancia desde A hasta B es la misma que desde B hasta A, y (3) la distancia desde A hasta B más aquella desde B hasta C es mayor o igual a la distancia desde A hasta C (desigualdad triangular). Los ESPACIOS EUCLIDIANOS bidimensionales y tridimensionales corresponden a espacios métricos, como también lo son los espacios de PRODUCTO INTERNO, los ESPACIOS VECTORIALES y ciertos espacios topológicos (ver TOPOLOGÍA).

**espacio-tiempo** Entidad individual, postulada por ALBERT EINSTEIN en sus teorías de la RELATIVIDAD, que relaciona espacio y tiempo en una estructura de cuatro dimensiones para definir eventos que tienen una separación entre ellos análoga a la distancia entre los puntos del espacio. En el universo newtoniano se suponía que no había una conexión entre espacio y tiempo. Se pensaba en el espacio como el arreglo tridimensional de todas las posiciones posibles de puntos, las cuales podían expresarse en coordenadas cartesianas; el tiempo era considerado un concepto unidimensional independiente. Einstein demostró que una descripción completa del movimiento relativo requiere ecuaciones que incluyan tanto el tiempo como las tres dimensiones espaciales. También demostró que el espacio-tiempo puede ser curvo, lo que le permitió explicar la GRAVITACIÓN en su teoría general de la relatividad.

**espacio vectorial** En matemática, colección de objetos denominados VECTORES, junto con un campo de objetos (ver teoría de CAMPOS), llamados escalares, que satisfacen ciertas propiedades. Las propiedades que deben satisfacerse son: (1) el conjunto de vectores es cerrado bajo la adición vectorial; (2) la multiplicación de un vector por un escalar produce un vector del conjunto; (3) la ley de ASOCIATIVIDAD rige para la adición vectorial, u + (v + w) = (u + v) + w; (4) la ley de CONMUTATIVIDAD rige para la adición vectorial, u + v = v + u; (5) hay un vector 0 tal que v + 0 = v; (6) cada vector tiene un inverso aditivo (ver FUNCIÓN INVERSA), v + (-v) = 0; (7) la ley de DISTRIBUTIVIDAD rige para la multiplicación de un escalar por una suma de vectores, $n$(u + v) = $n$u + $n$v; (8) la ley de distributividad también rige para la multiplicación de una suma de escalares por un vector, $(m + n)$v = $m$v + $n$v; (9) la ley de asociatividad rige para la multiplicación de escalares por un vector, $(mn)$v = $m(n$v), y (10) existe el escalar unitario, 1, tal que multiplicado por un vector v da v, o sea, 1v = v. El conjunto de todos los POLINOMIOS de una variable, con coeficientes reales, es un ejemplo de espacio vectorial.

**espada** Arma de mano que consiste en una hoja larga de metal provista de un mango o empuñadura. Las espadas romanas tenían una hoja corta y plana, y una empuñadura que se diferenciaba de la hoja. Las espadas europeas medievales eran pesadas y contaban con una empuñadura grande y una guarnición protectora o pomo. La hoja era recta, de doble filo, y puntiaguda. La introducción de las armas de fuego no eliminó la espada, pero condujo a nuevos diseños; el abandono de la armadura obligó a los espadachines a desarrollar la capacidad de efectuar "paradas", y el estoque, una espada de doble filo con una hoja delgada y puntiaguda, comenzó a ser usado. En India y Persia se utilizaban espadas con hojas curvas, que fueron introducidas en Europa por los turcos, cuya cimitarra, con su hoja curva de un solo filo, se modificó en Occidente para convertirse en el sable de caballería. Las espadas japonesas, renombradas por su dureza y filo extremo, constituían el arma de los SAMURÁIS. Las armas de fuego de repetición terminaron con el valor de la espada como arma militar, pero su uso en duelos condujo al moderno deporte de la ESGRIMA. Ver también KENDO.

**espada** ver MATADOR

**espadín** Especie (*Sprattus sprattus*) de pez comestible de la familia de los Cupleidos (ver ARENQUE). Los espadines son peces marinos plateados que forman bancos enormes en las aguas de Europa occidental. Miden menos de 15 cm (6 pulg.) de largo, y son especialmente cotizados para enlatarlos como SARDINAS. Se comen frescos, enlatados en aceite, encurtidos o ahumados. El término también designa a un arenque joven o pequeño, o a un pez similar. (p. ej., la ANCHOA).

**espaldera** Árbol u otra planta guiada para crecer aplanada contra un soporte (como un enrejado o pared). El término también se usa para designar el soporte propiamente tal, como asimismo el método o la técnica. Esta fue desarrollada en Europa para estimular la producción de árboles frutales en un clima incompatible; originalmente se utilizaba una pared para proporcionar calor y también apoyo. Las espalderas decorativas o ahorradoras de espacio emplean marcos de metal, de alambre o de madera, para crear formas ornamentales para arbustos o guiar árboles sobre enrejados, paredes o rejas. Las especies siempreverdes, como el NÍSPERO, el espino de fuego, la magnolia virginiana y el TEJO vertical, al igual que los manzanos (ver MANZANA) y PERALES enanos, forman excelentes espalderas.

## ESPAÑA

- ▸ **Superficie:** 506.030 km² (195.379 mi²)
- ▸ **Población:** 44.079.000 hab. (est. 2005)
- ▸ **Capital:** MADRID
- ▸ **Moneda:** euro

**España** *ofic.* **Reino de España** País de Europa sudoccidental. Uno de los países más grandes de Europa, está localizado en la península IBÉRICA y también comprende las islas BALEARES y CANARIAS. La población está compuesta predominantemente por grupos ibéricos, aunque también existen VASCOS, catalanes y GITANOS. Idiomas: castellano (oficial, denominado también español), catalán, gallego y vasco. Religión: católica. La gran meseta central española está rodeada por el valle del río EBRO; la región montañosa de CATALUÑA; la zona costera de VALENCIA, que da al Mediterráneo; el valle del río GUADALQUIVIR y la región montañosa que se extiende desde los PIRINEOS hasta la costa atlántica. España tiene una economía de mercado desarrollada, basada en los servicios, la industria liviana y pesada y la agricultura. Los recursos mineros abarcan mineral de hierro, mercurio y carbón; la producción agropecuaria comprende los cereales y la ganadería. Es uno de los principales productores mundiales de vino y aceite de oliva. También es importante la actividad turística, en especial a lo largo de la Costa del Sol, en el sur del país. España es una monarquía constitucional bicameral; el jefe de Estado es el rey y el jefe de Gobierno, el primer ministro. En varios lugares de España se han encontrado restos de pueblos pertenecientes a la edad de piedra que datan de hace 35.000 años. Pueblos celtas llegaron en el s. IX AC, seguidos de los romanos, quienes dominaron España c. 200 AC hasta la invasión visigoda a inicios del s. V DC. A principios del s. VIII la mayor parte de la península fue ocupada por invasores musulmanes (moros) que provenían del norte de África, y permaneció bajo su control hasta que fue reconquistada gradualmente por los reyes cristianos de CASTILLA, ARAGÓN y Portugal. La reunificación de España tuvo lugar en 1479 tras la alianza matrimonial entre FERNANDO II (de Aragón)

Vista frontal del Palacio Nacional de Montjuic, Barcelona, España.
ARCHIVO EDIT. SANTIAGO

e ISABEL I la Católica (de Castilla). El último reino musulmán, en GRANADA, fue reconquistado en 1492. Ese mismo año, CRISTÓBAL COLÓN llegó a América y tomó posesión del territorio en nombre de la corona, lo que constituyó el punto de inicio de un imperio colonial en la zona. En 1516, el trono pasó a manos de la dinastía HABSBURGO, cuyo dominio finalizó en 1700, cuando FELIPE V se transformó en el primer rey español de la casa de BORBÓN. Su ascendiente provocó la guerra de sucesión ESPAÑOLA, que concluyó con la pérdida de numerosas posesiones europeas y el estallido de revoluciones al interior de la mayoría de las colonias hispanoamericanas. Las posesiones de ultramar que logró conservar las perdió más tarde frente a EE.UU. en la guerra HISPANO-ESTADO-UNIDENSE (1898) (ver CUBA; GUAM; FILIPINAS; PUERTO RICO). España se transformó en una república en 1931. La guerra civil ESPAÑOLA (1936–39) concluyó con la victoria de los nacionalistas liderados por el gral. FRANCISCO FRANCO, que gobernó como dictador hasta su muerte en 1975. Le sucedió JUAN CARLOS I, quien con su ascenso al trono restableció la monarquía; una nueva constitución, promulgada en 1978, estableció una monarquía constitucional. En 1979, el primer gobierno posfranquista lo encabezó Adolfo Suárez, de la Unión de Centro Democrático (UCD). Luego, el Partido Socialista Obrero Español (PSOE), con su líder Felipe González, se consolidó como fuerza opositora y gobernó por cuatro períodos (1982–96). España se integró a la OTAN en 1982 y a la COMUNIDAD EUROPEA en 1986. El quinto centenario del primer viaje que realizó Cristóbal Colón a América, celebrado en 1992, se destacó por la organización de una feria en SEVILLA y los JUEGOS OLÍMPICOS en BARCELONA. En la década de 1990 estableció vínculos más estrechos con otros países europeos, pero continuó afectada por conflictos internos, como el separatismo vasco, que ha presionado por su independencia; algunos grupos, con este fin, han desencadenado una campaña de violencia. En 1996 asumió el gobierno de José María Aznar por dos períodos (1996–2004). En 2002 el euro sustituyó a la peseta como moneda, culminando su proceso de integración económica europea. El mayor hecho de violencia de los últimos tiempos fue la serie de atentados terroristas contra trenes en las cercanías de Madrid, ocurrido el 11 de marzo de 2004, y que fue reivindicado por al-QAEDA. Ese mismo mes ganó las elecciones el PSOE con José Luis Rodríguez Zapatero como jefe de Gobierno.

**español** *o* **castellano** Lengua ROMANCE hablada en España y en vastas zonas del Nuevo Mundo. Cuenta con más de 375 millones de hablantes, entre ellos más de 23 millones en EE.UU. Los escritos más antiguos datan del s. X y las primeras obras literarias de c. 1150. El dialecto castellano, origen del español estándar moderno, surgió en el s. IX en la región norcentral de España (Castilla la Vieja) y se extendió a España central (Castilla la Nueva) en el s. XI. A fines del s. XV se fusionaron los reinos de Castilla, León y Aragón y el castellano se convirtió en la lengua oficial de toda España. De esta manera, el CATALÁN y el gallego (del cual se derivó el PORTUGUÉS) se transformaron en lenguas regionales, y el aragonés y el leonés se redujeron a una fracción de las áreas en que se hablaban anteriormente. Los dialectos regionales latinoamericanos se derivan del castellano, pero difieren de este en la FONOLOGÍA.

**Español, Pedro** ver Pedro BERRUGUETE

**española, guerra civil** (1936–39). Sublevación militar contra el gobierno de España. Después de la llegada del Frente Popular al poder, tras triunfar en las elecciones de 1936 con el apoyo principalmente de partidos de izquierda, las guarniciones militares se sublevaron en distintos lugares de España bajo el liderazgo de rebeldes nacionalistas a los que se sumaron sectores clericales, militares y terratenientes conservadores, como asimismo, la FALANGE fascista. El gobierno republicano, encabezado por los primeros ministros socialistas FRANCISCO LARGO CABALLERO y Juan Negrín (n. 1894–m. 1956) más el presidente liberal MANUEL AZAÑA, fue respaldado por los trabajadores y parte importante de la clase media educada, así como por militantes anarquistas y comunistas. Las fuerzas de gobierno sofocaron la rebelión en la mayoría de las regiones, excepto en partes del noroeste y sudoeste de España, donde los nacionalistas mantuvieron el control y nombraron a FRANCISCO FRANCO como jefe de Estado. Ambos bandos reprimieron la oposición; en conjunto, ejecutaron o asesinaron a más de 50.000 sospechosos de ser enemigos de sus respectivas causas. Los nacionalistas, al buscar ayuda del exterior, recibieron tropas, tanques y aviones de guerra de la Alemania nazi y la Italia fascista, países que usaron a España para ensayar nuevos métodos de guerra blindada y aérea. Los republicanos (también llamados leales) recibieron material bélico principalmente de la Unión Soviética; las BRIGADAS INTERNACIONALES proporcionaron voluntarios que se les unieron. Ambos bandos libraron feroces y sangrientos combates en una guerra de desgaste. Los nacionalistas ganaron territorio en forma gradual y en abril de 1938 lograron dividir España de este a oeste, forzando a 250.000 efectivos republicanos a huir a Francia. En marzo de 1939 se rindieron las restantes fuerzas republicanas; Madrid, debilitada por el enfrentamiento entre comunistas y anticomunistas, cayó en manos nacionalistas el 28 de marzo. Cerca de 500.000 personas murieron en el conflicto y todos los españoles se vieron profundamente afectados por el trauma bélico. Finalizada la guerra, se inició un período de dictadura encabezado por Francisco Franco que se prolongó hasta la muerte del mismo en 1975.

**española, guerra de sucesión** (1701–14). Conflicto que surgió de la disputada sucesión al trono de España después de la muerte de CARLOS II, quien no había tenido hijos. Carlos Habsburgo había nombrado a Felipe Borbón, duque de Anjou, como su sucesor. Cuando Felipe ascendió al trono español como FELIPE V, su abuelo LUIS XIV invadió los PAÍSES BAJOS ESPAÑOLES. La antigua alianza antifrancesa de la guerra de la LIGA DE AUGSBURGO fue renovada en 1701 por Gran Bretaña, la República Holandesa y el emperador germánico, a quienes se habían prometido partes del imperio español en tratados de partición anteriores (1698, 1699). Las fuerzas inglesas, dirigidas por el duque de MARLBOROUGH, obtuvieron una serie de victorias sobre Francia (1704–09), entre ellas, la batalla de BLENHEIM, que obligó a los franceses a retirarse de los Países Bajos e Italia. El general del imperio, EUGENIO DE SABOYA, también consiguió notables victorias. En 1711, los conflictos en el seno de la alianza la llevaron al colapso, y las negociaciones de paz se iniciaron en 1712. La guerra concluyó con los tratados de UTRECHT (1713–14), que marcó el ascenso como potencia de Gran Bretaña a expensas de Francia y España, y con los tratados de RASTADT Y BADEN (1714).

**Española, La** Isla de las Antillas Mayores. La segunda isla más grande del mar Caribe, se localiza al este de Cuba. Está dividida entre Haití al oeste y República Dominicana al este. Tiene unos 650 km (400 mi) de largo y 241 km (150 mi) en su anchura máxima. CRISTÓBAL COLÓN desembarcó en ella en 1492. La llegada de los europeos significó la desaparición de la población nativa y en su reemplazo se pobló la isla con esclavos negros africanos. Estos se rebelaron a fines del s. XVIII; liderados por TOUSSAINT-LOUVERTURE y JEAN-JACQUES DESSALINES,

la isla se independizó en 1804, y se constituyó la República de Haití. En 1843, la población de la zona oriental de la isla se rebeló, y ello dio origen a la República Dominicana.

**espárido** Cualquiera de unas 100 especies (familia Sparidae) de peces de aguas generalmente someras, que habitan en los mares tropicales y templados. Los espáridos, a veces llamados besugos, se caracterizan por tener lomo alto, aleta dorsal única, boca pequeña y dientes lo bastante fuertes como para comer peces e invertebrados de concha dura. La mayoría de las especies no sobrepasan los 30 cm (1 pie) de largo, pero algunos pueden llegar a medir 120 cm (4 pies). Los rompemejillones sudafricanos, populares en la pesca deportiva, llegan a pesar 45 kg (100 lb). En Australia y Japón, varias especies de *Chrysophrys* constituyen peces comestibles de importancia (llamados cuberas en Australia). El besugo rojo habita aguas europeas profundas. Ver SARGO CHOPA.

**Esparta** *o* **Lacedemonia** Antigua ciudad-estado griega, capital de Laconia y principal ciudad del PELOPONESO. De origen DORIO, fue fundada en el s. IX AC y se desarrolló como una sociedad estrictamente militarizada. Entre los s. VIII–V AC conquistó a la vecina Mesenia. A partir del s. V AC la clase gobernante espartana se dedicó a la guerra y creó el más poderoso ejército de Grecia. Después de un prolongado conflicto con ATENAS en la guerra del PELOPONESO (460–404 AC), logró dominar todo el territorio griego. El predominio de Esparta fue interrumpido por TEBAS en la batalla de Leuctra, en 371 AC. Perdió su independencia c. 192 AC cuando fue derrotada y forzada a integrarse a la Liga AQUEA. Pasó a formar parte de la provincia romana de Aquea en 146 AC. Los visigodos capturaron y destruyeron la ciudad en 396 DC. Se conservan las ruinas de la acrópolis, el ágora, el teatro y templos.

La Metrópolis (catedral) dedicada a san Demetrio en Mistra, ciudad bizantina en ruinas cerca de Esparta, Grecia.
© MAIRANI—CLICK/CHICAGO

**Espartaco** (m. 71 AC). Líder de la rebelión de los gladiadores contra Roma (73–71). Nacido en Tracia, prestó servicio en el ejército romano. Se convirtió en bandolero y fue vendido como esclavo tras ser capturado. Escapó de una escuela de gladiadores, en la cual había organizado una revuelta junto con otros compañeros y estableció su campamento en el monte Vesubio, donde se le unieron otros esclavos fugitivos y algunos campesinos. Con una fuerza de 90.000 hombres, dominó la mayor parte del sur de Italia, derrotando a dos cónsules (72). Condujo a su ejército hacia el norte, a la Galia Cisalpina, donde esperaba eximir a sus hombres para que buscaran la libertad, pero estos no quisieron marcharse y prefirieron continuar la lucha. De regreso en el sur, intentó invadir Sicilia, pero no pudo conseguir transporte. Las legiones de Marco Licinio CRASO cercaron al ejército de esclavos en Lucania y lo derrotaron; Espartaco murió en plena batalla. El ejército de Pompeyo interceptó y mató a muchos de los esclavos que trataban de escapar hacia el norte, y Craso crucificó a 6.000 prisioneros a lo largo de la vía Apia.

**espartana, Alianza** ver Liga del PELOPONESO

**espartaquistas** *o* **Liga Espartaco** Grupo socialista revolucionario alemán (1914–18). Surgió como una escisión del PARTIDO SOCIALDEMÓCRATA DE ALEMANIA (SPD) y fue fundado oficialmente en 1916 por KARL LIEBKNECHT, ROSA LUXEMBURGO y otros, que se oponían con violencia a la participación de Alemania en la primera guerra mundial y llamaban a la revolución socialista. El grupo organizó manifestaciones en diciembre de 1918 que condujeron a la abortada revuelta Espartaco en enero de 1919, tras la cual sus líderes fueron asesinados por miembros de los FREIKORPS. La liga luego se transformó en el Partido Comunista alemán.

**Espartero, Baldomero, príncipe de Vergara** (27 oct. 1793, Granátula, España–8 ene. 1879, Logroño). General y político español. Tras la ascensión al trono de ISABEL II, se sumó a las fuerzas oficialistas que se oponían a Don Carlos (ver CARLISMO) y contribuyó a ganar la primera guerra carlista. Se convirtió en jefe de Gobierno en 1840 y fue nombrado regente en 1841. En 1843, una revuelta de generales lo obligó a huir a Inglaterra, donde vivió hasta 1849. Regresó a España y más tarde compartió el gobierno (1854–56) con el gral. Leopoldo O'Donnell (n. 1809–m. 1867) antes de regresar a su retiro.

**esparto** Cualquiera de dos especies de hierbas aciculares de color verde grisáceo (*Stipa tenacissima* y *Lygeum spartum*), originarias del sur de España y norte de África, o la fibra producida por el esparto. El *L. spartum* crece en suelo rocoso de las altiplanicies. El *S. tenacissima* florece en suelos arenosos, ricos en hierro, en lugares secos y asoleados del litoral. La fibra del esparto tiene gran resistencia y flexibilidad; se utiliza para fabricar cuerdas, sandalias, canastos, esteras y otros artículos durables. Las hojas del esparto se usan en la fabricación del papel.

**espato pesado** ver BARITINA

**espátula** Cualquiera de seis especies de aves zancudas (familia Threskiornithidae) de cuello y patas largos, que habitan estuarios, brazos fluviales pantanosos y lagos del Viejo y Nuevo Mundo. Miden 60–80 cm (24–32 pulg.) de largo; tienen una cola corta y un pico largo y recto, convertido en espátula en la punta. La mayoría de las especies son blancas, a veces con matices rosados; la espátula rosada (*Ajaia ajaja*) de Norte y Sudamérica es de color rosado oscuro y muy hermosa. Con movimientos laterales del pico, barren el lodo y las aguas someras en busca de peces y crustáceos. Vuelan con el cuello y las patas extendidas, y batiendo las alas constantemente. Las colonias reproductoras construyen nidos de palitos en arbustos y árboles de poca altura. Algunas especies, incluida la espátula de pico negro, están en peligro de extinción. Ver también IBIS.

**especiación** Formación de ESPECIES nuevas y distintas mediante la cual una línea evolutiva única se escinde en dos o más líneas genéticamente independientes. Es uno de los procesos fundamentales de la EVOLUCIÓN, y puede ocurrir de muchas maneras. Los investigadores ya habían encontrado evidencias de especiación en el historial de los fósiles, rastreando los cambios secuenciales de la estructura y la forma de los organismos. Los estudios genéticos muestran ahora que dichos cambios no siempre acompañan a la especiación, pues muchos grupos aparentemente idénticos son, de hecho, aislados en materia reproductora (i.e., ya no pueden producir vástagos viables al entrecruzarse). La poliploidía (ver PLOIDÍA) es un medio por el cual puede iniciarse la creación de nuevas especies en sólo dos o tres generaciones.

**especias y hierbas** Partes desecadas de diversas plantas que se cultivan por sus propiedades aromáticas, gustativas, medicinales o apreciadas por alguna otra causa. Las especias son productos fragantes o acres obtenidos de especies tropicales o subtropicales como el CARDAMOMO, el CANELO, el CLAVO DE OLOR, el JENGIBRE y el PIMIENTO; algunas especias son semillas entre las que se cuentan el ANÍS, la ALCARAVEA, el COMINO, el HINOJO, la amapola y el SÉSAMO. Las hierbas son hojas fragantes de plantas como la ALBAHACA, la MEJORANA, la HIERBABUENA, el ROMERO y el TOMILLO. Los usos más notorios de las especias y hierbas en la antigüedad fueron en medicina, en la fabricación de santos óleos y ungüentos, y como afrodisíacos; también se emplearon para saborizar alimentos y bebidas y para inhibir u ocultar el deterioro de los alimentos. El comercio de las especias ha jugado un rol destacado en la historia de la humanidad. Rutas comerciales importantes, como aquellas entre Asia y Medio Oriente y entre Europa y Asia, se forjaron inicialmente para obtener especias y hierbas exóticas. Los viajes de descubrimiento del s. XV fueron en gran medida iniciados como resultado del comercio de especias, y en el s. XVII, Portugal y las llamadas compañías de India Oriental, británica, holandesa y francesa batallaron furiosamente por su dominio (ver COMPAÑÍA INGLESA DE LAS INDIAS ORIENTALES; COMPAÑÍA HOLANDESA DE LAS INDIAS ORIENTALES; COMPAÑÍA FRANCESA DE LAS INDIAS ORIENTALES).

**especie** Subdivisión de la clasificación biológica, compuesta por organismos emparentados, que comparten características comunes y pueden hibridar. Los organismos se agrupan en especies de acuerdo con sus semejanzas externas, pero lo más importante para la clasificación de organismos que se reproducen sexualmente es su capacidad de entrecruzarse con éxito. Para ser miembros de la misma especie, los individuos deben ser capaces de aparearse y producir vástagos viables. Como las variaciones genéticas se originan en individuos que luego las traspasan sólo dentro de su especie, es a nivel de la especie donde ocurre la EVOLUCIÓN (ver ESPECIACIÓN). El sistema internacional de NOMENCLATURA BINOMIAL asigna a las nuevas especies un nombre compuesto de dos partes.

**especie nuclear** ver NÚCLIDO

**especies en peligro de extinción** Cualquier especie de planta o animal amenazado con la EXTINCIÓN. Hay organismos nacionales e internacionales que se encargan de mantener nóminas de especies en peligro de extinción, proteger y preservar hábitats naturales y promover programas para la recuperación y el restablecimiento de estas especies. La Comisión de Supervivencia de Especies de la Unión Internacional para la Conservación de la Naturaleza y de los Recursos Naturales (UICN) publica información en línea acerca de las especies en peligro de extinción en todo el mundo en la *Lista roja de especies amenazadas*. También se publican libros separados de especies animales y vegetales. En EE.UU., el Fish and Wildlife Service es responsable de la CONSERVACIÓN y el manejo de peces y vida silvestre, que comprende las especies en peligro de extinción y sus respectivos hábitats. Su lista se compone ahora de unas 1.200 especies nacionales de animales y plantas amenazados o en peligro de extinción, y hay unos 200 programas de recuperación vigentes en EE.UU.

**espectro** Ordenamiento de la RADIACIÓN ELECTROMAGNÉTICA de acuerdo con la LONGITUD DE ONDA (o FRECUENCIA). El espectro visible, el del "arco iris", es la porción del ESPECTRO ELECTROMAGNÉTICO que es visible como luz al ojo humano. Algunas fuentes emiten sólo ciertas longitudes de onda y producen un espectro de emisión de líneas brillantes separadas por espacios oscuros. Tales espectros de línea son característicos de los elementos que emiten la radiación. Un espectro de banda consiste en grupos de longitudes de onda tan densos que las líneas parecen formar una banda continua. Los átomos y las moléculas absorben ciertas longitudes de onda de modo que las remueven de un espectro completo; el espectro de absorción resultante contiene líneas o bandas oscuras en estas longitudes de onda.

**espectro** ver FANTASMA

**espectro electromagnético** Rango total de FRECUENCIAS o LONGITUDES DE ONDA de la RADIACIÓN ELECTROMAGNÉTICA. Abarca desde longitudes de onda larga (frecuencia baja) hasta aquellas de onda corta (frecuencia alta); comprende, en orden de frecuencia creciente (o longitud de onda decreciente): ONDAS DE RADIO de frecuencia muy baja a ultraelevada, MICROONDAS, RADIACIÓN INFRARROJA, LUZ visible, RADIACIÓN ULTRAVIOLETA, RAYOS X y RAYOS GAMMA. En el VACÍO, todas las ondas del espectro electromagnético viajan a la misma velocidad: 299.792.458 m/s (186.282 mi/s).

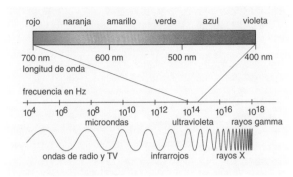

El espectro de ondas electromagnéticas varía desde las ondas de radio de frecuencia baja hasta los rayos gamma de frecuencia alta. El ojo humano sólo puede ver una parte muy reducida del espectro, que representa longitudes de onda entre 400 y 700 nanómetros, aproximadamente.

© 2006 MERRIAM-WEBSTER INC.

**espectrofotometría** Rama de la ESPECTROSCOPIA que se ocupa de medir la ENERGÍA radiante transmitida o reflejada por un cuerpo como una función de la LONGITUD DE ONDA. Por lo general, la medida se compara con aquella transmitida o reflejada por un sistema que sirve como un estándar. En química y física, diferentes tipos de espectrofotómetros cubren amplios rangos del ESPECTRO ELECTROMAGNÉTICO: ULTRAVIOLETA (UV), LUZ visible, INFRARROJO (IR) o MICROONDA. La espectrofotometría UV es en particular útil para detectar y cuantificar sustancias incoloras en SOLUCIÓN. La espectrofotometría IR se utiliza principalmente para estudiar las estructuras moleculares de compuestos orgánicos complejos. En astronomía y astrofísica, los estudios espectrofotométricos comprenden también los rangos de los RAYOS X y RAYOS GAMMA del espectro. Ver también COLORIMETRÍA.

**espectrometría de masas** *o* **espectroscopia de masas** Técnica analítica con la cual se identifican sustancias químicas, separando los IONES gaseosos según su masa mediante el uso de campos CAMPOS ELÉCTRICOS y CAMPOS MAGNÉTICOS. Un espectrómetro de masas utiliza medios eléctricos para detectar los iones seleccionados, mientras que un espectrógrafo de masas usa medios fotográficos u otros medios no eléctricos; ambos dispositivos son espectroscopios de masas. El proceso es ampliamente utilizado para medir masas y abundancias relativas de diferentes ISÓTOPOS, para analizar productos de la separación por CROMATOGRAFÍA líquida o gaseosa, para probar la integridad del vacío en equipos de alto vacío, y para medir la edad geológica de los minerales.

**espectrómetro** Dispositivo para detectar y analizar LONGITUDES DE ONDA de RADIACIÓN ELECTROMAGNÉTICA, comúnmente utilizado para la ESPECTROSCOPIA molecular; en términos más amplios, uno de varios instrumentos en los cuales una emisión (como radiación electromagnética o de partículas) es difundida según alguna propiedad (como ENERGÍA O MASA) en un ESPECTRO y las medidas se realizan en puntos o regiones a lo largo del espectro. En la forma en que se usa en el ANÁLISIS de laboratorio tradicional, un espectrómetro comprende una fuente de radiación y equipos de detección y análisis. Los espectrómetros de emisión excitan las MOLÉCULAS de una muestra hasta estados de ENERGÍA superiores y analizan la radiación emitida cuando ellas vuelven a la condición original de energía. Los espectrómetros de absorción hacen pasar radiación de longitud de onda conocida a través de una muestra, variando las longitudes de onda para producir un espectro de resultados; el sistema detector revela hasta qué grado es absorbida cada longitud de onda. Los espectrómetros de TRANSFORMADA DE FOURIER se parecen a los espectrómetros de absorción, pero utilizan una banda ancha de radiación; una computadora analiza la señal de salida para encontrar el espectro de absorción. Diferentes diseños permiten

estudiar diversos tipos de muestras sobre muchas frecuencias, a temperaturas o presiones diferentes, o en un campo eléctrico o magnético. Los espectrómetros de masa (ver ESPECTROMETRÍA DE MASA) revelan los componentes atómicos o moleculares en una muestra de acuerdo a sus masas y luego detectan los componentes escogidos.

**espectroscopia** Rama del ANÁLISIS dedicada a la identificación de ELEMENTOS QUÍMICOS y compuestos, y a aclarar la estructura atómica y molecular por medio de la medición de la ENERGÍA radiante absorbida o emitida por una sustancia a LONGITUDES DE ONDA características del ESPECTRO ELECTROMAGNÉTICO (como la radiación por RAYOS GAMMA, RAYOS X, RADIACIÓN ULTRAVIOLETA, LUZ visible, MICROONDAS, INFRARROJA y de radiofrecuencia) sometida a excitación por una fuente externa de energía. Los instrumentos utilizados son espectroscopios (para observación visual directa) o espectrógrafos (para registrar espectros). Los experimentos comprenden una fuente de luz, un PRISMA o rejilla para formar el ESPECTRO, detectores (visual, fotoeléctrico, radiométrico o fotográfico) para observar o registrar sus detalles, dispositivos para medir longitudes de onda e intensidades, y la interpretación de las cantidades medidas para identificar productos químicos o entregar indicios de la estructura de átomos y moléculas. En la mitad del s. XIX fueron descubiertos el HELIO, el CESIO y el rubidio por espectroscopia del espectro solar. Las técnicas especializadas comprenden la espectroscopia Raman (ver CHANDRASEKHARA VENKATA RAMAN), la resonancia magnética nuclear (RMN), la resonancia nuclear cuadrupolar, la espectroscopia de reflectancia dinámica, la espectroscopia de microondas y de rayos gamma, y la RESONANCIA DE ESPÍN ELECTRÓNICO (REE). Actualmente, la espectroscopia también incluye el estudio de partículas (p. ej., ELECTRONES, IONES) que han sido ordenadas o de otra manera diferenciadas en un ESPECTRO como función de alguna propiedad (como energía o MASA). Ver también ESPECTROFOTOMETRÍA; ESPECTROMETRÍA DE MASAS; ESPECTRÓMETRO.

**espejismo** En óptica, la aparición engañosa de un objeto distante causada por el cambio de dirección de los rayos de luz (REFRACCIÓN) en capas de aire de densidad variable. Bajo ciertas condiciones, como sobre un tramo de pavimento o en el aire del desierto calentado por radiación solar intensa, este se enfría rápidamente con la altura y por lo tanto aumenta en densidad y en poder de refracción. La luz solar reflejada hacia abajo desde la parte superior de un objeto atravesará el aire frío de manera normal; sin embargo, a causa del ángulo, la luz que no sería visible en condiciones normales se curva hacia arriba al ingresar al aire caliente enrarecido cercano al suelo, siendo así refractada hacia el ojo del observador como si se hubiera originado bajo la superficie calentada. Cuando el cielo es el objeto del espejismo, se confunde a la tierra con un lago o con una capa de agua.

**espelta** ver ESCANDA

**esperanto** Lengua artificial creada en 1887 por el oftalmólogo polaco Lazarus Ludwik Zamenhof (n. 1859–m. 1917), para su uso como una segunda lengua internacional. Su obra *Fundamento de esperanto* (1905) presenta los principios básicos de esta lengua. Todas las palabras, derivadas de raíces comunes que se encuentran en las lenguas europeas, se escriben tal como se pronuncian, y la gramática es sencilla y regular. Los sustantivos no tienen género y terminan en *-o*, y existe un solo artículo definido, *la* (p. ej., *la amiko*, "el amigo/la amiga"). Los adjetivos se señalan con la terminación *-a*. Los verbos son regulares y tienen solamente una forma para cada tiempo o modo. La Asociación Universal de Esperanto (fundada en 1908) cuenta con miembros en 83 países. Se estima que el esperanto lo hablan entre 100.000 y varios millones de personas.

**espermatófita** Cualquiera de las ANGIOSPERMAS, CONÍFERAS y plantas relacionadas (GIMNOSPERMAS). Las espermatófitas comparten muchas características con los HELECHOS, incluso la presencia de tejido vascular (ver XILEMA y FLOEMA), pero a diferencia de ellos, tienen tallos que se ramifican lateralmente y tejido vascular que está dispuesto en ramales (haces) alrededor del núcleo. Por lo general, las espermatófitas poseen cuerpos vegetales más complejos y se reproducen por SEMILLAS. Como principal unidad de dispersión de las espermatófitas, la semilla representa una mejora importante con respecto a la ESPORA, cuya capacidad de supervivencia es limitada. Asimismo, las espermatófitas se diferencian de los helechos por tener GAMETOFITOS que son de tamaño reducido y están incrustados en los ESPOROFITOS (y así son menos vulnerables al estrés ambiental). Otra adaptación terrestre de las espermatófitas es el POLEN disperso por el viento o los animales. La dispersión del polen, además de la dispersión de las semillas, promueve la RECOMBINACIÓN genética y la distribución de las especies en una extensa zona geográfica.

**espermio** *o* **espermatozoide** CÉLULA reproductora masculina. En mamíferos, los espermios se producen en los TESTÍCULOS y viajan por el sistema REPRODUCTOR. En la FECUNDACIÓN, un espermio, de cerca de 300 millones en una eyaculación normal (ver SEMEN), fecunda un ÓVULO o huevo (ver OVARIO) para producir un vástago. En la PUBERTAD, las células inmaduras (espermatogonias) comienzan a madurar (espermatogénesis). El espermio humano maduro tiene una cabeza plana almendrada, con una capucha (acrosoma) que contiene sustancias químicas que le ayudan a penetrar el huevo. En esencia es un NÚCLEO celular con 23 CROMOSOMAS (incluidos el X o el Y que determinan el sexo de la criatura). El espermio es propulsado hacia el huevo por un FLAGELO y puede vivir en el tracto reproductor femenino durante dos o tres días después de la RELACIÓN SEXUAL O COITO. Los espermios pueden ser congelados y almacenados para INSEMINACIÓN ARTIFICIAL.

**espín** Cantidad de MOMENTO ANGULAR asociado con una PARTÍCULA SUBATÓMICA o un NÚCLEO. Se mide en múltiplos de $\hbar$ (h-bar), cantidad que es equivalente a la constante de Planck dividida por $2\pi$. Los ELECTRONES, NEUTRONES y PROTONES tienen un espín de $1/2$, por ejemplo, mientras los piones y los núcleos de helio tienen espín cero. El espín de un núcleo complejo es la suma vectorial de los momentos angulares orbitales y de los espines intrínsecos de los nucleones componentes. Para núcleos de número de masa par, el múltiplo es un entero; para aquellos de número de masa impar, es semientero (la mitad de un entero). Ver también estadística de BOSE-EINSTEIN; estadística de FERMI-DIRAC.

**espín isobárico**; **espín isotópico** ver ISOSPÍN

**espina dorsal** ver COLUMNA VERTEBRAL

**espinaca** Planta anual, resistente y frondosa (*Spinacia oleracea*) de la familia Chenopodiaceae, usada como verdura. Las hojas comestibles, algo triangulares, ya sea planas o rizadas, están dispuestas en un rosetón desde donde emerge un tallo florífero o escapo. La espinaca requiere un clima fresco y un suelo profundo, fértil, bien encalado, lo que favorece un crecimiento rápido y una superficie foliar máxima; sembrar la semilla cada dos semanas desde principios de la primavera hasta fines del verano proporciona un abastecimiento constante. La espinaca es una verdura nutritiva, rica en hierro y en vitaminas A y C.

Espinaca (*Spinacia oleracea*).
© ENCYCLOPÆDIA BRITANNICA, INC.

**espinela** Mineral compuesto de óxido de magnesio y aluminio ($MgAl_2O_4$), también recibe el nombre de espinel de magnesia. Debido a diversas impurezas, su color varía de rojo-sangre a azul, verde, marrón e incoloro. La espinela se encuentra en rocas ígneas básicas, pegmatitas de granito y depósitos de piedra caliza metamórfica de contacto, a menudo mezclada con CORINDÓN. Se han fabricado espinelas sintéticas desde principios del s. XX, para uso como gemas de imitación. En un sentido más amplio, el término espinela también puede referirse a diversos minerales de óxido de magnesio, hierro, cinc o manganeso en combinación con aluminio, cromo o hierro.

**espinoso** Cualquiera de unas 12 especies (familia Gasterosteidae) de peces delgados, sin escamas, que habitan las aguas templadas, dulces y saladas del hemisferio norte. Los espinosos crecen hasta 15 cm (6 pulg.) de largo. Tienen una hilera de espinas en el dorso, frente a la aleta dorsal de radios blandos, y una espina afilada en cada una de las aletas pélvicas. También presentan una cola cuadrada, de base delgada, y placas laterales acorazadas. El macho construye un nido de material vegetal y engatusa a una o más hembras para que depositen sus huevos en este, los fertiliza y defiende los huevos y las crías agresivamente.

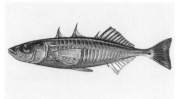

Espinoso (*Gasterosteus aculeatus*).
© ENCYCLOPÆDIA BRITANNICA, INC.

**espionaje** Práctica que consiste en obtener información secreta militar, política, comercial o de otra índole por medio de espías o de aparatos de seguimiento ilegales. A veces se la distingue de la recopilación de INTELIGENCIA, que constituye una categoría más amplia, por su naturaleza agresiva y su ilegalidad. Las actividades de contraespionaje están dirigidas a detectar y frustrar el espionaje de otros.

**espionaje industrial** Adquisición de secretos comerciales de la competencia. El espionaje industrial es una reacción a los esfuerzos que realizan muchas empresas por mantener en reserva sus diseños, fórmulas, procesos de fabricación, investigaciones y planes futuros. Los secretos comerciales pueden llegar al mercado por conducto de empleados desleales o de diversas otras maneras. Las sanciones de que pueden ser objeto quienes resulten culpables de espionaje industrial van desde una orden que prohíbe seguir utilizando el conocimiento adquirido hasta el pago de una indemnización por daños y perjuicios. Ver también PATENTE.

**espirilo** Cualquiera de las BACTERIAS espiriformes que constituyen el género *Spirillum*. Son acuáticas, excepto una especie que causa un tipo de fiebre por mordedura de rata en seres humanos. El término se usa generalmente para cualquier especie de bacteria en forma de tirabuzón (ver ESPIROQUETA). Los espirilos son gram negativos (ver tinción de GRAM) y se movilizan mediante penachos de flagelos en sus extremos.

**espiritismo** Creencia en que las ALMAS de los muertos pueden tomar contacto con los vivos, generalmente a través de un médium o durante estados mentales anormales, como los trances. La base del espiritismo es la convicción de que el espíritu es la esencia de la vida y que sobrevive a la muerte corporal. Un médium es una persona sensible a las vibraciones provenientes del mundo espiritual y que puede presidir reuniones, llamadas sesiones, para recibir mensajes de los espíritus. Un "control" es un espíritu que envía mensajes al médium humano, quien a su vez los trasmite a otras personas. Se cree que los espíritus también se manifiestan a través de golpes o la levitación de objetos. Algunos espiritistas aseguran tener poderes paranormales de sanación. La Sociedad de investigación psíquica, fundada en Gran Bretaña en 1882, se creó con el propósito de estudiar científicamente los fenómenos espiritistas. Ver también TEOSOFÍA.

**Espíritu Santo** En el cristianismo, la tercera persona de la Santísima TRINIDAD. Aunque en el Antiguo Testamento abundan las referencias al espíritu de Yahvé (Dios), la enseñanza cristiana lo deriva principalmente de los EVANGELIOS. El Espíritu Santo descendió sobre JESÚS en su bautismo y en los Hechos de los apóstoles se mencionan las efusiones del Espíritu, cuya manifestación se traduce en la sanación, la profecía, el exorcismo y el hablar en diversas lenguas. También descendió sobre los discípulos durante PENTECOSTÉS. Su definición como una persona divina consustancial al Padre y al Hijo fue elaborada en el concilio de CONSTANTINOPLA (381 DC).

**Espíritu Santo, isla** *ant.* **Marina** Isla noroccidental de VANUATU en el océano Pacífico sur. Es la mayor isla del país. Espíritu Santo mide 122 km (76 mi) de largo por 72 km (45 mi)de ancho y cubre una superficie de 3.677 km² (1.420 mi²). De origen volcánico, una cadena montañosa se eleva a lo largo de su costa occidental; el monte Tabwémasana alcanza los 1.879 m (6.165 pies). Está densamente cubierta de selvas y posee valles amplios, fértiles y bien regados. Con una agricultura desarrollada, su poblado principal es Luganville en la costa sudoriental.

**espiroqueta** Cualquier BACTERIA espiriforme de un orden (Spirochaetales). Algunas son patógenos gravitantes para los seres humanos y producen enfermedades como SÍFILIS, PIAN y FIEBRE RECURRENTE. Las espiroquetas son gram negativas (ver tinción de GRAM) y móviles. Únicas en cuanto a que sus flagelos, en número de dos a más de 200 por organismo, están contenidos en el interior de la célula. La mayoría de las espiroquetas se encuentran en medios líquidos (p. ej., barro y agua, sangre y linfa). Varias especies son portadas por piojos y garrapatas que las transmiten a los seres humanos.

**espirulina** Cualquier CIANOBACTERIA del género *Spirulina*. Fuente alimenticia tradicional en algunas zonas de África y México, la espirulina es excepcionalmente rica en vitaminas, minerales y proteínas, y constituye una de las pocas fuentes no animales de vitamina B12. Actualmente, se estudia mucho por sus posibles propiedades antivirales, anticancerosas, antibacterianas y antiparasitarias, y se ha usado para dolencias como alergias, úlceras, anemia, intoxicación por metales pesados y lesiones por radiación. Se utiliza también en programas para bajar de peso.

**espolón** Elemento proyectante adosado al extremo delantero de una nave de combate, diseñado para dañar a los barcos enemigos a los que se embiste. Puede haber sido desarrollado por los egipcios por el año 1200 AC, pero era usado con mayor frecuencia en las GALERAS fenicias, griegas y romanas. Fue revivido por poco tiempo hacia la mitad del s. XIX, notoriamente en la guerra de Secesión, cuando espolones montados en buques de guerra blindados, propulsados con vapor, se emplearon con éxito en contra de veleros de madera. Mejoras en el armamento naval, y la difusión de los buques de casco metálico, los dejaron nuevamente obsoletos. Ver también ARIETE.

**espolvoreamiento** ver ASPERSIÓN Y ESPOLVOREAMIENTO

**espondilosis cervical** Enfermedad degenerativa de las vértebras cervicales. La compresión de la MÉDULA ESPINAL y los nervios cervicales por estrechamiento de los espacios intervertebrales produce dolor irradiado y rigidez del cuello o los brazos, restricción de los movimientos cefálicos, debilidad de los brazos y las piernas, cefalea y parálisis espástica. La espondilosis cervical puede parecerse a una enfermedad neurológica con artritis no relacionada. Se trata con reposo, tracción y probablemente con collar cervical. A veces se hace necesario extirpar discos herniados o fusionar vértebras.

**esponja** Cualquiera de unas 5.000 especies de INVERTEBRADOS (filo Porifera) permanentemente fijos al sustrato (sésiles), de preferencia marinos, solitarios o en colonia, que se hallan en aguas superficiales a profundas (más de 9.000 m o 30.000 pies). Las esponjas simples son cilindros huecos con un gran orificio en la parte superior, a través del cual expelen agua y desechos. Una capa epidérmica externa, delgada y perforada cubre el esqueleto poroso, formado por espículas entrelazadas de carbonato de calcio, sílice o espongina (se halla en el 80% de todas las esponjas), un material proteináceo. El cuerpo, cuyo diámetro o longitud oscila entre 2,5 cm (1 pulg.) y varios metros, puede ser una masa deforme, arboriforme o digitiforme. Las esponjas carecen de órganos y de tejido especializado; las células flageladas mueven el agua hacia la cavidad central a través de las perforaciones, y los amebocitos digieren el alimento (bacterias, otros microorganismos y detrito orgánico), excretan desechos y absorben oxígeno. La reproducción de las esponjas puede ser sexual o asexual. Las formas larvales nadan libremente, pero todas las esponjas adultas son sésiles. Desde la antigüedad, se han extraído por su carácter hidrófilo y para el uso en el tocador o como estregaderas; debido a la pesca excesiva y a las nuevas tecnologías, la mayoría de las esponjas que se venden hoy son sintéticas.

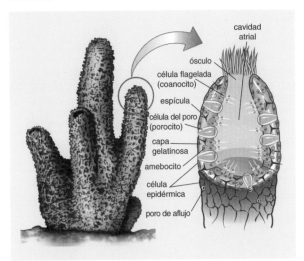

Esponja simple sacciforme. Su superficie está perforada por pequeños orificios (poros de aflujo) formados por células tubulares (porocitos), que se abren hacia la cavidad atrial. Una capa media gelatinosa contiene los elementos esqueléticos (espículas y fibras de espongina) y también amebocitos con una función activa en la digestión, eliminación de residuos y formación de espículas y espongina. Las células flageladas (coanocitos) revisten la cavidad atrial, crean corrientes para mover el agua, que contiene oxígeno y alimentos al interior de la esponja, y retienen y digieren las partículas de alimento. El agua y los desechos son expelidos por el ósculo, orificio cuyo tamaño puede modificarse para regular el flujo de agua a través de la esponja.
© 2006 MERRIAM-WEBSTER INC.

**esponja vegetal** Cualquiera de seis especies de enredaderas trepadoras anuales, que constituyen el género *Luffa*, de la familia de las CUCURBITÁCEAS, originarias de las regiones tropicales del Viejo Mundo. Dos especies cultivadas en zonas templadas (*L. acutangula* y *L. aegyptiaca*) producen frutos apepinados de 30 cm (1 pie). Estos frutos comestibles y verdosos cuando son tiernos, se ponen de color pajizo con la edad. Al quitar la piel, la pulpa y las semillas queda un conjunto complejo de haces vasculares muy entramados (tubos conductores de alimentos y agua) que se parecen a una esponja en su estructura. Este producto espongiforme se usa para el baño, para lavar platos y como una fibra industrial.

**espora** Célula reproductora capaz de desarrollarse para formar un nuevo individuo sin fusionarse con otra célula reproductora. Las esporas difieren así de los gametos, que tienen que fusionarse en pares a fin de crear un nuevo individuo. Las esporas son agentes de la reproducción asexual; los gametos constituyen agentes de la reproducción sexual. Las esporas son producidas por BACTERIAS, HONGOS y plantas verdes. Las esporas bacterianas sirven en gran parte como un estadio de reposo o latente en el ciclo vital, preservando la bacteria durante períodos de condiciones desfavorables. Muchas esporas bacterianas son muy durables y pueden germinar incluso después de varios años de latencia. Las esporas fúngicas desempeñan una función similar a la de las SEMILLAS en las plantas; germinan y crecen formando nuevos individuos bajo condiciones apropiadas de humedad, temperatura y disponibilidad de alimentos. En las plantas verdes (todas ellas con un ciclo vital caracterizado por la ALTERNANCIA DE GENERACIONES), las esporas corresponden a los agentes reproductores de la generación asexual (ESPOROFITO), que dan origen a la generación sexual (GAMETOFITO).

### Espóradas Ecuatoriales ver LINE ISLANDS

**esporofito** En muchas plantas y algas, la fase asexual en la ALTERNANCIA DE GENERACIONES, o un individuo que representa la fase. La fase sexual alterna es el GAMETOFITO. En la fase de esporofito, un cuerpo vegetal diploide (ver PLOIDÍA) crece y con el tiempo produce ESPORAS por medio de la MEIOSIS. Estas esporas se dividen por MITOSIS para producir gametofitos haploides, los cuales entonces realizan la reproducción sexual.

**esqueje** Sección de la planta que se origina del TALLO, HOJA o RAÍZ, capaz de desarrollarse para formar una nueva planta. El esqueje se suele colocar en arena húmeda y cálida. Muchas plantas, especialmente las variedades hortícolas y de jardín, se propagan por esquejes; mediante el uso de nuevas técnicas, se han reproducido con mayor éxito muchas otras plantas que antes no eran susceptibles a la propagación por esquejes. Las plantas que se desarrollan a partir de esquejes son CLONES. Ver también AMUGRONAMIENTO; INJERTO.

**esqueleto** Armazón ósea del cuerpo. Comprende el CRÁNEO, la COLUMNA VERTEBRAL, las clavículas, los omóplatos, la caja torácica, la cintura pelviana y los HUESOS de las manos, brazos, pies y piernas. El esqueleto sustenta el cuerpo y protege sus órganos internos. Se mantiene unido por LIGAMENTOS y se mueve en las ARTICULACIONES por los MÚSCULOS que se insertan en él. El sistema esquelético incluye huesos y CARTÍLAGOS.

**esquí** Deporte y medio de transporte consistente en deslizarse sobre la nieve en un par de patines largos y planos fijados a zapatos o botas. Surgido en Europa septentrional, los esquís más antiguos, encontrados en Rusia, tienen unos 6.000 años de antigüedad. Los primeros esquís eran por lo general cortos y anchos. Las primeras referencias escritas al respecto datan de la dinastía HAN (206 AC–220 DC), y describen cómo se practicaba el esquí en el norte de China. En Escandinavia se utilizaron esquís en la guerra desde el s. XIII o antes hasta el s. XX. La primera modalidad que se convirtió en deporte recibe ahora el nombre de ESQUÍ DE FONDO, y sus competencias comenzaron en Noruega en la década de 1840 y llegaron a California unos 20 años después. La popularidad del esquí recreativo aumentó notablemente gracias a las mejoras introducidas en las fijaciones c. 1860. Las competencias de salto con ESQUÍS datan de la década de 1870. La práctica del descenso estaba inicialmente limitada por la necesidad de subir las colinas antes o después de esquiar; sólo en la década de 1930 comenzó la construcción de andariveles. Los esquís se fabricaban al principio de un solo trozo de madera; la elaboración de esquís laminados comenzó en la década de 1930, y las superficies plásticas de deslizamiento aparecieron en la década de 1950; no se ha utilizado madera para construir esquís de descenso desde hace varias décadas. El negocio en torno al esquí comenzó a adquirir verdadera envergadura en la década de 1930, y tuvo un crecimiento explosivo a partir de las de 1950 y 1960; en la actualidad hay enormes centros invernales distribuidos en los Alpes austríacos, suizos e italianos, las montañas Rocosas y en otras regiones montañosas. Ver también ESQUÍ ALPINO.

**esquí acuático** Deporte consistente en deslizarse y saltar sobre el agua con esquís especialmente diseñados mientras el deportista es remolcado por una lancha de motor. La especialidad surgió en EE.UU. en la década de 1920, y las competencias internacionales datan de 1946. La competencia de slalom en monoesquí se lleva a cabo en una pista con cierto número de balizas que debe sortear el esquiador. En las competencias de salto se usan rampas; los esquiadores son calificados por distancia cubierta y estilo. Las pruebas de esquí a pie descalzo y maniobras acrobáticas forman parte también de algunas competencias. Una variedad reciente del esquí acuático, el *wakeboard*, se inició en EE.UU. en la década de 1980, cuando los surfistas comenzaron a correr con sus tablas mientras eran remolcados por lanchas. El *wakeboard* ha formado parte de los Gravity Games y los X Games (ver DEPORTES EXTREMOS) desde mediados de la década de 1990 y se ha convertido en el deporte acuático de más rápida expansión en todo el mundo.

**esquí alpino** Clase de esquí competitivo que consta de pruebas de velocidad (el descenso y el slalom supergigante) y de pruebas técnicas (el SLALOM y el slalom gigante). Las competencias de velocidad se llevan a cabo en forma individual

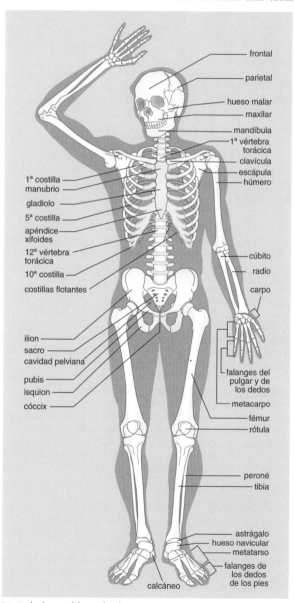

frontal
parietal
hueso malar
maxilar
mandíbula
1ª vértebra torácica
clavícula
escápula
húmero
cúbito
radio
carpo
falanges del pulgar y de los dedos
metacarpo
fémur
rótula
peroné
tibia
astrágalo
hueso navicular
metatarso
falanges de los dedos de los pies

1ª costilla manubrio
gladiolo
5ª costilla
apéndice xifoides
12ª vértebra torácica
10ª costilla
costillas flotantes
ilion
sacro
cavidad pelviana
pubis
isquion
cóccix
calcáneo

Principales huesos del esqueleto humano.

en pistas más largas, empinadas y rápidas y con menos giros que las pistas utilizadas en las pruebas técnicas. El esquí alpino debutó en los Juegos Olímpicos en 1936. Ver también ESQUÍ DE FONDO; ESQUÍ NÓRDICO.

Prueba de descenso de esquí alpino.
FOTOBANCO

**esquí de fondo** Modalidad que se practica a campo abierto en terrenos ondulados y levemente empinados. Se originó en Escandinavia como medio de transporte y recreación. Los esquís son más largos, estrechos y livianos que los del ESQUÍ ALPINO, y las fijaciones dejan más libre el talón. Las carreras internacionales tienen distancias estandarizadas, entre 10 y 50 km (6,2–31 mi) para los varones, y entre 5 y 30 km (3,1–18,6 mi) para las damas. Fue incluido en los Juegos Olímpicos desde la primera olimpíada de invierno, en 1924.

**esquí nórdico** Técnicas y competencias de esquí de origen escandinavo que incluyen el ESQUÍ DE FONDO y el salto con ESQUÍS. Las disciplinas nórdicas fueron incorporadas en los primeros Juegos Olímpicos de Invierno, en 1924. Ver también ESQUÍ ALPINO.

**esquila** ver TUNDIDURA

**Esquilo** (525/524, probablemente en Eleusis–456/455 AC, Gela, Sicilia). Dramaturgo trágico griego. Combatió en el ejército ateniense en la batalla de Maratón (490), y en el año 484 alcanzó el primero de sus muchos triunfos en el concurso dramático más importante de Atenas. Escribió más de 80 obras, de las que sólo se conservan siete. La primera de estas, *Los persas*, fue representada en 472 AC. Las otras obras que han perdurado son la trilogía de la *Orestíada* (*Agamenón*, *Las coéforas* y *Las euménides*), *Siete contra Tebas*, *Las suplicantes* y *Prometeo encadenado*. Es considerado el creador de la tragedia griega, y su innovación de agregar un segundo actor a la representación permitió el posterior desarrollo del diálogo y la creación de la auténtica acción dramática. Fue el primero de los tres grandes poetas trágicos griegos junto a SÓFOCLES y EURÍPIDES.

**esquimal** *o* **inuit** Grupo de pueblos estrechamente relacionados con los ALEUTIANOS, con quienes constituyen la población nativa de las regiones árticas y subárticas de Groenlandia, Alaska (EE.UU.), Canadá y el extremo este de Siberia (Rusia). Se autodenominan con nombres como inuit, inupiat, yupik y alutiit, siendo cada uno de estos vocablos una variante local que más o menos se aproxima al significado de "la gente". Es probable que el término esquimal, originalmente aplicado por los europeos, se derive de MONTAGNAIS Y NASKAPIS, palabras que designan los artefactos que usan en los pies para caminar por la nieve y que se conocen como raquetas; los pueblos árticos de Alaska favorecen el uso del nombre esquimal mientras que los de Canadá y de Groenlandia prefieren inuit. Son originarios de Asia, como los AMERINDIOS; sin embargo, se distinguen de estos por su ADAPTACIÓN CLIMÁTICA, la presencia de sangre tipo B y el uso de lenguas ESQUIMOALEUTIANAS, todo lo cual sugiere un origen distinto. La cultura tradicional de estos pueblos estaba totalmente adaptada a un medio ambiente en extremo frío, cubierto de nieve y hielo, en que los vegetales eran casi inexistentes; el caribú, los pescados y los mamíferos marinos constituían la principal fuente alimentaria. Los arpones, los kayacs individuales o los umiaks de mayor tamaño servían para la caza marina. Las vestimentas eran confeccionadas con pieles de caribú y foca. Los IGLÚES construidos con bloques de hielo o las viviendas semienterradas de tepe y piedras las utilizaban durante el invierno, mientras que en el verano se erigían tiendas de pieles de animales. Los trineos tirados por perros constituían el medio básico de transporte terrestre. La religión se centraba en el chamanismo y en el mundo invisible de los espíritus. Hacia fines del s. XX, los vehículos de nieve y los rifles ya habían reemplazado a los trineos y los arpones. Muchos esquimales han abandonado su vida nómada de cazadores y se han instalado en pueblos y ciudades. Algunos han formado cooperativas para comercializar sus artesanías y otras mercancías. Los pueblos esquimales (inuit, inupiat, yupik, etc.) abarcan unas 177.000 personas.

**esquimal-aleutianas, lenguas** Familia de lenguas habladas en Groenlandia, Canadá, Alaska, EE.UU. y Siberia oriental por los pueblos ESQUIMALES y ALEUTIANOS. El aleutiano, relacionado lejanamente con las lenguas esquimales, consta de dialectos orientales y occidentales. En la actualidad, menos de 400 personas hablan ambos grupos de dialectos. Las lenguas esquimales tienen dos subgrupos: el yupik (cinco lenguas), hablado en la península de Chukchi en Siberia y en el sudoeste de Alaska; y el inuit o inupik-inuktitut, secuencia de dialectos hablados desde las tierras árticas de Alaska y Canadá hasta las costas de Labrador y Groenlandia. Actualmente alrededor de 13.000 personas hablan lenguas yupik, mientras que más de 100.000, lenguas inuit, de las cuales casi la mitad se comunica en inuit groenlandés.

**esquimal, perro** Raza de PERRO DE TRINEO y cazador que habita en las vecindades del círculo polar ártico. Algunos creen que es representante de una raza pura de 25.000–50.000 años de antigüedad y otros estiman que desciende del LOBO. De contextura firme y huesudo, mide unos 51–64 cm (20–25 pulg.) de alto y pesa 30–39 kg (5–85 lb). Su pelaje exterior, largo e impermeable, que varía de color, cubre un pelaje denso, grueso y lanudo. Ver también SPITZ.

**Esquines** (390–c. 314 AC). Orador ateniense. Junto con DEMÓSTENES, que después se convirtió en su más encarnizado adversario, en 346 AC participó en las negociaciones de paz entre Atenas y Macedonia. Más tarde, el propio Demóstenes lo acusó de traición, porque había promovido la causa de Macedonia durante las negociaciones. Sometido a juicio (343), fue absuelto por estrecha mayoría. En 339 ayudó a instigar la guerra que condujo a la batalla de QUERONEA, que permitió a Macedonia obtener el control del centro de Grecia. En 336, se opuso a una moción para rendir honores a Demóstenes por considerarla ilegal; el asunto llegó a juicio en 330 y Esquines sufrió una aplastante derrota.

**Esquire** Revista estadounidense de publicación mensual, fundada en 1933 por Arnold Gingrich. Comenzó siendo una revista masculina de gran tamaño, caracterizada por un estilo sofisticado y contener dibujos de jóvenes ligeras de ropa. Posteriormente dejó de lado los dibujos subidos de tono, pero siguió cultivando la imagen de opulencia y gusto refinado. Fue precursora en abordar temas y reportajes inhabituales, y atrajo a los lectores de intereses generales con textos de escritores conocidos. Durante la década de 1940, debido a su notoriedad precoz, se vio envuelta en un pleito frustrado en los tribunales, que impugnaban sus méritos para despachar correspondencia a tarifas privilegiadas. Hacia fines del s. XX, *Esquire* había perdido su perfil literario.

**esquís, salto con** Prueba de esquí en que los competidores se deslizan por una rampa inclinada, cuyo extremo inferior tiene una curvatura ascendente, para surcar el aire y recorrer la mayor distancia posible. Acuclillados, los esquiadores pueden alcanzar en la rampa velocidades de hasta 120 km/h (75 mi/h). Después de despegar, adoptan una posición recta e inclinada hacia adelante, con las rodillas fijas y los esquís en forma de cuña, posición que disminuye la resistencia del aire y maximiza el impulso. El puntaje se basa en la distancia y el estilo.

**esquisto** ROCA METAMÓRFICA cristalina que tiene una tendencia muy acentuada a partirse en capas. La mayoría de los esquistos están compuestos en gran medida por minerales laminados como MOSCOVITA, CLORITA, TALCO, BIOTITA y GRAFITO. El color ver-de de muchos esquistos y su formación, bajo cierto rango de condiciones de temperatura y presión, ha llevado a que en la clasificación de facies minerales de las rocas metamórficas se distinga la FACIES DE ESQUISTO VERDE. Los esquistos generalmente se clasifican sobre la base de su mineralogía, con nombres diversos que indican el mineral predominante.

**esquisto bituminoso** *o* **pizarra bituminosa** Cualquier ROCA SEDIMENTARIA de grano fino que contiene materia orgánica sólida (KERÓGENO) y produce cantidades significativas de petróleo al calentarse. Este PETRÓLEO DE ESQUISTO es un COMBUSTIBLE FÓSIL potencialmente valioso, pero los métodos actuales de extracción y refinación son costosos, dañan la tierra, contaminan el agua y producen desechos carcinógenos. Por lo tanto, el esquisto bitu-minoso probablemente no será explotado a gran escala hasta que otros recursos petroleros estén próximos a agotarse. Estonia, China y Brasil poseen instalaciones para producir cantidades relativamente limitadas, mientras que el gobierno de EE.UU. opera una planta experimental en Colorado.

**esquisto de Burgess** ver esquisto de BURGESS

**esquistosomiasis** *o* **bilharziasis** Grupo de enfermeda-des crónicas causadas por PLATELMINTOS parasíticos, del género *Schistosoma* (DUELA). Según la especie infectante, los miles de huevos liberados por las hembras alcanzan el intestino o la vejiga, son excretados en las deposiciones o la orina, y se incuban en contacto con el agua dulce. Las larvas infectan los caracoles, donde se desarrollan hasta la fase siguiente, vuelven al agua e invaden a los mamíferos para alimentarse y repro-ducirse en el torrente sanguíneo. Una reacción alérgica ini-cial (inflamación, tos, fiebre vespertina, urticaria, sensibilidad hepática), y sangre en la orina y las deposiciones preceden a la fase crónica, en que los huevos se enquistan en las paredes de los órganos y causan fibrosis. Esta afección puede causar daño hepático grave en las formas intestinales, como también cál-culos vesicales, fibrosis de otros órganos pelvianos e infeccio-nes bacterianas de la vía urinaria. En la mayoría de los casos, el diagnóstico precoz y el tratamiento prolongado para elimi-nar los gusanos adultos aseguran la recuperación.

**esquizofrenia** Cualquiera de un grupo de severos trastornos mentales, que tienen en común síntomas como ALUCINACIONES, ilusiones, embotamiento emocional, pensamiento disgregado y alejamiento de la realidad. Se han reconocido cuatro tipos principales: la paranoide, caracterizada por la ilusión de perse-cución o de grandeza, junto con un pensamiento irreal e ilógico y frecuentes alucinaciones auditivas; la desorganizada (hebe-frenia), caracterizada por una conducta y un lenguaje desorde-nado y respuestas emocionales superficiales o inadecuadas; la catatónica, caracterizada por rigidez motora, estupor o movi-mientos estereotipados junto con mutismo, ecolalia u otras alteraciones del habla; y un tipo indiferenciado o inespecí-fico. La esquizofrenia al parecer presenta una prevalencia de un 0,5–1% en la población general. Si bien no ha sido iden-tificada una única causa, existe una fuerte evidencia de que la genética desempeña un papel importante. Las experiencias estresantes de la vida pueden gatillar su inicio. El tratamiento consiste en terapia de fármacos y orientación. Aproximada-mente un tercio de los pacientes se recuperan por completo, un tercio presenta episodios recurrentes y otro tercio se deteriora hacia una condición crónica.

**Essen** Ciudad (pob., est. 2002: ciudad, 591.889 hab.; área metrop., 5.823.685 hab.) del estado de Renania del Norte-Westfalia, en el oeste de Alemania. Está ubicada a orillas del río RUHR, y es emplazamiento de extensas fundiciones de hierro y plantas siderúrgicas. Originalmente Essen fue la sede de un monasterio (fundado en 852), cuya catedral del s. XV aún se conserva. Se convirtió en ciudad eclesiástica en el s. X y en 1802, se convirtió en una ciudad secular cuando pasó a manos de

Prusia. El desarrollo de fundiciones de hierro, acerías y minas de carbón estimuló su crecimiento en el s. XIX. La ciudad resultó muy destruida en la segunda guerra mundial, al convertirse en objetivo de los ataques aliados por constituir el centro de la indus-tria bélica alemana. Desde entonces ha sido reconstruida y hoy tiene grandes y modernos edificios, entre ellos salas de concierto, un instituto de investigación económica y un instituto de arte.

**Essequibo, río** *o* **río Esequibo** Río del centro-este de Guyana. Es el curso fluvial más largo de Guyana y también el más grande entre los ríos AMAZONAS y ORINOCO; nace en los montes Acarai en la frontera con Brasil. Fluye hacia el norte por unos 1.000 km (630 mi) hasta desembocar en el océano Atlántico a 21 km (13 mi) de GEORGETOWN. Su estuario, de 32 km (20 mi) de ancho, se encuentra obstruido por islas y légamo, pero es navegable para embarcaciones transoceánicas menores hasta Bártica, 80 km (50 mi) al interior.

**Essex** Condado administrativo (pob., 2001: 1.310.922 hab.), geográfico e histórico del este de Inglaterra. Se sitúa a lo largo de la costa del mar del Norte entre los estuarios de los ríos TÁMESIS y STOUR. CHELMSFORD, ubicado en el centro, ha sido por mucho tiempo la capital administrativa del condado y también sede de una diócesis eclesiástica. El antiguo condado llegaba hasta MIDDLESEX por el oeste, pero hoy el sudoeste de la región forma parte del gran Londres. Perteneció a los romanos hasta las inva-siones sajonas del s. V; fue uno de los reinos anglosajones de la Heptarquía y su capital era Londres. Fue dominado por los daneses en el s. IX y luego reconquistado por WESSEX. A pesar de estar cerca de Londres, gran parte de Essex sigue siendo rural y está intensamente cultivado; también cuenta con insta-laciones petroleras en el río Támesis y una planta de energía nuclear. La Universidad de Essex se emplaza en Colchester.

**Essex, Robert Devereux, 2° conde de** (10 nov. 1567, Netherwood, Herefordshire, Inglaterra–25 feb. 1601, Londres). Soldado y cortesano inglés. Hijo del 1ᵉʳ conde de ESSEX, en su

juventud fue el favorito de la enve-jecida ISABEL I, aunque su relación fue tormentosa. En 1591–92 diri-gió las fuerzas inglesas en Francia que ayudaron a ENRIQUE IV a com-batir a los católicos franceses, y en 1596 comandó a las tropas que saquearon Cádiz. En 1599, Isabel lo envió a Irlanda como lugarteniente, donde dirigió una malograda cam-paña contra los rebeldes irlandeses, que concluyó en una tregua desfa-vorable, desencadenando que Isabel lo privara de sus cargos en 1600. En 1601 trató infructuosamente de sublevar al pueblo de Londres con-tra Isabel. Fue capturado, enjui-ciado por su antiguo mentor FRANCIS BACON y decapitado.

2° conde de Essex, detalle de una pintura al estilo de Marcus Gheeraerts el Joven, fines del s. XVI.
GENTILEZA DE LA NATIONAL PORTRAIT GALLERY, LONDRES

**Essex, Robert Devereux, 3ᵉʳ conde de** (1591, Londres, Inglaterra–14 sep. 1646, Londres). Comandante militar inglés. Hijo del 2° conde de ESSEX, comenzó su carrera militar en 1620 y comandó las fuerzas del rey CARLOS I hasta que el PARLA-MENTO LARGO depuso a los ministros de Carlos (1640). Al ini-ciarse las guerras civiles INGLESAS, fue nombrado comandante del ejército parlamentario. Combatió contra los realistas en la batalla de Edgehill (1642), la cual no tuvo un vencedor claro, y avanzó sobre Londres en 1643. Su ejército fue sitiado en Lostwithiel, Cornwall, en 1644. Todos se rindieron, excepto él, quien escapó por mar. Renunció al mando en 1645.

**Essex, Universidad de** Universidad pública de Inglaterra. Es una de las nuevas universidades nacidas en la década de 1960, al igual que las de YORK, SUSSEX, Kent, Lancaster, East

Anglia y de WARWICK. Recibió su decreto real en 1965. Ubicada en el cond. de Colchester, su campus principal fue construido en una extensión de 81 ha (200 acres) en Wivenhoe Park. Está organizada en 17 departamentos correspondientes a cuatro escuelas de pregrado: artes y humanidades, derecho, ciencias e ingeniería, y ciencias sociales. Cuenta además con una escuela de posgrado y diversos centros e institutos de investigación. Dentro de sus alumnos destacados, cabe mencionar a Óscar Arias, Premio Nobel de la Paz de 1987. Los departamentos de economía, gobierno y sociología de Essex son particularmente renombrados y se cuentan entre los mejores de Europa.

**Essex, Walter Devereux, 1er conde de** (16 sep. 1541, Carmarthen, Carmarthenshire, Gales–22 sep. 1576, Dublín, Irlanda). Soldado inglés. Proveniente de una familia de la nobleza, ayudó a sofocar una rebelión en el norte de Inglaterra en 1569, y le fue concedido el título de conde de Essex en 1572. En 1573 ofreció someter y colonizar, de su propio peculio, una parte del Ulster que no había aceptado el dominio inglés. Allí en forma traicionera capturó y ejecutó a los líderes rebeldes irlandeses y masacró a otros cientos de personas, lo que contribuyó a incrementar el odio irlandés hacia Inglaterra. En 1575, ISABEL I le ordenó suspender la empresa. Murió de disentería poco después de su regreso a Irlanda desde Inglaterra.

**estabilidad** En matemática, situación en la cual una pequeña perturbación en un sistema no produce alteraciones significativas en la respuesta del mismo. Se dice que una solución de una ECUACIÓN DIFERENCIAL es estable si una solución levemente diferente, que está próxima a ella para $x = 0$, permanece próxima para valores cercanos de $x$. La estabilidad de soluciones es importante en aplicaciones físicas debido a que las desviaciones en los modelos matemáticos son el resultado inevitable de errores en las mediciones. Una solución estable seguirá siendo útil a pesar de tales desviaciones.

**estabilizador económico** Cualquiera de las instituciones y prácticas en una economía que sirven para reducir las fluctuaciones del CICLO ECONÓMICO mediante efectos compensatorios en los montos del ingreso destinado al gasto (INGRESO DISPONIBLE). El impuesto progresivo a la renta, las compensaciones por desempleo y los subsidios a los precios agrícolas ayudan a estabilizar el monto del ingreso disponible, tal como el ahorro familiar y empresarial.

**Establecimiento, ley de** *inglés* **Act of Settlement** (12 jun. 1701). Ley del parlamento que desde su promulgación reguló la sucesión al trono inglés. Decretó que si el rey GUILLERMO III o la princesa (luego reina) ANA ESTUARDO morían sin dejar hijos, la corona debía pasar a la nieta de JACOBO I, Sofía de Hannover (n. 1630–m. 1714) y a sus herederos protestantes. La ley significó la ascensión al trono de la casa de HANNOVER en 1714. También decretó que los futuros monarcas debían pertenecer a la Iglesia de Inglaterra, que los jueces debían ocupar sus cargos por su buen desempeño y no por la voluntad del soberano, y que las acusaciones formuladas por la Cámara de los Comunes no estaban sujetas al indulto real.

**estación de crecimiento** *o* **temporada de crecimiento** Período del año, también llamado estación libre de heladas, durante el cual las condiciones de crecimiento para la vegetación silvestre y los cultivos son las más favorables. Este período suele acortarse a medida que aumenta la distancia desde el ecuador. En las regiones ecuatoriales y tropicales, la estación de crecimiento dura normalmente todo el año; en las altas latitudes (p. ej., la tundra) puede abarcar tan sólo dos meses o menos. También varía de acuerdo con la altitud sobre el nivel del mar: las grandes altitudes tienden a tener estaciones de crecimiento más cortas.

**estación de trabajo** Computadora destinada al uso de una sola persona, pero que cuenta con un procesador mucho más rápido y con más memoria que una COMPUTADORA PERSONAL corriente. Las estaciones de trabajo son diseñadas para apli-

caciones comerciales poderosas que realizan gran número de cálculos o requieren de despliegues gráficos de alta velocidad; los requerimientos de los sistemas CAD/CAM fueron una de las razones de su desarrollo inicial. Debido a sus necesidades de poder de cómputo, con frecuencia se basan en procesadores RISC y por lo general su sistema operativo es UNIX. Una primera estación de trabajo fue presentada en 1987 por Sun Microsystems; las estaciones de trabajo introducidas en 1988 por Apollo, Ardent y Stellar estaban orientadas a aplicaciones gráficas tridimensionales. El término estación de trabajo también se emplea algunas veces para referirse a una computadora personal conectada a una MACROCOMPUTADORA, a fin de distinguirla de las terminales "tontas o bobas" con aplicaciones limitadas.

**estación del año** Cualquiera de las cuatro divisiones del año en función de cambios meteorológicos marcados que se producen anualmente. En el hemisferio norte, el invierno comienza

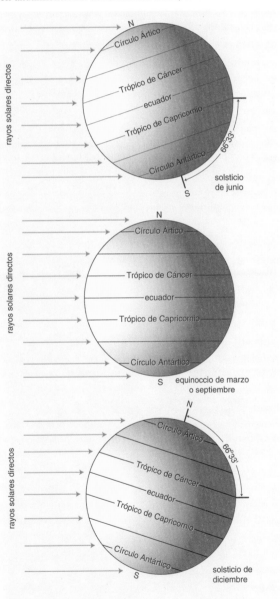

Dada la inclinación del eje de rotación de la Tierra con respecto al plano de su órbita alrededor del Sol, en diferentes períodos del año distintas partes de su superficie quedan expuestas en forma directa a los rayos solares. La causa principal de las estaciones del año es la distinta cantidad de luz solar que recibe la superficie en las diversas latitudes.

de manera oficial en el SOLSTICIO de invierno, el 21 ó 22 de diciembre; la primavera, en el EQUINOCCIO vernal, el 20 ó 21 de marzo; el verano, en el solsticio de verano, el 21 ó 22 de junio; y el otoño, en el equinoccio otoñal, el 22 ó 23 de septiembre. En el hemisferio sur se invierten las fechas de comienzo de verano e invierno, así como las de primavera y otoño.

**estación espacial** Estructura artificial habitable, diseñada para describir una órbita fija en torno a la Tierra, como base para permanecer en el espacio por períodos de tiempo prolongados para realizar observaciones astronómicas, estudio de recursos naturales y el medio ambiente terrestre, reconocimiento militar e investigación de materiales y sistemas biológicos en condiciones de ingravidez. Hasta 2001, nueve estaciones espaciales habían sido puestas en órbitas cercanas a la Tierra y usadas por diferentes períodos de tiempo. La Unión Soviética puso en órbita en 1971 la primera estación espacial, la SALYUT 1, diseñada para estudios científicos. Desde 1974 hasta 1982, otras cinco estaciones del tipo Salyut, dos de ellas equipadas para reconocimiento militar, fueron exitosamente puestas en órbita y ocupadas. En 1986, la U.R.S.S. lanzó el módulo central de la MIR, una estación científica que se amplió con cinco módulos adicionales durante la década siguiente. EE.UU. puso en órbita su primera estación espacial en 1973, llamada SKYLAB, equipada como observatorio solar y laboratorio médico. En 1998, EE.UU. y Rusia comenzaron la construcción en órbita de la ESTACIÓN ESPACIAL INTERNACIONAL (EEI), un complejo de laboratorios y habitáculos dispuestos como módulos, que finalmente incluiría la contribución de al menos 16 países. En 2000, la EEI recibió su primera tripulación residente.

**Estación Espacial Internacional (EEI)** *inglés* **International Space Station (ISS)** Estación espacial ensamblada en órbita terrestre a partir de módulos, básicamente construidos por EE.UU. y Rusia, con asistencia y aporte de integrantes de un consorcio multinacional. El proyecto, que comenzó como un esfuerzo de EE.UU., tuvo serios retrasos por problemas técnicos y de financiamiento. Originalmente bautizada Libertad en la década de 1980, fue rediseñada en la década de 1990 para reducir los costos e involucrar a la comunidad internacional, por lo que fue rebautizada. La construcción en órbita comenzó a fines de 1998 con el lanzamiento de un módulo de control ruso y un nodo de conexión construido en EE.UU., unidos en órbita por los astronautas del TRANSBORDADOR ESPACIAL. A mediados de 2000 se agregó un módulo para habitación y centro de control; ese mismo año, la EEI recibió su primera tripulación residente, compuesta por dos rusos y un estadounidense. Posteriormente se agregaron otros elementos a la estación, dentro de un plan general que incluía un complejo de laboratorios y módulos de vivienda, atravesado por una larga viga que sostiene cuatro grandes conjuntos de paneles de energía solar. La construcción de la estación comprometió al menos a 16 países como Canadá, Japón, Brasil y 11 miembros de la AGENCIA ESPACIAL EUROPEA. Uno de los objetivos primordiales de la EEI es servir como laboratorio permanente de investigación en condiciones de ingravidez. Se espera que sirva como base de las operaciones del ser humano en órbita terrestre por lo menos durante el primer cuarto del s. XXI.

**estadio** Recinto que proporciona un amplio espacio para eventos deportivos y graderías para un gran número de espectadores. El nombre deriva de una unidad de medida griega, el estadio (aprox. 185 m o 607 pies), que era la distancia de una carrera a pie en las antiguas Olimpíadas. Las formas de los estadios han variado conforme al uso: algunos son rectangulares con las esquinas curvas; otros, elípticos o en forma de U. Por ser una estructura de grandes tramos, el estadio jugó un papel muy importante en el desarrollo de la tecnología de la construcción en el s. XX. El uso del hormigón armado y del acero y la estructura de MEMBRANA han facilitado considerablemente la construcción de grandes estadios y han hecho posible diseños nuevos y audaces. El Houston Astrodome fue el primer gran estadio totalmente techado. El empleo de cables en estadios cubiertos contribuyó significativamente a la rapidez de construcción, a la ligereza del techo y a la economía del proyecto. El enorme Hubert H. Humphrey Metrodome, en Minneapolis (inaugurado en 1982), fue construido usando un sistema de cables.

**estadística** Rama de la matemática que trata de la recopilación de datos, de su análisis y de la realización de inferencias a partir de ellos. Originalmente asociada con datos de gobierno (p. ej., datos de censos), la disciplina tiene ahora aplicaciones en todas las ciencias.

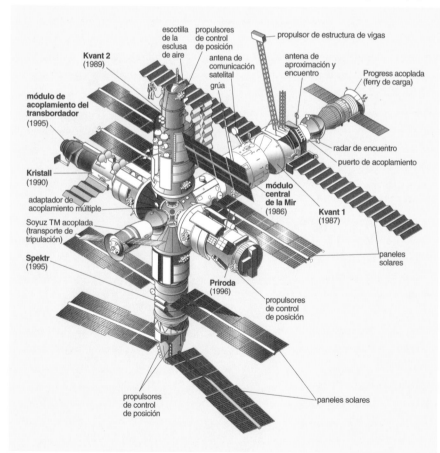

Módulos y demás componentes de la estación espacial Mir. El adaptador de acoplamiento múltiple conectó varios módulos entre sí y permitió que la nave Soyuz se acoplara con la estación. La esclusa de aire hizo posible a los cosmonautas salir de la Mir y trabajar fuera de ella. Los paneles solares abastecían de energía. La fecha entre paréntesis indica el año de lanzamiento de cada módulo.

Las herramientas de la estadística no sólo resumen datos del pasado por medio de indicadores como la media (ver MEDIA, MEDIANA Y MODA) y la desviación estándar, sino que pueden predecir eventos futuros usando funciones de DISTRIBUCIÓN DE FRECUENCIA. La estadística provee maneras para diseñar experimentos eficientes para eliminar los demorosos procedimientos por ensayo y error. Las pruebas doble ciega para encuestas, las pruebas de inteligencia y aptitud, y los experimentos médicos, biológicos e industriales se benefician de los métodos y teorías estadísticas. Los resultados de todos ellos sirven para predecir futuros comportamientos, aunque con confiabilidad variable. Ver también ESTIMACIÓN; test de HIPÓTESIS método de los MÍNIMOS CUADRADOS; teoría de PROBABILIDADES; REGRESIÓN.

**Estado** Organización política de la sociedad o, más específicamente, las instituciones de gobierno. El Estado se distingue de otros grupos sociales por su propósito (el establecimiento del orden y la seguridad), los métodos (las leyes y su aplicación), el territorio (su área jurisdiccional) y la soberanía. En algunos países (p. ej., EE.UU.), el término también se refiere a unidades políticas no soberanas sujetas a la autoridad del Estado como un concepto más amplio, o unión federal.

**estado benefactor** o **estado providente** Tipo de gobierno en que el Estado desempeña un papel clave en la protección y promoción del bienestar económico y social de sus ciudadanos. Se basa en los principios de igualdad de oportunidades, distribución equitativa de la riqueza y responsabilidad pública por aquellos que carecen de los recursos mínimos para llevar una vida digna. El término se puede aplicar a diversas formas de organizaciones económicas y sociales. Una característica básica del estado benefactor es el SEGURO SOCIAL, cuyo objetivo es entregar prestaciones durante períodos de suma necesidad (p. ej., vejez, enfermedad, DESEMPLEO). El estado benefactor también brinda en general educación, servicios de salud y vivienda. Comparativamente, estas prestaciones son menores en EE.UU. que en muchos países europeos, donde son comunes la cobertura integral de salud y la educación superior subsidiada por el Estado. En países con economías de planificación centralizada, el estado benefactor también cubre el empleo y la administración de precios al consumidor. La mayoría de las naciones ha implementado al menos algunas medidas asociadas al estado benefactor. Gran Bretaña adoptó en 1948 un plan integral de seguro social; en EE.UU., los programas de leyes sociales como el NEW DEAL y el Pacto Justo se basaron en los principios del estado benefactor. Los países escandinavos prestan ayuda estatal a las personas en casi todas las etapas de la vida.

**estado civil** Situación que un individuo ocupa en la sociedad derivada de sus relaciones de familia. El estado civil da origen a derechos y cargas u obligaciones. Tal sucede en los derechos y cargas de familia u obligaciones patrimoniales que se producen entre los padres y los hijos o entre los cónyuges. El estado civil puede también influir en la capacidad legal de las personas. Por ejemplo, en algunos países, una mujer plenamente capaz que contrae matrimonio bajo el régimen de sociedad conyugal, pasa a ser relativamente incapaz. Toda la regulación del estado civil está establecida por LEY y escapa a la AUTONOMÍA DE LA VOLUNTAD particular.

**estado de derecho** Concepto acuñado por el jurista alemán Robert von Mohl en su obra *Staatsrechts des Königreichs Wurttemberg* (1829), para referirse a un estado en el cual se ha definido el modo de elaborar las normas jurídicas y en el que toda autoridad está sometida a ellas. Se contrapone al estado despótico en el que el soberano determina en cualquier momento el contenido de las leyes y él mismo no está sometido a ellas. La aplicación de este esquema exige un poder judicial independiente ante el cual se pueda recurrir frente a las decisiones gubernamentales y donde los magistrados puedan, a petición del interesado, no solamente dejar sin efecto decisiones

políticas y administrativas, sino que también las leyes cuando estimen que son inconstitucionales. El estado de derecho es compatible con cualquier forma de estado, unitario, confederado o federal y con cualquier forma de gobierno, ya sea aristocrática, democrática o monárquica. De hecho, von Mohl lo aplicó a una monarquía hereditaria, no democrática en el sentido actual del término.

**Estado de São Paulo, O** Periódico brasileño de circulación nacional, uno de los más influyentes del país. Fundado en 1875 bajo el nombre de *A Provincia de São Paulo*, fue comprado en 1891 por Júlio Ferreira de Mesquita. Censurado e intervenido durante períodos de dictadura del país por su posición liberal, el diario también ha promovido la educación y la cultura; fue uno de los artífices de la creación de la Universidad de SÃO PAULO. Ha sido dirigido por cuatro generaciones de la familia Mesquita, propietarios del Grupo Estado, controlador del diario *Jornal da Tarde*, la Radio Eldorado y la Agência Estado.

**estado estacionario, teoría del** Concepto de un UNIVERSO EN EXPANSIÓN cuya densidad promedio se mantiene constante, creándose materia de manera continua, de tal manera que las nuevas estrellas y galaxias se forman a la misma velocidad con que las antiguas desaparecen. Un universo con estado estacionario no tiene principio ni fin, y tanto la densidad promedio como la distribución de galaxias se conservan constantes, independientemente del punto donde se mire. Las galaxias de todas las edades están mezcladas en el espacio. La teoría fue formulada por primera vez por William Macmillan (n. 1861–m. 1948) en la década de 1920 y modificada por FRED HOYLE para adecuarla a problemas que surgían en relación con el modelo del BIG BANG. Hay abundante evidencia obtenida a partir de la década de 1950 que contradice la teoría del estado estacionario y apoya en su lugar el modelo del big bang.

**Estado Libre de Irlanda** ver IRLANDA

**Estado Libre de Orange** ver Estado Libre de ORANGE

**estado mayor** Grupo de oficiales militares que colaboran con el comandante de una división o de unidades más importantes, ayudándole a formular y divulgar la política, transmitiendo órdenes y supervisando su ejecución. Se diferencia de otros cuerpos de personal asistente formados por especialistas técnicos (p. ej., médicos, policiales, de comunicaciones y oficiales de abastecimiento). Apareció en su forma moderna en el ejército prusiano a comienzos del s. XIX y en otros países europeos después de 1870. El ejército de EE.UU. creó su estado mayor en 1903.

**estado metaestable** Estado excitado (ver EXCITACIÓN) de un ÁTOMO, NÚCLEO u otro sistema que tiene una vida más larga que los otros estados excitados corrientes y por lo general más corta que el estado base (o tierra). Puede ser considerado una trampa de energía temporal o una etapa intermedia relativamente estable de un sistema que puede perder energía en cantidades discretas. Las numerosas reacciones fotoquímicas del mercurio son un resultado del estado metaestable de sus átomos, y la RADIACIÓN de átomos metaestables de oxígeno explica el color verde característico de las auroras boreales y australes.

**Estados Confederados de América** o **Confederación sudista** Gobierno de los 11 estados sureños estadounidenses que se separaron de la Unión en 1860–61, hasta su derrota en la guerra de SECESIÓN, en 1865. En los meses siguientes a la elección de ABRAHAM LINCOLN como presidente, en 1860, los siete estados sureños (Alabama, Florida, Georgia, Luisiana, Mississippi, Carolina del Sur y Texas) se separaron. Luego del ataque a FORT SUMTER, ocurrido en abril de 1861, Arkansas, Carolina del Norte, Tennessee y Virginia se les unieron. Dirigía el gobierno JEFFERSON DAVIS como presidente, con ALEXANDER H. STEPHENS como vicepresidente. Sus metas principales eran la preservación de los DERECHOS DE LOS ESTADOS y de la institución de la ESCLAVITUD, y su inquietud más importante era la de organizar y mantener un ejército. El gobierno contaba con la influencia de KING COTTON (el "rey algodón") para ejercer presiones diplomáticas y financieras sobre la Unión por gobiernos europeos simpatizantes. Las victorias del Sur en el campo de batalla, en 1861–62, dieron a la Confederación la entereza moral para continuar la lucha, pero, a partir de 1863, el agotamiento de los recursos y los reveses militares poco a poco la desmoralizaron. La rendición del gral. ROBERT E. LEE en APPOMATTOX COURT HOUSE precipitó su disolución.

**Estados de la Tregua** ver EMIRATOS ÁRABES UNIDOS

**Estados Federados de Micronesia** ver Estados Federados de MICRONESIA

**Estados Generales** *francés* **États-Généraux** En la Francia prerrevolucionaria, asamblea de representantes de los tres "estados" u órdenes del reino: el clero, la nobleza (ambas minorías privilegiadas) y el TERCER ESTADO, que representaba a la mayoría del pueblo. Usualmente convocados por los monarcas en tiempos de crisis, los Estados Generales se reunieron a intervalos irregulares del s. XIV en adelante. No fueron de gran eficacia, porque la monarquía normalmente prefería tratar con los estados locales. Su última reunión tuvo lugar en 1789, cuando los representantes del tercer estado decidieron constituirse en ASAMBLEA NACIONAL, en los albores de la REVOLUCIÓN FRANCESA.

**estados guerreros, período de los** *chino* **Zhangou** (475–221 AC). En la historia de China, período en el que siete o más pequeños reinos o feudos lucharon por la supremacía. Fue la época de los pensadores confucianos MENCIO y XUNZI, tiempo en que se establecieron muchos de los modelos culturales e instituciones de gobierno que caracterizaron a China durante los siguientes 2.000 años. El término estados guerreros (sengoku) también se emplea en Japón para designar una etapa (1482–1558) del período MUROMACHI, que estuvo marcada por una guerra casi constante entre DAIMIOS rivales que aspiraban a consolidar y expandir sus dominios de tierras.

**Estados Pontificios** *italiano* **Stati Pontifici** Territorios del centro de Italia sobre los cuales el PAPA tuvo soberanía desde 756 hasta 1870. La extensión del territorio y el grado de control que ejerció el pontífice variaron a lo largo de los siglos. Ya en el s. IV, los papas habían adquirido considerables propiedades en Roma (denominadas el Patrimonio de San Pedro). Desde el s. V, con el desmoronamiento de la autoridad del Imperio romano en occidente, aumentó la influencia de los papas en la región central de Italia y la confianza del pueblo en que los protegerían de las invasiones germánicas. Cuando los lombardos amenazaron con apoderarse de toda la península en la década de 750, el papa Esteban II (o III) pidió apoyo a PIPINO EL BREVE, rey de los francos. Con su intervención cedió oficialmente al papa los territorios de Italia central, desestimando así el derecho que sobre ellos aducía el Imperio bizantino. Esta donación de PIPINO (754) fue el fundamento de la demanda papal respecto de su poder temporal. Los territorios se ampliaron cuando el papado adquirió el ducado de Benevento en 1077, y los pontífices INOCENCIO III y JULIO II extendieron aún más la autoridad papal. El surgimiento de las comunas y su control por las familias locales debilitaron la autoridad del papa en las ciudades, y en el s. XVI el territorio pontificio era uno de los tantos minúsculos estados italianos. Fueron un obstáculo para la unidad italiana hasta 1870, cuando ROMA fue tomada por las fuerzas italianas y se transformó en la capital de Italia. En 1929 el tratado de LETRÁN fijó la relación entre el papa y el Estado italiano y estableció una ciudad-estado independiente (ver Ciudad del VATICANO).

# ESTADOS UNIDOS

▸ **Superficie:** 9.522.057 km² (3.676.487 mi²) incluye zona de los GRANDES LAGOS

▸ **Población:** 296.748.000 hab. (est. 2005)

▸ **Capital:** WASHINGTON, D.C.

▸ **Moneda:** dólar estadounidense

**Estados Unidos** *ofic.* **Estados Unidos de América** República federal en América del Norte. Comprende 48 estados contiguos ubicados en medio del subcontinente, además de Alaska en el extremo noroccidental de Norteamérica y el estado insular de Hawai en el océano Pacífico. La población incluye personas con ancestros provenientes de Europa y Medio Oriente, afroamericanos, hispanos, asiáticos, nativos de las islas del Pacífico, indígenas norteamericanos y nativos de Alaska. Lenguas: inglés (predominante), español. Religiones: protestantismo, catolicismo, judaísmo, islamismo. Las distintas regiones del país comprenden montañas, llanuras, tierras bajas y desiertos. Las sierras montañosas abarcan los APALACHES, montes OZARK, montañas ROCOSAS, CASCADAS y SIERRA NEVADA. El punto más bajo es el VALLE DE LA MUERTE, Cal. La cumbre más alta es el monte MCKINLEY en Alaska, pero dentro de los 48 estados contiguos es el monte WHITNEY, Cal. Los principales ríos son el MISSISSIPPI, COLORADO, COLUMBIA y el río Grande del Norte (o río BRAVO). Los GRANDES LAGOS, el GRAN LAGO SALADO y el lago OKEECHOBEE son los más extensos. EE.UU. está entre los países que lideran la producción mundial de varios minerales, entre ellos cobre, plata, cinc, oro, carbón, petróleo y gas natural; es el principal exportador de alimentos. Sus productos industriales incluyen hierro, acero, productos químicos, equipos electrónicos y textiles. Otras industrias importantes son el turismo y las industrias lechera, ganadera, pesquera y forestal. Es una república bicameral; el presidente es el jefe de Estado y de Gobierno. El territorio estuvo originalmente habitado durante varios miles de años por numerosos pueblos indígenas (ver AMERINDIOS) que habían emigrado probablemente desde Asia. Estos pueblos comenzaron a ser desplazados a causa de la exploración y colonización europea iniciadas en el s. XVI. Los españoles fueron los primeros en establecer un asentamiento europeo permanente en SAN AGUSTÍN, Fla., en 1565; los británicos se establecieron en JAMESTOWN, Va. (1607); PLYMOUTH, Mass. (1620); Maryland (1634); y Pensilvania (1681). Arrebataron Nueva York, Nueva Jersey y Delaware a los holandeses en 1664, un año después de que las Carolinas habían sido cedidas a nobles británicos. En 1763, los franceses fueron derrotados por los británicos (ver guerra FRANCESA E INDIA), los cuales aseguraron el control político sobre sus 13 colonias. El malestar provocado por la política colonial británica desembocó en la guerra de independencia de los ESTADOS UNIDOS DE AMÉRICA (1775–83) y la Declaración de INDEPENDENCIA (1776). Al principio, el país se rigió por los artículos de la CONFEDERACIÓN (1781) y finalmente por la Constitución de los ESTADOS UNIDOS DE AMÉRICA (1787), quedando organizado como una república federal. Las fronteras se extendieron hasta el río Mississippi por el oeste, excluyendo a la Florida española. El territorio obtenido de Francia mediante la adquisición de LUISIANA (1803) casi duplicó el territorio del país. EE.UU. combatió contra los británicos en la guerra ANGLO-ESTADOUNIDENSE y compró el territorio de Florida a España en 1819. En 1830, una ley ordenó el traslado de los indígenas norteamericanos a tierras ubicadas al oeste

Casa Blanca, residencia oficial del presidente de EE.UU., Washington, D.C.

JAKE McGUIRE/WASHINGTON STOCK PHOTO, INC.

del río Mississippi. A mediados del s. XIX, la colonización se extendió al Lejano Oeste, especialmente después del descubrimiento de oro en California en 1848 (ver FIEBRE DEL ORO). La victoria obtenida en la guerra MEXICANO-ESTADOUNIDENSE (1846–48) puso en manos de EE.UU. el territorio de otros siete futuros estados (entre ellos, California y Texas). La frontera noroccidental fue establecida mediante un tratado con Gran Bretaña en 1846. Obtuvo la sureña Arizona mediante la adquisición de GADSDEN en 1853. Las tensiones internas sufridas por el país durante el conflicto entre la economía de plantación esclavista en el Sur y la economía industrial y agrícola libre en el Norte culminaron en la guerra de SECESIÓN y en la abolición de la esclavitud mediante la XIII enmienda. Después de la RECONSTRUCCIÓN (1865–77), EE.UU. experimentó un rápido proceso de crecimiento, urbanización, desarrollo industrial e inmigración europea. En 1877 se autorizó que las tierras asignadas como reservaciones para los indígenas norteamericanos les fuesen repartidas en forma individual, provocando que la mayor parte pasara a manos de blancos. A fines del s. XIX se desarrolló el comercio internacional y el país adquirió territorios en el exterior, incluidos Alaska, las islas Hawai, Midway, Guam, Wake, Samoa estadounidense, la zona del canal de Panamá y las islas Vírgenes estadounidenses. También, como resultado de la guerra HISPANO-ESTADOUNIDENSE, en 1898, EE.UU. adquirió de España el archipiélago de Filipinas, Puerto Rico y Cuba (esta última ocupada en 1898-1902). EE.UU. participó en la primera GUERRA MUNDIAL en 1917–18. Concedió el sufragio a las mujeres en 1920 y la ciudadanía a los indígenas norteamericanos en 1924. La caída del mercado de valores en 1929 provocó la GRAN DEPRESIÓN. EE.UU. entró en la segunda GUERRA MUNDIAL después del bombardeo japonés a PEARL HARBOR (7 dic. 1941). El lanzamiento por parte de EE.UU. de una BOMBA ATÓMICA sobre HIROSHIMA, Japón (6 ago. 1945) y de otra sobre Nagasaki, Japón (9 ago. 1945), condujo a la rendición japonesa. En adelante, EE.UU. asumió el liderazgo militar y económico del mundo occidental. En la primera década después de la guerra, el país ayudó a la reconstrucción de Europa y Japón, y se vio envuelto en una conflictiva rivalidad con la Unión Soviética conocida como GUERRA FRÍA. Participó en la guerra de COREA de 1950 a 1953. En 1950 concedió a Puerto Rico el estatuto de estado libre asociado, regido por una constitución interior (1952). La segregación racial en las escuelas fue declarada inconstitucional en 1954. Alaska y Hawai se convirtieron en estados en 1959. Tres años después, la guerra fría llegó a un punto álgido con la crisis cubana de los MISILES (1962). En 1964, el congreso aprobó la ley sobre DERECHOS CIVILES FUNDAMENTALES y autorizó el ingreso del país a la guerra de VIETNAM. La segunda mitad de la década de 1960 estuvo marcada por demostraciones de desorden civil que se propagaron por el país en motines raciales y manifestaciones antibélicas. EE.UU. efectuó el primer alunizaje tripulado en 1969. La totalidad de las tropas estadounidenses fueron retiradas de Vietnam en 1973. Lideró una coalición militar contra Irak en la guerra del GOLFO PÉRSICO (1991),

envió tropas a Somalia (1992) en ayuda de quienes sufrían hambruna y participó en los ataques aéreos de la OTAN contra las fuerzas serbias en la ex Yugoslavia en 1995 y 1999. En 1998, BILL CLINTON se convirtió en el segundo presidente en ser acusado por la Cámara de Representantes; fue absuelto por el Senado en 1999. La administración del canal de PANAMÁ regresó a Panamá en 1999. En 2000, GEORGE W. BUSH se convirtió en el primer presidente desde 1888 en ser elegido por el COLEGIO ELECTORAL no obstante haber obtenido menos votación popular que su oponente, AL GORE. Después de los ATENTADOS DEL 11 DE SEPTIEMBRE de 2001, que destruyeron el WORLD TRADE CENTER y parte del PENTÁGONO, EE.UU. atacó al gobierno TALIBÁN de Afganistán por proteger y rehusar extraditar a OSAMA BIN LADEN, acusado de ser el cerebro del TERRORISMO. En 2003, EE.UU. y el Reino Unido atacaron a Irak y derrocaron al gobierno de SADDAM HUSSEIN, al que habían acusado de ayudar a terroristas y de poseer y desarrollar armas biológicas, químicas y nucleares.

**Estados Unidos de América, Armada de los** Una de las ramas principales de las fuerzas militares de EE.UU., encargada de la defensa de la nación en el mar y de mantener la seguridad

### Presidentes y vicepresidentes de EE.UU.

| Presidente | Período | Vicepresidente | Período |
|---|---|---|---|
| George Washington | 1789 - 97 | John Adams | 1789 - 97 |
| John Adams | 1797 - 1801 | Thomas Jefferson | 1797 - 1801 |
| Thomas Jefferson | 1801 - 09 | Aaron Burr | 1801 - 05 |
| | | George Clinton | 1805 - 09 |
| James Madison | 1809 - 17 | George Clinton | 1809 - 12* |
| | | Elbridge Gerry | 1813 - 14* |
| James Monroe | 1817 - 25 | Daniel D. Tompkins | 1817 - 25 |
| John Quincy Adams | 1825 - 29 | John C. Calhoun | 1825 - 29 |
| Andrew Jackson | 1829 - 37 | John C. Calhoun | 1829 - 32** |
| | | Martin Van Buren | 1833 - 37 |
| Martin Van Buren | 1837 - 41 | Richard M. Johnson | 1837 - 41 |
| William Henry Harrison | 1841* | John Tyler | 1841 |
| John Tyler | 1841 - 45 | | |
| James K. Polk | 1845 - 49 | George Mifflin Dallas | 1845 - 49 |
| Zachary Taylor | 1849 - 50* | Millard Fillmore | 1849 - 50 |
| Millard Fillmore | 1850 - 53 | | |
| Franklin Pierce | 1853 - 57 | William Rufus de Vane King | 1853* |
| James Buchanan | 1857 - 61 | John C. Breckinridge | 1857 - 61 |
| Abraham Lincoln | 1861 - 65* | Hannibal Hamlin | 1861 - 65 |
| | | Andrew Johnson | 1865 |
| Andrew Johnson | 1865 - 69 | | |
| Ulysses S. Grant | 1869 - 77 | Schuyler Colfax | 1869 - 73 |
| | | Henry Wilson | 1873 - 75* |
| Rutherford B. Hayes | 1877 - 81 | William A. Wheeler | 1877 - 81 |
| James A. Garfield | 1881* | Chester A. Arthur | 1881 |
| Chester A. Arthur | 1881 - 85 | | |
| Grover Cleveland | 1885 - 89 | Thomas A. Hendricks | 1885* |
| Benjamin Harrison | 1889 - 93 | Levi Parsons Morton | 1889 - 93 |
| Grover Cleveland | 1893 - 97 | Adlai E. Stevenson | 1893 - 97 |
| William McKinley | 1897 - 1901* | Garret A. Hobart | 1897 - 99* |
| | | Theodore Roosevelt | 1901 |
| Theodore Roosevelt | 1901 - 09 | Charles Warren Fairbanks | 1905 - 09 |
| William Howard Taft | 1909 - 13 | James Schoolcraft Sherman | 1909 - 12* |
| Woodrow Wilson | 1913 - 21 | Thomas R. Marshall | 1913 - 21 |
| Warren G. Harding | 1921 - 23* | Calvin Coolidge | 1921 - 23 |
| Calvin Coolidge | 1923 - 29 | Charles G. Dawes | 1925 - 29 |
| Herbert Hoover | 1929 - 33 | Charles Curtis | 1929 - 33 |
| Franklin D. Roosevelt | 1933 - 45* | John Nance Garner | 1933 - 41 |
| | | Henry A. Wallace | 1941 - 45 |
| | | Harry S. Truman | 1945 |
| Harry S. Truman | 1945 - 53 | Alben W. Barkley | 1949 - 53 |
| Dwight D. Eisenhower | 1953 - 61 | Richard M. Nixon | 1953 - 61 |
| John F. Kennedy | 1961 - 63* | Lydon B. Johnson | 1961 - 63 |
| Lyndon B. Johnson | 1963 - 69 | Hubert H. Humphrey | 1965 - 69 |
| Richard M. Nixon | 1969 - 74** | Spiro T. Agnew | 1969 - 73** |
| | | Gerald R. Ford | 1973 - 74 |
| Gerald R. Ford | 1974 - 77 | Nelson A. Rockefeller | 1974 - 77 |
| Jimmy Carter | 1977 - 81 | Walter F. Mondale | 1977 - 81 |
| Ronald Reagan | 1981 - 89 | George Bush | 1981 - 89 |
| George Bush | 1989 - 93 | Dan Quayle | 1989 - 93 |
| Bill Clinton | 1993 - 2001 | Albert Gore | 1993 - 2001 |
| George W. Bush | 2001 - | Richard B. Cheney | 2001 - |

\* falleció en ejercicio    \*\* renunció al cargo

en los mares dondequiera que se extiendan los intereses estadounidenses. La Armada fue establecida por el Congreso CONTINENTAL en 1775. Fue disuelta en 1784, pero el acoso por parte de piratas de Berbería a barcos mercantes estadounidenses indujo al congreso a establecer el Departamento de marina en 1798. La armada tomó parte en la guerra ANGLO-ESTADOUNIDENSE y fue más tarde importante en la victoria de la Unión en la guerra de Secesión. Las victorias navales durante la guerra hispano-estadounidense (1898) llevaron a un período de crecimiento sostenido. En la primera guerra mundial sus tareas se limitaron a transporte de tropas, sembrado de minas y escolta de barcos mercantes. El ataque japonés a la base naval de Pearl Harbor (1941) llevó a EE.UU. a entrar a la segunda guerra mundial, en la cual, además de tareas antisubmarinas y de transporte de tropas, la armada realizó asaltos anfibios en el Pacífico y a lo largo de la costa europea. Los PORTAAVIONES demostraron ser decisivos en batallas contra las fuerzas japonesas en el Pacífico y son todavía la columna vertebral de sus flotas. Desde la segunda guerra mundial ha permanecido como la armada más grande y poderosa del mundo, que comprende la Infantería de Marina de los ESTADOS UNIDOS DE AMÉRICA y en tiempo de guerra, los Guardacostas de los ESTADOS UNIDOS DE AMÉRICA. En el año 2000, la armada tenía 400.000 personas en servicio activo, sin contar la infantería de marina y los guardacostas. Ver también ACADEMIA NAVAL DE LOS ESTADOS UNIDOS DE AMÉRICA.

## Estados Unidos de América, Banco de los
Banco cuyos estatutos fueron aprobados por el Congreso de EE.UU. en 1791. Lo concibió ALEXANDER HAMILTON para pagar las deudas que dejó al país la guerra de independencia de los ESTADOS UNIDOS DE AMÉRICA y proporcionar una moneda estable. La medida, a la que THOMAS JEFFERSON se opuso, originó un extenso debate acerca de su constitucionalidad e impulsó la evolución de facciones partidarias y opositoras, que se convirtieron en los primeros partidos políticos estadounidenses: el PARTIDO FEDERALISTA y el Partido Republicano-Demócrata. El banco nacional cumplió un papel inesperado, pero no menos beneficioso, porque impidió que las instituciones bancarias de los estados concedieran préstamos en exceso, limitación que para algunos constituyó una ofensa a los DERECHOS DE LOS ESTADOS. Entre tanto, los populistas agrarios lo vieron como una institución de privilegios y riqueza, enemiga de la democracia y de los intereses de la gente común. El antagonismo se intensificó hasta tal punto que en 1811 no se pudieron renovar sus estatutos. La crítica llegó a su apogeo durante el gobierno del pdte. ANDREW JACKSON, quien encabezó a los opositores en la larga lucha conocida como la guerra de los BANCOS. Sus estatutos expiraron en 1836. Su reorganización como Banco Nacional de Pensilvania puso término a su tutela sobre los bancos privados.

## Estados Unidos de América, Congreso de los
Legislatura de EE.UU. separada estructuralmente del poder EJECUTIVO y del poder JUDICIAL. Establecido por la Constitución de los ESTADOS UNIDOS DE AMÉRICA, es el sucesor del congreso unicameral creado por los artículos de la CONFEDERACIÓN (1781). Se compone del Senado y de la Cámara de Representantes. La representación en el Senado se ha fijado en dos senadores por estado. Hasta la aprobación de la XVII enmienda (1913), los senadores eran designados por las legislaturas estaduales; desde entonces han sido elegidos directamente. En la Cámara de Representantes, la representación es proporcional a la población de cada estado; el número total de representantes está restringido (desde 1912) a 435 miembros (el total aumentó temporalmente a 437 luego de la admisión de Hawai y Alaska como estados en 1959). El trabajo del congreso se realiza en comités: los proyectos de ley se debaten en comités en ambas cámaras, y la conciliación de las dos versiones resultantes tiene lugar en un comité conjunto. El veto presidencial puede ser invalidado por una mayoría de dos tercios en cada cámara. Las facultades constitucionales del congreso comprenden el establecimiento y recaudación de impuestos, obtener dinero a crédito, la regulación del comercio, la acuñación de moneda, la declaración de guerra, la formación y el mantenimiento de ejércitos, y la elaboración de todas las leyes necesarias para la ejecución de sus facultades. Toda la legislación relacionada con finanzas tiene que originarse en la Cámara; son atribuciones exclusivas del Senado la aprobación de las nominaciones presidenciales, la ratificación de los tratados y la resolución de las acusaciones constitucionales. Ver también sistema BICAMERAL.

## Estados Unidos de América, Constitución de los
Carta fundamental del sistema federal de gobierno de EE.UU. y documento de singular importancia del mundo occidental. Es la constitución escrita vigente más antigua del mundo. Su elaboración se completó en 1787 en la CONVENCIÓN CONSTITUCIONAL en la que 55 delegados se reunieron en Filadelfia, supuestamente para modificar los artículos de la CONFEDERACIÓN. La Constitución fue aprobada en junio de 1788, pero debido a que en muchos estados la ratificación dependía de que se incorporara un BILL OF RIGHTS, el congreso propuso 12 enmiendas en septiembre de 1789, diez de las cuales fueron ratificadas por los estados y su promulgación fue autorizada el 15 de diciembre de 1791. El constituyente se preocupó especialmente de limitar el poder del Estado y de asegurar la libertad de los ciudadanos. La separación de las ramas ejecutiva, legislativa y judicial de gobierno, el sistema de CONTROLES Y CONTRAPESOS aplicado a las relaciones entre ellas y la garantía expresa de libertad individual tenían por objeto alcanzar un punto de equilibrio entre autoridad y libertad. El artículo I entrega la totalidad del poder legislativo al Congreso de los ESTADOS UNIDOS DE AMÉRICA –la Cámara de Representantes y el Senado–. El artículo II radica el poder ejecutivo en el PRESIDENTE. El artículo III encomienda el poder judicial a los tribunales. El artículo IV se refiere, en parte, a las relaciones entre los estados y a las prerrogativas de los ciudadanos, el artículo V al procedimiento de reforma y el artículo VI a las deudas del sector público y a la supremacía de la constitución. El artículo VII estipula que la constitución entraría en vigor tras su ratificación por nueve estados. La X enmienda limita las atribuciones de las autoridades nacionales a aquellas expresamente enunciadas en la constitución; salvo otras limitaciones, los estados tienen todas las demás atribuciones de gobierno (o "residuales"). Las enmiendas de la constitución pueden ser propuestas con el voto de dos tercios de ambas cámaras o por una convención convocada por el congreso a solicitud de las legislaturas de dos tercios de los estados. (Todas las enmiendas posteriores han sido iniciadas por el congreso). Las enmiendas propuestas por el congreso deben ser aprobadas por la legislatura de tres cuartos de los estados o por convenciones en igual número de estados. Desde 1789 se han incorporado 27 enmiendas. Además del Bill of Rights, cabe mencionar la XIII enmienda (1865), que abolió la esclavitud; la XIV (1868), que estableció la exigencia del DEBIDO PROCESO y de la IGUALDAD ANTE LA LEY; la XV (1870), que garantizó el derecho de sufragio sin consideración de la raza; la XVII (1913), que dispuso la elección directa de los miembros del Senado; la XIX (1920), que instituyó el sufragio femenino, y la XXII (1951), que limitó el mandato presidencial a dos períodos. Ver también CLÁUSULA DE COMERCIO; DERECHOS DE LOS ESTADOS; enmienda sobre la IGUALDAD ANTE LA LEY; poder JUDICIAL; cláusula de LIBERTAD DE CULTO; LIBERTAD DE EXPRESIÓN; LIBERTADES CIVILES.

## Estados Unidos de América, Corte Suprema de los
Tribunal de última instancia (ver APELACIÓN) del sistema judicial estadounidense e intérprete definitivo de la Constitución de los ESTADOS UNIDOS DE AMÉRICA. La Corte Suprema fue creada por la convención constitucional de 1787 como cabeza del sistema federal de justicia, aunque no se estableció oficialmente hasta que el congreso aprobó la ley de la judicatura, en

1789. Se le otorgaron facultades para actuar en los casos que se plantearan con arreglo a la constitución, las leyes o los tratados de EE.UU.; en litigios en que son parte EE.UU.; en controversias entre los estados o entre ciudadanos de diferentes estados del país; en casos de derecho y jurisdicción marítima; y en causas que afecten a embajadores o a otros funcionarios diplomáticos o cónsules. Su composición, que es determinada por el congreso, fluctuó entre seis y diez miembros hasta que en 1869 fue fijada en nueve. Los magistrados son designados por el presidente pero deben ser confirmados por el Senado. La Corte ha ejercido el CONTROL DE LA CONSTITUCIONALIDAD desde 1803, cuando por primera vez declaró inconstitucional parte de una ley en el caso MARBURY V. MADISON, pese a que la constitución no le atribuye expresamente esta facultad. Aunque de acuerdo con su competencia, la Corte suele actuar como tribunal de primera instancia, son relativamente pocos los casos que llegan a la Corte de esta manera, ya que la mayoría de las causas corresponden a apelaciones u órdenes de CERTIORARI. Entre las fuentes doctrinales más importantes utilizadas por la Corte Suprema cabe mencionar las disposiciones de la constitución relativas al comercio (ver CLÁUSULA DE COMERCIO), el DEBIDO PROCESO y la IGUALDAD ANTE LA LEY. La Corte también se ha pronunciado en controversias relacionadas con las LIBERTADES CIVILES, incluida la LIBERTAD DE EXPRESIÓN y el derecho a la INTIMIDAD. Gran parte de su labor consiste en aclarar, perfeccionar y poner a prueba los ideales filosóficos de la constitución e incorporarlos en principios operativos.

**Estados Unidos de América, Cortes de Apelaciones de los** Cualquiera de los tribunales de apelación del sistema judicial estadounidense, que comprende el sistema judicial federal, creado por ley del congreso. Hay 13 cortes de apelaciones, incluso 12 cuya jurisdicción está repartida geográficamente y la Corte de Apelaciones del Circuito Federal, que tiene competencia sobre materias específicas y en la totalidad del territorio nacional. La corte correspondiente al Circuito Federal, cuya sede se encuentra en Washington, D.C., fue creada por ley del congreso en 1982 y conoce de las apelaciones de los tribunales de distrito y territoriales de EE.UU., principalmente en materia de patentes y marcas comerciales, aunque también conoce de las apelaciones en causas contra el fisco estadounidense o sus organismos, como el supuesto incumplimiento de contrato o controversias tributarias. Las cortes están facultadas para revisar en sus respectivas jurisdicciones las resoluciones de los tribunales de distrito federales (ver Tribunal de Distrito de los ESTADOS UNIDOS DE AMÉRICA), así como las sentencias de las divisiones del Tribunal Tributario y las resoluciones de los tribunales de quiebras. Todas las sentencias de las cortes de apelaciones son susceptibles de revisión por la Corte Suprema de los ESTADOS UNIDOS DE AMÉRICA.

**Estados Unidos de América, Ejército de los** Una de las ramas principales de las fuerzas militares de EE.UU., responsabilizada de preservar la paz y seguridad, y de defender a la nación. La primera fuerza de combate regular estadounidense, el Ejército continental, fue organizado por el Congreso CONTINENTAL el 14 de junio de 1775, para complementar a las MILICIAS locales durante la guerra de independencia. Fue puesto bajo el control de una comisión de cinco miembros, todos civiles y desde entonces las fuerzas militares estadounidenses han permanecido bajo control civil. La constitución de EE.UU. designa al presidente como comandante en jefe, y en 1789 el Departamento de guerra, en manos de civiles, fue establecido para administrar las fuerzas armadas. El Ejército continental fue licenciado oficialmente en 1783, y se organizó un pequeño ejército regular. De ahí en adelante, el tamaño del ejército se ha incrementado en tiempos de crisis, engrosado por la CONSCRIPCIÓN, y decrecido en tiempos de paz. El Departamento del ejército está organizado como una sección militar del Departamento de defensa, y es dirigido por el secretario (ministro) del ejército. El estado mayor del ejército

proporciona consejo y ayuda al secretario, y administra funciones civiles, como los programas de obras públicas del Cuerpo de ingenieros. El ejército también administra la ACADEMIA MILITAR DE LOS ESTADOS UNIDOS DE AMÉRICA en West Point. En 2000 había alrededor de 400.000 soldados en servicio activo.

Miembros de la guardia de honor de la Academia Militar de West Point, perteneciente al Ejército de los Estados Unidos de América.
FOTOBANCO

**Estados Unidos de América, Fuerza Aérea de los (USAF)** *sigla de* **United States Air Force** Uno de los principales componentes de la organización militar de EE.UU., con la responsabilidad principal en la GUERRA AÉREA, la defensa aérea y la investigación espacial con fines militares. También provee servicios aéreos en coordinación con otras ramas de las fuerzas armadas. Las actividades militares estadounidenses en el aire empezaron con el uso por el ejército de globos de reconocimiento durante la guerra de Secesión y la guerra hispano-estadounidense; en 1907 se creó la División aeronáutica del cuerpo de señales. En 1920, la ley de reorganización del ejército creó el Servicio aéreo como una unidad del ejército (después de 1926, el Cuerpo aéreo); en 1941 se convirtió en la Fuerza Aérea del ejército. En 1947 se creó una fuerza aérea de EE.UU. independiente, y en 1949 pasó a formar parte del recientemente creado Departamento de defensa. El Departamento de la Fuerza Aérea tiene su sede en el PENTÁGONO. Entre las agencias que operan separadamente dentro de la fuerza aérea están el Cuerpo de reserva, el Servicio de inteligencia y la ACADEMIA DE LA FUERZA AÉREA DE LOS ESTADOS UNIDOS DE AMÉRICA. En el año 2000 la fuerza aérea tenía más de 350.000 personas en servicio activo.

**Estados Unidos de América, Guardacostas de los** Servicio armado de EE.UU. que hace cumplir las leyes marítimas. Está bajo la jurisdicción del Departamento de seguridad nacional; en tiempos de guerra opera como parte de la armada estadounidense. Los guardacostas hacen cumplir las leyes federales en alta mar y en las aguas dentro de la jurisdicción territorial de EE.UU., desarrollan y operan ayudas a la navegación, y mantienen una red de estaciones de botes salvavidas y de búsqueda y rescate, usando naves de superficie y aeronaves. Colabora en la intercepción de narcóticos ilegales que se transportan a EE.UU. por mar o aire a través de aguas costeras. Opera la Patrulla internacional del hielo (que mantiene vigilancia de icebergs en las vías marítimas del Atlántico norte), recopila información para el Servicio nacional climatológico, y auxilia a naves y aviones en problemas. Sus labores en tiempo de guerra incluyen escolta de buques, seguridad portuaria y tareas de transporte. En 2000, los guardacostas tenían alrededor de 35.000 personas en servicio activo. Los cadetes se entrenan en la Academia de Guardacostas, en New London, Conn.

**Estados Unidos de América, guerra de independencia de los** *inglés* **American Revolution** (1775–83). Guerra que obtuvo la independencia política de 13 de las colonias británicas en América del Norte, las que formaron los ESTADOS UNIDOS DE AMÉRICA. Terminada la costosa guerra FRANCESA E INDIA (1763), Inglaterra aplicó nuevos impuestos (ver ley del TIMBRE, ley del AZÚCAR) a las colonias e impuso limitaciones al comercio, lo que enardeció el resentimiento creciente de los colonos y reforzó su oposición a la falta de representación en el Parlamento británico. Las colonias, resueltas a lograr la independencia, formaron el Ejército continental, compuesto principalmente de MINUTEMEN (milicianos) dispuestos a enfrentarse inmediatamente a la milicia británica, numerosa y organizada. La guerra se inició cuando Gran Bretaña envió tropas a Concord, Mass., para destruir los pertrechos de los rebeldes. Una vez iniciados los enfrentamientos, el 19 de abril de 1775 (ver batallas de LEXINGTON Y CONCORD), los rebeldes sitiaron Boston hasta que sus fuerzas al mando de HENRY KNOX expulsaron a las tropas británicas comandadas por WILLIAM HOWE, el 17 de marzo de 1776 (ver batalla de BUNKER HILL). Gran Bretaña propuso el perdón a cambio de la rendición, oferta que los rebeldes rechazaron y se declararon independientes el 4 de julio de 1776 (ver Declaración de INDEPENDENCIA). Las fuerzas británicas contraatacaron forzando al ejército de GEORGE WASHINGTON a desplazarse desde Nueva York hasta Nueva Jersey. El 25 de diciembre, Washington cruzó el río Delaware y ganó las batallas de TRENTON Y PRINCETON. El ejército británico cometió un error funesto al dividirse para cubrir más territorio. Al enfrentarse a los rebeldes en Pensilvania, especialmente en la batalla de BRANDYWINE, en el norte sus tropas quedaron en posición vulnerable. A pesar de ganar la batalla de TICONDEROGA, las fuerzas británicas al mando de JOHN BURGOYNE fueron derrotadas por HORATIO GATES y BENEDICT ARNOLD en la batalla de SARATOGA (17 oct. 1777). Washington acuarteló a sus 11.000 soldados, durante un invierno crudo, en VALLEY FORGE, donde FREDERICK STEUBEN les impartió instrucción militar que les aseguró la victoria en Monmouth, N.J., el 28 de junio de 1778. Desde ese momento, las tropas británicas en el norte, se concentraron principalmente cerca de Nueva York. Francia, que desde 1776 venía ayudando en secreto a los colonos en el sur, declaró por fin la guerra a Gran Bretaña en junio de 1778. Soldados franceses apoyaron a los rebeldes en el sur, acción que culminó en el sitio a YORKTOWN, donde CHARLES CORNWALLIS se rindió con sus tropas el 19 de octubre de 1781, con lo que finalizó la guerra terrestre. Los combates continuaron en el mar, principalmente entre Gran Bretaña y los aliados europeos de EE.UU. Las flotas de España y de los Países Bajos retuvieron a la mayor parte de la armada británica cerca de Europa, alejada de la guerra en América del Norte. La última batalla de la guerra fue una victoria de la marina estadounidense al mando de JOHN BARRY, en marzo de 1783, en el estrecho de Florida. En el tratado de París (3 sep. 1783), Gran Bretaña reconoció la independencia de EE.UU. al este del río Mississippi y cedió Florida a España.

### Estados Unidos de América, Infantería de Marina de los (USMC) *sigla de* **United States Marine Corps** Fuerza

armada independiente dentro del Departamento de la armada de EE.UU. (ver Armada de los ESTADOS UNIDOS DE AMÉRICA), responsable de proveer tropas de infantes de marina para la captura y defensa de bases avanzadas y de la conducción de operaciones en tierra y aire ligadas a campañas navales. También es responsable de proveer destacamentos para servicio a bordo de ciertos tipos de naves, así como fuerzas de seguridad para instalaciones navales costeras y misiones diplomáticas estadounidenses en otros países. El cuerpo se especializa en desembarcos anfibios, como aquellos efectuados durante la segunda guerra mundial en islas bajo control japonés. Los infantes de marina han servido en todas las acciones navales estadounidenses de importancia desde 1775, siendo por lo general los primeros en combatir. En 2000, había alrededor de 175.000 infantes de marina en servicio activo.

### Estados Unidos de América, Tribunal de Distrito de los Cualquiera de los 94 tribunales ordinarios del sistema judicial federal estadounidense. Cada estado, así como el Distrito

de Columbia y el Estado Libre Asociado de Puerto Rico, tiene al menos un tribunal de distrito. Cada tribunal tiene uno o varios jueces de distrito, y cuenta además con un secretario, un fiscal federal, un oficial de justicia federal, uno o más jueces de menor jerarquía, jueces de quiebra, funcionarios encargados de fiscalizar la libertad vigilada, y otros funcionarios. Por lo general, las resoluciones de los tribunales de distrito son apelables ante las Cortes de Apelaciones de los ESTADOS UNIDOS DE AMÉRICA correspondiente a la región en que tiene su asiento el tribunal de distrito.

**estafa** En derecho, montaje o maniobra engañosa de los hechos en forma deliberada para privar a alguien de una cosa de valor o de un derecho. Toda omisión u ocultamiento que causa daño a otro o que permita a una persona aprovecharse inescrupulosamente de otra puede constituir fraude criminal. El tipo más común de estafa consiste en obtener una cosa entregando un cheque con cargo a una cuenta que no tiene fondos suficientes para cubrirlo. Otro tipo es simular una identidad o asumir una ficticia con la intención de engañar. También es importante la defraudación cometida utilizando el servicio postal o aparatos electrónicos, como teléfonos o computadoras. Las acciones por ilícitos civiles basadas en estafas suelen conocerse como acciones por dolo (ver RESPONSABILIDAD EXTRACONTRACTUAL).

**estafilococo** Cualquiera de las BACTERIAS esféricas que conforman el género *Staphylococcus*. Las especies más conocidas se encuentran en gran cantidad en las membranas mucosas y la piel de todos los seres humanos y en otros animales de sangre caliente. Se agrupan en racimos. Los estafilococos son gram positivos (ver tinción de GRAM), estacionarios y anaeróbicos. El *S. aureus* es un agente importante de infecciones de heridas, diviesos y otras infecciones dérmicas en los seres humanos, y una de las causas más comunes de INTOXICACIÓN ALIMENTARIA. También produce inflamación de las ubres en animales domésticos y mastitis en las mujeres. Es la causa principal de infecciones hospitalarias (casi 15% de ellas) y a menudo el "estáfilo" es difícil de tratar por su resistencia creciente a los ANTIBIÓTICOS.

**estalactita y estalagmita** Formaciones alargadas de diversos minerales depositados desde una solución que gotea lentamente. Las estalactitas cuelgan del techo o pared de una caverna

con forma de carámbanos. Las estalagmitas se elevan desde el suelo de una caverna. Las estalactitas y estalagmitas no necesariamente se generan en pareja, pero cuando lo hacen, la elongación continua de una o de ambas puede eventualmente unirlas formando una columna. El mineral dominante en estos depósitos es CALCITA (carbonato de calcio), y los mayores especímenes se forman en cavernas de PIEDRA CALIZA y DOLOMITA.

Estalactitas y estalagmitas en las cavernas de Carlsbad, Nuevo México, EE.UU.
FOTOBANCO

**estalinismo** Método de gobierno, o políticas, de STALIN en la Unión Soviética y sus seguidores en otros países del bloque soviético. Al tomar el poder, Stalin no toleró disidencia alguna en relación con las políticas de partido, respecto de las cuales asumió el papel de intérprete único e infalible. Pospuso la lucha por la revolución proletaria mundial, y se concentró en lugar de ello en el "socialismo en un país". Decretó la colectivización de la agricultura rusa y un programa de rápida industrialización, el cual, aunque efectivo en general, trajo como consecuencia la muerte de millones de personas. Las purgas de la década de 1930 (ver PURGAS POLÍTICAS) causaron la muerte de millones de personas más; los opositores eran calificados de traidores y ejecutados o enviados a los GULAG. Después de la muerte de Stalin, NIKITA JRUSCHOV repudió el estalinismo (1956) como una aberración. Ver también LENINISMO, TROTSKISMO.

**estambre** Parte reproductora masculina de una FLOR. Los estambres producen POLEN en estructuras terminales sacciformes, llamadas anteras. El número de estambres suele ser igual al de los pétalos. Los estambres están generalmente constituidos por un largo tallo delgado, el filamento, con las anteras en la punta. Algunos estambres se asemejan a hojas, con las anteras en los márgenes o cerca de ellos. A menudo se encuentran pequeñas estructuras secretoras, llamadas nectarios, en la base de los estambres, que proporcionan gratificación alimenticia a insectos y pájaros polinizadores (ver POLINIZACIÓN). Ver también PISTILO.

Mezquita de Solimán el Magnífico, uno de los tesoros arquitectónicos en Estambul, Turquía.
FOTOBANCO

**Estambul** *ant.* **Constantinopla** *antig.* **Bizancio** Ciudad y puerto marítimo (pobl., 1997: 8.260.438 hab.) de Turquía. Ubicada en una península entre el mar NEGRO y el de Mármara, la ciudad más grande de Turquía yace a ambos lados del estrecho del BÓSFORO; por consiguiente, está situada tanto en Europa como en Asia. Bizancio fue fundada como colonia griega en el s. VIII AC. Pasó a manos de la dinastía persa aqueménida en 512 AC y luego de ALEJANDRO MAGNO, y se convirtió en una ciudad libre bajo los romanos en el s. I DC. En 330, el emperador CONSTANTINO I la convirtió en la sede del Imperio romano de Oriente, y más adelante la bautizó Constantinopla. Permaneció como capital del Imperio BIZANTINO después de la caída de Roma a fines del s. V. En los s. VI–XIII fue sitiada con frecuencia por persas, árabes, búlgaros y rusos. Fue capturada durante la cuarta cruzada (ver CRUZADAS) (1203) y quedó bajo dominio del Imperio latino de Constantinopla. En 1261 volvió a ser parte del Imperio bizantino. En 1453 cayó en manos del Imperio OTOMANO y se transformó en su capital. Cuando en 1923 se fundó la República de Turquía, la capital fue trasladada a ANKARA, y en 1930 Constantinopla pasó a denominarse oficialmente Estambul. Varios de los sitios históricos de la ciudad están localizados en la ciudad medieval amurallada (Stamboul). Entre sus tesoros arquitectónicos se encuentran la basílica de SANTA SOFÍA, la mezquita de Solimán y la mezquita Azul. Entre sus instituciones educacionales se encuentra la Universidad de Estambul (fundada en 1453), la más antigua de Turquía.

**estampa** Bloque perforado de hierro fundido o de acero, con bordes acanalados o cortantes, usado por los forjadores para configurar sus piezas, sujetando la estampa sobre la pieza (o la pieza sobre la estampa) y golpeando con un MARTILLO o maza. La estampa se usa en los procesos de encabezar pernos y estampar barras a mano.

**estancia** ver HACIENDA

**estándar de vida** Nivel de confort material al que un individuo o grupo aspira o puede aspirar. No sólo incluye bienes y servicios comprados privadamente, sino también bienes y servicios de consumo colectivo como los que proveen las empresas de servicios públicos y los gobiernos. Un estándar de vida determinado para un grupo específico, como un país, debe ser examinado en forma crítica en función de los valores que lo conforman. Si el valor medio aumenta con el tiempo, pero paralelamente el rico se vuelve más rico y el pobre más pobre, puede que no haya mejorado la situación económica colectiva. Se pueden utilizar diversos indicadores cuantitativos como vara de medida, como la expectativa de vida, el acceso a alimentos nutritivos, un suministro de agua fiable y disponibilidad de asistencia médica.

**estandarización** *o* **normalización** Desarrollo y aplicación de normas industriales que hacen posible la fabricación de grandes volúmenes de partes intercambiables. La estandarización puede centrarse en normas de ingeniería, como propiedades de los materiales, ajustes, tolerancias y prácticas de diseño, o bien en normas de productos que detallan las características de los bienes manufacturados y que están contenidas en fórmulas, descripciones, planos o modelos. La adopción de normas permite que las empresas se comuniquen más fácilmente con sus proveedores. Las normas también se utilizan en la industria para evitar conflictos y la duplicación del trabajo. Los organismos de gobierno, las asociaciones profesionales y las asociaciones técnicas contribuyen a establecer las normas de los sectores industriales. Organizaciones como la American National Standards Institute (ANSI) y la ORGANIZACIÓN INTERNACIONAL DE NORMALIZACIÓN (ISO) promueven y coordinan estos esfuerzos.

**estandartes, sistema de** Organización militar establecida por las tribus MANCHÚ durante el s. XVIII en la vasta región de MANCHURIA (nordeste de la actual China) para conquistar y controlar el territorio. El sistema fue creado por el líder manchú NURHACHI, quien en 1601 organizó a sus guerreros en cuatro compañías, cada una de ellas identificada por su estandarte de un color distintivo. Pronto se constituyeron más estandartes (nombre con el que fueron conocidas las compañías) y, cuando los manchúes comenzaron a conquistar a sus vecinos chinos y MONGOLES, organizaron a sus cautivos en compañías similares. Con este contingente, los manchúes conquistaron China y fundaron la dinastía QING en 1644. Con el tiempo, las cualidades combativas de los estandartes se deterioraron, hasta que a fines del s. XIX el sistema se tornó en gran medida ineficaz.

**Estanislao I** *orig.* **Stanisław Leszczyński** (20 oct. 1677, Lwów, Polonia–23 feb. 1766, Lunéville, Francia). Rey de Polonia (1704–09, 1733). Hijo de un noble polaco, se convirtió en rey cuando CARLOS XII de Suecia invadió Polonia (1702), depuso al rey AUGUSTO II y lo instaló en el trono (1704). Cuando Suecia fue derrotada por los rusos en 1709, Augusto recuperó el trono y Estanislao debió establecerse en Francia, donde su hija María se casó con LUIS XV. Fue elegido rey de Polonia a la muerte de Augusto (1733), pero Rusia invadió el país para impedir su alianza con Francia, provocando la guerra de sucesión POLACA. Depuesto nuevamente, se le concedieron las provincias de Lorena y Bar, donde fomentó el desarrollo económico e hizo de su corte en Lunéville un centro de la cultura.

**Estanislao II Augusto Poniatowski** *orig.* **Stanisław Poniatowski** (17 ene. 1732, Wolczyn, Polonia–12 feb. 1798, San Petersburgo, Rusia). Rey de Polonia (1764–95). Hijo de un noble polaco, en 1757 fue enviado a Rusia a fin de obtener apoyo para la causa polaca, y se convirtió en amante de la futura emperatriz CATALINA II. En 1764, Catalina utilizó la influencia diplomática y las tropas rusas para conseguir que fuera elegido rey de Polonia. Como monarca trató de introducir reformas administrativas, pero la oposición de los nobles polacos y de la propia Catalina lo obligaron a continuar su reinado como títere de Rusia. Se esforzó por aprobar una nueva constitución, pero no pudo impedir las particiones de POLONIA (1772, 1793, 1795), después de las cuales abdicó.

Estanislao II, detalle de una pintura de M. Bacciarelli, 1783.
GENTILEZA DEL MUSEO DE TORÚN, RATUSZ, POLONIA.

**estantería** Pieza de mobiliario con repisas o anaqueles y que en el pasado solía tener puertas. En tiempos antiguos se utilizaban armarios o alacenas murales para guardar los libros. Las estanterías estaban incluidas en el mobiliario medieval de las bibliotecas de colegios en Bretaña. Los ejemplos domésticos más tempranos fueron hechos de encina para SAMUEL PEPYS, en 1666, famoso por sus diarios.

**estañado** Aplicación de un recubrimiento de ESTAÑO a una chapa delgada de ACERO, por inmersión de la chapa en metal fundido o por deposición electrolítica (GALVANOPLASTIA); casi toda la hojalata se produce ahora mediante este último proceso, en el que se aplica el recubrimiento de estaño sin calor. En esencia, un "sándwich" en el que el núcleo es una lámina de acero, la hojalata tiene la resistencia y la maleabilidad propias del acero combinadas con las propiedades no corrosivas y no tóxicas del estaño, y además es fácil de soldar. Se usa para envases de alimentos y bebidas, de pintura, aceites, tabaco y numerosos otros productos, como asimismo en juguetes, hornos de cocina y piezas para radios y otros equipos electrónicos. Algunos materiales modernos, como el acero inoxidable y los plásticos, han reemplazado la hojalata en muchas aplicaciones comunes.

**estaño** ELEMENTO QUÍMICO metálico, símbolo químico Sn, número atómico 50. Es un METAL blando, blanco plateado con un tinte azulado, utilizado desde la antigüedad en la forma tradicional de BRONCE, su ALEACIÓN con cobre. Se presenta principalmente como el dióxido (ÓXIDO estánnico, $SnO_2$) en la casiterita. Debido a que no es tóxico, y es dúctil, maleable y fácil de trabajar, se emplea para enchapar tarros, latas de acero ("latas estañadas") y otros artículos, y para uso como contenedores de alimento. El estaño puro es demasiado débil para ser utilizado solo, pero sus numerosas aleaciones comprenden soldadura blanda, PELTRE, BRONCE y aleaciones de fundición de baja temperatura. Tiene VALENCIA 2 ó 4 en compuestos, como el cloruro estañoso (utilizado en la GALVANIZACIÓN con estaño y en la elaboración de polímeros y colorantes), el óxido estañoso (empleado para fabricar sales de estaño para reactivos químicos y para enchapado), el fluoruro estañoso (usado como ingrediente reductor de caries en las pastas dentífricas), cloruro estánnico (estabilizador para perfumes y fuente de otras sales de estaño) y el óxido estánnico (catalizador y polvo para pulir acero). El estaño se enlaza con el carbono para formar compuestos organoestañosos, utilizados para estabilizar el PVC y en biocidas y fungicidas.

**estatice** Cualquiera de unas 300 especies de plantas herbáceas, principalmente perennes, que constituyen el género *Limonium* (familia Plumbaginaceae), en especial, *L. vulgare*. La especie *L. vulgare* da florecillas en espigas densas y crece en grandes extensiones, que a veces se tornan color lila a fines del verano. Las espigas florales de este y otros estatices se usan a menudo en arreglos florales secos por sus cualidades perdurables y colores permanentes.

**estatorreactor** MOTOR DE REACCIÓN que aspira aire y que funciona sin piezas móviles importantes. Depende del movimiento de avance de la aeronave para aspirar aire y tiene un conducto de admisión de forma especial para comprimir el aire para la combustión (no tiene turbina). Después de encenderse el combustible pulverizado, la combustión se sostiene por sí sola. Como en todo motor de reacción, el empuje se obtiene por la reacción que produce el violento escape hacia atrás de los gases calientes generados por el motor. Las mejores condiciones de operación para los estatorreactores se dan a velocidades de Mach 2 (dos veces la velocidad del sonido) y superiores. Ver también TURBORREACTOR.

**estatus social** Posición o rango social que tiene una persona, con sus correspondientes derechos, obligaciones y estilo de vida, dentro de una jerarquía social basada en el honor y el prestigio. El estatus suele ser adscrito en virtud del sexo, la edad, las relaciones familiares y el origen, con lo cual el individuo queda inserto en un grupo social específico, independientemente de su capacidad o sus logros. Hay, por otra parte, un estatus adquirido, que se basa en el nivel educacional, la ocupación, el estado civil y otros factores que suponen esfuerzo personal. Los grupos de estatus difieren de las CLASES SOCIALES porque se basan en consideraciones relativas al honor y al prestigio y no a la posición puramente económica. El estatus relativo es un factor determinante de la conducta interpersonal y la competencia por el estatus parece ser una motivación fundamental en los seres humanos.

**estaurolita** SILICATO producido por METAMORFISMO regional en rocas como esquistos micáceos, pizarra y gneises, donde generalmente está asociado con otros minerales. La estaurolita es un mineral duro y quebradizo que tiene un lustre mate. Sus cristales son por lo general de color marrón oscuro y a menudo están dispuestos en pares formando un patrón cruciforme (conocidos como cruces de hadas) que pueden ser transformados en ornamentos. La estaurolita se encuentra especialmente en Canadá, Brasil, Francia, Suiza y EE.UU. (Carolina del Norte, Virginia y Georgia).

**Este, familia** Familia principesca de origen lombardo de ilustre importancia en la historia medieval y renacentista de Italia. Los Estensi, una rama de la dinastía de los Obertenghi del s. X, tomaron su nombre del municipio y castillo de Este, cerca de Padua. El fundador de la familia fue el margrave Alberto Azzo II (m. 1097), de cuyo hijo Folco I (m. ¿1136?) descendió la casa de Este. Inicialmente, la familia cobró relevancia al liderar a los güelfos en las guerras contra los gibelinos (ver GÜELFOS Y GIBELINOS). Algunos de sus integrantes gobernaron en Ferrara en los s. XIII–XVI. Después de que el quinto y último duque de Ferrara, Alfonso II (n. 1533–m. 1597) muriera sin dejar hijos, la rama principal de la familia llegó a su fin y el papado impuso su dominio directo sobre Ferrara en 1598. Esta familia también gobernó en Módena y Reggio desde fines de la Edad Media hasta fines del s. XVIII. Además de su preponderancia política, sus miembros cumplieron un importante papel como mecenas de las artes y la cultura.

**Este, Reino del** ver AUSTRASIA

**Esteban** *o* **Esteban de Blois** (c. 1097–25 oct. 1154). Rey de Inglaterra (1135–54). Sobrino de ENRIQUE I, prometió apoyar a MATILDE, pero reclamó el trono para sí mismo. En la guerra civil que siguió, fue incapaz de obtener la lealtad de todos los barones. Cuando Matilde invadió Inglaterra (1139), Esteban, en una muestra de caballerosidad, la hizo escoltar a Bristol. Matilde conquistó la mayor parte del oeste de Inglaterra y capturó a Esteban en una batalla (1141), pero su arrogancia provocó una rebelión que la obligó a abandonar Inglaterra (1148). El hijo de Matilde, Enrique de Anjou, futuro ENRIQUE II, invadió Inglaterra en 1153 y, en virtud de un acuerdo suscrito entre ambos bandos, fue nombrado sucesor de Esteban.

**Esteban** *llamado* **Esteban el Grande** (1435–2 jul. 1504). Príncipe de MOLDAVIA (1457–1504). Con ayuda del príncipe valaco VLAD III TEPES, obtuvo el trono de Moldavia. Rechazó una invasión húngara (1467) y más tarde atacó Valaquia (1471), por entonces bajo vasallaje turco. Derrotó a los invasores turcos (1475, 1476) y se resistió a los planes que Polonia y Hungría tenían con respecto a Moldavia. En 1503 firmó un tratado que preservó la independencia de Moldavia a cambio del pago de un tributo anual a los turcos.

**Esteban I** *o* **San Esteban** *orig.* **Vajk** (970/975, Esztergom, Hungría–15 ago. 1038, Esztergom; canonizado en 1083; festividad: 16 de agosto). Primer rey de Hungría (1000–38) y fundador del estado húngaro. Hijo de un caudillo MAGIAR, nació pagano, pero más tarde fue bautizado como cristiano. Fue coronado tras derrotar a su primo en la lucha por el trono; la corona real fue un obsequio del papa SILVESTRE II. Su reinado fue pacífico, excepto por una invasión de CONRADO II (1030) y disputas menores con Polonia y Bulgaria. Organizó el gobierno húngaro y la administración de la Iglesia según los modelos germanos. Es el santo patrón de Hungría.

**Esteban I Báthory** *húngaro* **István Báthory** *polaco* **Stefan Batory** (27 sep. 1533, Szilágysomlyó, Transilvania–12 dic. 1586, cerca de Grodno, gran ducado de Lituania). Príncipe de Transilvania (1571–76) y rey de Polonia (1575–86). En 1571 fue elegido príncipe de Transilvania por los húngaros y en 1575, como yerno del fallecido SEGISMUNDO I, fue elegido rey de Polonia por la nobleza polaca. Monarca vigoroso y ambicioso, defendió con éxito las provincias bálticas orientales de Polonia contra la invasión rusa y forzó la cesión de Livonia a Polonia en 1582. Planeó unir Polonia, Moscovia y Transilvania, y estaba preparando la reanudación de la guerra contra Rusia cuando murió.

**Esteban II** (Roma–26 abr. 757, Roma). Papa (752–757). Liberó al papado del control bizantino y se alió con los francos en contra de los lombardos, que estaban amenazando Roma. En Galia ungió a PIPINO EL BREVE, CARLOMAGNO y Carlomán como reyes de los romanos en recompensa de lo cual Pipino dirigió su ejército contra el rey lombardo Astolfo (754, 756). Una vez victoriosos, los francos otorgaron al papa territorios en Ravena, Roma, Venecia e Istria, dando origen así a los ESTADOS PONTIFICIOS bajo el dominio de Esteban. (Ver donación de PIPINO).

**Esteban Decanski** *o* **Esteban Uroš III** (1280–1331). Rey de Serbia (1322–31). Después de rebelarse contra su padre, Esteban Uroš II (r. 1282–1321), fue cegado, a fin de que no pudiese gobernar, y luego exiliado (1314–20). Más tarde demostró que no estaba ciego, proclamó que era una curación milagrosa, y fue coronado rey. Se alió con el derrotado ANDRÓNICO II PALEÓLOGO en la guerra civil contra ANDRÓNICO III PALEÓLOGO (1327–28) y finalmente depuesto por su hijo, ESTEBAN DUŠAN.

**Esteban Dušan** *o* **Esteban Uroš IV** (1308–20 dic. 1355). Rey de Serbia (1331–46) y emperador de los serbios y griegos (1346–55), el más grande gobernante de la Serbia medieval. Depuso a su padre, ESTEBAN DECANSKI, en 1331, y en 1334 inició una guerra de conquista contra Bizancio mediante la cual obtuvo el control de Albania y Macedonia en 1346 y de Epiro y Tesalia en 1348. Reformó la administración serbia según el modelo bizantino e introdujo un código legal. Su dominio sobre antiguos territorios bizantinos se vio amenazado por JUAN VI CANTACUCENO; su imperio se desintegró poco después de su muerte.

**Esteban Nemanja** (m. 1200). Fundador del estado serbio. En 1169, durante el dominio bizantino, fue gran *župan* (líder de clan). Se alió con Venecia y luego, en represalia, fue derrotado por los bizantinos, aunque más tarde fue perdonado. Después de expandir el territorio serbio, abdicó en 1196 e ingresó en un monasterio.

**Esteban, san** (m. c. 36 DC, Jerusalén). Primer mártir cristiano. Según los Hechos de los apóstoles, era un judío nacido en el extranjero, que vivía en Jerusalén y que se unió a la iglesia en sus albores. Fue uno de los siete diáconos designados por los apóstoles para cuidar de las ancianas, las viudas y los huérfanos. Como judío helenizado, se opuso enérgicamente al culto en el Templo del judaísmo. Por haber expresado públicamente su oposición, fue llevado ante el SANEDRÍN. Su defensa del cristianismo ofendió tanto a los presentes, que fue condenado a ser lapidado hasta la muerte. Uno de los que aprobaron su ejecución fue Saulo de Tarso (ver san PABLO).

**estegosaurio** Cualquiera de las especies de DINOSAURIO con placas, incluido el *Stegosaurus*, del JURÁSICO tardío (159–144 millones de años atrás). Los estegosaurios eran cuadrúpedos herbívoros que alcanzaban una longitud máxima de unos 9 m (30 pies). Su cráneo y cerebro eran diminutos. Las extremidades anteriores eran mucho más cortas que las posteriores, el dorso era arqueado y los pies cortos y anchos. Los estegosaurios tenían una doble hilera de grandes placas triangulares óseas en el dorso y en la cola, que tal vez era un sistema regulador de temperatura. Los pares de púas huesudas, largas y puntiagudas, en el extremo de la cola eran probablemente armas defensivas.

**estela** Monolito dispuesto en forma vertical, usado en el mundo antiguo principalmente como lápida de tumba, pero también para alguna inscripción, conmemoración o demarcación. Aunque el origen de la estela es desconocido, en Egipto, Grecia, Asia y el Imperio maya se usaron estos monolitos como lápidas. En Babilonia, el código de HAMMURABI fue grabado en una gran estela. El mayor número de estelas se produjo en ÁTICA, principalmente como lápidas. Los muertos se representaban en las estelas tal como habían sido en vida: los hombres, como guerreros o atletas; las mujeres rodeadas por sus hijos, y los niños con sus mascotas o juguetes.

Estela maya esculpida en las ruinas de Copán, Honduras.
FOTOBANCO

**estenografía** ver TAQUIGRAFÍA

**estenosis** ver ATRESIA Y ESTENOSIS

**estenotipia** Máquina taquigráfica (ver TAQUIGRAFÍA) en la que las letras o grupos de letras representan en forma fonética SÍLABAS, palabras, frases y signos de PUNTUACIÓN. La máquina, generalmente una estenotipia o taquígrafo comercial, suele emplearse en los tribunales de justicia. Funciona en forma silenciosa y puede registrar más de 250 palabras por minuto. Se pueden tocar o pulsar varias teclas en forma simultánea para escribir una palabra completa con una sola pulsación.

**estequiometría** Determinación de las proporciones (en peso o número de MOLÉCULAS) en las cuales los ELEMENTOS QUÍMICOS o los COMPUESTOS reaccionan entre sí. Las reglas para determinar las relaciones estequiométricas se basan en las leyes de CONSERVACIÓN de MASA y de ENERGÍA y en la ley de combinación de pesos o volúmenes (ver PESO EQUIVALENTE). Las herramientas utilizadas son FÓRMULAS QUÍMICAS, ECUACIONES QUÍMICAS, PESOS ATÓMICOS, y PESOS MOLECULARES o PESOS FÓRMULA.

**éster** Cualquiera de una clase de compuestos orgánicos que pueden reaccionar con agua (ver HIDRÓLISIS) para producir ALCOHOL y ÁCIDO orgánico o inorgánico. Son formados mediante el proceso inverso, esterificación, en el cual el ácido reacciona con el alcohol para formar un éster y agua. Los ésteres de ácidos CARBOXÍLICOS son los más comunes y contienen el grupo carbonilo del ácido ($-C=O$; ver GRUPO FUNCIONAL); el cuarto enlace del carbono está unido al átomo de oxígeno del alcohol. La hidrólisis de los ésteres en presencia de un ÁLCALI (saponificación) se utiliza para hacer JABONES a partir de GRASAS y ACEITES. Los ésteres de ácido carboxílico que tienen bajo peso molecular son líquidos volátiles incoloros, con olores agradables; dan sabor y fragancia a frutas y flores, y sirven como sabores sintéticos y fragancias. Otros, como el acetato de etilo y el acetato de butilo, se usan como SOLVENTES para lacas, pinturas y barnices. Algunos POLÍMEROS son ésteres, como la LUCITE (metacrilato de polimetilo) y el dacrón (tereftalato de polietileno). Entre los ésteres de alcoholes y ácidos inorgánicos están los ésteres de nitrato (p. ej., NITROGLICERINA), que son explosivos, los ésteres de fosfato que incluyen compuestos biológicamente importantes como los ácidos NUCLEICOS, y otros que se emplean como retardantes de llama, solventes, plastificantes, aditivos para gasolina y aceite, e insecticidas.

**Ester** Heroína y protagonista del libro de Ester. Era una hermosa mujer judía, esposa del rey persa Asuero (JERJES I). Junto con su primo MARDOQUEO convencieron al rey de anular la orden de exterminar a los judíos en su reino, idea maquinada por Amán, el primer ministro del monarca. Como resultado, Amán fue colgado en la horca que él mismo había construido para Mardoqueo y los judíos fueron autorizados a aniquilar a sus enemigos. La festividad judía de PURIM celebra este hecho. El libro de Ester fue escrito probablemente en el s. II AC.

**estereoquímica** Término originado c. 1878 por Viktor Meyer (n. 1848–m. 1897) para el estudio de los estereoisómeros (ver ISÓMERO). LOUIS PASTEUR demostró en 1848 que el ácido tartárico posee ACTIVIDAD ÓPTICA y que esta propiedad depende de la asimetría molecular, y en 1874, JACOBUS H. VAN'T HOFF y Josef-Achille Le Bel (n. 1847–m. 1930) habían explicado en forma independiente cómo una molécula con un átomo de carbono unido a cuatro grupos diferentes tiene dos formas que son imágenes especulares. La estereoquímica trata de los estereoisómeros y de la SÍNTESIS ASIMÉTRICA. En 1975, John Cornforth (n. 1917) y Vladimir Prelog (n. 1906–m. 1998) compartieron el Premio Nobel por el trabajo en estereoquímica y estereoisomerismo de alcaloides, enzimas, antibióticos y otros compuestos naturales.

**Esterházy, familia** Familia aristocrática MAGIAR, cuyos orígenes se remontan al menos al s. XV y entre cuyos miembros se cuentan numerosos diplomáticos, oficiales de ejército y mecenas de las artes de Hungría. En el s. XVIII, los Esterházy eran los más grandes terratenientes de Hungría y poseían una fortuna privada incluso mayor que la de los emperadores Habsburgo, a quienes ellos apoyaban. El gran palacio Esterházy fue construido en Eisenstadt, a orillas del lago NEUSIEDL. Durante la mayor parte de su carrera, F. J. HAYDN fue director de música en ese palacio. Varios de sus miembros ocuparon importantes cargos gubernamentales, eclesiásticos, diplomáticos y militares en Hungría hasta bien avanzado el s. XX.

**esterilización** Cualquier procedimiento quirúrgico destinado a poner término definitivo a la FECUNDIDAD (ver CONTRACEPCIÓN). Estas operaciones extirpan o interrumpen las vías anatómicas a través de las cuales viajan las células que participan en la FECUNDACIÓN (ver sistema REPRODUCTOR HUMANO). Son relativamente simples, con más de 99% de efectividad. En los seres humanos, las operaciones empleadas son la VASECTOMÍA en los hombres y la ligadura de las trompas (atadura o bloqueo y sección de las trompas de Falopio) en las mujeres. Aunque estas operaciones se consideran permanentes, el desarrollo de la MICROCIRUGÍA ha mejorado las posibilidades de reparación. Los animales son esterilizados por CASTRACIÓN (extirpación de los TESTÍCULOS en los machos y de los OVARIOS en las hembras).

**esteroide** Cualquiera de una clase de compuestos orgánicos naturales o sintéticos con un centro molecular, o núcleo, de 17 átomos de carbono, en una disposición tridimensional característica de cuatro anillos. La CONFIGURACIÓN del núcleo, la naturaleza de los grupos unidos a él y sus posiciones distinguen a los diferentes esteroides. Se han encontrado cientos en plantas y animales y miles más han sido sintetizados o fabricados modificando esteroides naturales. Los esteroides son importantes en biología, química y medicina. Los ejemplos incluyen muchas HORMONAS (como las hormonas sexuales), ácidos biliares (ver BILIS), esteroles (como el COLESTEROL) y anticonceptivos orales (ver CONTRACEPCIÓN). La DIGITALINA fue el primer esteroide ampliamente utilizado en la medicina occidental. Los corticosteroides (ver CORTISONA) y sus análogos sintéticos se utilizan para tratar el reumatismo y otras enfermedades inflamatorias. Ver también ESTEROIDE ANABÓLICO.

**esteroide anabólico** HORMONA esteroidal (ver ESTEROIDE) que aumenta el crecimiento de los tejidos. Los esteroides anabólicos son administrados a pacientes ancianos o recién operados para estimular el crecimiento muscular y la regeneración de tejidos. El uso no supervisado por los atletas para aumentar la masa muscular y mejorar la resistencia puede tener efectos dañinos serios, como cardiopatía coronaria, desórdenes sexuales y reproductivos, inmunodeficiencias, daño hepático, atrofia en el crecimiento, comportamiento agresivo, susceptibilidad a lesión del tejido conjuntivo y (en mujeres) masculinización irreversible.

**Estes, William K(aye)** (n. 17 jun. 1919, Minneapolis, Minn., EE.UU.). Psicólogo estadounidense. En la década de 1940 trabajó con B. F. SKINNER en aprendizaje instrumental, y en 1950 introdujo la teoría del muestreo de estímulos, un modelo para describir el aprendizaje en forma matemática. Enseñó en las universidades de Stanford, Rockefeller y Harvard, entre otras. Sus últimos trabajos se focalizaron en las "estructuras cognitivas". Entre sus publicaciones destacan *Learning Theory and Mental Development* [Aprendiendo el desarrollo teórico y mental] (1970), *Statistical Models in Behavioral Research* [Modelos estadísticos en la investigación conductual] (1991) y *Classification and Cognition* [Clasificación y cognición] (1994). En 1997 recibió la National Medal of Science (Medalla nacional de ciencias).

**estética** Estudio filosófico relacionado con la esencia y la percepción de la belleza y la fealdad. Comprende la filosofía del arte, que se ocupa principalmente de la naturaleza y la validez del arte y de los principios por los cuales debe ser interpretada y evaluada. Se han dado tres amplios enfoques a los temas, cada uno distinguido por el tipo de cuestiones que considera importantes: (1) el estudio de los conceptos estéticos, generalmente en el examen específico del uso del lenguaje estético; (2) el estudio de los estados de las respuestas mentales, actitudes, emociones comprometidas que son afectadas por la experiencia estética; y (3) el estudio de los objetos considerados estéticamente interesantes, con una concepción que determina su naturaleza. Obras originales en el área son *Simposio* de PLATÓN; *Retórica* de ARISTÓTELES; *Inquiry into the Original of Our Ideas of Beauty and Virtue* (1725) [Investigación sobre el origen de nuestras ideas de belleza y virtud], de Francis Hutcheson (n. 1694–m. 1746); *Sobre la norma del gusto* (en *Cuatro disertaciones* [1757]), de DAVID HUME; *Sobre lo sublime y lo bello* (1757), de EDMUND BURKE; *Crítica del juicio* (1790), de IMMANUEL KANT; *The Sense of Beauty* (1896) [El sentido de la belleza], de GEORGE SANTAYANA; *The Psychology of Imagination* (1948) [La psicología de la imaginación], de JEAN-PAUL SARTRE; y dos obras de LUDWIG WITTGENSTEIN, *Lectures and Conversations on Aesthetics, Psychology, and Religious Belief* (1966) [Lecciones sobre estética, psicología y religión] y *Culture and Value* (1977) [Cultura y valor].

**esteticismo** Movimiento artístico europeo de fines del s. XIX, centrado en la doctrina de que el arte existe sólo en aras de su belleza. Nació como reacción a las filosofías sociales utilitaristas imperantes y a la percepción de fealdad y gusto prosaico de la era industrial. Su fundamentación filosófica fue formulada por IMMANUEL KANT, quien propuso que los estándares estéticos podían separarse de la moralidad, de la utilidad y del placer. JAMES MCNEILL WHISTLER, OSCAR WILDE y STÉPHANE MALLARMÉ llevaron el ideal del movimiento –de cultivar una sensibilidad refinada– probablemente a su apogeo. El esteticismo tuvo afinidad con el SIMBOLISMO francés y fue el precursor del ART NOUVEAU.

**estibnita** Sulfuro (Sb$_2$S$_3$), principal mineral de ANTIMONIO. Este SULFURO posee un lustre metálico brillante, del color gris del plomo o del acero y se derrite (funde) con facilidad. La estibnita se encuentra en vetas hidrotermales de baja temperatura (ver yacimiento HIDROTERMAL) y en yacimientos de SUSTITUCIÓN. Se han encontrado depósitos importantes en China, Japón y EE.UU. (Idaho, California y Nevada). La estibnita se usa para hacer fósforos, fuegos artificiales y casquillos de percusión, y era utilizado en la antigüedad como cosmético (llamado kohl) para aumentar el tamaño aparente del ojo.

**Estienne, Henri II** o **Henri II étienne** (1528, París, Francia–1598, Lyon). Impresor y erudito francés. Siendo joven, viajó por Europa, donde se dedicó a estudiar manuscritos antiguos y visitar distintos estudiosos. Posteriormente regresó a Ginebra, a la imprenta de su padre, para publicar las primeras ediciones de varios textos griegos. En 1566 sacó una edición en latín de HERÓDOTO con una polémica apología en que satirizaba amargamente su propia época. Dentro de su vasta producción de eruditos clásicos figuran un texto de PLUTARCO en griego y latín en 13 volúmenes y un diccionario griego, *Thesaurus graecae linguae*, en cinco vol. (ambos de 1572). En el s. XIX aparecieron nuevas ediciones del diccionario, su obra estelar.

**estiércol** Materia orgánica para fertilizar la tierra, compuesta generalmente por excrementos y orina del GANADO doméstico, con o sin mullida, como paja, heno o viruta. Algunos países también usan heces humanas ("abono de letrina"). Aunque el estiércol es más pobre en nitrógeno, fósforo y potasio que el FERTILIZANTE sintético, por lo cual debe ser aplicado en cantidades mucho mayores, es empero rico en HUMUS. Esta materia orgánica mejora la capacidad del suelo para absorber y almacenar agua, impidiendo con ello la erosión. Debido a que el estiércol debe ser almacenado y esparcido cuidadosamente a fin de obtener un provecho máximo, algunos agricultores se niegan a gastar el tiempo y esfuerzo necesarios para ello. Los fertilizantes químicos, aunque más concentrados y eficientes, son también más costosos y es más probable que causen escurrimiento y contaminación excesivos. Ver también ABONO VERDE.

**Estigia** o **Estigio** En la mitología GRIEGA, laguna o río de los infiernos. El nombre proviene de una palabra griega que significa tanto odio como frío extremo, y expresa aversión a la muerte. En las epopeyas de HOMERO, el juramento sagrado que vinculaba a los dioses era por las aguas de Estigia. HESÍODO personificó a Estigia como la hija del titán Océano y madre de Emulación, Victoria, Poder y Fuerza. Los antiguos creían que sus aguas eran venenosas y que podían disolver cualquier recipiente, excepto uno hecho de pezuña de caballo o asno.

**estigmas** En el MISTICISMO cristiano, marcas corporales, cicatrices o dolores sufridos en lugares que corresponden a aquellos de JESÚS crucificado –en manos y pies, cerca del corazón y a veces

Fotografía que revela los estigmas experimentados por el padre Pío, canonizado por el papa en 1999.
FOTOBANCO

en la cabeza (por la corona de espinas) u hombros y espalda (por cargar la cruz y ser azotado)–. Se supone que a menudo van acompañados de éxtasis religiosos y son considerados signos de santidad. El primero en experimentar estigmas fue san FRANCISCO DE ASÍS (1224). De las más de 330 personas identificadas con estigmas desde el s. XIV, más de 60 han sido canonizadas o beatificadas por la Iglesia católica (ver CANONIZACIÓN).

**estilística** Modalidad de los estudios literarios que enfatiza el análisis de varios elementos del estilo (como la METÁFORA y la dicción). En la antigüedad se pensaba que el estilo era el adorno adecuado del pensamiento. Dentro de esta visión, la cual prevaleció a través del Renacimiento, se pueden catalogar los recursos del estilo y se pueden forjar las ideas con la ayuda de frases paradigmáticas y tipos de figuras prescritos, que se adecuan al modo del discurso. En teorías más recientes, se ha enfatizado la relación entre el estilo y la visión singular que cada escritor tiene de la realidad.

**estilo federal** ver estilo FEDERAL

**estilo flamígero** ver estilo FLAMÍGERO

**estilo geométrico** ver estilo GEOMÉTRICO

**estilo georgiano** ver estilo GEORGIANO

**estilo internacional** ver estilo INTERNACIONAL

**estilo misional** ver estilo MISIONAL

**estilo perpendicular** ver estilo PERPENDICULAR

**estilo pintoresco** ver estilo PINTORESCO

**estilo plateresco** ver estilo PLATERESCO

**estilo radiante** ver estilo RADIANTE

**estilo rococó** ver estilo ROCOCÓ

**estilo Segundo Imperio** ver estilo BEAUX-ARTS

**estilo shinden-zukuri** ver estilo SHINDEN-ZUKURI

**estilo shingle** ver estilo SHINGLE

**estilo shoin-zukuri** ver estilo SHOIN-ZUKURI

**estilo stick** ver estilo STICK

**estilo sukiya** ver estilo SUKIYA

**estilolito** Estructura sedimentaria que consiste en una serie de columnas de piedra relativamente pequeñas, alternadas, entrelazadas y con forma de dientes; es común en la PIEDRA CALIZA, MÁRMOL y rocas similares. Las columnas individuales nunca aparecen solas sino como una sucesión de interpenetraciones que en sección transversal forman una juntura en zigzag a través de las caras de la piedra. La mayoría de los geólogos creen que los estilolitos son de origen secundario; esto es, que son el resultado de disolución química diferencial a medida que el agua subterránea circula por fracturas en la roca endurecida.

**estimación** En matemática, el uso de una FUNCIÓN o fórmula para obtener una solución o hacer una predicción. A diferencia de una aproximación, tiene implicancias precisas según el caso. En estadística, por ejemplo, implica la selección y verificación cuidadosa de una función llamada un estimador. En cálculo, se refiere a menudo a una suposición inicial para la solución de una ecuación, la cual es refinada en forma gradual por un proceso que genera estimaciones más precisas. La diferencia entre la estimación y el valor exacto es el ERROR.

**estimulante** Cualquier DROGA que excita alguna función corporal; a menudo una que estimula el sistema NERVIOSO central, induciendo una exacerbación en la alerta, un estado de ánimo exuberante, desvelo, locuacidad, aumento en la actividad motora y disminución del apetito. Sus efectos en la elevación del estado de ánimo hacen de algunos estimulantes (p. ej., ANFETAMINAS, CAFEÍNA y sus relacionadas COCAÍNA, NICOTINA) potentes drogas de abuso (ver DROGADICCIÓN). El RITALÍN, recetado para el DÉFICIT DE ATENCIÓN en niños, es un estimulante suave.

**Estiria** *alemán* **Steiermark** Estado (pob., 2001: 1.183.303 hab.), del sudeste de Austria. Habitada desde la edad de piedra, la región cayó bajo dominio romano cuando formaba parte del reino celta de NÓRICA. Estuvo regida por los bávaros en el s. VIII, perteneció al ducado de CARINTIA después de 976 y fue puesto militar fronterizo del Imperio franco en el s. XI. La zona se convirtió en ducado en 1180 y en una posesión hereditaria de la dinastía HABSBURGO en 1282. Después de la primera guerra mundial, 6.032 km² (2.329 mi²) del sur de Estiria fueron cedidos a Yugoslavia. Estiria ha sido un estado de Austria desde ese tiempo, a excepción del período 1938–45, cuando en su mayor parte formó un *Reichsgau* (distrito imperial) bajo el *Anschluss* (incorporación de Austria a Alemania). Estiria tiene una superficie de 16.387 km² (6.327 mi²) y su capital es GRAZ.

**estocástico, proceso** En teoría de PROBABILIDADES, una familia de VARIABLES ALEATORIAS indexada por algún otro conjunto, y que tiene la propiedad de que para cada subconjunto finito del conjunto de índices, la colección de variables aleatorias etiquetadas a él tiene una distribución de probabilidades conjunta. Es uno de los temas de probabilidades más extensamente estudiados. Entre los ejemplos están los procesos de Markov (en los cuales el valor presente de la variable depende sólo del pasado inmediato y no de toda la serie de eventos anteriores), como las fluctuaciones del mercado accionario, y las series en el tiempo (en las cuales, por ejemplo, las medidas de temperatura o de lluvia caída, se toman a la misma hora cada día a lo largo de varios días).

**Estocolmo** Ciudad (pob., est. 2000: ciudad, 750.348 hab.; aglomeración urbana, 1.660.700 hab.), capital de Suecia. Edificada sobre numerosas islas y penínsulas conectadas por antiguos puentes y modernos pasos superiores, Estocolmo se considera una de las capitales más hermosas del mundo. Según la tradición, el soberano sueco Birger Jarl fundó Estocolmo c. 1250. En la Edad Media, se convirtió en el principal puerto comercial de Suecia y en 1436, en su capital. Después de años de conflicto entre suecos y daneses, GUSTAVO I VASA liberó a la ciudad del dominio danés en 1523. La ciudad se desarrolló rápidamente a mediados del s. XVII, cuando Suecia se convirtió en una gran potencia , y fue su centro cultural en el s. XVIII. Se extendió la urbanización en el s. XIX, debido al aumento de la población. Además de ser el segundo puerto en importancia tras Göteborg, es el centro dominante del país en términos culturales, comerciales, financieros y educacionales.

**Estocolmo, Universidad de** Institución pública de enseñanza superior e investigación de Suecia. Sus orígenes se remontan a la Escuela Superior de Estocolmo, la cual inició sus actividades académicas en 1878 con una serie de conferencias en matemática, física, química y geología. En 1960, la Escuela Superior se convirtió en la Universidad de Estocolmo. En la actualidad, la oferta académica de la universidad comprende unos 1.050 cursos y 45 carreras de diversas disciplinas en las áreas de humanidades, ciencias sociales, derecho, matemática, y ciencias naturales. La investigación está orientada hacia el nivel básico y abarca las mismas disciplinas. Su moderno campus se encuentra emplazado dentro del primer parque nacional urbano del mundo, en la zona de Frescati, cerca de la capital.

**estoicismo** Escuela filosófica de la antigüedad grecorromana. Inspirado en las enseñanzas de SÓCRATES y DIÓGENES DE SINOPE, el estoicismo fue fundado en Atenas por ZENÓN DE CITIO c. 300 AC e influyó en todo el mundo grecorromano hasta al menos en el 200 DC. Hace hincapié en el deber y sostiene que, por medio de la razón, el universo puede ser reducido a una explicación racional y que el propio universo era una estructura racionalmente organizada, y que, al regular la vida de cada individuo, es posible emular la grandeza de la calma y el orden del universo, llegar a aceptar los acontecimientos con una actitud firme y tranquila y alcanzar un elevado valor moral. Sus enseñanzas han sido transmitidas a las generaciones

posteriores principalmente a través de los libros que sobreviven de MARCO TULIO CICERÓN y de los estoicos romanos LUCIO ANEO SÉNECA, EPICTETO y MARCO AURELIO.

**estolón** Tallo delgado que crece horizontalmente a ras del suelo y da origen a las raíces y ramas aéreas (verticales) en puntos especializados, llamados nodos. Muchas HIERBAS tienen estolones rastreros (p. ej.: agróstide [ver AGROSTIS]).

**estoma** Cualquiera de las aberturas o poros microscópicos en la epidermis de hojas y tallos tiernos. Generalmente son más numerosos en el envés foliar. Facilitan el intercambio de gases entre el aire externo y los conductos aéreos interconectados en el interior de la hoja. Un estoma se abre y se cierra en respuesta a la presión de TURGOR dentro de sus dos células oclusivas circundantes. Dado que la pared interna de cada una de estas células reniformes es más gruesa que la pared externa, al llenarse con agua y ponerse turgentes se inflan hacia afuera, ensanchando el estoma. Una baja en los niveles de dióxido de carbono a valores inferiores a lo normal, también hace que las células se pongan túrgidas. Las células oclusivas controlan la excesiva pérdida de agua de la planta, cerrándose en días muy calurosos, secos o ventosos y abriéndose cuando las condiciones son más favorables.

**estómago** Órgano digestivo sacciforme alojado en el cuadrante superior izquierdo de la cavidad ABDOMINAL, que se expande o contrae según la cantidad de alimento que contiene. Consta de cuatro partes: el cardias que lo conecta con el ESÓFAGO; el fondo que se curva en su parte superior; el cuerpo, su porción más grande; y el antro, donde se estrecha para unirse al DUODENO por intermedio de la válvula pilórica. El hierro y ciertas sustancias muy solubles en grasas (p. ej., alcohol y algunas drogas) se absorben en el estómago. La PERISTALSIS mezcla los alimentos con las ENZIMAS y con el ÁCIDO CLORHÍDRICO producidos en ciertas glándulas de su revestimiento interno, y mueve el QUIMO resultante hacia el INTESTINO DELGADO. El nervio vago y el sistema nervioso simpático controlan las secreciones y los movimientos gástricos. El estrés emocional afecta su funcionamiento. Sus afecciones más comunes son la GASTRITIS, la ÚLCERA PÉPTICA, la HERNIA hiatal y el cáncer. Ver también DIGESTIÓN; GASTRECTOMÍA.

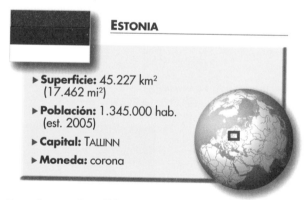

## ESTONIA

▸ **Superficie:** 45.227 km²
 (17.462 mi²)

▸ **Población:** 1.345.000 hab.
 (est. 2005)

▸ **Capital:** TALLINN

▸ **Moneda:** corona

**Estonia** *ofic.* **República de Estonia** País de Europa nororiental. Está constituido por una región continental y unas 1.500 islas e islotes en el mar Báltico. Los estonios constituyen alrededor de dos tercios de la población. Los rusos suman casi un tercio, y existen grupos minoritarios de ucranianos, fineses y belarusos. Idioma: estonio (oficial). Religiones: ortodoxa estoniana, luterana y metodista. El paisaje está dominado por tierras bajas y colinas alargadas, numerosos lagos, bosques y ríos. Tiene un clima húmedo y de temperaturas moderadamente frías. La economía es principalmente industrial; produce petróleo, maquinaria, bienes metálicos manufacturados y materiales de construcción. Se destaca por sus textiles, y el trabajo en madera es una importante actividad tradicional. Es una república unicameral; el jefe de Estado es el presidente y el jefe de Gobierno, el primer ministro. Fue invadida por los vikingos en el s. IX DC y más tarde por los daneses, suecos y rusos, pero los estonios lograron resistir los asaltos hasta que los daneses tomaron el control en 1219. En 1346, la corona danesa vendió su soberanía sobre Estonia a la Orden TEUTÓNICA, que por entonces estaba en posesión de LIVONIA (Estonia meridional y Letonia). A mediados del s. XVI Estonia fue dividida una vez más: Estonia septentrional capituló ante Suecia, y Polonia obtuvo Livonia, que entregó a Suecia en 1629. Rusia adquirió Livonia y Estonia en 1721. Cerca de un siglo más tarde, fue abolida la servidumbre de la gleba. Desde 1881, Estonia fue sometida a un intenso proceso de rusificación. En 1918 obtuvo su independencia de Rusia, la que se mantuvo hasta que la Unión Soviética ocupó el país en 1940 y la convirtió a la fuerza en república federada de la U.R.S.S. Alemania se apoderó de la región (1941–44) durante la segunda guerra mundial, pero al restablecerse el régimen soviético en 1944, la economía de Estonia fue socializada e integrada nuevamente a la Unión Soviética. En 1991, junto a otros integrantes de la ex U.R.S.S., proclamó su independencia, y a continuación realizó elecciones. En el s. XXI Estonia continuó negociando con Rusia para fijar su frontera común, y se unió a otros estados bálticos para tratar de obtener la admisión a la UNIÓN EUROPEA.

**estornino** Cualquiera de unas 168 especies de aves canoras (familia Sturnidae) de las zonas templadas de Eurasia, África y Australia. La más conocida es *Sturnus vulgaris*, un pájaro grueso, de plumaje negro iridiscente, de pico largo afilado, que mide 20 cm (8 pulg.). Se ha introducido desde Eurasia a casi todo el mundo, excepto Sudamérica. Los millones de ejemplares que existen en Norteamérica son descendientes de 100 aves soltadas en la ciudad de Nueva York en 1890. Los estorninos hurgan el suelo en busca de una amplia gama de alimentos vegetales y animales, y vuelan en bandadas cerradas. Cantan todo el año, imitando las notas de otras aves, y emitiendo sus propios sonidos sibilantes.

Estornino (*Sturnus vulgaris*).
© ENCYCLOPÆDIA BRITANNICA, INC.

**estrabismo** *o* **heterotropia** Alteración en la adecuada alineación de los OJOS para enfocar un objeto. El ojo afectado puede desviarse en cualquier dirección, ya sea hacia adentro (convergente) o hacia fuera (divergente). Los problemas con la FOTORRECEPCIÓN o las vías nerviosas que retransmiten las imágenes al cerebro causan un grado constante de desviación (concomitante); los defectos en los nervios que controlan los músculos que mueven los ojos causan desviaciones que varían con la dirección de la mirada (no concomitante). Ambos tipos impiden el desarrollo de la capacidad infantil de una visión binocular normal y fusionar en una imagen las imágenes provenientes de ambas RETINAS (reflejo de fusión). El cerebro suprime la imagen del ojo desviado, que puede quedar funcionalmente ciego. El tratamiento comprende ejercicios para fortalecer la musculatura ocular o la cirugía, o ambos.

**Estrabón** (c. 64 AC, Amaseia, Ponto, Asia Menor–c. 21 DC). Geógrafo e historiador griego. Nacido en el seno de una familia acomodada, fue discípulo de Aristodemo antes de trasla-

darse a Roma (44 AC) para estudiar en la escuela aristotélica, y luego se inclinó por el estoicismo. Solo restan unos pocos fragmentos de sus *Memorias históricas*, obra de 47 vol. que abarcaba los años 145–31 AC (publicada c. 20 AC). Su *Geografía* (c. 14 DC) es la única obra que perdura sobre el conjunto de pueblos y países conocidos por griegos y romanos durante el reinado de AUGUSTO.

**estragón** Hierba arbustiva (*Artemisia dracunculus*) aromática de la familia de las COMPUESTAS, cuyas hojas y extremos florales secados se usan para condimentar muchos platos culinarios. El estragón es un ingrediente común en mezclas de aliño, como hierbas finas. Las hojas frescas se usan en ensaladas, y el vinagre en el que se ha remojado estragón fresco es un condimento característico. La planta es probablemente originaria de Siberia; en Europa y América del Norte se cultiva una variedad francesa.

**Estrasburgo** *francés* **Strasbourg** *alemán* **Strassburg** Ciudad (pob., 1999: 264.115 hab.) oriental de Francia. Ubicada en la frontera francoalemana, Estrasburgo fue originalmente una aldea celta; se convirtió en una plaza fuerte bajo los romanos. Los FRANCOS la capturaron en el s. V, y en 842 se efectuó allí el Juramento de Estrasburgo, que unía a los francos del oeste con los del este. Adquirió la categoría de ciudad imperial libre del SACRO IMPERIO ROMANO en 1262. Fue tomada por los franceses en 1681 y capturada por Alemania en la guerra FRANCO-PRUSIANA (1870–71). Volvió a Francia después de la primera guerra mundial; sin embargo, fue nuevamente ocupada por Alemania durante la segunda guerra mundial, cuando sufrió daños considerables. En su calidad de principal puerto fluvial y centro industrial, es sede del Consejo de EUROPA y punto de comunicaciones internacionales. Entre sus edificios notables, destaca la catedral medieval restaurada con su reloj astronómico del s. XIV. Desde 1979 alterna con la ciudad de Luxemburgo la sede del parlamento de la UNIÓN EUROPEA.

**estratega** En la antigua Grecia, general que solía actuar como magistrado con amplios poderes. CLÍSTENES instauró en Atenas una junta anual de diez estrategas para que se desempeñaran como comandantes del ejército; la responsabilidad de cada operación militar era entregada a uno o más de ellos, con igual rango. En el s. V AC, los estrategas ganaron influencia política, en parte porque eran elegidos y podían ser reelegidos, lo que les permitía mantenerse largo tiempo en el cargo. Durante la época HELENÍSTICA, los estrategas eran los magistrados supremos en la mayoría de las federaciones y ligas. En Egipto (s. III AC–s. IV DC) actuaban como gobernadores civiles.

**estrategia** En la guerra, aplicación coordinada de todas las fuerzas de una nación para alcanzar un objetivo. En contraposición con la TÁCTICA, los elementos de la estrategia comprenden una visión de largo alcance, la preparación de los recursos y la planificación para el uso de los recursos antes, durante y después de una acción bélica. El término se ha extendido mucho más allá de su significado militar original. A medida que la sociedad y la guerra se han vuelto sostenidamente más complejas, los factores militares y no militares se han hecho cada vez más inseparables en la conducción de la guerra y en los programas diseñados para asegurar la paz. En el s. XX, el término gran estrategia, que significa el arte de emplear todos los recursos de una nación o de una coalición de naciones para alcanzar los objetivos de guerra (y paz), se generalizó cada vez más en la bibliografía acerca del arte de gobernar y de guerra.

Arquitectura medieval en la zona histórica de Tallinn, capital de Estonia e importante puerto del mar Báltico.
MAHAUX PHOTOGRAPHY/THE IMAGE BANK/GETTY IMAGES

**estratificación** Formación de capas o estratos que ocurre en la mayoría de las ROCAS SEDIMENTARIAS y en aquellas ROCAS ÍGNEAS que se forman sobre la superficie de la Tierra, tales como las provenientes de flujos de lava y depósitos volcánicos. Las capas (estratos) pueden variar desde finas capas que cubren muchos kilómetros cuadrados hasta gruesos cuerpos de pocos metros de ancho.

**estratigrafía** Disciplina científica que se ocupa de la descripción de los estratos o capas de terreno que forman la corteza terrestre, y su interpretación en términos de una escala de tiempo. Constituye una base para la geología histórica, y sus principios y métodos se aplican en campos como la geología del petróleo y la arqueología. Los estudios estratigráficos trabajan principalmente con ROCAS SEDIMENTARIAS, pero también pueden abarcar rocas ígneas estratificadas (p. ej., aquellas que resultan de múltiples flujos de lava) o roca metamórfica formada ya sea a partir de material ígneo extrusivo o de rocas sedimentarias.

**Estratofortaleza** ver B-52

**estratosfera** Capa de la ATMÓSFERA que se ubica sobre la TROPOSFERA. La estratosfera se extiende desde un límite inferior de 17 km (11 mi) aprox. de altitud hasta un límite superior (la estratopausa) de alrededor de 50 km (30 mi). La CAPA DE OZONO es parte de la estratosfera.

**estrechos, cuestión de los** Controversia recurrente en los s. XIX–XX acerca del paso de buques de guerra por los estrechos del Bósforo y Dardanelos entre el mar Negro y los mares Egeo y Mediterráneo. Ambos estrechos estaban en territorio turco, pero cuando Rusia obtuvo el dominio de la orilla norte del mar Negro, sus buques tuvieron libre paso. Rusia quiso controlar el paso de buques no turcos mediante el tratado de HÜNKÂR İSKELESI (1833), pero esta situación se revirtió en la Convención de los estrechos en Londres (1841). Posteriormente, el tratado de LAUSANA (1923) permitió el libre paso a todos los buques de guerra, hasta que fue revisado por la convención de MONTREUX (1936), que restableció el derecho de Turquía a restringir el acceso de naves de estados que no tienen soberanía sobre el mar Negro.

**Estrechos, Establecimientos de los** inglés **Straits Settlements** Antigua colonia de la corona británica, en el estrecho de MALACA. Comprendía tres centros comerciales, PENANG, SINGAPUR y Malaca, que fueron fundados u ocupados por la COMPAÑÍA INGLESA DE LAS INDIAS ORIENTALES. Establecidos en 1826 bajo el control de la Compañía de las Indias, pasó a ser una colonia de la Corona británica en 1867. Las islas COCOS, la isla Christmas y Labuan fueron agregadas a inicios del s. XX. Ocupada por los japoneses durante la segunda guerra mundial, se dividió en 1946 cuando Singapur se transformó en una colonia separada. Las partes restantes fueron finalmente cedidas a Australia y Malasia.

**estrella** Cualquier cuerpo celeste gaseoso de gran masa que brilla por energía radiante generada en su interior. La VÍA LÁCTEA contiene cientos de miles de millones de estrellas; sólo una fracción muy pequeña es visible a simple vista. La estrella más cercana está a alrededor de 4,2 años-luz del Sol; las más distantes se encuentran en GALAXIAS a miles de millones de años-luz. Estrellas individuales como el SOL son escasas; la mayoría constituye pares, sistemas múltiples o cúmulos (ver ESTRELLA BINARIA; CÚMULO GLOBULAR; CÚMULO ABIERTO). Las CONSTELACIONES no consisten en agrupaciones como las anteriores; se trata de estrellas ubicadas en la misma dirección en el cielo cuando se observan desde la Tierra. Las estrellas tienen brillos (MAGNITUDES), colores, temperaturas, masas, tamaños, composiciones químicas y edades muy variados. En casi todas, el HIDRÓGENO es el elemento más abundante. Las estrellas se clasifican por su ESPECTRO, desde azules y blancas a rojas, como O, B, A, F, G, K o M; el Sol es una estrella de tipo espectral G. A partir

de correlaciones entre ciertas propiedades de las estrellas y de resultados estadísticos (ver diagrama de HERTZSPRUNG-RUSSELL) es posible generalizar sobre su naturaleza y evolución. Una estrella se forma cuando una porción de una nube interestelar de hidrógeno y granos de polvo colapsa debido a su propia gravedad. A medida que la nube se condensa, su densidad y temperatura interna aumentan, hasta que está lo suficientemente caliente como para generar una FUSIÓN NUCLEAR en su núcleo (en caso contrario, el resultado es una ESTRELLA ENANA MARRÓN). Después que el hidrógeno se agota en el núcleo como resultado de la fusión, este se contrae y calienta a medida que las capas externas de la estrella se expanden significativamente, enfriándose y la estrella se convierte en una gigante roja. Las etapas finales en la evolución estelar, cuando la estrella ya no genera energía suficiente para contrarrestar su propia gravedad, dependen principalmente de su masa y del hecho que sea una componente de un sistema binario cercano (ver AGUJERO NEGRO; ESTRELLA DE NEUTRONES; ESTRELLA ENANA BLANCA; NOVA; PULSAR; SUPERNOVA). Se sabe que algunas estrellas, además del Sol, poseen uno o más planetas (ver PLANETAS EXTRASOLARES). Ver también ESTRELLA ENANA; ESTRELLA GIGANTE; ESTRELLA RÁFAGA; ESTRELLA SUPERGIGANTE; estrella T-TAURI; ESTRELLA VARIABLE; ESTRELLA VARIABLE ECLIPSANTE; POBLACIONES I Y II; variable CEFEIDA.

**estrella binaria** Pareja de estrellas en órbita en torno a un centro de gravedad común. Sus tamaños, brillos y distancias relativas pueden variar enormemente. Quizás la mitad de las estrellas de la VÍA LÁCTEA son binarias o miembros de sistemas estelares múltiples más complejos. Algunas binarias forman un tipo de ESTRELLAS VARIABLES (ver ESTRELLAS VARIABLES ECLIPSANTES). Las estrellas pueden ser reconocidas como componentes de sistemas binarios de varias maneras: usando un telescopio, a través de observaciones espectroscópicas, por cambios en su brillo aparente (cuando la estrella más débil eclipsa a su compañera), o por cambios en el MOVIMIENTO PROPIO de la estrella visible (a causa de la atracción gravitacional de la compañera invisible).

**estrella Can** ver SIRIO

**Estrella de David** hebreo **Magen David** ("Escudo de David"). Símbolo judío compuesto de dos triángulos equiláteros sobrepuestos que forman una estrella de seis puntas. Está presente en sinagogas, lápidas y la bandera de Israel. Un signo antiguo poco usado por los judíos antes de la Edad Media, fue popularizado por los cabalistas como protección contra los espíritus malignos. La comunidad judía de Praga lo adoptó como símbolo oficial y su uso se generalizó en el s. XVII. Aunque no tiene respaldo bíblico ni talmúdico, se convirtió en emblema casi universal del judaísmo en el s. XIX. El uso nazi de la estrella para identificar a los judíos la convirtió además en símbolo del martirio y el heroísmo.

**estrella de mar** Cualquiera de 1.800 especies de EQUINODERMOS (clase Asteroidea) con brazos regenerables que rodean un

disco indistinto y que habita en todos los océanos. Las especies miden de 1–65 cm (0,4 a 25 pulg.) de diámetro, pero la mayoría mide 20–30 cm (8–12 pulg.). Sus brazos, normalmente cinco, son huecos y, como el disco, están cubiertos de espinas cortas y órganos como pinzas; en la cara inferior tiene ambulacros (pies tubulares), a veces terminados en ventosas, usados para arrastrarse o aferrarse a superficies escarpadas. Algunas especies

Estrella de mar (*Asterias forbesi*).
FOTOBANCO

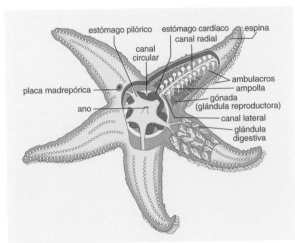

estómago pilórico
estómago cardíaco
espina
canal radial
canal circular
ambulacros
ampolla
placa madrepórica
gónada (glándula reproductora)
ano
canal lateral
glándula digestiva

Características principales de una estrella de mar. El agua que usa el aparato ambulacral penetra por la placa madrepórica; pasa a un canal circular y de ahí a los canales radial y lateral, para luego entrar a los ambulacros, que están conectados con las ampollas sacciformes, en la parte superior. La contracción de los ambulacros impulsa el agua hacia las ampollas, generando una succión que permite a las ventosas de los extremos ambulacrales adherirse a una superficie. Cuando las ampollas se contraen, el agua es impulsada a los ambulacros, extendiéndolos y cesando la succión. Estas acciones coordinadas le permiten moverse, adherirse y capturar su presa. En muchas estrellas de mar el estómago cardíaco se evierte por la boca, situada en la cara ventral, para envolver la presa. La digestión puede comenzar fuera del cuerpo, antes de que el estómago se repliegue.

© 2006 MERRIAM-WEBSTER INC.

barren partículas orgánicas hacia la boca situada en la cara ventral del disco. Otras evierten el estómago sobre su presa y la digieren en el exterior o se la tragan completamente.

**estrella de mar corona de espinas** ESTRELLA DE MAR rojiza sembrada de púas (*Acanthaster planci*) con 12–19 brazos y que suele medir 45 cm (18 pulg.) de diámetro. Se alimenta de PÓLIPOS de coral. A comienzos de c. 1963, su población en la Gran Barrera Australiana aumentó extraordinariamente. Se temió la destrucción de los arrecifes de coral y las islas, y se desplegaron grandes esfuerzos para exterminarla. Desde entonces se han registrado otros brotes en todo el Pacífico sur. Se desconoce la causa de estos brotes, pero se han esgrimido varios factores, como el exterminio llevado a cabo por coleccionistas de conchas del principal predador de la estrella de mar, el tritón del Pacífico (un caracol marino). Hay otros factores implicados, como el escurrimiento del suelo rico en nutrientes hacia las aguas de los arrecifes debido al desarrollo del borde costero. Las fluctuaciones de la población también podrían ser una característica de la ecología natural de la estrella de mar; la influencia humana puede alterar estos ciclos.

Estrella de mar corona de espinas (*Acanthaster planci*).
A. GIDDINGS—BRUCE COLEMAN INC.

**estrella de neutrones** Tipo de ESTRELLA extremadamente densa y compacta que se cree está compuesta de preferencia por NEUTRONES, con una atmósfera exterior muy delgada formada sobre todo por átomos de hierro, electrones y protones. Con un diámetro típico de unos 20 km (12 mi), tienen una masa aproximada que es al doble de la del Sol, y por lo tanto tienen densidades muy altas (cerca de 100 billones la del agua). Las estrellas de neutrones poseen CAMPOS MAGNÉTICOS muy poderosos. Se diferencian de los AGUJEROS NEGROS por tener una superficie sólida. Debajo de esa superficie la presión es tan alta que no es posible la existencia de átomos individuales; los protones y los electrones se compactan convirtiéndose en neutrones al anularse sus cargas. El descubrimiento de los PULSARES, en 1967, entregó la primera evidencia de la existencia de las estrellas de neutrones, pronosticadas a comienzos de la década de 1930; se cree que se forman en explosiones de SUPERNOVAS. Ver también ESTRELLA ENANA BLANCA.

**estrella enana** Cualquier ESTRELLA de luminosidad, masa y tamaño promedio o bajo, incluyendo las ESTRELLAS ENANAS BLANCAS y las enanas rojas. Las estrellas enanas abarcan la mayoría de las estrellas de la secuencia principal (ver diagrama de HERTZSPRUNG-RUSSELL), entre ellas el SOL. Sus colores varían desde el azul hasta el rojo, correspondientes a temperaturas que fluctúan entre los 10.000 °C (17.500 °F) o más hasta sólo algunos miles de grados.

**estrella enana blanca** Cualquiera de una clase de ESTRELLAS pequeñas y débiles que representan la etapa terminal de la evolución de una estrella sin masa suficiente para transformarse en una ESTRELLA DE NEUTRONES o en un AGUJERO NEGRO. Llamadas así debido al color blanco de las primeras que se descubrieron, tienen en realidad una gama de colores que depende de su temperatura. Son extremadamente densas, conteniendo por lo común la masa del Sol en un volumen equivalente al de la Tierra. Las enanas blancas han consumido todo su combustible nuclear y no pueden producir calor por medio de la FUSIÓN NUCLEAR para contrarrestar su propia gravedad, la cual comprime sus átomos hasta un punto en que no es posible una mayor contracción gravitacional. Cuando la reserva de energía térmica de una enana blanca se acaba (después de varios miles de millones de años), deja de irradiar y se transforma en un desecho estelar frío e inerte, a veces llamado enana negra. Se afirma que existe un límite superior para la masa que puede alcanzar una enana blanca, conocido como el límite de Chandrasekhar (ver SUBRAHMANYAN CHANDRASEKHAR), que equivale a 1,4 veces aprox. la masa del Sol. Estrellas con una masa superior a este límite sufren una explosión de SUPERNOVA. Como miembros de ESTRELLAS BINARIAS, las estrellas enanas blancas tienen un rol fundamental en la energía liberada por las NOVAS.

**estrella enana marrón** Objeto astronómico con una masa mayor que la de un PLANETA, pero menor que la de una ESTRELLA. A veces descritas como estrellas frustradas, se cree que las enanas marrón se forman de la misma manera que las estrellas, a partir de fragmentos de una nube interestelar que se contrae formando objetos vinculados gravitacionalmente. Sin embargo, no tienen masa suficiente como para producir el calor interno que en las estrellas produce la FUSIÓN NUCLEAR del hidrógeno. Aunque generan algo de calor y de luz, también se enfrían con rapidez, disminuyendo su volumen; es posible que se diferencien de los planetas de gran masa sólo en la manera en que se forman.

**estrella fugaz** ver METEORO

**estrella gigante** Estrella con un radio relativamente grande para su masa y temperatura; por lo tanto posee una gran superficie que emite luz, de tal modo que estas estrellas son brillantes. Hay varias subclases de estrellas gigantes, como las ESTRELLAS SUPERGIGANTES, las estrellas rojas (con bajas temperaturas pero muy brillantes) y las subgigantes (con radios y brillos algo menores). Algunas gigantes son cientos de miles de veces más brillantes que el Sol. Las gigantes y supergigantes pueden tener masas entre 10 y 30 veces la del Sol, y volúmenes millones de veces más grandes, por lo que se concluye que son estrellas de muy baja densidad.

**estrella Polar** *o* **estrella del Norte** Estrella que actualmente ocupa en el cielo el punto correspondiente al polo norte celeste (estrella visible del hemisferio norte hacia el cual apunta el eje de rotación terrestre). Se encuentra al final del "mango" del *Little Dipper* ("pequeña cacerola") en la constelación de la Osa Menor. La estrella Polar es en realidad un sistema estelar triple, compuesto por una ESTRELLA BINARIA y una variable CEFEIDA. La PRECESIÓN del eje terrestre provocó que en los tiempos del antiguo Egipto la "estrella polar" correspondiera a la estrella Thuban, en la constelación Dragón; la precesión provocará que en 12.000 años más el polo norte celeste apunte a la estrella Vega, en la constelación Lira.

**estrella ráfaga** ESTRELLA que varía su brillo de manera repetida pero esporádica, a veces por más de una MAGNITUD, en el lapso de unos pocos minutos. Se cree que esto se debe a la erupción de llamaradas parecidas a aquellas observadas en el Sol, pero mucho más grandes (ver LLAMARADA SOLAR). Próxima Centauro, en ALFA CENTAURO, la estrella más cercana al Sol, es una estrella ráfaga.

**estrella supergigante** ESTRELLA de gran luminosidad intrínseca y de relativo gran tamaño, comúnmente varias MAGNITUDES más brillante y varias veces mayor que una ESTRELLA GIGANTE. Como otras clases de estrellas, se distinguen en la práctica por la presencia de ciertas líneas en sus espectros (ver ESPECTROSCOPIA). Una supergigante puede tener un diámetro varios cientos de veces el del Sol y una luminosidad cercana a un millón de veces mayor. Las supergigantes probablemente viven sólo algunos millones de años, una vida muy corta para una estrella.

**estrella T-Tauri** ver estrella T-TAURI

**estrella variable** ESTRELLA cuyo brillo observado varía notoriamente en intensidad. Las variables pulsantes se expanden y contraen en ciclos, pulsando de manera rítmica en brillo y tamaño. Las variables explosivas incluyen las NOVAS y las SUPERNOVAS, cuyo brillo aumenta muy rápidamente debido a una emisión violenta de energía radiante; el aumento de brillo dura un tiempo corto, al que sigue una disminución relativamente lenta del mismo. Las ESTRELLAS VARIABLES ECLIPSANTES son variables sólo debido a que la luz de una estrella es obstruida por otra estrella alineada con la Tierra. Se conocen cientos de miles de estrellas variables. Ver también variable CEFEIDA; ESTRELLA BINARIA; ESTRELLA RÁFAGA; PULSAR; estrella T-TAURI.

**estrella variable eclipsante** *o* **binaria eclipsante** ESTRELLA BINARIA en una órbita cuyo plano pasa por la Tierra o muy cerca de ella, de manera que un observador terrestre ve que una estrella pasa periódicamente frente a la otra, disminuyendo su brillo por efecto de un ECLIPSE. La primera estrella de este tipo, descubierta en 1782, fue Algol, en la constelación Perseo; hoy se conocen miles. Combinando las variaciones de brillo con información espectroscópica de ambas estrellas, los astrónomos pueden determinar la masa y el tamaño de cada una. Ver también ESTRELLA VARIABLE.

**estreptococo** Cualquiera de las BACTERIAS esferoidales que conforman el género *Streptococcus*. Por lo general se agrupan en cadenas semejantes a sartas de cuentas. Son gram positivos (ver tinción de GRAM), estacionarios y anaeróbicos. Algunas especies causan infecciones como la FIEBRE REUMÁTICA, la ESCARLATINA, la GLOMERULONEFRITIS AGUDA, la faringitis

Bacteria *Streptococcus mutans*, causante de caries dentales.
DR DAVID PHILLIPS/VISUALS UNLIMITED/GETTY IMAGES

estreptocócica y la AMIGDALITIS. Otras se emplean como cultivo matriz para la producción comercial de manteca, leche agria cultivada y ciertos quesos. Ver también NEUMOCOCO.

**estreptomicina** ANTIBIÓTICO sintetizado por el ACTINOMICETES *Streptomyces griseus*, encontrado en la tierra. Está entre los primeros antibióticos descubiertos (1943, por SELMAN WAKSMAN), después de la PENICILINA, la gramicidina y la tirocidina. Es el primer antibiótico efectivo en contra de la TUBERCULOSIS, que interfiere con la capacidad del bacilo de Koch para sintetizar ciertas proteínas vitales. Aún tiene algún uso, en combinación

con la penicilina para tratar la endocarditis, y con tetraciclinas, en el tratamiento de la peste, la tularemia y la brucelosis.

**estrés** En psicología, estado de tensión mental o físico resultado de factores que tienden a alterar el equilibrio existente. El estrés es un efecto inevitable de la vida y constituye un fenómeno especialmente complejo en la sociedad tecnológica moderna. Ha sido relacionado con la CARDIOPATÍA CORONARIA, con los TRASTORNOS PSICOSOMÁTICOS y varios otros problemas mentales y físicos. Por lo general, el tratamiento consiste en una combinación de ORIENTACIÓN o PSICOTERAPIA y medicamentos.

**estrés postraumático, trastorno por (TEP)** Reacción psicológica que se origina después de un evento altamente estresante, caracterizado por DEPRESIÓN, ANSIEDAD, recuerdos intrusivos, pesadillas recurrentes y por la evitación de recuerdos de los acontecimientos sucedidos. Los eventos traumáticos pueden ser accidentes automovilísticos, violación o asalto, combate militar, tortura, encarcelamiento en un campo de concentración, y desastres naturales como inundaciones, incendios o terremotos. Los efectos a largo plazo son problemas matrimoniales y familiares, dificultades laborales y abuso de alcohol y de otras drogas. Para su tratamiento se utiliza la PSICOTERAPIA y la TERAPIA DE GRUPO.

**estricnina** Compuesto orgánico, un ALCALOIDE venenoso obtenido de las semillas del árbol de la nuez vómica de India y de plantas relacionadas con el género *Strychnos*. No se disuelve en agua y tiene mala solución en alcohol; tiene un sabor amargo intenso. Se ha utilizado en VENENOS para roedores. La estricnina, dentro de los 20 minutos después de su ingestión, provoca contracciones musculares dolorosas y convulsiones, empujando la cabeza hacia atrás y arqueando la espalda; generalmente la muerte resulta por los espasmos de los músculos respiratorios. Los veterinarios la usan como estimulante, en dosis pequeñas.

**estro** Período del ciclo sexual de los MAMÍFEROS hembras, excepto los PRIMATES superiores, durante el cual están en celo (listas para aparearse con un macho). Algunos animales (p. ej., los PERROS) entran en celo una sola vez durante una temporada reproductora; otros (p. ej., las ARDILLAS TERRESTRES), reiteradamente durante la temporada reproductora hasta quedar preñadas. Durante el estro, la hembra secreta FEROMONAS que indican su receptividad a los machos; su área genital puede hincharse y además puede dar señales conductuales.

**estroboscopio** Instrumento que ilumina en forma repetitiva un objeto que gira o vibra, a fin de estudiar su movimiento o de determinar su velocidad de rotación o la frecuencia con que vibra. El efecto se logra produciendo descargas súbitas muy cortas de luz distribuidas en el tiempo, de manera que se produzcan cuando la pieza que gira o vibra esté en la misma fase de su movimiento. Al iluminar con un estroboscopio la pieza de una máquina en movimiento, esta parece girar muy lentamente o incluso estar detenida.

**estrógeno** Cualquiera de una clase de hormonas que afectan de manera primordial el desarrollo, maduración y funcionamiento del sistema REPRODUCTOR HUMANO de la mujer. Los tres principales estrógenos –estradiol, estrona y estriol– son producidos fundamentalmente por los OVARIOS y la PLACENTA; las GLÁNDULAS SUPRARRENALES y los TESTÍCULOS secretan cantidades menores. Los estrógenos afectan los ovarios, la VAGINA, las trompas de falopio, el ÚTERO y las GLÁNDULAS MAMARIAS, y juegan roles cruciales en la PUBERTAD, MENSTRUACIÓN, EMBARAZO y PARTO (trabajo de parto). También influyen en las diferencias estructurales entre los cuerpos de mujeres y hombres. En experimentos con animales, la pérdida de estrógenos disminuye los deseos de apareamiento y otros patrones de conducta.

**estromatolita** Depósito estratificado, principalmente de PIEDRA CALIZA, formado por el crecimiento de alga verde-azul (ver CIANOBACTERIA). Por lo general estas estructuras se caracterizan por capas delgadas, alternadas claras y oscuras, que pueden ser planas, o con forma de montículo o de domo. Las estromatolitas fueron comunes en el PRECÁMBRICO (más de 543 millones de años atrás). Algunas de las primeras formas de vida en la Tierra están fosilizadas en estromatolitas, en rocas de 3.500 millones de años. Hoy siguen formándose estromatolitas en ciertas áreas, con mayor abundancia en Shark Bay, en el oeste de Australia.

**estroncio** ELEMENTO QUÍMICO, uno de los METALES ALCALINO-TÉRREOS, de símbolo químico Sr y número atómico 38. Es un metal blando que tiene un lustre plateado cuando está recién cortado, pero reacciona rápidamente con el aire. Tanto como metal como en sus compuestos (en los cuales tiene VALENCIA 2), el estroncio se asemeja tanto al CALCIO y al BARIO que tiene pocos usos que los otros dos elementos no puedan suministrar de forma más económica. El nitrato y el clorato, muy volátiles, dan llamas de color carmesí brillante, y se utilizan en bengalas, fuegos artificiales y balas trazadoras. El ISÓTOPO radiactivo estroncio 90 (ver RADIACTIVIDAD), producido en explosiones nucleares, es el principal peligro para la salud en la precipitación RADIACTIVA; puede reemplazar parte del calcio en los alimentos, concentrarse en los huesos y dientes, y causar LESIÓN POR RADIACIÓN.

**estructura antisísmica** ver estructura ANTISÍSMICA

**estructura de cables** ver estructura de CABLES

**estructura de carpa** ver estructura de CARPA

**estructura de cáscaras** ver estructura de CÁSCARA

**estructura de datos** Modo en que los datos se almacenan para búsqueda y recuperación eficiente. La estructura de datos más simple es el arreglo (lineal) de una dimensión, en el cual los elementos almacenados se enumeran con enteros consecutivos y los contenidos son referenciados mediante estos números. Los datos almacenados en localidades no consecutivas de memoria pueden ser enlazados por punteros (direcciones de memoria guardadas con elementos para indicar dónde está localizado el o los "siguientes" elementos en la estructura). Se han desarrollado muchos ALGORITMOS para ordenar los datos en forma eficiente; estos se aplican a estructuras residentes en memoria principal y también a estructuras que componen los sistemas de información y las BASES DE DATOS.

**estructura de membrana** ver estructura de MEMBRANA

**estructura neumática** ver estructura NEUMÁTICA

**estructural, sistema** En construcción, el método específico de montaje y construcción de los elementos estructurales de un edificio, de manera que soporten y transmitan las cargas externas en forma segura al terreno, sin exceder los esfuerzos admisibles en ninguno de los elementos. Los sistemas básicos son el MURO SOPORTANTE, postes y vigas, marcos, membrana y suspensión. Hay tres categorías principales de construcciones: baja altura, gran altura y grandes luces. Los sistemas para edificios de grandes luces (espacio libre entre columnas de más de 30 m o 100 pies) incluyen sistemas de tracción y compresión (sometidos a flexión) y sistemas funiculares, los cuales son conformados para que soporten ya sea tracción pura o compresión pura. Las estructuras sometidas a flexión son una VIGA MAESTRA y una malla de vigas en ambos sentidos que soportan losas. Las estructuras funiculares comprenden las estructuras de CABLES, las estructuras de MEMBRANA y las cúpulas y bóvedas. Ver también estructura de ARMAZÓN; estructura de CÁSCARA; sistema de PILAR Y VIGA.

**estructuralismo** Movimiento europeo fundamental de mediados del s. XX. Se basa en las teorías lingüísticas de FERDINAND DE SAUSSURE, quien sostuvo que la lengua es un sistema de signos que conforma un todo, y en las teorías culturales de CLAUDE LÉVI-STRAUSS, quien postuló que las culturas, al igual que las lenguas, pueden considerarse sistemas de signos y pueden analizarse en términos de las relaciones estructurales entre sus elementos. Un aspecto clave del estructuralismo es el concepto de que las oposiciones binarias (por ej., masculino/femenino, público/privado, cocido/crudo) revelan la lógica o "gramática" inconsciente de un sistema. El estructuralismo literario considera los textos literarios como sistemas de signos interrelacionados y busca explicitar su lógica oculta. Algunas figuras prominentes del movimiento estructuralista son MICHEL FOUCAULT, JACQUES LACAN, ROMAN JAKOBSON y ROLAND BARTHES. Entre los campos de estudio que han adoptado y desarrollado los postulados y métodos estructuralistas se cuentan la SEMIÓTICA y la narratología. Ver también DECONSTRUCCIÓN.

**Estuardo, casa de los** *inglés* **Stuart, Stewart** *o* **Steuart** Dinastía real de Escocia (1371–1714) y de Inglaterra (1603–49, 1660–1714). Los miembros más antiguos de la familia eran mayordomos (en inglés, *steward*) en la Bretaña del s. XI. En el s. XII, uno de sus miembros ingresó al servicio de DAVID I (r. 1124–53) en Escocia y recibió el título de senescal. El 6° senescal casó con la hija del rey ROBERTO I Bruce y en 1371 su hijo se convirtió en el rey ROBERTO II, el primer rey Estuardo de Escocia (r. 1371–90). En los s. XV–XVII, la lista de sus descendientes incluía a los monarcas escoceses JACOBO I, JACOBO II, JACOBO III, JACOBO IV, MARÍA I y Jacobo VI (que heredó el trono inglés como JACOBO I). Los Estuardo (quienes finalmente adoptaron la pronunciación francesa de su nombre) fueron excluidos del trono inglés después de la ejecución de CARLOS I, pero lo recuperaron con la restauración de CARLOS II en 1660. Fue sucedido por JACOBO II, GUILLERMO III, MARÍA II y ANA. La línea dinástica real llegó a su fin en 1714 y la corona británica pasó a la casa de HANNOVER, a pesar de los posteriores reclamos del hijo de Jacobo II, JACOBO EDUARDO (el Viejo Pretendiente), y de su nieto CARLOS EDUARDO (el Joven Pretendiente).

**Estuardo, estilo** Estilo de las artes visuales producido en Gran Bretaña durante el reinado de los ESTUARDO (1603–1714, a excepción del *interregnum* de OLIVER CROMWELL). Aun cuando el período abarcó varios movimientos estilísticos específicos, durante la mayor parte de ese lapso los artistas se inspiraron en los movimientos contemporáneos del continente (sobre todo el barroco), especialmente de Italia, Flandes y Francia. Entre los maestros del estilo Estuardo destacan los arquitectos ÍNIGO JONES y CHRISTOPHER WREN. Ver también estilo JACOBINO; estilo REINA ANA.

**estuario** Zona costera semicerrada donde se mezclan aguas fluviales y marítimas. Por lo tanto, un estuario se define más por su salinidad que por sus características geográficas. Muchos accidentes costeros designados con otros nombres son de hecho estuarios (p. ej., la bahía Chesapeake). Algunas de las más antiguas civilizaciones perdurables florecieron en el ambiente de un estuario

Estuario del Erme, Inglaterra. FOTOBANCO

(p. ej., Mesopotamia entre el Tigris y el Éufrates, el delta del Nilo, el delta del Ganges y el valle del curso inferior del Huang He). Ciudades como Londres (río Támesis), Nueva York (río Hudson) y Montreal (río San Lorenzo) se desarrollaron en estuarios y se convirtieron en importantes centros comerciales.

**estuco** Enyesado interior o exterior usado como decoración tridimensional, como superficie lisa para ser pintada o como base húmeda para pinturas al fresco. Hoy el término se restringe a menudo al revestimiento de yeso tosco de muros exteriores. Hay ejemplos de esto en todo el mundo; ya en 1400 AC se aplicaba estuco en los muros de los templos de Grecia. Los arquitectos romanos estucaron los ásperos muros de piedra o ladrillo de monumentos como los baños de la villa de ADRIANO. El estuco se usó ampliamente en la arquitectura barroca y renacentista. Debido a las variadas maneras en que puede ser tratado, el estucado continúa siendo popular. En la década de 1920, en las regiones más cálidas de EE.UU., los bungalows estucados se veían virtualmente por doquier.

**estudios culturales** Campo interdisciplinario dedicado al estudio del papel de las instituciones sociales en la configuración de la CULTURA. En un principio se identificaban con el Centro de estudios culturales contemporáneos de la Universidad de Birmingham (fundado en 1964) y con académicos como Richard Hoggart, Stuart Hall y Raymond Williams. Los estudios culturales actualmente son reconocidos en numerosas instituciones académicas como una disciplina o área de convergencia, y han ejercido una gran influencia en la SOCIOLOGÍA, ANTROPOLOGÍA, HISTORIOGRAFÍA, FILOSOFÍA, la CRÍTICA LITERARIA BRITÁNICA y la crítica de ARTE. Entre sus temáticas centrales se encuentra la distribución de la RAZA (o etnicidad), la CLASE SOCIAL y el género en la producción del conocimiento cultural.

**estudios grandes, sistema de** *inglés* **studio system** Sistema mediante el cual las compañías cinematográficas estadounidenses controlaron todos los aspectos de producción, distribución y exhibición de sus películas. En la década de 1920, los estudios cinematográficos como PARAMOUNT y MGM adquirieron cadenas de salas de cine con el fin de consolidar su control vertical sobre la industria, y WARNER BROTHERS, RKO y TWENTIETH CENTURY-FOX establecieron dominios similares poco tiempo después. Los altos ejecutivos decidían qué tipo de películas se producían y qué actores y directores se contrataban, de modo que fueron pocos los cineastas que tuvieron alguna independencia en la realización de sus películas. El sistema también desarrolló el "star system", que consistió en preparar ciertos actores para el estrellato, y en el que los ejecutivos escogían sus papeles, publicitaban sus glamorosas vidas fuera de las pantallas y los mantenían bajo control mediante largos contratos. En 1948, el sistema declinó debido tanto a una resolución de la Corte Suprema de EE.UU., que exigió a los grandes estudios vender sus cadenas de cine, así como por la creciente competencia de la televisión, que obligó a los estudios a disminuir su personal. El sistema dejó de existir en la década de 1960.

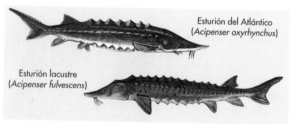

Esturión del Atlántico
(*Acipenser oxyrhynchus*)

Esturión lacustre
(*Acipenser fulvescens*)

Especies de esturión.
© ENCYCLOPÆDIA BRITANNICA, INC.

**esturión** Cualquiera de unas 20 especies de peces primitivos grandes (familia Acipenseridae) que viven principalmente en el sur de Rusia, Ucrania y Norteamérica. La mayoría de las especies habitan en el mar y ascienden los ríos para desovar; unos pocos moran en forma permanente en agua dulce. Sus cuatro barbillas táctiles cerca de la boca desdentada detectan los invertebrados y los peces pequeños en el fondo fangoso. La carne y huevos de esturión, o hueva (CAVIAR), se venden como alimento. La vejiga natatoria se utiliza en la ictiocola, una gelatina. El esturión del Báltico (*Acipenser sturio*) y varias otras especies están en peligro de extinción. El esturión del Atlántico (*A. oxyrhynchus*), sin embargo, es común a lo largo de la costa oriental de Norteamérica y, por lo general, mide unos 3 m (10 pies) de largo y pesa unos 225 kg (500 lb). Ver también HUSO.

**esvástica** *o* **cruz gamada** Cruz equilátera con los brazos acodados en ángulo recto, todos en la misma dirección de rotación, generalmente en el sentido de las manecillas del reloj. Se utiliza comúnmente en todo el mundo como símbolo de prosperidad y buena fortuna. En India sigue siendo el símbolo de buen augurio más común de hindúes y jainés, así como para los budistas, para quienes simboliza los pies o las huellas de Buda. En China y Japón, donde llegó con la propagación del budismo, se ha utilizado la esvástica para indicar pluralidad, prosperidad y longevidad. Aparece como motivo en el arte cristiano antiguo y bizantino, como también en el arte maya y navajo. La esvástica en sentido contrario a las manecillas del reloj, que en 1910 el poeta y nacionalista alemán Guido von List propuso como símbolo general antisemita, fue adoptada como emblema del PARTIDO NAZI cuando se fundó en 1919–20.

**etanol** *o* **alcohol etílico** *o* **alcohol de grano** Compuesto orgánico de fórmula química $CH_3CH_2OH$, el más importante de los ALCOHOLES. Producido por FERMENTACIÓN, es el ingrediente intoxicante en las BEBIDAS ALCOHÓLICAS. En EE.UU., el etanol para fines industriales es fabricado por síntesis química, purificado por DESTILACIÓN, y para evitar el gravamen de impuesto al alcohol etílico bebestible, este se hace inadecuado para la bebida (ver DESNATURALIZACIÓN) mezclándolo con METANOL, ALCANFOR, BENCENO O QUEROSENO. El etanol tiene múltiples usos como solvente, materia prima, medio de extracción, anticongelante, antiséptico, y aditivo y sustituto de la gasolina. Es tóxico, deprime el sistema NERVIOSO central y es adictivo para algunas personas (ver ALCOHOLISMO). Cantidades moderadas reducen las actividades inhibitorias del cerebro y por lo tanto parecen estimular la mente, pero cantidades mayores deterioran seriamente la coordinación y el juicio; el consumo excesivo puede causar COMA y muerte. Tomar etanol en combinación con BARBITÚRICOS o drogas relacionadas es especialmente peligroso.

**etario, grupo** Grupo social organizado formalmente, compuesto por todo hombre (o mujer) de edad equivalente. En las sociedades donde ha prevalecido tradicionalmente (p. ej., los NUER del sur de Sudán o los MASAI de Kenia y Tanzania), una persona pertenece, ya sea por su fecha de nacimiento o a partir de cierta edad, a un grupo etario determinado, que pasa por una serie de etapas de la vida, o grados etarios, cada una de las cuales posee un estatus distintivo o un rol social y político. Ver también ESTATUS SOCIAL; RITO DE PASO.

**Etelberto I** *inglés* **Ethelbert** *o* **Aethelberht I** (m. 24 feb. 616). Rey de Kent (560–616). Se casó con una hija del rey de París, Berta, que profesaba el cristianismo. Cuando san AGUSTÍN DE CANTERBURY y otros misioneros llegaron a Kent en 597, les dio la bienvenida y les proporcionó una morada en Canterbury. Aunque fue bautizado por Agustín junto con miles de sus súbditos, no intentó imponer el cristianismo por decreto. Compiló las primeras leyes escritas en anglosajón (ver derecho ANGLOSAJÓN).

**Etelred II** *inglés* **Ethelred** *o* **Aethelred Unraed** *llamado* **Etelred el Desprevenido** (¿968?–23 abr. 1016, Londres). Rey de los ingleses (978–1013, 1014–16). Se convirtió en rey después del asesinato de su medio hermano, muerte en la que se sospechó estaba implicado. Gobernante poco capaz, no pudo montar una defensa organizada en contra de las invasiones danesas (desde 980); su masacre de colonos daneses (1002) provocó nuevos ataques. En 1013, cuando SVEN I fue aceptado como rey en Inglaterra, Etelred huyó a Normandía. Al morir Sven, en 1014, recuperó la corona, pero otro danés, CANUTO EL GRANDE, ocupó el trono al morir Etelred. El epíteto "Unraed" significa "defensor malvado", pero ha sido traducido incorrectamente como "the Unready", que significa "el Desprevenido".

Etelred II, moneda, s. X; Museo Británico, Londres.
PETER CLAYTON

**éter** Cualquiera de una clase de compuestos orgánicos cuya estructura molecular tiene un átomo de oxígeno interpuesto entre dos átomos de carbono que son parte de las moléculas de hidrocarburo. Los éteres tienen la fórmula química general ROR′, en la cual R y R′ representan los hidrocarburos. Se parecen a los ALCOHOLES, pero por lo general son menos densos, menos solubles en agua, más volátiles y más inertes. Se utilizan en procesos químicos, para la extracción y la separación de productos químicos y como solventes. Algunos se usan como insecticidas y en la fumigación de suelos. También se emplean en medicina y farmacología. La CODEÍNA es el éter de metilo de la MORFINA. El término éter a menudo se refiere a éter etílico ($C_2H_5OC_2H_5$), mejor conocido como anestésico, pero también es utilizado como solvente, agente de extracción y medio de reacción.

**Etherege, Sir George** (c. 1635, Maidenhead, Berkshire, ¿Inglaterra?–c. 10 may. 1692). Dramaturgo británico. Es recordado como el creador de la comedia costumbrista de la Restauración. Su primera obra, *Venganza cómica* (1664), tuvo un éxito inmediato y fue pionera en la vívida manera de retratar las costumbres de su época. Después escribió *Querría si pudiese* (1668) y la popular *Hombre a la moda* (1676). Aunque sus obras dejaron de ser representadas después del s. XVIII, su estilo de comedia fue adoptado por dramaturgos posteriores y siguió vigente en los tiempos modernos.

**ethernet** PROTOCOLO de redes de telecomunicaciones introducido por Xerox Corporation en 1979. Fue desarrollado como una manera económica para enviar información en forma rápida entre máquinas de oficinas conectadas entre sí en una misma habitación o edificio, pero rápidamente se convirtió en un método estándar de interconexión de computadoras. La tasa de datos original de 10 megabits por segundo ha sido incrementada a 100 megabits por segundo, para un nuevo estándar conocido como ethernet rápido. Las especificaciones originales requerían de CABLE COAXIAL como el medio de comunicación, pero los costos se han reducido mediante el empleo de pares de alambres simples. Ver también RED DE COMPUTADORAS.

**ética** Rama de la filosofía que se ocupa de la naturaleza de los valores últimos y los criterios por los cuales las acciones humanas pueden ser juzgadas correctas o incorrectas. El término se aplica también a cualquier sistema o teoría de valores o principios morales. La ética se subdivide tradicionalmente en ética normativa, metaética y ética aplicada. La ética normativa intenta establecer normas o criterios de conducta; una cuestión central en este campo es si las acciones deben ser juzgadas correctas o incorrectas sobre la base de sus consecuencias o sobre la base de su conformidad con una regla moral, como "No mientas". Las teorías que adoptan el primer criterio reciben el nombre de consecuencialistas (ver CONSECUENCIALISMO); las que adoptan el segundo son conocidas como deontológicas (ver ÉTICA DEONTOLÓGICA). La metaética se ocupa de la naturaleza de los juicios y teorías éticos. Desde comienzos del s. XX, gran parte del trabajo en metaética se ha centrado en los aspectos lógicos y semánticos del lenguaje moral. Entre las teorías metaéticas importantes se cuentan el naturalismo (ver FALACIA NATURALISTA), el INTUICIONISMO, el EMOTIVISMO y el PRESCRIPTIVISMO. La ética aplicada, como indica su nombre, consiste en la aplicación de las teorías éticas normativas a los problemas morales prácticos (p. ej., el aborto). Entre los campos más importantes de la ética aplicada están la bioética, la ética de los negocios, la ética legal y la ética médica.

**ética de la virtud** Concepción de la ética que estima fundamental la noción de VIRTUD (a menudo entendida como excelencia). La ética de la virtud se ocupa primariamente de los rasgos del carácter que son esenciales para el desarrollo humano, no de la enumeración de los deberes. Escapa en cierto modo de la dicotomía tradicional entre ÉTICA DEONTOLÓGICA y CONSECUENCIALISMO: concuerda con el consecuencialismo en que el criterio para juzgar moralmente correcto o incorrecto un acto reside en su relación con un fin que tiene valor intrínseco, pero se aproxima más a la ética deontológica en su concepción de que las acciones moralmente correctas son constitutivas del fin mismo y no son medios meramente instrumentales para alcanzar el fin. Ver también EUDEMONISMO.

**ética deontológica** Teorías éticas que sostienen que la rectitud o incorrección moral de un acto depende de sus cualidades intrínsecas, y no (como en el CONSECUENCIALISMO) de la naturaleza de sus consecuencias. La ética deontológica afirma que al menos ciertos actos son moralmente incorrectos en sí mismos (p. ej., mentir, romper una promesa, castigar al inocente, asesinar). Suele expresarse en consignas como "el deber por el amor al deber". Las teorías deontológicas suelen formularse de tal modo que la rectitud de un acto depende de su conformidad a la regla o mandato moral, como "No levantes falso testimonio". El exponente más destacado de la ética deontológica es IMMANUEL KANT. Ver también IMPERATIVO CATEGÓRICO.

**ética protestante** Valor vinculado al trabajo arduo, la austeridad y la autodisciplina en algunas doctrinas protestantes, especialmente las del CALVINISMO. MAX WEBER, en *La ética protestante y el espíritu del capitalismo* (1904–05), sostuvo que la ética protestante fue un factor crucial en el éxito económico de los grupos protestantes durante las primeras etapas del CAPITALISMO europeo, en cuanto a que el éxito material llegó a interpretarse como un signo de que la persona había sido escogida para la salvación eterna. La tesis de Weber recibió diversas críticas, sin embargo, se difundió a lo largo del s. XX. Ver también PROTESTANTISMO.

**ética teleológica** Teoría que deriva el deber de lo que es valioso como fin, de una manera diametralmente opuesta a la ÉTICA DEONTOLÓGICA. La ética teleológica sostiene que el criterio básico del deber es la contribución que hace un acto a la realización de valores no morales. Las teorías teleológicas difieren en cuanto a la naturaleza de los bienes no morales que las acciones deben promover. El EUDEMONISMO enfatiza el cultivar la VIRTUD del agente como fin de toda acción. El UTILITARISMO sostiene que el fin consiste en el equilibrio global entre placer y dolor para todos los interesados. Otras teorías teleológicas afirman que el fin de la acción es la supervivencia y el crecimiento, como en la ética evolutiva (HERBERT SPENCER); el poder sobre los otros (NICOLAS MAQUIAVELO y FRIEDRICH NIETZSCHE); la satisfacción y la adaptación, como en el PRAGMATISMO (Ralph Barton Perry y JOHN DEWEY), y la libertad, como en el EXISTENCIALISMO (JEAN-PAUL SARTRE).

**etilenglicol** El miembro más simple de la familia del GLICOL, también llamado 1,2-etanodiol ($HOCH_2CH_2OH$). Es un líquido incoloro aceitoso, con un olor suave y un sabor dulce. Muy utilizado como ANTICONGELANTE en los sistemas de enfriamiento de automóviles, se emplea también en muchos otros procesos químicos. El etilenglicol y algunos de sus derivados son bastante tóxicos. A muchos perros, gatos y animales salvajes les atrae su dulzura y se envenenan por beber anticongelante de etilenglicol que ha sido desechado en forma negligente.

**etileno** La más simple de las OLEFINAS ($CH_2CH_2$); un gas incoloro, inflamable, con un sabor y olor dulzón. Con presencia principalmente en los PETROQUÍMICOS, se encuentra en el PETRÓLEO y gas NATURAL, pero por lo general es producido mediante calentamiento de HIDROCARBUROS de cadena larga (normalmente etano y mezclas de etano-propano). El etileno es polimerizado a POLIETILENO ya sea a presiones y temperaturas altas, o por CATÁLISIS. Reacciona con numerosos productos químicos para producir ETANOL, solventes, aditivos para gasolina, ANTICONGELANTE, detergentes y diversos plásticos. En las plantas, el etileno es una HORMONA que inhibe el crecimiento y promueve la caída de las hojas y la maduración de la fruta.

**etino** ver ACETILENO

# ETIOPÍA

▶ **Superficie:** 1.127.127 km²
(435.186 mi²)

▶ **Población:** 73.053.000 hab.
(est. 2005)

▶ **Capital:** ADDIS ABEBA

▶ **Moneda:** birr

**Etiopía** *ofic.* **República Federal Democrática de Etiopía** *ant.* **Abisinia** País de África oriental. Está situado en el Cuerno de África, el extremo oriental del continente. Cerca de un tercio de la población es AMHARA y otro tercio OROMO, siendo el resto principalmente tigré, afar, somalí, saho y agew. Idiomas: amárico y oromo. Religiones: ortodoxa etíope, Islam y animismo. El país no tiene salida al mar y es montañoso en el norte, con tierras bajas al este y al oeste. La meseta central etíope está interrumpida por el valle del RIFT (fosa central), que separa las tierras altas orientales y occidentales. El clima es templado en las tierras altas, cubiertas principalmente de sabanas, y caluroso en las áridas tierras bajas. La tala indiscriminada ha erosionado en forma seria los suelos, lo que, sumado a sequías periódicas, ha provocado escasez de alimentos. La abundante fauna que alguna vez tuvo el país ha sido diezmada; muchas especies están en peligro de extinción. Es uno de los países más pobres del mundo. La agricultura es predominantemente de subsistencia y los cereales son el cultivo principal. También es importante la ganadería. El café es el mayor producto de exportación, seguido de las pieles y cueros. En 1995 se estableció una nueva república bicameral; el jefe de Estado es el presidente, y el jefe de Gobierno, el primer ministro. Etiopía, la tierra bíblica de KUSH, fue habitada desde principios de la antigüedad y estuvo otrora bajo el dominio del antiguo Egipto. Los campesinos de habla ge'ez establecieron el reino de Daamat en el segundo milenio AC. Después de 300 AC fueron desplazados por el reino de AKSUM, cuyo rey Menilek I, de acuerdo con la leyenda, era hijo del rey SALOMÓN y la reina de Saba. El cristianismo se introdujo en el s. IV DC y se difundió ampliamente (ver Iglesia ORTODOXA ETÍOPE). El próspero comercio mediterráneo de Etiopía fue interrumpido por los árabes musulmanes en los s. VII–VIII, y los intereses de la región se orientaron hacia el este. El contacto con Europa se restableció a fines del s. XV con la llegada de los portugueses. La Etiopía moderna comenzó con el emperador TEODORO II (r. 1855–68), quien inició la consolidación del país. Tras la ocupación europea, la región costera pasó a ser una colonia de Italia en 1890; sin embargo, bajo la administración de MENELIK II, en 1896, los italianos fueron derrotados y expulsados. Bajo su gobierno, Etiopía prosperó y sus programas de modernización continuaron con el emperador HAILE SELASSIE en la década de 1930. En 1936, Italia volvió a controlar el país y lo mantuvo como parte del África italiana hasta 1941, cuando esta fue liberada por los británicos. Etiopía incorporó ERITREA en 1952. En 1974, Haile Selassie fue depuesto y un gobierno marxista, azotado por las guerras civiles y la hambruna, controló el país hasta 1991. En 1993, Eritrea obtuvo su independencia, pero durante la década de 1990 continuaron los conflictos fronterizos con esa nación y con la vecina Somalia.

**etiópicas, lenguas** Grupo de lenguas SEMÍTICAS habladas por más de 25 millones de personas en Eritrea y Etiopía. Los lingüistas han dividido estas lenguas en etiópicas septentrionales, que comprenden el ge'ez, tigré y tigriña, y etiópicas meridionales, que incluyen el resto de las 22 lenguas. El ge'ez (o etiópico) es la lengua semítica etíope más antigua y sus primeros testimonios son inscripciones del reino de AKSUM. Se convirtió en la lengua del cristianismo en el período aksumita y aun cuando se extinguió como lengua vernácula, probablemente antes del s. X DC, se mantuvo como la lengua clásica de la civilización etíope de las tierras altas y como la lengua litúrgica de la Iglesia ORTODOXA ETÍOPE hasta el s. XX. El tigré tiene cerca de 800.000 hablantes en el norte de Eritrea, mientras que el tigriña lo hablan alrededor de cuatro millones de personas. Los hablantes de tigriña en Eritrea, que alcanzan a un millón 300 mil, constituyen cerca del 50% de la población del país. La lengua etiópica meridional más importante es el AMÁRICO.

**Etna, monte** Volcán activo en la costa oriental de Sicilia, Italia. Es el volcán activo más elevado de Europa, con más de 3.200 m (10.000 pies); su base tiene una circunferencia de 150 km (93 mi), aprox. A lo largo de los siglos, el Etna ha tenido numerosas erupciones, la más violenta en 1669, cuando el flujo de lava destruyó varios pueblos en la base de sus laderas y sumergió a parte de la ciudad de CATANIA. Durante la década de 1970 estuvo activo casi permanentemente y, en 1983, una erupción que duró cuatro meses obligó a las autoridades a detonar cargas de dinamita para intentar desviar el flujo de lava. En 2001–02, el Etna tuvo nuevamente erupciones violentas, lo que llevó al gobierno italiano a declarar el estado de emergencia.

Erupción del volcán Etna, Sicilia, Italia.
DAVID TROOD PICTURES/THE IMAGES BANK/GETTY IMAGES

**étnico, grupo** Grupo o categoría social de la población que constituye un colectivo separado dentro de una sociedad mayor, en virtud de los lazos relativos a LENGUA, nacionalidad o CULTURA, propios del grupo. La diversidad étnica, legado de las conquistas políticas y las migraciones, constituye uno de los aspectos de la complejidad social propia de la mayoría de las sociedades contemporáneas. Tradicionalmente a los estados nacionales les ha preocupado la diversidad étnica, y con frecuencia han intentado eliminar o expulsar a los grupos étnicos. En la actualidad, la mayoría de las naciones propugnan el PLURALISMO, que suele descansar en una combinación de tolerancia, interdependencia y separatismo. El concepto de etnicidad ha adquirido hoy en día mayor relevancia, debido a la difusión de las doctrinas de libertad, autodeterminación y democracia. Ver también CONTACTO CULTURAL; ETNOCENTRISMO; LIMPIEZA ÉTNICA; RACISMO; RAZA.

**etnocentrismo** Tendencia a interpretar o evaluar otras culturas en términos de la propia. Generalmente se considera una constante universal en las sociedades humanas, y se hace evidente en la práctica frecuente de etiquetar a los extranjeros como "salvajes" o "bárbaros" simplemente porque sus sociedades difieren de aquellas de la cultura dominante. Los primeros antropólogos solían reflejar esta tendencia, como en el caso de Sir John Lubbock, quien postulaba que todos los pueblos sin escritura carecían de una religión, y Lucien Lévy-Bruhl, quien decía que estos pueblos tenían una "mentalidad prelógica" porque su visión del mundo difería de la vigente en Europa occidental. Lo opuesto del etnocentrismo es el relativismo cultural, esto es, la comprensión de los fenómenos culturales dentro del contexto en el cual se presentan.

**etnografía** Estudio descriptivo de una sociedad humana específica. La etnografía contemporánea se basa casi exclusivamente en el trabajo de campo. El etnógrafo vive durante un año o más en la comunidad que es objeto de estudio, donde aprende la lengua local y participa en las actividades cotidianas, al tiempo que trata de mantener cierta distancia objetiva. Cultiva relaciones estrechas con los "informantes" que pueden proporcionarle información específica sobre distintos aspectos de la vida cultural. Aunque el registro escrito detallado de las observaciones es fundamental para el trabajo de campo, los etnógrafos utilizan también cámaras y grabadoras de audio y vídeo. Ha habido una influencia recíproca entre los estudios etnográficos contemporáneos y la teoría literaria. Ver también ANTROPOLOGÍA CULTURAL; BRONISŁAW MALINOWSKI.

**etnolingüística** Disciplina que estudia el lenguaje en relación con la cultura, el PENSAMIENTO, la visión de mundo y la conducta correspondiente a la cultura. De acuerdo a Dell Hymes, la etnolingüística puede ser definida como el estudio del lenguaje humano en el contexto de la ANTROPOLOGÍA. En cierto sentido, el término se traslapa con el de lingüística antropológica y de SOCIOLINGÜÍSTICA, reflejando la superposición de áreas de estudio de disciplinas como la SOCIOLOGÍA, la etnología y la antropología. Dentro de algunas perspectivas etnolingüísticas se concibe el lenguaje como la imagen de mundo de un pueblo que, al mismo tiempo, modela el pensamiento. Ver también LINGÜÍSTICA.

**etnomusicología** Estudio científico de la música como un aspecto de la cultura. Al adoptar una aproximación antropológica (fue denominada en sus orígenes "musicología comparada"), ha tendido a focalizarse en la música no occidental, particularmente la de tradiciones orales. Sus orígenes se remontan a fines del s. XIX con la labor de investigadores como François-Joseph Fétis (n. 1784–m. 1871) y Carl Stumpf (n. 1848–m. 1936). Muchos trabajos fueron motivados por la búsqueda de los universales de la música, bajo el supuesto de que la prehistoria podía estudiarse mediante la investigación de las culturas "primitivas" del presente. Al reconocer que las sociedades tradicionales estaban desapareciendo rápidamente con la invasión del mundo moderno, los etnomusicólogos no tardaron en otorgar la más alta prioridad a la recolección (a través de grabaciones de campo, mediante el uso de la nueva tecnología de grabación) y a la transcripción (usando calibraciones tonales de nuevo cuño). Se han propuesto varios esquemas de clasificación para el análisis comparativo de diferentes músicas, pero el foco natural permanece en la diversidad.

**Etobicoke** Ciudad (pob., 2001: 2.481.494 hab.) del sudeste de la provincia de Ontario, Canadá. Con las ciudades de North York, Scarborough, YORK y TORONTO y el municipio de EAST YORK, constituye el área metropolitana de Toronto. Con una superficie de 127 km² (49 mi²), fue establecida en 1967 por la fusión del municipio de Etobicoke, las ciudades de New Toronto y Mimico y la localidad de Long Branch. Su nombre es una palabra indígena que significa "lugar donde crecen los patriarcas".

**Etolia** Región septentrional del golfo de Corinto, en la antigua Grecia. Se la menciona en forma destacada en las antiguas leyendas. En 367 AC, diversas tribus organizaron esta zona como estado federado que incluía la Liga ETOLIA. En 27 AC, bajo el dominio romano, AUGUSTO la incorporó a la provincia de Aquea (ver Liga AQUEA). Fue gobernada más tarde por Albania y Venecia y pasó a manos de los turcos en 1450 DC. Durante la guerra de independencia de GRECIA (1821–29), fue escenario de cruentos enfrentamientos. La actual Etolia está vinculada con ACARNANIA, como departamento de Grecia.

**etolia, Liga** Federación de ciudades de la antigua ETOLIA, en el centro de Grecia, establecida probablemente sobre la base de una comunidad tribal unida por algún tipo de lazos. Convertida en potencia militar importante c. 340 AC, la liga rechazó las invasiones macedonias en 322 y 314–311, se expandió hasta abarcar Delfos y se alió con BEOCIA c. 300. Contuvo a los gálatas (ver GALIA) en 279 y formó una alianza con Macedonia (c. 270–240). Su predominio en el centro de Grecia se consolidó con la derrota de los beocios (245). A partir de fines del

s. III, Etolia comenzó a perder poderío y territorio a manos de Macedonia, proceso que culminó en 220 cuando FILIPO V saqueó Thermon, la capital de la federación. La liga se alió entonces con Roma contra Macedonia, y en 197 derrotaron a Filipo en Cinoscéfalos. En 189, Roma la obligó a concertar una alianza permanente, lo que se tradujo en pérdida de territorio, poderío e independencia.

**etología** Estudio del comportamiento animal. Es una combinación de ciencia experimental y aplicada, con vínculos fuertes con otras disciplinas (p. ej., neuroanatomía, ECOLOGÍA, EVOLUCIÓN). Aunque muchos naturalistas han estudiado aspectos del comportamiento animal a través de los siglos, se estima que la ciencia moderna de la etología surgió como una disciplina definida con el trabajo de NIKOLAAS TINBERGEN y KONRAD LORENZ en la década de 1920. Interesados en el proceso conductual más que en un grupo animal determinado, los ecologistas estudian, por lo general, un tipo de comportamiento (p. ej., la agresión) en diversos animales no relacionados.

**Eton College** Escuela pública más grande (escuela secundaria independiente) y prestigiosa de Inglaterra. Está ubicada en Eton, Berkshire. Fue fundada por Enrique VI en 1440–41, el mismo año en que fundó el King's College en Cambridge. Como tradición se reservan 24 becas en Cambridge para estudiantes de Eton. Los varones ingresan a Eton alrededor de los 13 años. En su mayoría provienen de las familias más acaudaladas de Inglaterra, a pesar de que se otorgan 70 becas sobre la base de exámenes competitivos.

**Etosha, parque nacional** Reserva nacional en el norte de Namibia. Abarca una superficie cercana a los 22.269 km² (8.598 mi²) e incorpora los salares de Etosha, una vasta extensión de sal con solitarias vertientes de agua salada, donde abrevan animales. Cuenta con una de las poblaciones de especies de caza mayor más grandes del mundo, como leones, elefantes, rinocerontes, antílopes, cebras y gacelas.

Jirafas en el parque nacional Etosha, Namibia.
ARCHIVO EDIT. SANTIAGO

**Etruria** Antigua región del centro de Italia, que actualmente comprende TOSCANA y parte de UMBRÍA. Estuvo habitada por los ETRUSCOS, quienes fundaron una civilización en el s.VII AC. Su confederación principal, que tradicionalmente comprendía 12 ciudades, desarrolló una cultura que alcanzó su apogeo en el s.VI AC. En su momento de mayor esplendor, el dominio etrusco se extendió hacia el norte y el sur de Italia, pero las ciudades de Etruria fueron gradualmente absorbidas por Roma durante el s. III AC.

**etrusca, religión** Creencias y prácticas del antiguo pueblo de ETRURIA del centro-oeste de Italia. Los ETRUSCOS creían que los dioses manifestaban su naturaleza y voluntad en cada elemento del mundo natural, de modo que cada ave y baya constituía una posible fuente de conocimiento de los dioses. Las características de sus más de 40 deidades eran a menudo vagas o cambiantes, aunque algunas fueron equiparadas después con las principales deidades griegas y romanas. Famosos por la ADIVINACIÓN, los etruscos aspiraban conocer el futuro y buscaban señales divinas en los relámpagos, el hígado de los animales sacrificados y el vuelo de las aves. La creencia en otra vida los llevó a construir sepulcros trabajados y amoblados como habitaciones. Muchas características de la religión etrusca fueron adoptadas después por los romanos.

**etrusco** Habitante de la antigua región de ETRURIA, cuya civilización urbana alcanzó su apogeo en el s. VI AC. No hay claridad sobre sus orígenes. En el s. VII, los etruscos habían incorporado la totalidad de TOSCANA a su territorio, y en el s. VI se abrieron paso hacia el norte, hasta el valle del río Po, y se convirtieron en gobernantes de Roma. Construyeron las primeras obras públicas de la ciudad, entre ellas, los muros y un sistema de alcantarillado. A fines del siglo, la presión de otros pueblos de la zona, como los griegos, romanos y galos, debilitó a Etruria. Los romanos expulsaron a la dinastía etrusca en 509 AC. Desarrollaron una civilización basada en el comercio y la agricultura y dejaron un valioso legado cultural, con muros pintados al fresco y retratos funerarios de gran realismo. Muchos de los rasgos de su cultura fueron adoptados por los romanos. Ver también religión ETRUSCA; ETRUSCO (lengua).

**etrusco** Lengua hablada por el antiguo pueblo de ETRURIA, situado en el territorio de la Italia actual. Aunque se ha sugerido que el etrusco está relacionado con la familia de lenguas INDOEUROPEAS, ello no es aceptado en forma universal, de modo que permanece aislado desde el punto de vista lingüístico (i.e., no está relacionado con ninguna lengua). El etrusco, conocido principalmente por las inscripciones que datan desde el s. VII AC hasta el s. I DC, se escribió con un alfabeto derivado probablemente de uno de los alfabetos GRIEGOS.

**etrusco, arte** (c. siglo VIII–IV AC). Arte del pueblo de ETRURIA. El arte de los ETRUSCOS se divide en tres categorías: funerario, urbano y sagrado. Debido a su creencia en una vida posterrenal, la mayor parte del arte que perdura es de carácter funerario. Algunos de sus logros artísticos son los muros pintados al fresco en estilo bidimensional y retratos realistas en terracota encontrados en tumbas. También son comunes los relieves y las esculturas de bronce. Se encontraron tumbas en Caere, excavadas en una roca volcánica blanda construidas de forma que parecían una casa. La arquitectura urbana era otra especialidad; los etruscos estuvieron entre los primeros habitantes del Mediterráneo en trazar ciudades con un plan cuadrangular, práctica

Fresco etrusco en una tumba, Tarquinia, Roma, s. VI AC.
FOTOBANCO

que luego fue copiada por los romanos. En el área sagrada, los templos etruscos fueron construidos sobre un podio alto con un pórtico frontal con columnas y el tejado se decoraba con estatuas de terracota, como las del templo en Veii (s. VI tardío). El arte etrusco estuvo influenciado por el arte griego y a su vez influyó en el desarrollo del retrato realista en Italia.

**ETS** ver enfermedad de TRANSMISIÓN SEXUAL

**Etymander, río** ver río HELMAND

**eubacteria** Grupo compuesto de BACTERIAS genuinas, una de las dos agrupaciones principales de los PROCARIONTES. El otro son las ARCHAEBACTERIAS, que son tan diferentes de las eubacterias como ambas lo son de los EUCARIONTES. Se cree que ambos grupos evolucionaron por separado de un antecesor común, en los albores de la historia terrestre, y difieren entre

sí en aspectos fundamentales. Virtualmente todas las bacterias que nos son familiares, las que causan enfermedades (p. ej., cepas de *E. coli*, ESTAFILOCOCO y SALMONELLA, micobacterias) o tienen importancia en la industria de alimentos, agricultura, biotecnología u otras actividades industriales (p. ej., bacterias de *lactobacilo*, NITRIFICANTES y DESNITRIFICANTES, y cepas de lactobacilo y STREPTOMYCES) son eubacterias.

**Eubea, isla** *griego* **Εὔνοια** Isla griega del mar Egeo. Es la segunda isla más grande de Grecia, con cerca de 180 km (110 mi) de largo y 6–48 km (4–30 mi) de ancho. En esta isla, de características montañosas, se encuentra la fértil llanura del río Lilas, famosa en la antigüedad por la cría de caballos. Un puente, construido por los calcidios, une Eubea con BEOCIA. Durante la mayor parte del s. V AC, estuvo bajo el dominio de Atenas, y sus principales ciudades, CALCIS y ERETRIA, participaron en las guerras MÉDICAS y del PELOPONESO. A partir de146 AC, formó parte de la provincia romana de Macedonia. Desde 1366, Eubea fue controlada por Venecia; en 1470, los turcos la conquistaron, y en 1830, pasó a manos de Grecia.

**eucalipto** Cualquiera de las más de 500 especies de árboles del género *Eucalyptus*, en su mayor parte muy grandes, de la familia de las Mirtáceas (ver MIRTO), originario de Australia, Nueva Zelanda, Tasmania e islas cercanas. Muchas especies se cultivan extensamente en todas las regiones templadas del mundo como árboles de sombra o en plantaciones forestales. Debido a que crecen con rapidez, muchas especies alcanzan gran altura. Las glándulas foliares de muchas especies, como *E. salicifolia* y *E. globulus*, contienen un aceite aromático volátil, conocido como aceite de eucalipto, que se usa principalmente en medicamentos. La madera del eucalipto se emplea mucho en Australia como combustible y la madera aserrada se suele usar en construcciones y cercas. La corteza de muchas especies se utiliza en la fabricación de papel y en el curtido.

**eucarionte** Cualquier organismo compuesto por una o más células, cada una de las cuales contiene un núcleo claramente definido rodeado de una membrana, junto con organelos (partes celulares pequeñas, autónomas, que realizan funciones específicas). Los organelos comprenden mitocondrias, CLOROPLASTOS, el aparato de Golgi, el RETÍCULO ENDOPLÁSMICO y los LISOSOMAS. Todos los organismos, excepto las BACTERIAS, son eucariontes; las bacterias son PROCARIONTES.

**Eucaristía** Rito cristiano que conmemora la Última Cena de JESÚS con sus discípulos. Según las Escrituras cristianas, en la noche víspera de su muerte, Jesús consagró el pan y el vino y se los dio a sus discípulos, diciendo: "este es mi cuerpo" y "esta es mi sangre". Además pidió a sus seguidores repetir este rito en su memoria; la Eucaristía implica tradicionalmente la consagración del pan y el vino por un sacerdote y su consumo por los fieles. Aunque celebrada en forma espontánea cuando los primeros cristianos se reunían a compartir una comida, se convirtió rápidamente en la parte central del servicio de culto formal y continuó siéndolo a pesar de las muchas controversias sobre su naturaleza y significado. Concebida como una forma de fomentar la unidad de la Iglesia, ha sido también fuente de división a causa de las diferentes interpretaciones sobre su naturaleza. En el catolicismo romano, se considera que es un SACRAMENTO y que el pan y el vino se convierten realmente en el cuerpo y la sangre de Jesús a través de la TRANSUSTANCIACIÓN. Los anglicanos y luteranos también hacen hincapié en la presencia divina en la ofrenda y la reconocen como un sacramento, mientras que otros la consideran una conmemoración con un significado en gran parte simbólico. También ha sido controvertida la creencia en la Eucaristía como un sacrificio, entendida como que cada vez que el rito se celebra en el altar se renueva la ofrenda de Cristo.

**Eucken, Rudolf Christoph** (5 ene. 1846, Aurich, Frisia Oriental–14 sep. 1926, Jena, Alemania). Filósofo alemán. Enseñó primeramente en la Universidad de Jena (1874–1920). Desconfiando del intelectualismo abstracto y sistemático, Eucken centró su filosofía en la experiencia humana real. Sostuvo que el hombre es el lugar de encuentro entre la naturaleza y el espíritu, y que es un deber y privilegio humano superar la naturaleza a través de una lucha incansable para llegar a la vida espiritual. Severo crítico del naturalismo, sostuvo que los seres humanos se diferencian del resto del mundo natural por la posesión de un alma, entidad que no puede explicarse en términos de procesos naturales. Fue también conocido como intérprete de ARISTÓTELES. En 1908 obtuvo el Premio Nobel de Literatura.

**Euclides** (floreció c. 300 AC, Alejandría, Egipto). Matemático griego de la antigüedad, conocido principalmente por su influyente tratado de geometría *Elementos*. Fundó una escuela en Alejandría durante el reinado de TOLOMEO I SÓTER. Poco se sabe de su vida, pero hay muchas anécdotas, entre ellas la más famosa, al preguntarle Tolomeo si había un camino más corto a la geometría que sus *Elementos*, Euclides replicó: "No hay un camino real hacia la geometría". Basado en el trabajo de matemáticos anteriores, su obra es una síntesis brillante de lo nuevo y lo antiguo. Ha sido la principal corriente de influencia en el pensamiento racional y un modelo para muchos tratados filosóficos; además, establece un estándar para el pensamiento lógico y para los métodos de demostración en las ciencias. Es un punto de partida no sólo de la GEOMETRÍA EUCLIDIANA, sino de una forma de enfocar el razonamiento; se dice que es la obra más traducida, publicada y estudiada después de la Biblia.

**eudemonismo** En ÉTICA, concepción conforme a la cual la justificación última de la actividad virtuosa es la felicidad. La actividad virtuosa puede concebirse como medio para alcanzar la felicidad (o bienestar), o como parcialmente constitutiva de ella (ver ÉTICA TELEOLÓGICA). El eudemonismo ético debe distinguirse del eudemonismo psicológico, que sostiene que la felicidad es el motivo último de la actividad virtuosa.

**Eudoxia Makrembolitisa** (1021, Constantinopla, Imperio bizantino–1096, Constantinopla). Emperatriz y regente bizantina, considerada la mujer más sabia de su tiempo. Esposa de Constantino X Ducas, a su muerte se convirtió en regente de sus tres hijos (1067). Con el fin de detener a los turcos selyúcidas, se casó con el general capadociano Romano Diógenes, luego ROMANO IV DIÓGENES. Después de que este fue capturado en la batalla de MANZIKERT (1071), Eudoxia y su hijo Miguel gobernaron en conjunto y depusieron a Romano. Entró en un convento una vez que Miguel ascendió al trono.

**eué** ver EWÉ

**eufonio** *o* **tuba tenor** Instrumento METÁLICO grande y con válvulas, guía de afinación más baja en las bandas militares. Se desarrolló en Alemania c. 1840 a partir del CLARÍN de válvulas y de la CORNETA. Tiene cuatro válvulas y un ánima cónica amplia parecida al de la tuba. Su alcance es una octava menor que el de la trompeta y la corneta. Se toca verticalmente o con el pabellón hacia adelante. El barítono, un instrumento muy similar, posee el mismo alcance, la misma transposición y sólo se le distingue por su ánima más estrecha. Ambos son miembros esenciales de todos los tipos de bandas y tienen a menudo papeles importantes como solistas.

**euforia por nitrógeno** ver NARCOSIS POR NITRÓGENO

**Eufranor** (c. 390 AC, Grecia–c. 325 AC, ¿Atenas?). Escultor y pintor griego que trabajó en Atenas. Lo único que se conserva de su autoría son los fragmentos de una gigantesca escultura en mármol de Apolo (c. 330 AC) encontrada en el ágora de Atenas. Otras obras documentadas, pero extraviadas, sugieren que fue uno de los principales artistas atenienses de mediados del s. IV AC. También escribió tratados sobre proporción y color.

**Éufrates, río** *turco* **Firat** *árabe* **al-Furāt** Río del Medio Oriente. Es uno de los más grandes de Asia sudoccidental; nace en Turquía y fluye hacia el sudeste cruzando Siria e Irak. Formado por la confluencia de los ríos Karasu y Murat en la alta meseta armenia, discurre a través de las grandes cadenas montañosas de los montes TAURUS, y desciende una pendiente de casi 300 m (1.000 pies) en la meseta de Siria. Luego, su curso cruza el oeste y centro para unirse al TIGRIS, continuando con el nombre de Shatt al-Arab hasta el golfo PÉRSICO. En total, su curso alcanza a 3.596 km (2.235 mi) de largo. Su valle fue copiosamente regado en la antigüedad y muchas grandes ciudades, cuyas ruinas aún permanecen, se alinean en sus orillas. Junto con el Tigris, delimita una región conocida históricamente como MESOPOTAMIA.

**Eufronio** *o* **Eufronios** (floreció c. 520–470 AC, Atenas, Grecia). Pintor de jarrones y ceramista griego. Se ha identificado su firma en 20 vasijas, ocho de las cuales firmó como pintor y 12 como ceramista. Fue un sobresaliente y temprano impulsor de la CERÁMICA DE FIGURAS ROJAS. Su obra más conocida como pintor es una crátera que se halla en el Louvre y que representa a Heracles luchando con Anteo.

"Heracles y Anteo"; crátera de Eufronio, c. 510–500 AC; Museo del Louvre, París.
CLICHÉ MUSÉES NATIONAUX, PARÍS

Como ceramista, trabajó junto a los pintores de jarrones más notables de su tiempo. Su máximo rival fue EUTÍMIDES.

**Eugene** Ciudad (pob., 2000: 137.893 hab.) del oeste del estado de Oregón, EE.UU. Ubicada junto al río Willamette, fue fundada por Eugene Skinner en 1846. Se la denominó Eugene City en 1853 y creció como centro agrícola y maderero con la llegada del ferrocarril en 1870. Es sede de la Universidad de OREGÓN (fundada en 1872) y del Northwest Christian College (1895). Es un centro turístico por la zona recreativa que existe en el río MacKenzie y el Willamette National Forest.

**eugenesia** Estudio del mejoramiento de los seres humanos por vía genética. La primera exposición detallada de la eugenesia la realizó FRANCIS GALTON en su obra *Hereditary Genius* [El genio heredado] (1869); planteó que un sistema de matrimonios concertados entre hombres distinguidos y mujeres adineradas produciría a la larga una raza mejor dotada. La American Eugenics Society de EE.UU., fundada en 1926, apoyó las teorías de Galton. Los eugenistas estadounidenses respaldaron también la limitación de la inmigración desde países de linaje "inferior", como Italia, Grecia y las naciones de Europa oriental, y propugnaron la esterilización de los dementes, retrasados y epilépticos. En más de la mitad de los estados de EE.UU. se aprobaron leyes de esterilización y seguían presentándose casos aislados de esterilización forzada en la década de 1970. Los postulados de los eugenistas recibieron duras críticas a partir de la década de 1930 y cayeron en el desprestigio después de que los alemanes nazis usaron la eugenesia para justificar el exterminio de judíos, personas de raza negra y homosexuales. Ver también DARWINISMO SOCIAL; GENÉTICA, RAZA.

**Eugenia** *orig.* **Eugenia María de Montijo de Guzmán** (5 may. 1826, Granada, España–11 jul. 1920, Madrid). Esposa de NAPOLEÓN III y emperatriz de Francia (1853–70). Hija de un noble español, se casó con Napoleón III en 1853. Llegó a ejercer una gran influencia en la política exterior de su esposo. Como devota católica, fue partidaria de un papado fuerte y apoyó causas ultramontanas. Fomentó además la oposición francesa al candidato prusiano para el trono español en la controversia que precipitó la guerra franco-prusiana. Después de la derrota francesa en Sedan, se marchó al exilio junto a su familia en Inglaterra.

**Eugenio III** *orig.* **Bernardo de Pisa** (cerca de Pisa–8 jul. 1153, Tívoli, cerca de Roma; beatificado en 1872; festividad: 8 de julio). Papa (1145–53). Era abad cisterciense cuando fue elegido papa, en momentos en que Roma estaba al borde de la anarquía, y en 1146 fue obligado a marchar al exilio. Mientras se encontraba en Francia, apoyó el proyecto de LUIS VII de lanzar la segunda CRUZADA para liberar Edesa, empresa que terminó en el fracaso. Regresó a Italia en 1148, pero la hostilidad del Senado lo mantuvo con frecuencia alejado de Roma. En el tratado de Constanza (1153) fijó las condiciones para coronar a FEDERICO I Barbarroja, pero murió antes de que ello ocurriera.

**Eugenio de Saboya** orig. **François-Eugène, príncipe de Savoie-Carignan** (18 oct. 1663, París, Francia–24 abr. 1736, Viena, Austria). General francés al servicio de Austria. Nacido en París, era hijo del conde de Soissons, de la casa de Saboya-Carignan, y de Olimpia Mancini (ver familia MANCINI), sobrina de JULIO MAZARINO. LUIS XIV le impuso severos límites a sus ambiciones, instándolo a que abandonara Francia e ingresara al servicio del emperador LEOPOLDO I. Más tarde estuvo al servicio de José I y CARLOS VI. Rápidamente, se distinguió en el campo de batalla y ascendió de rango hasta convertirse en mariscal de campo imperial a la edad de 29 años. Se distinguió en la lucha contra los turcos en Europa central y los Balcanes y contra Francia en la guerra de la LIGA DE AUGSBURGO y en la guerra de sucesión ESPAÑOLA. Junto con su amigo el duque de MARLBOROUGH, obtuvo una importante victoria en la batalla de BLENHEIM (1704) y expulsó a los franceses de Italia. En 1718 consiguió un triunfo aplastante sobre los turcos al capturar la ciudad de Belgrado. Fue además gobernador de los PAÍSES BAJOS AUSTRÍACOS (1714–24). Sobresaliente estratega e inspirado líder, fue considerado como uno de los más grandes soldados de su generación.

**eugubinas, tablas** ver TABLAS EUGUBINAS

**Eulenspiegel, Till** Personaje germánico de cuentos folclóricos y literarios que representa a un astuto campesino. Se dice que el personaje histórico murió en 1350; las anécdotas asociadas con su nombre fueron impresas c. 1500 en bajo alemán y desde 1515 en alto alemán. En los cuentos, el campesino ignorante pero astuto, demuestra su superioridad sobre los hombres de la ciudad, estrechos, deshonestos y condescendientes, así como sobre el clero y la nobleza. Los cuentos fueron traducidos al holandés e inglés (c. 1520), francés (1532) y latín (1558).

**Euler, fórmula de** Cualquiera de dos importantes teoremas matemáticos de LEONHARD EULER. El primero es una invariancia topológica (ver TOPOLOGÍA) que relaciona el número de caras, vértices y aristas de cualquier POLIEDRO. Se escribe $f + V = E + 2$, donde $f$ es el número de caras, $V$ el número de vértices y $E$ el número de aristas. Un cubo, por ejemplo, tiene 6 caras, 8 vértices y 12 aristas, y satisface esta fórmula. La segunda fórmula, usada en TRIGONOMETRÍA, dice que $e^{ix} = \cos x + i\operatorname{sen} x$ donde $e$ es el NÚMERO IRRACIONAL base de los LOGARITMOS naturales e $i$ es la raíz cuadrada de $-1$ (ver NÚMERO IMAGINARIO). Para $x$ igual a $\pi$ o $2\pi$, la fórmula produce dos elegantes expresiones relacionando $\pi$, $e$, e $i$: $e^{i\pi} = -1$ y $e^{2i\pi} = 1$.

**Euler, Leonhard** (15 abr. 1707, Basilea, Suiza–18 sep. 1783, San Petersburgo, Rusia). Matemático suizo. En 1733 sucedió a Daniel Bernoulli (ver familia BERNOUILLI) en la Academia de ciencias de San Petersburgo, donde desarrolló la teoría de las funciones trigonométricas y logarítmicas, un gran avance en la matemática. Bajo el patrocinio de Federico el Grande, trabajó en la Academia de Berlín por muchos años (1744–66); desarrolló el concepto de FUNCIÓN en el análisis matemático y descubrió los logaritmos imaginarios de los números negativos. Durante toda su vida estuvo interesado en la teoría de los NÚMEROS. Consagró la tendencia a expresar las matemáticas y la física en términos aritméticos, además introdujo muchos símbolos que llegaron a ser estándar, como $\Sigma$ para la adición; $\int n$ para la adición de divisores de $n$; e para la base de los LOGARITMOS naturales; $a$, $b$ y $c$ para los lados de un triángulo con A, B y C para los ángulos opuestos; $f(x)$ para una función; $\pi$ para la razón entre la circunferencia y el diámetro del círculo; e $i$ para $\sqrt{-1}$. Es considerado uno de los más grandes matemáticos de todos los tiempos.

**Eumenes II** (m. 160/159 AC). Rey de PÉRGAMO (197–c. 160 AC). Continuó la política de cooperación con Roma impulsada por su padre, ATALO I SÓTER. Ayudó a derrotar a ANTÍOCO III, y ampliar así los límites de su territorio. Llevó el reino a su máximo esplendor y lo convirtió en un gran centro de la cultura griega; se le atribuye el mérito de haber levantado casi todos los edificios públicos y las esculturas de la acrópolis de Pérgamo. Sospechoso de haber sido desleal a Roma en su lucha contra PERSEO, perdió el apoyo de esta, con lo cual declinaron el poder de Eumenes y la gloria de Pérgamo. Su hermano Atalo II se convirtió en cogobernante c. 160 AC.

**eunuco** Hombre castrado. Desde los tiempos más remotos se emplearon eunucos en el Medio Oriente y China como guardias y sirvientes en los harenes u otras dependencias habitadas por mujeres, y como chambelanes en las cortes reales. Su calidad de confidentes les permitió con frecuencia ejercer gran influencia sobre sus amos reales. Durante la época bizantina muchos de los patriarcas de Constantinopla eran eunucos. Los consejeros eunucos desaparecieron como clase al término del Imperio otomano. Ver también CASTRATO.

**Euonymus** Género de unas 170 especies de arbustos, trepadoras leñosas y arbolillos de la familia Celastraceae, originarios de las regiones templadas de Asia, América del Norte y Europa, incluidos muchos arbustos ornamentales y cubresuelos populares en paisajismo. El evónimo alado (*E. alata*), también denominado zarza ardiente, es un hermoso arbusto con tallos alados suberosos. La madera del evónimo común (*E. europaea*) se usa para clavijas y husos; diversas variedades se cultivan como plantas ornamentales.

**Euphorbia** Uno de los géneros más numerosos de angiospermas, con más de 1.600 especies; muchas son importantes como plantas ornamentales o como fuentes de fármacos, otras tantas son malezas. Una de las más conocidas es la POINSETIA. El género *Euphorbia* es parte de la familia Euphorbiaceae, que abarca unas 7.500 especies de hierbas florales anuales y perennes y arbustos leñosos o árboles de 275 géneros; la mayoría se encuentra en regiones templadas y tropicales. Las flores suelen carecer de pétalos; las del género *Euphorbia* se dan en ramos caliciformes. El fruto es una CÁPSULA. Las hojas generalmente son simples. Los tallos de muchas especies contienen un látex lechoso. Además de *Euphorbia*, los miembros de importancia comercial de la familia son el RICINO, el CROTÓN, la MANDIOCA y el árbol del CAUCHO.

**Eure, río** Río del norte de Francia. Nace en las colinas de Perche y fluye principalmente a través de regiones agrícolas y boscosas en un recorrido de 225 km (140 mi). Atraviesa CHARTRES, ubicada en la ribera del río; la catedral se localiza en el punto más elevado de la ciudad. Se une al río SENA por el norte de RUÁN.

**Eurípides** (c. 484, Atenas–406 AC, Macedonia). Dramaturgo griego. Junto a ESQUILO y SÓFOCLES, es considerado uno de los tres grandes poetas trágicos griegos. Influenciado por el filósofo ANAXÁGORAS, en sus obras expresó sus dudas sobre la religión griega. Desde 455 fue escogido reiteradamente para concursar en el festival dramático dedicado a Dioniso. Obtuvo su primer triunfo en 441. Participó en 22 oportunidades, presentando cuatro obras en cada ocasión. De sus 92 obras se conservan 19, entre ellas *Medea* (431), *Hipólito coronado* (428), *Electra* (418), *Las troyanas* (415), *Ion* (413), *Ifigenia en Áulide* (406) y *Las bacantes* (406). Muchas de sus obras incluyen prólogos y cuentan con un DEUS EX MACHINA. A diferencia de Sófocles y Esquilo, Eurípides señala que el destino trágico de sus personajes es casi el resultado de su naturaleza imperfecta y de sus pasiones descontroladas. En sus obras, el azar, el desorden, la irracionalidad y la inmoralidad humana terminan en un sufrimiento aparentemente sin sentido, visto por los dioses con indiferencia.

**Euripo** ver CALCIS

**Euripo, canal de** griego **Euripos** o **Evripos** Estrecho angosto en el mar Egeo. Ubicado entre la isla griega de EUBEA y el centro de Grecia continental, tiene una extensión de 8 km (5 mi) y su anchura varía de 40 m (130 pies) a 1,6 km (1 mi). En esta zona son fuertes las corrientes mareales que cambian de dirección siete o más veces durante el día, fenómeno que aún no se comprende plenamente. El puerto principal del estrecho es CALCIS, importante centro de intercambio comercial desde la antigua Grecia. Un puente movible de 40 m (130 pies), que reemplaza estructuras anteriores que databan de 411 AC, se extiende desde Calcis sobre el estrecho.

**euriptérido** Miembro de un orden extinto de ARTRÓPODOS (Eurypterida), de cuerpo similar al CANGREJO HERRADURA, que vivió entre 505–245 millones de años atrás. Frecuentemente mencionados como escorpiones gigantes, la mayoría de los euriptéridos eran pequeños, aunque el *Pterygotus buffaloenis*, una especie del período SILÚRICO, es el mayor artrópodo conocido, con una longitud de hasta 3 m (10 pies). Los euriptéridos vivieron en aguas salobres. Algunos eran predadores; otros probablemente eran carroñeros que merodeaban por el fondo.

**euritmia** Método de enseñanza musical infantil. Desarrollado por el músico suizo ÉMILE JAQUES-DALCROZE a principios del s. XX, se basa en movimientos determinados de las extremidades en respuesta a los cambios de ritmo y de tono (o altura). El objetivo inicial era estimular en los jóvenes una respuesta física a la música, con la esperanza de que eso les educaría musicalmente. Fue muy popular a principios del s. XX, pero ha declinado en las útimas décadas.

El territorio de los Países Bajos es la zona de menor altitud de Europa; una quinta parte se encuentra bajo el nivel del mar.
ARCHIVO EDIT. SANTIAGO

**euro** Moneda única de la UNIÓN EUROPEA (UE). El euro se adoptó como una unidad de intercambio en enero de 1999. Sus defensores creían que fortalecería a Europa como potencia económica, incrementaría el comercio internacional, simplificaría las transacciones monetarias y conduciría a la igualdad de precios en toda Europa. Los billetes y monedas en euros se introdujeron en enero de 2002; el 1 de marzo, se convirtió en la moneda única de todos los países que suscribieron el acuerdo. Gran Bretaña y Suecia decidieron no adoptar el euro de inmediato, en tanto que los votantes de Dinamarca lo rechazaron.

**euro** ver UALARÚ

**eurocomunismo** Tendencia de los partidos comunistas europeos a independizarse de la doctrina del PARTIDO COMUNISTA soviético en las décadas de 1970 y 1980. El término, acuñado a mediados del decenio de 1970, tuvo gran publicidad después de la publicación de *El eurocomunismo y el Estado* (1977) de Santiago Carrillo. Esta tendencia rechazó la doctrina soviética de un movimiento comunista mundial monolítico y defendió en cambio que cada partido de esta ideología formulara sus políticas basándose en las tradiciones y necesidades de su propio país. Con el apoyo de MIJAÍL GORBACHOV, estos partidos siguieron caminos independientes a fines de la década de 1980. La mayoría de los partidos comunistas europeos decayeron después de la disolución de la Unión Soviética.

**eurodólar** Dólar estadounidense depositado fuera de EE.UU., especialmente en Europa. Los bancos extranjeros que tienen eurodólares están obligados a pagar en dólares estadounidenses al momento del retiro de los depósitos. La mayoría de los eurodólares se utilizan para financiar operaciones comerciales, pero muchos bancos centrales también operan en el mercado de los eurodólares. Ver también cambio de DIVISAS; MONEDA.

**Europa** En la mitología GRIEGA, la hija de Fénix o de Agenor, rey de Fenicia. Su belleza inspiró el amor de ZEUS, quien la abordó en la forma de un toro blanco y la llevó a Creta cruzando el mar. Después de dar a luz tres hijos de Zeus, desposó al rey de Creta, quien los adoptó. Estos crecieron hasta convertirse en el rey MINOS de Creta, el rey Radamanto de las Cícladas y el príncipe Sarpedon de Licia. En Creta fue adorada con el nombre de Hellotis. El continente europeo lleva su nombre.

**Europa** Segundo continente más pequeño del mundo. Limita con los océanos Ártico y Atlántico, y los mares Mediterráneo, Negro y Caspio. La frontera oriental del continente se extiende a lo largo de los montes URALES y el río URAL. En su territorio se encuentran numerosas islas, archipiélagos y penínsulas. Interrumpido por bahías, fiordos y mares, el irregular litoral de Europa continental mide unos 38.000 km (24.000 mi) de largo. Superficie: 10.400.000 km$^2$ (4.000.000 mi$^2$). Población (est. 2001): 666.498.000 hab. Europa presenta la menor altitud media entre todas las masas continentales; aproximadamente el 60% se eleva a menos de 180 m (600 pies) sobre el nivel del mar, y cerca del 30% entre 180 y 900 m (600 y 3.000 pies). Los puntos más altos se ubican en los sistemas montañosos que cruzan la parte meridional del continente, que comprenden los PIRINEOS, los ALPES, los APENINOS, los CÁRPATOS y los montes BALCANES. El continente es irrigado por muchos cursos fluviales; tiene pocos lagos de tamaño considerable. Los glaciares cubren una superficie de cerca de 116.000 km$^2$ (44.800 mi$^2$), ubicados la mayor parte en la zona boreal. Cerca del un tercio del suelo de Europa es cultivable, y de ese total la mitad está dedicada a los cereales, principalmente trigo y cebada. Un tercio está cubierto de bosques. Europa fue la primera región del mundo que desarrolló una economía moderna basada en una agricultura e industria orientadas al mercado, y se mantiene como una de las más importantes regiones industriales del mundo, con un promedio anual de ingresos per cápita que se sitúa entre los más altos del mundo. La población europea constituye cerca del 15% de la población del planeta. La mayor parte de las cerca de 60 lenguas autóctonas pertenece a uno de tres grupos lingüísticos, como las lenguas ROMANCE, GERMÁNICAS y ESLAVAS. La población europea es predominantemente cristiana. En Europa, la especie humana moderna desplazó a la del NEANDERTHAL, escasa en número, hace unos 40.000 años, y a inicios del segundo milenio AC los grupos generales de población que constituirían los países y los pueblos históricos de Europa ya estaban asentados. Las civilizaciones que se desarrollaron en Grecia fueron las primeras en Europa. En el período clásico, los griegos fueron un conducto para las avanzadas civilizaciones del Medio Oriente, las que junto a la singular contribución de la cultura griega sentaron las bases de la civilización europea. Hacia mediados del s. II AC, los griegos habían sido dominados

El nuevo *Reichstag* en Berlín, erigido tras la reunificación de Alemania.
LUIS VEIGA/PHOTOGRAPHER'S CHOISE/GETTY IMAGES

por los romanos, y el vasto Imperio romano llevó a los territorios conquistados la civilización que los griegos habían iniciado. Fue a través de los romanos que el cristianismo penetró en Europa. En el s. V DC, cayó finalmente el Imperio romano de Occidente, lo que produjo el desmoronamiento de la civilización clásica. No logró resurgir hasta el RENACIMIENTO (s. XV–XVI), cuando se dio inicio a la tradición europea moderna en los campos de la ciencia, las exploraciones y los descubrimientos. La REFORMA protestante del s. XVI terminó con el predominio de la Iglesia católica en Europa occidental y septentrional, y el período de la ILUSTRACIÓN de los s. XVII y XVIII acentuó la primacía de la razón. A fines del s. XVIII, los ideales ilustrados ayudaron a estimular la REVOLUCIÓN FRANCESA, que derribó a las más poderosas monarquías europeas y encabezó el movimiento hacia la democracia y la igualdad. También a fines del s. XVIII se inició la REVOLUCIÓN INDUSTRIAL, que condujo al predominio político y militar de Europa sobre la mayor parte del mundo en el siglo siguiente. A comienzos del s. XX las potencias europeas se dividieron durante la primera guerra mundial, la que tuvo como consecuencia el efectivo fin de la monarquía en Europa y la creación de numerosos países nuevos en Europa central y oriental. La segunda guerra mundial significó el fin del poderío mundial ejercido por los estados de Europa occidental y sobrevino el ascenso del comunismo en Europa oriental, en que la Unión Soviética y sus satélites dividieron el continente en forma nítida. La Unión Soviética colapsó a fines del s. XX, lo que llevó a la desaparición del comunismo en todo el continente. Los países satélites de la U.R.S.S. pasaron a ser independientes y la mayoría inició su democratización; Alemania Oriental y Occidental se reunificaron, y Yugoslavia y sus estados sucesores fueron devastados por conflictos étnicos (ver crisis de KOSOVO; conflicto BOSNIO). Ver también OTAN; UNIÓN EUROPEA.

**Europa, Consejo de** Organización de más de 40 estados europeos formada para promover la unidad europea, proteger los derechos humanos y facilitar el progreso social y económico. Constituido en 1949 por diez estados europeos occidentales, ha formulado acuerdos internacionales sobre derechos humanos y ha creado varios organismos especiales y comités de expertos sobre asuntos sociales, legales y culturales. Tiene su sede en Estrasburgo, Francia. (El Consejo de Europa no debe ser confundido con el Consejo Europeo, que es un organismo de formulación de políticas de la UNIÓN EUROPEA).

**European Aeronautic Defence and Space Co. (EADS)** Empresa aeroespacial europea, una de las más grandes del mundo. Se constituyó en 2000 por la fusión de tres compañías: Aerospatiale Matra de Francia, DaimlerChrysler Aerospace (Dasa) de Alemania y Construcciones Aeronáuticas S.A. (CASA) de España. Posee una participación del 80% en la empresa europea AIRBUS S.A.S. que se dedica a la fabricación de aeronaves, y es responsable del ensamblaje final del Airbus. Tiene una participación mayoritaria en la empresa trinacional Astrium (creada en 2000), cuyas instalaciones en Francia, Alemania y Gran Bretaña abarcan una amplia gama de negocios espaciales, desde sistemas terrestres y vehículos de lanzamiento hasta satélites e infraestructura orbital. Su filial Eurocopter fabrica helicópteros para uso militar y civil. También tiene participaciones en Arianespace, empresa que comercializa los servicios de los vehículos de lanzamiento Ariane, en el consorcio europeo Eurofighter para el desarrollo de aeronaves de combate polivalentes, y en la empresa aeroespacial francesa Dassault.

**Eurotúnel** Túnel ferroviario que corre bajo el canal de la Mancha entre Folkestone, Inglaterra, y Sangatte (cerca de Calais), Francia. La unión de Inglaterra con el continente había sido un tema largamente debatido. Entre varias propuestas, como un puente colgante de gran extensión, una conexión puente/túnel y una conexión combinada ferrocarril/carretera, se optó finalmente por un túnel ferroviario. El túnel de

50 km (31 mi), inaugurado en 1994, en realidad son tres túneles separados, dos para tráfico ferroviario y uno central para servicio y seguridad. Los trenes, que trasladan tanto vehículos motorizados como pasajeros, pueden viajar a velocidades de hasta 160 km/h (100 mi/h).

Estación Waterloo del Eurotúnel.
FOTOBANCO

**Eusebio de Cesarea** (c. siglo IV, Cesarea, Palestina). Obispo e historiador de principios del cristianismo. Bautizado y ordenado en Cesarea, Palestina, habría sido encarcelado durante las persecuciones romanas. Su fama radica en su *Historia eclesiástica* (312–324), que reproduce partes de obras que ya no existen. Se convirtió en obispo de Cesarea c. 313. Acusado de profesar el ARRIANISMO, fue excomulgado en 325, pero poco después fue exculpado por el concilio de NICEA. Fue un firme partidario de los intentos de CONSTANTINO I de unificar y estandarizar la doctrina cristiana. Entre sus obras se encuentra la *Vida de Constantino*.

**Euskadi** ver País VASCO

**eutanasia** Muerte indolora de una persona portadora de una enfermedad dolorosa, incurable o incapacitante. La mayoría de los sistemas legales la consideran un asesinato, aunque en muchas jurisdicciones el médico puede decidir legalmente no prolongar la vida del paciente o puede administrarle medicamentos que alivian el dolor, aunque acorten su vida. En muchos países existen asociaciones que promueven la eutanasia legal. El movimiento a favor de la legalización ha ganado terreno en la medida que los avances tecnológicos de la medicina se usan para prolongar la vida de pacientes que soportan enormes sufrimientos, o están comatosos o imposibilitados de comunicar sus deseos. La eutanasia fue legalizada en los Países Bajos en 2001 y en Bélgica en 2002. En 1997, Oregón fue el primer estado de EE.UU. que despenalizó el suicidio asistido por médicos.

**Eutímides** (floreció c. 515–500 AC, Atenas, Grecia). Pintor de jarrones griego. Fue contemporáneo de EUFRONIO. Se ha encontrado su firma en ocho jarrones, seis de los cuales firmó como pintor y dos como ceramista. Impulsor de la CERÁMICA DE FIGURAS ROJAS, se destacó por su destreza para el escorzo y los estudios del movimiento. El ánfora, que ahora se encuentra en el Museo de antigüedades de Munich y que muestra figuras en escorzo en proyecciones de tres cuartos, es un ejemplo sobresaliente de su habilidad para el dibujo.

**eutrofización** Aumento gradual de la concentración de FÓSFORO, NITRÓGENO y otros nutrientes vegetales en un ecosistema acuático que enveje, como un lago. La productividad o fertilidad de un ecosistema de ese tipo aumenta a medida que incrementa la cantidad de material orgánico que se puede descomponer en nutrientes. Este material ingresa al ecosistema principalmente por escurrimientos que llevan detritos En la superficie se desarrollan a menudo FLORACIONES ALGALES, que impiden la penetración de la luz y la absorción del oxígeno necesario para la vida subacuática. Ver también CONTAMINACIÓN HÍDRICA.

**evacuación intestinal** ver DEFECACIÓN

**Evágoras** (m. 374 AC). Rey de SALAMINA, Chipre (c. 410–374). Impulsó una política de amistad con Atenas y de fomento del helenismo. Consiguió que Persia apoyara a Atenas en su lucha contra Esparta. Con ayuda de atenienses y egipcios, extendió su dominio sobre la mayor parte de Chipre y un sector de Anatolia. Más tarde, sus relaciones con Persia se hicieron hostiles y esta lo derrotó en 381. Aunque siguió siendo nominalmente rey de Salamina, se convirtió de hecho en vasallo de Persia. Fue asesinado por un eunuco.

**Evangelio** Cualquiera de los cuatro libros del NUEVO TESTAMENTO que narran la vida y muerte de JESÚS. Los evangelios de san MATEO, san MARCOS, san LUCAS y san JUAN EVANGELISTA conforman la primera parte del Nuevo Testamento y ocupan casi la mitad de su extensión. Desde el s. XVIII, los tres primeros han sido llamados evangelios sinópticos, porque proporcionan relatos similares acerca del ministerio de Jesús. El término también se aplica a obras apócrifas del s. II (p. ej., el Evangelio de Tomás).

**evangelismo** Movimiento protestante que enfatiza las experiencias de conversión, la Biblia como la única base de la fe y la evangelización en el propio país y el exterior. El renacimiento religioso que se produjo en Europa y América durante el s. XVIII fue en términos generales un renacimiento evangélico. Comprendió el PIETISMO en Europa, el METODISMO en Gran Bretaña y el GRAN DESPERTAR en Norteamérica. En 1846, cristianos evangélicos de varias confesiones y países organizaron en Londres la Alianza evangélica. En EE.UU., el movimiento se extendió, debido en parte a la popularidad de predicadores como Billy Graham, la creación de instituciones como Wheaton College, la publicación del periódico *Christianity Today* y la fundación de organizaciones y asociaciones profesionales como la Asociación nacional de evangélicos (1942). Desarrollando un sentimiento de unidad internacional e interconfesional, los evangélicos formaron la Hermandad evangélica mundial (World Evangelical Fellowship, WEF) en 1951. Más de 110 organizaciones nacionales y regionales y unos 110 millones de personas están afiliadas a la WEF, actualmente con sede en Singapur. Ver FUNDAMENTALISMO CRISTIANO; PENTECOSTALISMO.

**Evans, Bill** *orig.* **William John Evans** (16 ago. 1929, Plainfield, N.J., EE.UU.–15 sep. 1980, Nueva York, N.Y.). Pianista y compositor estadounidense, uno de los músicos más influyentes en el JAZZ moderno. Evans tuvo una formación clásica y recibió la influencia de los pianistas BUD POWELL, HORACE SILVER y LENNIE TRISTANO. Su sutileza armónica y su sensibilidad lírica melódica eran muy apropiadas para la improvisación modal, demostrada en la grabación señera de MILES DAVIS, *Kind of Blue* (1959). Como líder de su propio trío, Evans establecía una comunicación casi telepática con sus colegas, creando música de extraordinaria profundidad e introspección. Su composición más conocida es "Waltz for Debby".

**Evans, Dame Edith (Mary)** (8 feb. 1888, Londres, Inglaterra– 14 oct. 1976, Cranbrook, Kent). Actriz británica. Debutó en el teatro con el papel de Cressida en *Troilo y Cressida* (1912) de WILLIAM SHAKESPEARE, y se unió a la compañía OLD VIC en 1925. Fue una de las más destacadas actrices del s. XX, y actuó tanto en Londres como en Broadway en obras de Shakespeare, GEORGE BERNARD SHAW

Dame Edith Evans como Mrs. Ross en *The Whisperers*, 1967.
GENTILEZA DE SEVEN PINES PRODUCTIONS LTD.; FOTOGRAFÍA, PICTORIAL PARADE

y NOËL COWARD. Interpretó a Lady Bracknell en *La importancia de llamarse Ernesto* de OSCAR WILDE en teatro y en cine (1952). También actuó en películas como *Mirando hacia atrás con ira* (1959), *Tom Jones* (1963), *Mujer sin pasado* (1964) y *The Whisperers* (1967).

**Evans, Frederick H(enry)** (26 jun. 1853, Londres, Inglaterra–24 jun. 1943, Londres). Fotógrafo británico. En un principio fue conocido como un afamado librero londinense y defensor de la obra de GEORGE BERNARD SHAW y AUBREY BEARDSLEY. Alrededor de 1890 comenzó a fotografiar catedra-

les inglesas y francesas. A partir de 1898 se dedicó exclusivamente a la fotografía. Su convicción de que sólo las vistas estáticas de belleza idealizada eran dignas de ser fotografiadas, discrepaba de la tendencia de inicios del s. XX de fotografiar imágenes fugaces; sin embargo, sus fotografías de obras arquitectónicas se consideran entre las más notables del mundo.

**Evans, George Henry** (25 mar. 1805, Bromyard, Herefordshire, Inglaterra– 2 feb. 1856, Granville, N.J., EE.UU.). Director periodístico y reformador social estadounidense de origen inglés. Emigró a EE.UU. en 1820; nueve años después fundó el *Working Man's Advocate*, el primer periódico laboral de importancia en EE.UU., y cofundó el Workingmen's Party (Partido de los trabajadores). Organizó la Asociación nacional de reforma para presionar al congreso y lograr la entrega de tierras para colonización en el oeste, argumentando que la disponibilidad de terrenos gratuitos atraería a los trabajadores sin empleo en el este y mantendría los salarios altos para quienes se quedaran. Su labor condujo a la aprobación de la Homestead Act (ley de protección a las tierras de colonización) en 1862. También luchó por la abolición de la esclavitud y abogó por la igualdad de derechos de la mujer.

**Evans, Mary Ann** ver George ELIOT

**Evans, Maurice (Herbert)** (3 de jun. 1901, Dorchester, Dorset, Inglaterra–12 mar. 1989, Rottingdean, East Sussex). Actor estadounidense de origen británico. Debutó profesionalmente en el teatro en 1926 y obtuvo su primer éxito en *Journey's End* (1929). Se mudó a EE.UU. en 1935 y fue aclamado en Broadway por sus roles shakesperianos. Durante la segunda guerra mundial divirtió a las tropas estadounidenses con una versión corta de *Hamlet*. Posteriormente protagonizó cuatro reposiciones de comedias de GEORGE BERNARD SHAW, destacándose *Hombre y superhombre* (1947). Su mayor éxito en Broadway lo obtuvo con *Dial M for Murder* (1952), y fue el protagonista de una producción de *Macbeth* para la televisión (1961, premio Emmy). Actuó en 17 películas, entre ellas *El bebé de Rosemary* (1968).

**Evans, Oliver** (13 sep. 1755, cerca de Newport, Del.– 15 abr. 1819, Nueva York, EE.UU.). Inventor estadounidense. Comenzó muy joven a dedicarse a resolver problemas de maquinarias industriales. Inventó un dispositivo de CARDADO para uso en la producción de textiles recientemente mecanizada. En 1784 construyó un molino harinero, para el cual creó la primera línea de producción continua en toda la industria: todos los movimientos eran automáticos, la fuerza motriz era suministrada por ruedas hidráulicas y el cereal se hacía circular mediante transportadoras y canaletas de descarga por todas las etapas de la molienda; finalmente salía de la línea de producción como harina terminada. Su máquina de VAPOR de alta presión (patentada en 1790) merece compartir el mérito del invento que a menudo se asigna sólo a RICHARD TREVITHICK. Su Amphibious Digger (1805), un lanchón de vapor que podía desplazarse tanto en tierra como en agua, fue el primer vehículo de propulsión propia en transitar por los caminos de EE.UU. Su empresa Mars Iron Works (fundada en 1806) construyó más de 100 máquinas de vapor para uso con prensas de tornillo para procesar algodón, tabaco y papel.

**Evans, Sir Arthur (John)** (8 jul. 1851, Nash Mills, Hertfordshire, Inglaterra–11 jul. 1941, Youlbury, cerca de Oxford, Oxfordshire). Arqueólogo británico. Hijo del arqueólogo Sir John Evans, fue conservador (1884–1908) del Ashmolean Museum de Oxford. A partir de 1899 dedicó varias décadas a excavar las ruinas de la antigua ciudad de CNOSOS en Creta, donde descubrió restos de una desarrollada civilización de la EDAD DEL BRONCE, a la que denominó MINOICA. Su trabajo, uno de los mayores logros de la arqueología, implicó un gran avance en el estudio de la prehistoria de Europa y del Mediterráneo oriental. Publicó un informe definitivo de sus hallazgos en *The Palace of Minos* [El palacio de Minos], 4 vol. (1921–36).

**Evans, Walker** (3 nov. 1903, St. Louis, Mo., EE.UU.–10 abr. 1975, New Haven, Conn.). Fotógrafo estadounidense. Recibió tempranamente la influencia de las fotografías de Eugène Atget. En 1934, sus imágenes de la arquitectura de Nueva Inglaterra se exhibieron en la primera exposición individual de fotografía en el Museo de Arte Moderno. Desde 1935 fotografió para la Farm Security Administration a las víctimas rurales de la gran depresión. Estas imágenes fueron publicadas en *American Photographs* (1938). Colaboró con James Agee en la documentación de la vida de los aparceros de Alabama, en *Let Us Now Praise Famous Men* (1941). Las fotografías de Evans aparecieron sin títulos ni comentarios en una sección aparte del texto de Agee; sin embargo, el todo constituye una de las colaboraciones más notables entre un fotógrafo y un escritor. Llegó a ser editor de la revista *Fortune* (1945–65) y profesor de la Universidad de Yale (1965–74).

**Evans-Pritchard, Sir E(dward) E(van)** (21 sep. 1902, Crowborough, Sussex, Inglaterra–11 sep. 1973, Oxford, Oxfordshire). Antropólogo social británico, el más influyente desde Bronisław Malinowski y A.R. Radcliffe-Brown. Sucedió a este último en la Universidad de Oxford (1946), donde fue mentor de toda una generación de estudiantes. Sus trabajos sobre los sistemas de creencias, brujería, religión, política y tradición oral en África siguen siendo fundamentales para el estudio de las sociedades africanas y los sistemas de pensamiento no occidentales. Entre sus principales obras se cuentan *Brujería, magia y oráculos entre los azande* (1937), *Los nuer* (1940) y *Sistemas políticos africanos* (1940), en colaboración con Meyer Fortes.

**Evansville** Ciudad (pob., 2000: 121.582 hab.) del sudoeste de Indiana, EE.UU. Fundada en 1812, también es un puerto sobre el río Ohio. Creció como el terminal sur del canal Wabash y Erie (1853), que conectaba el lago Erie con el río Ohio. Yacimientos de carbón y petróleo, al igual que tierras de labranza fértiles, rodean la ciudad, y su ubicación como centro de transporte la ha convertido en la metrópolis del sudoeste de Indiana y los estados contiguos. La industria manufacturera es muy diversificada, y comprende productos farmacéuticos y equipos de aire acondicionado y refrigeración. Es sede de la Universidad de Evansville (1854). Próximo a la ciudad se encuentra el Angel Mounds State Memorial, enorme sitio arqueológico que data de la prehistoria.

**evaporación** Cambio de un líquido a un estado gaseoso; en particular, el proceso mediante el cual el agua líquida ingresa a la atmósfera como vapor de agua. La evaporación, principalmente del mar y de la vegetación, restaura la humedad del aire. Es una parte importante del intercambio de energía en el sistema Tierra-atmósfera que produce el movimiento atmosférico y, por lo tanto, el clima y los fenómenos meteorológicos. La velocidad de evaporación depende de la diferencia de temperatura entre la superficie de evaporación y el aire, así como de la humedad relativa y del viento.

**evaporador** Aparato industrial para convertir un líquido en gas o vapor. El evaporador de efecto simple se compone de un recipiente o superficie para el líquido y de una unidad calentadora; el evaporador de efecto múltiple usa el vapor producido en una unidad para calentar la siguiente. Se emplean evaporadores de efecto doble, triple o cuádruple en plantas industriales o plantas de calentamiento por vapor. Algunos evaporadores se usan para concentrar una solución por vaporización y eliminación del agua que contiene (p. ej., en una planta concentradora de azúcar y jarabe). En procesos de purificación, como la desalinización, los evaporadores convierten agua en vapor, dejando atrás los residuos minerales; luego se condensa el vapor en agua (desalinizada). En los sistemas de refrigeración, el enfriamiento se produce porque la rápida evaporación del líquido refrigerante absorbe calor.

**evaporita** Cualquiera de una variedad de minerales que se encuentran en depósitos sedimentarios de sales solubles resultantes de la evaporación del agua. A menudo, los depósitos de evaporita aparecen en cuencas marinas cerradas, donde la evaporación excede el flujo de agua entrante. Los minerales más importantes de este tipo son anhidrita, halita, calcita, yeso, polihalita, además de sales de potasio y magnesio, como silvita, carnalita, kainita y kieserita.

**evapotranspiración** Pérdida de agua del suelo, tanto por la evaporación desde la superficie del suelo como por la transpiración de las hojas de las plantas que crecen en él. Los factores que afectan el índice de evapotranspiración son la cantidad de radiación solar, la presión del vapor atmosférico, la temperatura, el viento y la humedad del suelo. La evapotranspiración es la responsable de la mayor parte del agua que se pierde del suelo durante el crecimiento de un cultivo. La estimación de los índices de evapotranspiración es, por lo tanto, importante en los esquemas de planificación del riego.

**Evarts, William Maxwell** (6 feb. 1818, Boston, Mass., EE.UU.–28 feb. 1901, Nueva York). Abogado estadounidense. Fue abogado del pdte. Andrew Johnson en la acusación constitucional a que fue sometido (1868). Cuando Johnson quedó absuelto, se desempeñó como fiscal general (1868–69) y luego representó a EE.UU. en el juicio arbitral de la cuestión del *Alabama* que se llevó a cabo en Ginebra (1872). En 1876 fue abogado jefe republicano en la disputa electoral entre Rutherford B. Hayes y Samuel Tilden. En su calidad de secretario de Estado de Hayes (1877–81), hizo valer los intereses estadounidenses frente a la propuesta de un canal en Panamá. Más tarde fue senador (1885–91).

**evenk** ver Siberiano

Monte Everest, cumbre más elevada de la Tierra (8.850 m de altura) en la frontera entre Nepal y el Tíbet.
Alan Kearney/Photographer's Choice/Getty Images

**Everest, monte** *tibetano* **Chomolungma** *nepalí* **Sagarmatha** Cumbre en la cresta de los Himalaya, Asia meridional. El punto más alto de la Tierra, con su cima a 8.850 m (29.035 pies) de altura, está situado en la frontera entre Nepal y el Tíbet (China). Se realizaron numerosos intentos para escalarlo desde 1921; finalmente, alcanzaron la cima Edmund Hillary de Nueva Zelanda y Tenzing Norgay de Nepal en 1953. Está en disputa si el explorador inglés George Mallory, cuyo cuerpo fue descubierto más abajo de la cumbre del Everest en 1999, habría alcanzado la cima primero, en 1924, y ya iba descendiendo cuando murió. La altura del Everest de 8.848 m (29.028 pies), aceptada desde principios del decenio de 1950, fue recalculada a fines de la década de 1990.

**Everglades** Región subtropical pantanosa en el sur del estado de Florida, EE.UU. Cubre una superficie cercana a los 10.000 km² 4.000 mi²). La zona es una marisma de agua dulce que abarca desde la ribera del lago Okeechobee hasta los manglares que bordean el golfo de México y la bahía de Florida. El parque nacional de los Everglades, constituido en 1934, comprende la parte sudoccidental del pantano y cubre una superficie de 6.097 km² (2.354 mi²). Es la zona natural subtropical más grande de EE.UU. continental; tiene clima templado, siendo un hábitat ideal para miles de aves, caimanes, serpientes y tortugas. Gran parte de estos terrenos han sido recuperados por canales de drenaje, lo que ha alterado el medio ambiente de muchas especies.

**Evers, Medgar (Wiley)** (2 jul. 1925, Decatur, Miss., EE.UU.–12 jun. 1963, Filadelfia, Miss.). Activista afroamericano de los derechos civiles. Prestó servicios en la segunda guerra mundial y luego se dedicó al comercio en Mississippi. Con su hermano mayor, Charles, comenzó a organizar filiales locales de la NAACP, y en 1954 fue el primer secretario local de la organización en Mississippi. Viajó por todo el estado para atraer miembros y organizar boicots económicos. En junio de 1963, horas después de que el pdte. JOHN F. KENNEDY terminara un discurso sobre derechos civiles, cayó en una emboscada frente a su casa, donde murió asesinado a tiros. Se acusó del crimen a un segregacionista blanco, que quedó en libertad después de dos juicios realizados en 1964, en los que el jurado no llegó a acuerdo; finalmente fue condenado en 1994, en un tercer juicio. Más adelante, su viuda, Myrlie Evers-Williams, dirigió la NAACP (1995–98).

**Evert, Chris (tine Marie)** *ant.* **Chris Evert Lloyd** (n. 21 dic. 1954, Fort Lauderdale, Fla., EE.UU.). Tenista estadounidense. En 1971 se convirtió en la jugadora más joven en alcanzar las semifinales del Abierto de EE.UU. Ganó seis veces (1975–78, 1980 y 1982) el título de singles de ese torneo, a lo que se suman tres coronas en Wimbledon (1974, 1976 y 1981), siete en el Abierto de Francia (1974, 1975, 1979, 1980, 1983, 1985 y 1986) y dos en el de Australia (1982 y 1984), para totalizar 18 títulos del Grand Slam. Se retiró en 1989.

**Evita** ver Eva PERÓN

**evolución** Teoría biológica según la cual los animales y las plantas se originan de otros tipos y que las diferencias distinguibles obedecen a modificaciones que ocurren en generaciones sucesivas. Es uno de los pilares fundamentales de la teoría biológica moderna. En 1858, CHARLES DARWIN y ALFRED RUSSEL WALLACE publicaron un artículo sobre la evolución que revolucionó todos los estudios biológicos posteriores. El meollo de la evolución darwiniana es el mecanismo de la SELECCIÓN NATURAL. Los individuos sobrevivientes, que han variado (ver VARIACIÓN) de alguna manera que les permite vivir más y reproducirse, transmiten su ventaja a las siguientes generaciones. En 1937, THEODOSIUS DOBZHANSKY aplicó la genética mendeliana (ver GREGOR MENDEL) a la teoría darwiniana, contribuyendo a la nueva concepción de la evolución como un efecto acumulativo de la selección natural sobre pequeñas variaciones genéticas en poblaciones enteras. Parte de las pruebas de la evolución está en el historial fósil, que muestra una sucesión de formas que cambian gradualmente, y conducen a las que se conocen en la actualidad. Las semejanzas estructurales y del desarrollo embrionario entre las formas vivientes apuntan también hacia un ancestro común. La biología molecular (especialmente el estudio de los genes y las proteínas) es la que suministra la evidencia más detallada de los cambios evolutivos. Aunque la teoría de la evolución es aceptada por casi toda la comunidad científica, ha suscitado muchas controversias desde la época de Darwin hasta ahora; la mayoría de las objeciones provienen de líderes y pensadores religiosos (ver CREACIONISMO). Ver también ESPECIACIÓN; EVOLUCIÓN HUMANA; EVOLUCIÓN PARALELA; EVOLUCIÓN SOCIOCULTURAL; FILOGENIA; ERNST HAECKEL; ERNST MAYR; HUGO DE VRIES.

**evolución humana** Evolución de los seres humanos modernos desde formas no humanas y formas HOMÍNIDAS extintas. Las evidencias genéticas apuntan a una divergencia evolutiva entre los linajes de los humanos y de los grandes simios (Pongidae) en el continente africano hace unos 5–8 millones de años. Los restos de homínidos más antiguos conocidos datan de 6 millones de años aprox. Diversos fósiles de al menos 4 millones de años de antigüedad y hallados sólo en África han sido clasificados como pertenecientes al género *Australopithecus*. Es probable que uno de los australopitecos, *A. afarensis* o *A. africanus*, haya dado origen a la especie que corresponde a la siguiente etapa evolutiva importante, el *Homo habilis*, que habitó en el África subsahariana hasta c. 1,5 millones de años. Al parecer el *H. habilis* fue reemplazado a su vez por una especie de mayor estatura y más parecida a la especie humana, el *Homo erectus*. Esta especie, que vivió c. 2.000.000 a 250.000 años, migró gradualmente a Asia y parte de Europa. Algunas formas arcaicas del *Homo sapiens* con rasgos semejantes tanto a los del *H. erectus* como a los de los seres humanos modernos aparecieron c. 400.000 años en África y quizá en parte de Asia, pero los seres humanos tal como se los conoce actualmente surgieron hace sólo 250.000–150.000 años, y probablemente descendieron del *H. erectus*.

**evolución paralela** EVOLUCIÓN de grupos geográficamente separados, de tal manera que muestran semejanzas físicas. Un ejemplo destacado son las semejanzas entre los mamíferos marsupiales de Australia y los mamíferos placentados de otros lugares, que han alcanzado formas notoriamente similares mediante los cursos separados de su evolución.

**evolución sociocultural** Desarrollo de la cultura y la sociedad desde formas simples a formas complejas. Los europeos han tratado de explicar la existencia de diversas sociedades "primitivas"; algunos postularon que esas sociedades correspondían a las tribus perdidas de Israel, mientras otros especulaban que los pueblos primitivos habían degenerado desde los tiempos de Adán de un estadio originalmente "bárbaro" a otro incluso inferior: el "salvaje". Se creía que la sociedad europea encarnaba el estadio de existencia más elevado: la "civilización". A fines del s. XIX, EDWARD BURNETT TYLOR y LEWIS HENRY MORGAN elaboraron la teoría de la evolución unilineal, en la que especificaron los criterios para clasificar las culturas según su posición dentro de un sistema fijo de desarrollo de la humanidad en su conjunto, y examinaron los modos y mecanismos de ese desarrollo. Ello dio lugar a una reacción generalizada; FRANZ BOAS introdujo el enfoque de "historia cultural", que se concentraba en el trabajo de campo al interior de pueblos autóctonos, cuyo fin era identificar los procesos culturales e históricos reales, y no etapas de desarrollo de carácter especulativo. Leslie White, Julian Steward y otros estudiosos trataron de revivir ciertos aspectos del evolucionismo sociocultural, postulando una progresión que iba desde las BANDAS y las TRIBUS, en un extremo, hasta las JEFATURAS y los ESTADOS, en el otro. En el último tiempo algunos antropólogos han adoptado el enfoque de sistemas generales, y estudian las culturas como sistemas emergentes. Otros continúan rechazando las ideas evolucionistas y examinan en cambio las contingencias históricas, los contactos con otras culturas y el funcionamiento de los sistemas simbólicos (ver SÍMBOLO) culturales. Ver también DARWINISMO SOCIAL.

**Evripos, canal de** ver canal de EURIPO

**Ewald, Johannes** (18 nov. 1743, Copenhague, Dinamarca– 17 mar. 1781, Copenhague). Poeta y dramaturgo danés. A los 19 años empezaba a hacerse conocido como escritor. A los 30 años, y como consecuencia de su adicción al alcohol, pasó a tener una vida más solitaria y comenzó a escribir sus obras maduras, entre ellas *La muerte de Balder* (1774), transformándose en el primer poeta danés en usar temas de MITOS y SAGAS escandinavos. De sus obras teatrales, solamente la opereta *Fiskerne* (1779; Los pescadores) sigue representándose. Es muy conocido por sus maravillosas odas persona-

Johannes Ewald, grabado de Johan Frederik Clemens, 1779.
GENTILEZA DEL MUSEO REAL DE BELLAS ARTES, SOLVGADE, COPENHAGUE, DINAMARCA

les y por una canción considerada himno nacional, y por "Lille Gunver", la primera novela danesa. Está catalogado como uno de los poetas líricos daneses más eximios. Sus memorias (publicadas en 1804) son su obra estelar en prosa.

**ewé** *o* **eué** Pueblo que habita en el sudeste de Ghana, el sur de Benín y el sur de Togo. Los ewés hablan dialectos gbe, una de las lenguas KWA, rama de la familia de lenguas NIGEROCONGOLEÑAS. Nunca formaron un estado centralizado único, permaneciendo como una serie de comunidades independientes que establecían alianzas provisionales en tiempos de guerra. La mayoría de ellos son agricultores y algunos de los que viven en la costa son pescadores. Se dedican además a la hilandería, tejeduría, alfarería y herrería. Suman más de 3,5 millones de personas.

**Ewing, (William) Maurice** (12 may. 1906, Lockney, Texas, EE.UU.–4 may. 1974, Galveston, Texas). Geofísico estadounidense. Por muchos años enseñó en la Universidad de Columbia (1944–74) y dirigió el Observatorio geológico Lamont-Doherty (1949–74). Mientras estudiaba la estructura de la corteza y del manto de la Tierra, realizó mediciones de refracción sísmica en la cuenca del Atlántico a lo largo de la dorsal atlántica, en el Mediterráneo y en el mar de Noruega. En 1935 realizó las primeras mediciones sísmicas en mar abierto. Estuvo entre quienes pensaban que los terremotos están asociados con las dorsales oceánicas centrales que rodean el globo, sugiriendo que la expansión del fondo marino puede ser de naturaleza global y episódica. En 1939 tomó las primeras fotografías submarinas a gran profundidad.

**ex libris** Etiqueta con un diseño impreso adherida al interior de la tapa frontal de un libro para identificar a su dueño. Probablemente se originó en Alemania a mediados del s. XV. El *ex libris* más antiguo que se conserva data de 1749. Los diseños de los *ex libris* contienen retratos, vistas de bibliotecas y paisajes, así como símbolos de pasatiempos u ocupaciones de sus dueños (p. ej., trofeos militares, paletas) y, también, hacia fines del s. XIX, figuras de desnudos.

**examen postmortem** ver AUTOPSIA

**examen preliminar** *francés* **voir dire** (anglofrancés: "decir la verdad"). En derecho, acto o proceso de interrogar a los posibles jurados para establecer si son aptos y están calificados para desempeñarse como tales en un JURADO. Los abogados que formulan las preguntas pueden rechazar a un jurado por causas como falta de imparcialidad manifiesta o ideas preconcebidas acerca de la culpabilidad o inocencia del inculpado; asimismo, en algunos casos pueden recusarlos sin expresión de causa.

**excavación** En arqueología, exposición, registro y recuperación de restos materiales enterrados. Las técnicas varían según el tipo de sitio arqueológico, pero todas las formas de excavación exigen un gran nivel de competencia y una cuidadosa preparación. El proceso comienza con la ubicación del sitio, mediante fotografías aéreas, teledetección o, comúnmente, con el descubrimiento accidental durante una faena de construcción. A esta etapa siguen las de prospección y trazado de mapas, muestreo del sitio y elaboración de un programa de excavación. El diseño y la ejecución de una excavación suelen requerir un equipo interdisciplinario de expertos. La excavación en sí consiste en remover la tierra sobrante y examinar minuciosamente el suelo, los artefactos y el contexto, por medio de la observación, el cernido y otros métodos. Algunas de las herramientas más comúnmente utilizadas son llanas, cortaplumas y brochas. A la fase de excavación siguen las de clasificación de los artefactos, el análisis, la DATACIÓN y la publicación de los resultados. La excavación puede durar décadas o puede consistir en un trabajo de salvamento urgente y breve (p. ej., cuando un sitio se ve amenazado por algún tipo de construcción).

**excedente del consumidor** En economía, la diferencia entre el monto total que los consumidores estarían dispuestos a pagar por consumir la cantidad de bienes transados en el mercado y el monto que realmente pagan por consumir esos bienes. Lo anterior en general se interpreta como el valor monetario de la satisfacción del consumidor. El concepto fue desarrollado en 1844 por el ingeniero civil francés Arsène-Jules-Étienne-Juvénal Dupuit (n. 1804–m. 1866) y divulgado por ALFRED MARSHALL. Aunque en el s. XX, los economistas abordaron la satisfacción del consumidor desde un punto de vista no cuantificable, el concepto se utiliza ampliamente en ECONOMÍA DEL BIENESTAR y en tributación.

**Excélsior** Periódico mexicano de circulación nacional, con sede en la capital, México, D.F. Fundado en 1917 por Rafael Alducín, mantuvo su perfil conservador hasta 1968. Su nuevo director, Julio Scherer García, ocupó las páginas del periódico para defender la democracia, en oposición a los gobiernos de la época. Actualmente el diario tiene una de las mayores tiradas del país.

**excepción de falta de acción** En derecho, recurso mediante el cual se reconoce la veracidad de una afirmación, pero se alega que no es causa suficiente de acción. En EE.UU., esta clase de excepciones ya no se utiliza en las causas federales (han sido reemplazadas por solicitudes de inadmisibilidad de la demanda o peticiones de que se precise mejor la afirmación), pero en algunos estados aún se emplean. Las excepciones generales tienen por objeto enervar el fondo de una alegación, mientras que las especiales pretenden impugnarla por razones de forma o de estructura.

**Exchequer** Departamento del gobierno inglés encargado de recibir y distribuir las rentas públicas. Fue instaurado por ENRIQUE I en el s. XII, y su nombre hace referencia al tapiz cuadriculado (*checkered cloth*) sobre el cual se efectuaba el cálculo de las rentas. Originalmente, el bajo *Exchequer* era una oficina destinada a la recaudación, mientras que el alto *Exchequer* era un tribunal que sesionaba dos veces al año para la revisión de cuentas. El sistema judicial inglés se desarrolló a partir del alto *Exchequer*, mientras que el bajo *Exchequer* se convirtió en el Departamento del Tesoro. "Exchequer" es todavía el nombre extraoficial del ministerio de Hacienda en Gran Bretaña.

**excitación** En física de partículas, adición de una cantidad discreta de energía a un sistema que por lo general lo cambia del estado de la energía más baja posible (estado base o tierra), a uno de mayor energía (estado excitado). Por ejemplo, en un átomo de hidrógeno se requiere una energía de excitación de 10,2 electronvoltios para mover su único electrón desde su estado base al primer estado excitado. La energía de excitación almacenada en átomos y núcleos excitados es a menudo emitida como RADIACIÓN ULTRAVIOLETA por los átomos y como radiación gamma (ver RAYOS GAMMA) por los núcleos, al volver estos a sus estados base.

**exclusión, regla de** En el derecho estadounidense, principio según el cual las pruebas obtenidas por la policía en infracción de las disposiciones constitucionales que regulan el ALLANAMIENTO E INCAUTACIÓN de bienes no justificado, no pueden utilizarse en juicio contra el inculpado. La Corte Suprema de los ESTADOS UNIDOS DE AMÉRICA estableció la validez de la regla en Weeks v. U.S. (1914). En Wolf v. Colorado (1949), la corte limitó la aplicación de la norma a los tribunales federales; esta sentencia fue revertida en el fallo Mapp v. Ohio (1961), que estableció que la norma es universalmente aplicable. En la década de 1980, la corte aceptó una excepción a ella, y sostuvo la admisibilidad de la prueba obtenida "de buena fe" (ver BUENA FE) en virtud de una orden de allanamiento declarada nula posteriormente.

**excomunión** Forma de censura por la cual un miembro de un cuerpo religioso es excluido de la congregación de creyentes y de los ritos de la Iglesia. Esta sanción ha sido usada en varias religiones, principalmente en el CRISTIANISMO, como castigo a ofensas graves como la HEREJÍA. En el CATOLICISMO ROMANO, una persona excomulgada está impedida de recibir los SACRAMENTOS y de ser sepultada en tierra consagrada. El ofensor puede ser absuelto por un sacerdote (en ciertos casos, sólo por un obispo o por el papa) y ser readmitido en la Iglesia después de confesar su PECADO y cumplir la penitencia por este. En las confesiones protestantes (ver PROTESTANTISMO), otros términos, como "disciplina eclesiástica", pueden significar esencialmente el mismo tipo de censura. Aunque se usa rara vez en la actualidad, la práctica del *ḥerem* en el judaísmo era una forma de excomunión que excluía a las personas de la comunidad por un tiempo prescrito o les prohibía oír la TORÁ. El término también se aplica a la expulsión de los monjes budistas (ver BUDISMO) de la SANGHA.

**excreción** Proceso corporal por el cual se eliminan los productos no digeridos de desechos alimentarios y los derivados nitrogenados del METABOLISMO, mediante la regulación del contenido de agua, la mantención del equilibrio ácido-base, y el control de la presión osmótica para promover la HOMEOSTASIS. Se refiere tanto a la MICCIÓN y DEFECACIÓN como a los procesos que tienen lugar en los sistemas URINARIO y digestivo, cuando los RIÑONES y el HÍGADO filtran los desechos, toxinas y drogas de la sangre y los alimentos alcanzan la última etapa de la digestión. El amonio, producto excretorio primario de la digestión de las PROTEÍNAS es convertido en UREA para ser excretado por la ORINA.

**excremento** ver HECES

**excursión con mochila** ver BACKPACKING

**excursionismo** *inglés* **hiking** Deporte recreativo consistente en recorrer a pie largas distancias, generalmente en medio de colinas y montañas. Representa una actividad por sí misma y también forma parte del BACKPACKING, el CAMPING, la CAZA, el MONTAÑISMO y el deporte de ORIENTACIÓN. Grupos de jóvenes y diversas organizaciones, como la Wilderness Society, en EE.UU., ofrecen programas de excursionismo. En casi todos los parques federales y estatales de EE.UU. hay senderos para recorrer a pie, y la mayoría de las ciudades europeas tienen senderos semejan-

Excursionismo: deporte recreativo muy difundido entre jóvenes.
ARCHIVO EDIT. SANTIAGO

tes a su alrededor. América Latina ofrece una gran diversidad de lugares aptos para el excursionismo. La cordillera de los Andes, la selva amazónica, MACHU PICCHU, el ALTIPLANO ANDINO y la PATAGONIA son algunos de los destinos más visitados por turistas de todo el mundo.

**exegesis** *o* **exégesis** Interpretación erudita de textos religiosos, que se sirve de métodos lingüísticos, históricos y de otra índole. En el judaísmo y el cristianismo, se ha usado extensamente en el estudio de la BIBLIA. La crítica textual procura establecer la exactitud de los textos bíblicos. La filológica utiliza la gramática, el vocabulario y el estilo para lograr una traducción fiel. La literaria clasifica los textos según su estilo y trata de establecer su autoría, data y audiencia. La de tradición busca las fuentes del material bíblico y estudia su evolución. El estudio crítico de la redacción examina la forma en que los editores han ensamblado los fragmentos de la tradición para obtener una composición literaria. La crítica formal estudia la manera en que las narrativas son configuradas por las culturas que las originan. La crítica histórica examina el contexto histórico de un texto.

**Exekias** (floreció 540–520 AC, Grecia). Ceramista y pintor de vasos griego. Fue el artista más famoso de jarrones de figuras negras (ver CERÁMICA DE FIGURAS NEGRAS). Su nombre se ha encontrado en 13 jarrones. Conocido por la elegancia de su dibu-

jo, su don más importante fue haber transmitido sentimientos e introversión, en lugar de acción manifiesta. Se le atribuyen unos 40 jarrones, aun cuando no tienen firma, sobre la base de fundamentos estilísticos. También confeccionó placas de arcilla para decorar tumbas.

"Dioniso cruzando el mar", interior de un kylix de Exekias, c. 535 AC.
HIRMER FOTOARCHIV, MUNICH

**Exeter** *antig.* **Isca Dumnoniorum** Ciudad y distrito administrativo (pob., 2001: 111.078 hab.) del condado administrativo e histórico de DEVON, Inglaterra. Capital de Devon, se encuentra a orillas del río Exe a unos 16 km (10 mi) del canal de la Mancha, unido por un canal artificial. Una de las primeras tribus britanas, los dumnonii, hicieron de Exeter su centro de actividades; luego de la ocupación romana, se denominó Isca Dumnoniorum. Durante la Edad Media, Exeter fue la ciudad principal del sudoeste de Inglaterra, y sufrió varios asedios. ALFREDO el Grande la defendió dos veces de los daneses (877 y c. 894), quienes finalmente se apoderaron de la ciudad en 1003, pero les fue arrebatada por GUILLERMO I (el Conquistador). En la catedral normanda del lugar, consagrada en 1133, se conserva el *Libro de Exeter*, la colección más grande de poesía en INGLÉS ANTIGUO. La ciudad se dedica a la industria ligera y es centro de comunicaciones y transporte para una extensa zona.

**exfoliación** ver CLIVAJE

**existencialismo** Movimiento filosófico orientado hacia dos cuestiones fundamentales, el análisis de la existencia humana y el carácter central de la elección humana. De ese modo, las principales energías teóricas del existencialismo están volcadas a problemas concernientes a la ONTOLOGÍA y la decisión. Sus raíces se encuentran en los escritos de SØREN KIERKEGAARD y FRIEDRICH NIETZSCHE. Como filosofía de la existencia humana, el existencialismo halló su mejor exponente del s. XX en KARL JASPERS; como filosofía de la decisión humana, su representante más destacado fue JEAN-PAUL SARTRE. Para Sartre, la esencia de la existencia humana está en la libertad –en el deber de la autodeterminación y la libertad de elección–, por lo cual describió largamente la tendencia humana hacia la "mala fe", reflejada en los intentos perversos de la humanidad de negar su propia responsabilidad y huir de la verdad de su libertad inevitable.

**Exmouth, golfo de** Ensenada del océano Índico en Australia Occidental. Situado entre el cabo del Noroeste y el continente, el golfo tiene una extensión de 90 km (55 mi) y una anchura de 48 km (30 mi) en la boca. La pesca comercial, de camarones y de perlas, al igual que el turismo, son las principales industrias locales. En las cercanías se encuentra el parque nacional Cape Range, importante para la conservación del escaso UALABÍ de pata amarilla que habita en las rocas.

**Éxodo** Segundo libro del ANTIGUO TESTAMENTO. El título alude a la salida de los israelitas de Egipto conducidos por MOISÉS en el s. XIII AC. El texto comienza con la historia de la esclavitud de los israelitas en Egipto y el llamado de Dios a Moisés a convertirse en profeta. Relata las plagas enviadas para convencer al faraón de que libere a los israelitas y recuerda su paso a través del mar de Juncos (o mar Rojo) y sus 40 años de errancia en el desierto del Sinaí. También cuenta cómo Dios entabló una ALIANZA con Israel en el monte SINAÍ, transmitiéndole los DIEZ MANDAMIENTOS. En el Éxodo, Dios se proclama formalmente protector y salvador del pueblo de Israel, al que exige su lealtad y obediencia.

**exoftálmico, bocio** Ver enfermedad de GRAVES

**exogamia y endogamia** Costumbres que norman la relación marital entre hombre y mujer en la selección de cónyuges. Los grupos exógamos son aquellos en los que sus miembros deben casarse con miembros de otros grupos, y a veces especifican incluso el grupo externo en cuestión. Estos grupos se definen por lo general en términos de PARENTESCO y no en términos políticos o territoriales. La exogamia suele ser característica de grupos de FILIACIÓN unilineal, sea esta patrilineal o matrilineal. En los grupos endogámicos puede estar prohibido el matrimonio fuera del grupo o simplemente es posible que se dé la tendencia a casarse dentro del grupo. La endogamia es característica de las aristocracias y de las minorías religiosas y étnicas en las sociedades industrializadas, pero también se observa en el sistema de CASTAS de India y en sociedades sin escritura con conciencia de clase, como los MASAI del este de África.

**exorcismo** En el cristianismo, una ceremonia usada para expulsar DEMONIOS de una persona a la que han poseído. Jesús sanaba personas atormentadas por espíritus malignos, expulsándolos con una palabra; más tarde sus seguidores hicieron lo mismo "en su nombre". En el s. III, esta tarea fue asignada a un tipo de sacerdotes especialmente entrenados que pertenecían al bajo clero. También existen rituales en muchas otras tradiciones para el exorcismo de personas y lugares.

**expansión del fondo marino** Teoría que explica que la corteza oceánica se forma a lo largo de zonas de montañas submarinas, llamadas colectivamente el sistema de DORSALES OCEÁNICAS, y que se extiende o expande alejándose de estas en forma lateral. Esta idea, propuesta por el geofísico estadounidense Harry H. Hess (n. 1906–m. 1969) en 1960, fue central para el desarrollo de la teoría de TECTÓNICA DE PLACAS.

**expansión térmica** Aumento de volumen de un material al incrementar su temperatura, a menudo expresado como la fracción de cambio en sus dimensiones por unidad de cambio de temperatura. Para un material sólido, la expansión térmica se describe por lo general en términos del cambio de longitud, altura o anchura. Si un sólido cristalino tiene estructura homogénea, la expansión será uniforme en todas las dimensiones. En otros casos puede haber coeficientes de expansión diferentes, con lo que el sólido cambiará de forma al aumentar la temperatura. Si el material es un fluido, es más útil describir la expansión en términos del cambio de volumen. Debido a que las fuerzas entre átomos y moléculas varían de un material a otro, los coeficientes de expansión son característicos de cada elemento y compuesto.

**expendedoras, máquinas** Máquinas que permiten comprar diversos bienes con monedas, billetes o tarjetas de pago electrónicas. Las primeras máquinas expendedoras se introdujeron en Inglaterra en el s. XVIII para vender rapé y tabaco. Desde fines del s. XIX, su uso se ha masificado en muchos países. Este servicio es normalmente prestado por la empresa propietaria de las máquinas que las coloca en negocios, escuelas y establecimientos similares. Estos operadores suministran los productos y el servicio sin costo para el dueño del inmueble donde se coloca la máquina o a cambio de un cargo por servicios.

**experimentalismo** ver INSTRUMENTALISMO

**explicación** En filosofía, conjunto de enunciados que hace inteligible la existencia u ocurrencia de un objeto, suceso o estado de cosas. Entre las formas más comunes de explicación están la explicación causal (ver CAUSALIDAD), la explicación nomológico-deductiva (ver MODELO LEGALIFORME), que implica subsumir el explanandum bajo una generalización de la cual puede ser derivado mediante un argumento deductivo (p. ej., "Todos los gases se expanden con el calor; este gas fue calentado; por lo tanto, este gas se expandió"), y la explicación estadística, que implica subsumir el explanandum bajo una generalización que le da apoyo inductivo (p. ej., "La mayoría de los fumadores contraen cáncer; esta persona fumaba; por lo tanto, esta persona contrajo cáncer"). Las explicaciones de la conducta humana recurren por lo general a las creencias y deseos del sujeto, como también a otros factores relacionados con él, y operan sobre el supuesto de que la conducta en cuestión es racional (al menos

en un grado mínimo). Así, una explicación de por qué el sujeto se sacó el abrigo puede mencionar el hecho de que el sujeto se sintió acalorado, que deseaba sentirse más fresco, y de que creía que se sentiría más fresco si se sacaba el abrigo.

**exploración espacial** Investigación del universo más allá de la atmósfera terrestre por medio de NAVES ESPACIALES tripuladas y no tripuladas. Los estudios para utilizar COHETES para el vuelo espacial se iniciaron a comienzos del s. XX. La investigación llevada a cabo por Alemania sobre propulsión de cohetes en la década de 1930 llevó al desarrollo del misil V-2. Después de la segunda guerra mundial, EE.UU. y la Unión Soviética, con la ayuda de los científicos alemanes inmigrantes, compitieron en la "carrera espacial" realizando avances sustanciales en la tecnología de cohetes capaces de volar a gran altura (ver COHETE DE VARIAS ETAPAS). Ambos países lanzaron sus primeros SATÉLITES (ver SPUTNIK; EXPLORER) a fines de la década de 1950 (seguidos por otros satélites y sondas lunares no tripuladas) y sus primeros vehículos espaciales tripulados (ver VOSTOK; MERCURY) en 1961. Luego siguió una secuencia de misiones tripuladas más largas y complejas, dentro de las cuales la más notable fue el programa APOLO de EE.UU., incluido el primer alunizaje tripulado en 1969, y las misiones soviéticas SOYUZ y Salyut. A principios de la década de 1960, los científicos de EE.UU. y de la Unión Soviética también lanzaron sondas espaciales no tripuladas para estudiar los planetas y otros objetos del sistema solar (ver PIONEER; VENERA; VIKING; VOYAGER; GALILEO), y observatorios astronómicos en órbita terrestre (ver por ej., telescopio espacial HUBBLE), los cuales permitieron observar objetos cósmicos por sobre los efectos de filtrado y distorsión de la atmósfera de la Tierra. En las décadas de 1970–80, la Unión Soviética se concentró en el desarrollo de las ESTACIONES ESPACIALES para la investigación científica y reconocimiento militar (ver SALYUT; MIR). Después de la disolución de la Unión Soviética en 1991, Rusia continuó su programa espacial, pero en proyectos más modestos debido a restricciones económicas. En 1973, EE.UU. lanzó su propia estación espacial (ver SKYLAB), y desde mediados de la década de 1970 ha invertido la mayoría de sus esfuerzos en vuelos espaciales tripulados en el programa del TRANSBORDADOR ESPACIAL y, más recientemente, en desarrollar la ESTACIÓN ESPACIAL INTERNACIONAL en colaboración con Rusia y otros países.

**Explorer** Cualquiera de las NAVES ESPACIALES de la serie más larga de vuelos no tripulados de EE.UU. (un total de 55), lanzados entre 1958 y 1975. El Explorer 1, el primer SATÉLITE puesto en órbita por EE.UU., descubrió los cinturones de radiación de VAN ALLEN. Otros vehículos notables en esta serie son el Explorer 38 (1968), que midió fuentes de radio galácticas y estudió las emisiones de radio de baja frecuencia en el espacio, y el Explorer 53 (SAS 3; 1975), que investigó las fuentes de rayos X y rayos gamma dentro y más allá de la Vía Láctea.

**explosivo** Cualquier sustancia o dispositivo que puede producir un volumen de GAS que se expande con rapidez en un período muy breve. Los explosivos mecánicos, los cuales dependen de una reacción física (p. ej., al sobrecargar un envase con aire comprimido hasta que explote), son poco utilizados, excepto en minería. Los explosivos nucleares (ver ARMA NUCLEAR) emplean ya sea la FISIÓN NUCLEAR o la FUSIÓN NUCLEAR. Los explosivos químicos son de dos tipos: detonantes (rápidos) (p. ej., TNT, DINAMITA), que tienen una descomposición sumamente veloz y desarrollan una alta presión, o deflagrantes (lentos) (p. ej., pólvora negra, pólvora sin humo; ver PÓLVORA), que sólo arden, quemándose con rapidez, y produciendo presiones relativamente bajas. Los explosivos detonantes primarios son encendidos por una llama, una chispa o un impacto; los secundarios requieren de un detonador y algunas veces, de un "booster" (un explosivo de muy alta velocidad). Los explosivos modernos de gran potencia utilizan mezclas de nitrato de amonio y aceite combustible, o bien, pasta aguada a base de nitrato de amonio.

**explotación de placeres** ver explotación de PLACERES

**explotación lechera** Forma de zootecnia que utiliza mamíferos, principalmente vacas, para producir LECHE y sus derivados (como manteca, queso y helados). Aunque el GANADO BOVINO, caprino (ver CABRA) y ovino (ver OVEJA) se han criado desde los comienzos de la historia para elaborar productos lácteos, la explotación lechera moderna es la consecuencia de los adelantos tecnológicos de los últimos cien años: procesamiento industrial, almacenamiento aséptico, refrigeración, vehículos veloces y caminos pavimentados; y la pasteurización y aplicación de leyes de seguridad alimentaria. Entre las razas lecheras destacan la HOLSTEIN, GUERNESEY, JERSEY, AYRSHIRE y Parda suiza.

**Export-Import Bank of the United States (Ex-Im Bank)** Uno de los principales organismos gubernamentales de EE.UU. en el ámbito de las finanzas internacionales. Se constituyó originalmente en 1934 como el Export-Import Bank de Washington. Su objetivo es contribuir a financiar las exportaciones estadounidenses, principalmente mediante préstamos de dinero a compradores extranjeros de bienes y servicios estadounidenses. Esta ayuda consiste con frecuencia en créditos a bancos y gobiernos extranjeros en relación con proyectos de desarrollo. Ver también BANCO DE DESARROLLO.

**expresionismo** Estilo artístico de las artes visuales en el que los artistas no representan la realidad objetiva, sino las emociones subjetivas que despiertan los objetos o sucesos. Esta aspiración se logra por medio de la distorsión, la exageración de las formas y la vívida o violenta aplicación del color. Sus raíces se encuentran en las obras de VINCENT VAN GOGH, EDVARD MUNCH y JAMES ENSOR. En 1905, el movimiento se consolidó con un grupo de artistas alemanes, conocido como Die BRÜCKE (El puente). Sus obras influyeron en realizadores como GEORGES ROUAULT, CHAIM SOUTINE, MAX BECKMANN, KÄTHE KOLLWITZ y ERNST BARLACH. El grupo de artistas conocido como Der BLAUE REITER (El jinete azul) también fue considerado expresionista. El expresionismo fue el estilo dominante en Alemania después de la primera guerra mundial. Entre los expresionistas de posguerra se hallan GEORGE GROSZ y OTTO DIX. Sus cualidades emocionales fueron adoptadas por otros movimientos artísticos del s. XX. Ver también EXPRESIONISMO ABSTRACTO.

"Gitanas en la hoguera" de Otto Mueller, pintor adscrito al expresionismo. FOTOBANCO

**expresionismo abstracto** Movimiento pictórico estadounidense que comenzó a fines de la década de 1940. Su desarrollo estuvo influenciado por la obra radical de ARSHILE GORKY y HANS HOFMANN y por la inmigración de muchos artistas europeos de vanguardia hacia Nueva York a fines de la década de 1940 y principios de la de 1950. Se considera que el movimiento expresionista abstracto mismo comenzó con las pinturas de JACKSON POLLOCK y WILLEM DE KOONING durante la misma época. Otros artistas que llegaron a asociarse con este estilo son FRANZ KLINE, MARK ROTHKO, CLYFFORD STILL, Philip Guston, HELEN FRANKENTHALER, BARNETT NEWMAN, Adolph Gottlieb, ROBERT MOTHERWELL, LEE KRASNER y AD REINHARDT. El movimiento comprendió muchos estilos, con varias características en común. Las obras eran habitualmente abstractas (i.e., representaban formas inexistentes en la naturaleza); destacaban la libertad de expresión emocional, la técnica y la ejecución; mostraban un campo único indiferenciado, una red u otra imagen en un espacio no estructurado, y las telas eran grandes para intensificar el efecto visual y proyectar monumentalidad y poder. El movimiento

tuvo un gran impacto en el arte estadounidense y europeo de la década de 1950, y marcó el vuelco del centro creativo de la pintura moderna de París a Nueva York. Ver también ACTION PAINTING; ARTE ABSTRACTO.

**expropiación** Facultad del gobierno de privar a un particular de su propiedad sin su consentimiento con fines de utilidad pública. En la mayoría de los países, incluso EE.UU. (en la V enmienda de la Constitución de los ESTADOS UNIDOS DE AMÉRICA), se exige pagar al dueño una indemnización apropiada. El concepto, entendido como una facultad propia de la autoridad soberana vinculada con la obligación de pagar indemnización, fue desarrollado por iusnaturalistas (ver ley NATURAL) del s. XVII, como HUGO GROCIO y el barón SAMUEL PUFENDORF. Ver también CONFISCACIÓN.

**éxtasis** Estimulante y alucinógeno que induce euforia. Derivado de la familia de la ANFETAMINA, está relacionado con la metanfetamina, también un estimulante. Tomado en forma de píldoras, tiene relación química con la MESCALINA, una droga psicodélica. Desarrollado en 1913 como un agente supresor del apetito, su uso no fue aprobado en un comienzo. En las décadas de 1950–60 comenzó a utilizarse en psicoterapia. La droga aumenta la producción del neurotransmisor SEROTONINA y bloquea su reabsorción en el cerebro; también aumenta la cantidad del neurotransmisor DOPAMINA. La estimulación del sistema nervioso central proporciona a los usuarios sensaciones de aumento de energía y reduce las inhibiciones sociales. Hacia la década de 1980, las fiestas y los bailes que tenían como atracción el uso de éxtasis (conocido como "delirios") se hicieron populares. A pesar de su prohibición en EE.UU. y en el resto del mundo, la droga mantuvo un enorme arrastre y jugó un rol importante en la subcultura juvenil, similar a la del LSD durante la década de 1960.

**extensómetro** Dispositivo para medir la variación de la distancia entre dos puntos de un cuerpo macizo cuando este se deforma. Los extensómetros se usan ya sea para obtener información a fin de poder calcular las TENSIONES a las que está sometido un cuerpo, o para servir de indicadores en dispositivos para medir magnitudes como FUERZA, PRESIÓN y ACELERACIÓN.

**extinción** Muerte o término de una especie. Ocurre cuando una especie ya no puede reproducirse a niveles de reemplazo adecuados. Se piensa que la mayoría de las extinciones pasadas han sido el resultado de cambios medioambientales a los cuales la especie condenada fue incapaz de adaptarse, o bien, que la hicieron adaptarse por completo y se convirtió en una especie nueva distinta. El efecto de los seres humanos sobre el medio ambiente, a través de la caza, la recolección de especies y la destrucción del hábitat, ha devenido el factor principal en la extinción de plantas y animales.

**extinción, especies en peligro de** ver ESPECIES EN PELIGRO DE EXTINCIÓN

**extorsión** Exacción ilegal de dinero o bienes mediante la intimidación o el ejercicio indebido de autoridad. Puede incluir la amenaza de daño físico, de acusación criminal, o de exposición pública. Algunas formas de amenaza, en especial las que se hacen por escrito, suelen tratarse de manera diferente y se consideran chantaje. Ver también SOBORNO.

**extradición** Proceso en virtud del cual un Estado, a solicitud de otro, entrega a una persona para que sea juzgada por un delito sancionado por la legislación del Estado solicitante y cometido fuera de los límites del Estado requerido. Al interior de los países, la extradición se rige por leyes y tratados. Algunos principios relacionados con la extradición son comunes a muchos países. La mayoría de ellos rehúsa entregar a sus propios connacionales, y generalmente reconoce el derecho de ASILO político. Sin embargo, cuando se trata de reprimir los delitos, el principio de solidaridad ordinariamente inclina a los países a cooperar para que los criminales sean llevados ante la justicia.

**extranjería y sedición, leyes de** Cuatro leyes que aprobó el Congreso de EE.UU. en 1798, en previsión de una guerra con Francia. Estas leyes, precipitadas por el caso XYZ, imponían restricciones a los extranjeros y limitaban las críticas al gobierno en la prensa. Dirigidas contra los inmigrantes franceses e irlandeses (en su mayoría partidarios de Francia), dichas leyes aumentaban el lapso de espera para obtener la naturalización y autorizaban la expulsión de extranjeros considerados peligrosos. La oposición de THOMAS JEFFERSON y otros a estas leyes ayudó a impulsar a Jefferson a la presidencia. En 1802 se habían revocado o ya habían expirado.

**extranjero** En derecho, persona que reside en un país sin nacionalizarse y opta por conservar su ciudadanía de origen. Desde hace mucho, la legislación de la mayoría de los países reconoce a los extranjeros un nivel mínimo de trato civilizado, pero al mismo tiempo limita su acceso al empleo y a la propiedad. En EE.UU., desde 1940 la ley exige la inscripción de todos los extranjeros. Las tarjetas de inscripción ("tarjetas verdes") les dan derecho a obtener empleo. Al igual que los ciudadanos, los extranjeros están protegidos por la constitución estadounidense, incluidos el Bill of Rights y la cláusula de la XIV enmienda sobre el debido proceso. Los extranjeros están sujetos a limitaciones de acuerdo con las leyes locales, y la residencia en EE.UU. no es un derecho sino un privilegio concedido por el congreso.

**extrauterino, embarazo** ver EMBARAZO ECTÓPICO

**Extremadura** Región histórica y comunidad autónoma (pob., 2001: 1.058.503 hab.) en el centro-oeste de España. Cubre una superficie de 41.634 km² (16.075 mi²) y abarca las provincias de Cáceres y Badajoz, ubicadas en el sudoeste. Su capital es MÉRIDA. Durante la reconquista cristiana de la península IBÉRICA, el nombre Extremadura se utilizó para referirse a las zonas ubicadas fuera del territorio morisco. Desde fines de la Edad Media, el término se aplicó a un área aprox. equivalente a la región moderna. El campo permanece dividido en latifundios; el trigo, la vid y el olivar son cultivos importantes.

**extrovertido** ver INTROVERTIDO Y EXTROVERTIDO

**extrusión** Proceso mediante el cual se impulsa a presión un metal u otro material a través de troqueles a fin de obtener una forma deseada. Muchos tipos de CERÁMICA se fabrican por extrusión, porque el proceso permite una producción continua y eficiente. En un extrusor comercial de tipo tornillo, una BARRENA helicoidal fuerza continuamente el material termoplástico a través de un orificio o troquel, obteniéndose formas simples como varillas y tubos cilíndricos, barras rectangulares macizas o huecas y planchas largas. En metalistería, la extrusión convierte un lingote en una pieza de sección transversal uniforme al hacerlo pasar a presión a través de un troquel. El aluminio es fácil de extruir; la chapa de aluminio doblada se usa para paneles de muros de revestimiento opacos y para marcos de ventanas.

**Exxon Mobil Corporation** Empresa productora y comercializadora de gas y petróleo estadounidense. Se constituyó en 1999 por la fusión de Exxon Corp. y MOBIL CORP. Posee inversiones y realiza operaciones en petróleo y gas natural, carbón, combustibles nucleares, productos químicos y minerales. También opera oleoductos y una de las flotas más grandes del mundo petrolero. Exxon Mobil participa en cada una de las fases de la industria del petróleo, desde los yacimientos hasta las estaciones de servicio. Tanto Exxon como Mobil tuvieron sus orígenes en la empresa Standard Oil (ver STANDARD OIL COMPANY AND TRUST) y ambas fueron fundadas a fines de la década de 1800. En 1926, la filial de Nueva Jersey de Standard Oil, la predecesora de Exxon, introdujo el nombre comercial Esso; este se cambió por Exxon en 1972. En 2002, Exxon Mobil era la empresa petrolera integrada más grande del mundo.

**Eyasi, lago** Lago del norte de Tanzania. Situado a 1.040 m (3.400 pies) sobre el nivel del mar, abarca una superficie de unos 1.050 km² (400 mi²) y ocupa el fondo de una cuenca. Sus murallones de lava púrpura encierran una amplia extensión de bajíos alcalinos. En sus costas habitan bandadas de flamencos. Se han encontrado fósiles de homínidos en las inmediaciones.

**Eyck, Jan van** (c. 1395, Maaseik, obispado de Lieja, Sacro Imperio romano-c. 1441, Brujas). Pintor flamenco. En 1422 trabajó como maestro pintor al servicio de Juan de Baviera, conde de Holanda, y después, de FELIPE III el Bueno, duque de Borgoña. Las pinturas existentes que se le atribuyen con certeza datan de la última década de su carrera, diez de las cuales están firmadas y fechadas, un número inusualmente alto para la época. Pintó retratos y temas religiosos que son inigualables por su brillantez técnica, su complejidad intelectual y la riqueza de su simbolismo. Perfeccionó la entonces recientemente desarrollada técnica de la pintura al óleo. Su obra maestra es *La adoración del cordero místico* (1432), conocida como el Retablo de Gante, que pintó con su hermano Hubert (n. circa 1370-m. 1426). Se le suele considerar el mejor artista de Europa septentrional del s. XV. Sus obras fueron copiadas con profusión y ávidamente coleccionadas.

**Eyre, lago** Lago salado del nordeste de Australia Meridional. Con una superficie total de 9.600 km² (3.700 mi²) y una profundidad máxima de 1 m (4 pies), constituye el punto más bajo de Australia, a 15 m (50 pies) bajo el nivel del mar. El lago está formado por dos cuerpos de agua: el lago Eyre septentrional, de 144 km (90 mi) de largo y 65 km (40 mi) de ancho, unido a través del angosto canal Goyder al lago Eyre meridional, que mide 65 km (40 mi) de largo y cerca de 24 km (15 mi) de ancho. Casi siempre seco, el lago Eyre recoge sus aguas en promedio sólo dos veces en un siglo, después de lo cual tarda unos dos años en volver a secarse.

**Eyre, península de** Gran promontorio en Australia Meridional. La península se adentra en el océano Índico unos 320 km (200 mi) y se encuentra entre la GRAN BAHÍA AUSTRALIANA y el golfo de Spencer. En sus tierras se cultiva trigo y cebada y se produce ganado ovino; también se extrae hierro y yacimientos de la cordillera Middleback, ubicada al nordeste. Numerosos poblados de pescadores habitan las playas a lo largo de su costa.

**Ezequías** (c. fines s. VIII y principios s. VII AC). Rey de JUDÁ en Jerusalén. Las fechas de su reinado son inciertas, pero a menudo datan de 715–686 AC. Fue un reformador que intentó desalentar los cultos foráneos y consolidar las tradiciones religiosas de Israel en una época en que ASIRIA tenía la supremacía. La rebelión que estalló en Palestina c. 703 AC fue probablemente encabezada por Ezequías. Aunque fortificó Jerusalén, otras ciudades de Judá cayeron y la rebelión fue sofocada en 701 AC. Los asirios exigieron un cuantioso tributo en oro, pero la tradición sostiene que una plaga devastó el ejército asirio y Jerusalén se salvó.

**Ezequiel** (circa s. VI AC). Sacerdote y PROFETA del antiguo Israel. Protagonista y autor en parte del libro bíblico de Ezequiel, comenzó a profetizar a los judíos en Palestina c. 592 AC, anunciando el juicio de Dios sobre una nación pecadora. Fue testigo de la conquista de Jerusalén por BABILONIA y del éxodo de sus compatriotas israelitas al cautiverio. Ofreció una promesa de restaurar Israel en su famosa visión de un valle de huesos secos que vivieron y estuvieron sobre sus pies. Concibió una comunidad teocrática organizada en torno a un templo restaurado en Jerusalén.

**F-15** *o* **Eagle** AVIÓN CAZA propulsado por dos motores gemelos de reacción, fabricado por la BOEING CO. Los F-15 fueron incorporados a la fuerza aérea de EE.UU. a partir de 1974, y han sido vendidos a aliados de EE.UU. en el Medio Oriente. Los dos motores de reacción de doble flujo (turbofan) del F-15 pueden acelerarlo hasta más de dos veces la velocidad del sonido. El monoplaza F-15 está armado con un CAÑÓN rotatorio de 20 mm y una batería de misiles aire-aire de corto y mediano alcance. La versión cazabombardero, conocida como Strike Eagle, incluye una segunda plaza para el oficial de armamento, que controla el lanzamiento de misiles y bombas. Durante la primera guerra del GOLFO PÉRSICO, los F-15 tuvieron a su cargo la mayor parte del bombardeo nocturno de precisión sobre instalaciones iraquíes.

**F-16** *o* **Fighting Falcon** AVIÓN CAZA monoplaza, con un solo motor de reacción, fabricado por LOCKHEED MARTIN CORP. El primer modelo fue entregado a la fuerza aérea de EE.UU. en 1978; desde entonces ha sido vendido a más de una docena de países. Producido para satisfacer la necesidad de un caza liviano, de buena razón costo-efectividad, tiene 15 m de largo (49 pies), y una envergadura de 9,5 m (31 pies). Puede acelerar hasta alcanzar más del doble de la velocidad del sonido; su armamento comprende un CAÑÓN rotatorio de 20 mm y dispositivos ubicados bajo las alas y en el fuselaje, para una diversidad de bombas y misiles.

**F-86** *llamado* **Sabre** Uno de los primeros AVIONES CAZA de reacción estadounidenses, fabricado por North American Aviation, Inc. Construido con alas inclinadas hacia atrás para limitar la resistencia del aire al acercarse a la barrera del sonido, en picada podía excederla. El primer escuadrón entró en operaciones en 1949, y en combate, en la guerra de Corea. Su producción terminó en 1956. Era un monoplaza, con un solo motor, que en vuelo horizontal podía llegar hasta una velocidad máxima de 1.100 km/h (700 mi/h). En sus variantes usó diferentes turborreactores. Llevaba misiles dirigidos, ametralladoras o cañones en el fuselaje, y cohetes o bombas bajo las alas.

**Faber, Lothar von** (12 jun. 1817, Stein, Baviera–26 jul. 1896, Stein). Fabricante alemán de lápices de grafito e insumos de arte. Se hizo cargo del negocio familiar en Baviera y lo transformó en una empresa con presencia mundial al establecer sucursales en toda Europa y EE.UU., y suscribir en 1856 un contrato de control exclusivo de toda la producción minera de grafito de Siberia. En 1849, su hermano John Eberhard Faber (n. 1822–m. 1879) se radicó en EE.UU., donde construyó una gran planta manufacturera Faber. La sociedad Eberhard Faber Pencil Co. se fundó en EE.UU. en 1898 y ese mismo año la empresa alemana cambió su razón social a Faber-Castell. La empresa actual, Faber-Castell AG, fabrica bolígrafos, lápices e insumos de arte.

**Fabergé, (Peter) Carl** *orig.* **Karl Gustavovich Fabergé** (18 may. 1846, San Petersburgo, Rusia–24 sep. 1920, Lausana, Suiza). Orfebre, joyero y diseñador ruso. Educado en Europa e Inglaterra, en 1870 se hizo cargo del negocio de joyería de su padre en San Petersburgo. Con los objetos que diseñó ganó rápidamente el patrocinio de las realezas europea y rusa. Se especializó en oro, plata, malaquita, jade, lapislázuli y piedras preciosas. No sólo fabricó joyería convencional, sino también objetos de fantasía, en su mayoría inspirados en las artes decorativas estilo LUIS XVI. Abrió talleres en Moscú, Kíev y Londres. Se hizo famoso por sus huevos de Pascua adornados con piedras preciosas, para ALEJANDRO III y NICOLÁS II. Sus talleres fueron cerrados después de la revolución de 1917 y murió en el exilio.

**Fabian Society** Sociedad socialista fundada en 1883–84 en Londres con el fin de establecer un estado socialista democrático en Gran Bretaña. Su nombre deriva de FABIO MAXIMO VERRUCOSO, cuyas tácticas evasivas para eludir batallas campales lo llevaron a obtener victorias sobre fuerzas más poderosas. Los fabianos creían en el socialismo evolutivo más que en la revolución, y se dedicaron a la educación y divulgación a través de reuniones y conferencias públicas, investigaciones y publicaciones. Entre sus primeros miembros importantes figuraron GEORGE BERNARD SHAW y SIDNEY Y BEATRICE WEBB. Contribuyeron a organizar un nuevo partido que se convirtió en el PARTIDO LABORISTA en 1906, y muchos de los parlamentarios laboristas han sido fabianos.

**Fabio Máximo Verrucoso, Quinto** *llamado* **Cunctator** (m. 203 AC). Comandante y estadista romano. Fue CÓNSUL en 233 AC (cargo que ocuparía en cinco ocasiones) y censor en 230. Elegido DICTADOR en 217, aplicó una estrategia de hostigamiento y desgaste en la segunda guerra PÚNICA contra ANÍBAL (218–201). Estas cautelosas tácticas dilatorias (*cunctator* significa "contemporizador") permitieron a Roma recuperarse y pasar a la ofensiva, pero la impaciencia romana los llevó a la derrota en la batalla de CANNAS. Se opuso, sin éxito, a que ESCIPIÓN EL AFRICANO invadiera África en 205.

Quinto Fabio Máximo Verrucoso, retrato en una moneda romana, c. 233 AC; Museo Británico.
PETER CLAYTON

**fabliau** *o* **fableau** Término francés que designa un cuento breve en octosílabos pareados, popularizado en la Francia medieval por el JUGLAR. Los *fabliaux* se caracterizaban por sus detalles gráficos y su realismo, y solían ser piezas cómicas, soeces y cínicas, especialmente en sus alusiones a la mujer. Aunque comprensibles para la burguesía y la gente común, a menudo contenían elementos de la obra BURLESCA, que para ser apreciados requerían de un considerable bagaje de conocimientos acerca de la sociedad cortesana, sus costumbres y su idea del amor. Se conservan unos 150 *fabliaux* originales, tanto de autores aficionados como de profesionales.

**Fabriano, Gentile da** ver GENTILE DA FABRIANO

**fábrica** Estructura en la cual el trabajo está organizado para satisfacer los requerimientos de la producción a gran escala, generalmente con maquinaria mecanizada. En los s. XVII y XVIII, el sistema de TRABAJO A DOMICILIO en Europa empezó a ceder frente a la alternativa

Avión caza F-15, también conocido como *Eagle*, bimotor de reacción de doble flujo.
FOTOBANCO

de unidades mayores de producción, al tiempo que hubo más capital disponible para invertir en empresas industriales. La emigración de la población del campo a la ciudad también contribuyó al cambio en los métodos de trabajo. La PRODUCCIÓN EN SERIE, que transformó la organización del trabajo, surgió con el desarrollo de la industria de MÁQUINAS HERRAMIENTA. Los equipos de precisión permitieron producir grandes cantidades de piezas idénticas a bajo costo y con una reducida fuerza laboral. La LÍNEA DE MONTAJE se usó por primera vez en forma generalizada en la industria envasadora de carne en EE.UU.; HENRY FORD ideó una línea de montaje de automóviles en 1913. A mediados de 1914, el tiempo de montaje de un chasis había disminuido de 12¹/₂ horas-hombre a 93 minutos-hombre. Algunos países, particularmente en Asia y Sudamérica, comenzaron a industrializarse en la década de 1970 y con posterioridad a esta fecha. Ver también AMERICAN SYSTEM OF MANUFACTURE.

**fabricación** Cualquier INDUSTRIA que fabrica productos a partir de materias primas ocupando mano de obra o máquinas y que sigue un sistema o proceso que a menudo considera la división de ese trabajo. En un sentido más limitado, la fabricación es el armado o montaje de componentes para obtener productos terminados a gran escala. Entre las industrias fabriles más importantes están aquellas que producen aviones, automóviles, productos químicos, vestuario, computadoras, artículos electrónicos, equipos eléctricos, mobiliario, maquinaria pesada, productos refinados del petróleo, naves, acero y herramientas Ver también FÁBRICA; PRODUCCIÓN EN SERIE.

**fabricación integrada por computadora** AUTOMATIZACIÓN del manejo de datos que afecta todos los sistemas o subsistemas de fabricación: diseño y desarrollo, producción (ver CAD/CAM), comercialización y ventas, soporte y servicio en terreno. Las funciones básicas de fabricación, así como el manejo de materiales y el control de inventarios también pueden ser simulados por computadoras antes de que el sistema sea construido, en un intento por eliminar el derroche. Ver también INTELIGENCIA ARTIFICIAL; ROBÓTICA; SISTEMA EXPERTO.

**Fabricius (ab Aquapendente), Hieronymus** *italiano* **Girolamo Fabrici** (20 may. 1537, Acquapendente, Italia– 21 may. 1619, Padua). Cirujano y anatomista italiano. Estudió con GABRIEL FALOPIO, y luego lo sucedió en la Universidad de Padua (1562–1613). La primera descripción clara de las válvulas de las venas, en su obra *De venarum ostiolis* (1603), suministró a su discípulo WILLIAM HARVEY un punto decisivo en su discusión sobre la circulación de la sangre. Su obra *De formato foetu* (1600) contenía la primera descripción detallada de la placenta e inauguró la disciplina de la embriología comparada. Fue el primero en percatarse de que la laringe era un órgano vocal y en demostrar que la pupila cambia de tamaño.

**Fabricius, Johann Christian** (7 ene. 1745, Tøndern, Dinamarca– 3 mar. 1808, Kiel). Entomólogo danés. Estudió en la Universidad de Uppsala con CARLOS LINNEO y desde 1775 enseñó, no sólo historia natural, sino también economía y finanzas en la Universidad de Kiel. Propuso teorías avanzadas para su tiempo, en especial la idea de que especies y variedades nuevas podían surgir por hibridación y por influencia ambiental sobre la estructura y función anatómicas. Su investigación taxonómica se basaba en los órganos bucales de los insectos en vez de sus alas.

Johann Christian Fabricius, grabado de G.L. Lahde, 1805.

**Fabritius, Carel** (bautizado 27 feb. 1622, Middenbeemster, Países Bajos–12 oct. 1654, Delft). Pintor holandés. Estudió con REMBRANDT a principios de la década de 1640, y

después se estableció en Delft, donde ingresó al gremio de pintores en 1652. La obra más temprana que se le atribuye, *La resurrección de Lázaro* (1645), estuvo fuertemente influenciada por Rembrandt, pero muy pronto desarrolló un estilo barroco personal marcado por armonías de colores fríos, sutiles efectos luminosos y perspectiva ilusionista. Sus retratos y pinturas, tanto de género como narrativas, ejercieron influencia sobre PIETER DE HOOCH y JOHANNES VERMEER. Todas sus pinturas, salvo alrededor de una decena, fueron destruidas en una explosión en la fábrica de pólvora de Delft, donde también encontró la muerte.

**fabula** Término latino que identifica a un género teatral de la antigua Roma. Se cultivaron diversos tipos dentro de él, como la *fabula atellana* (de la ciudad de Atellas en Campania), primera forma de farsa autóctona en la antigua Italia; la *fabula crepidata*, una forma de tragedia romana que seguía el modelo griego; la *fabula palliata*, antigua comedia romana basada en la COMEDIA NUEVA helénica que abordaba temas griegos; la *fabula praetexta*, drama romano antiguo sobre algún tema de la historia o la leyenda romana, y la *fabula togata*, comedia romana que seguía el modelo griego, pero que representaba la vida e indumentaria romanas.

**fábula** Narración que persigue imponer una verdad provechosa, en especial aquella protagonizada por animales u objetos que hablan y actúan como seres humanos. A diferencia del cuento popular, su trama se relaciona directamente con una enseñanza o moraleja, que a menudo se hace explícita al final. La tradición occidental de este género tiene su origen

Ilustración de 1879 de la fábula *La zorra y las uvas* de Esopo.
FOTOBANCO

en los relatos atribuidos a ESOPO. Floreció en la Edad Media, alcanzó su apogeo en la Francia del s. XVII con las obras de JEAN DE LA FONTAINE, y halló un público nuevo durante el s. XIX con el surgimiento de la literatura infantil. La fábula también tiene raíces antiguas en las tradiciones literarias y religiosas de India, China y Japón.

**Facción Ejército Rojo** ver grupo BAADER-MEINHOF

**facies** Término genérico de amplio uso que indica el conjunto de propiedades como litología, origen, composición, contenido de fósiles y ambiente de sedimentación o de formación que presenta una unidad de rocas en una determinada área geográfica. Comúnmente se asocia a masas de ROCA SEDIMENTARIA, pero también se aplica el término para discriminar con mayor precisión ROCAS METAMÓRFICAS.

**facies de anfibolita** Una de las grandes divisiones de la clasificación de facies minerales de ROCAS METAMÓRFICAS, que abarca rocas formadas en condiciones de presión y temperatura de medianas a altas (500 °C o 950 °F, máximo). A temperaturas y presiones menos intensas se forman rocas de la FACIES DE ANFIBOLITA EPIDÓTICA; a temperaturas y presiones más intensas se forman rocas de la FACIES DE GRANULITA. En rocas de facies de anfibolita comúnmente se encuentran los minerales anfíbol, diopsida, epídota, plagioclasa, wollastonita y algunos tipos de granate. Están extensamente distribuidas en gneises precámbricos y quizás se formaron en las zonas profundas de las cadenas montañosas plegadas.

**facies de anfibolita epidótica** Una de las grandes divisiones de la clasificación de facies minerales de ROCAS METAMÓRFICAS, que abarca rocas formadas bajo presiones y temperaturas moderadas (250–400°C o 500–750°F). Bajo condiciones metamórficas menos intensas se forma la FACIES DE ESQUISTO VERDE, y con mayor temperatura y presión se forma la FACIES DE ANFIBOLITA. Entre los minerales de este tipo figuran biotita, granate almandino, plagioclasa, epídota y anfibolita. También pueden aparecer clorita, moscovita, estaurolita y cloritoide.

**facies de esquisto glaucofano** Una de las grandes divisiones de la clasificación de facies minerales de las rocas metamórficas, que abarca rocas cuya peculiar mineralogía sugiere que se formaron bajo condiciones de alta presión y temperatura relativamente baja (por lo general menos que 350 °C o 662 °F); dichas condiciones no son típicas de los gradientes geotermales normales de la Tierra. Los minerales que principalmente aparecen en estas rocas comprenden anfíbola azul (glaucofano), jadeíta, granate, lawsonita y pumpellyita. También se puede encontrar cuarzo, moscovita, clorita, epídota y plagioclasa. Los yacimientos más característicos se encuentran en la zona occidental de California, EE.UU.

**facies de esquisto verde** Una de las grandes divisiones de la clasificación de facies minerales de las rocas metamórficas, que abarca rocas formadas bajo presiones y temperaturas bastante bajas (250–350 °C o 480–660 °F) y a menudo producidas por METAMORFISMO regional. Entre los minerales que por lo general se encuentran en tales rocas figuran cuarzo, ortoclasa, moscovita, clorita, serpentina, talco y epídota; también se pueden encontrar minerales carbonatados y anfíboles (actinolita).

**facies de granulita** Una de las grandes divisiones de la clasificación de facies minerales de las rocas metamórficas, que abarca rocas formadas bajo condiciones de presión y temperatura intensas (mayores que 500 °C o 950 °F). Los minerales encontrados en las rocas de la facies de granulita comprenden hornablenda, piroxeno, biotita, granate, plagioclasa de calcio y cuarzo u olivino. Ver también FACIES DE ANFIBOLITA.

**facies sedimentaria** ROCAS SEDIMENTARIAS diferentes pero contemporáneas que se encuentran yuxtapuestas. Las facies terrígenas son acumulaciones de partículas erosionadas de rocas más antiguas y transportadas al sitio de depósito. Las facies biogénicas son acumulaciones de conchas enteras o fragmentadas o de otras partes duras de restos de animales. Las facies químicas resultan de la precipitación de material inorgánico desde una solución. Las formas y características de las facies pueden cambiar a medida que las condiciones se modifiquen con el tiempo.

**facies zeolítica** Una de las grandes divisiones de la clasificación de facies minerales de las ROCAS METAMÓRFICAS, que abarca rocas formadas bajo presiones y temperaturas sumamente bajas, asociadas al metamorfismo regional. Entre los minerales típicos de esta facies figuran ZEOLITA, ALBITA y CUARZO.

**factor** En la multiplicación, uno de los dos o más componentes numéricos o algebraicos del producto. Los factores de un número entero son los números enteros que lo dividen en forma exacta (p. ej., 1, 2, 3, 4, 6 y 12 son factores de 12). Factorizar un número natural es expresarlo como el producto de sus factores que son NÚMEROS PRIMOS. Factorizar un POLINOMIO es encontrar sus factores primos polinómicos, un procedimiento básico para resolver ECUACIONES ALGEBRAICAS. De acuerdo con el teorema fundamental de la ARITMÉTICA, la factorización de cualquier número o polinomio en sus primos es única.

**factoraje** *o* **factorización** *inglés* **factoring** En términos financieros, venta de CUENTAS POR COBRAR efectuada contractualmente a una agencia denominada factor, con el objeto de obtener dinero en efectivo antes de la fecha de vencimiento de esas cuentas. El factor asume la responsabilidad total del análisis crediticio de las cuentas nuevas, de la cobranza y de las pérdidas por concepto de crédito. El factoraje se usa con mayor frecuencia en las industrias estacionales, como empresas textiles y fábricas de calzado, para traspasar las funciones de CRÉDITO y cobranza a una agencia especializada.

**factorial** Para cualquier número entero, el producto de todos los números naturales desde 1 hasta dicho número entero inclusive. Se lo designa agregando al número el signo de exclamación: 4! (que se lee "cuatro factorial") es $1 \times 2 \times 3 \times 4 = 24$. Para que algunas fórmulas, en particular las que involucran PERMUTACIONES Y COMBINACIONES, sean válidas en general, 0! se define como 1. Los factoriales son especialmente útiles para calcular el número de maneras en que puede ocurrir un evento, por ejemplo, el número de ordenamientos posibles en la llegada de los competidores en una carrera.

**Faḥlallāh, (Ayatollah Sayyid) Muḥammad Ḥusayn** (n. circa 1935, Al-Najaf, Irak). Clérigo musulmán chiita vinculado a la organización libanesa HEZBOLÁ. Estudió en una MADRASA tradicional en su ciudad natal, donde fue educado por muchos de los más eminentes eruditos chiitas de su tiempo. Su erudición lo hizo finalmente merecedor del título honorífico de ayatolá. En 1966 se trasladó al Líbano (lugar de nacimiento de sus padres); donde ganó prestigio con rapidez como una importante autoridad religiosa. La elocuencia de Faḥlallāh hizo que muchos creyeran que era el líder de la Hezbolá después de que el partido fuera fundado en 1982. Tanto él como el partido han negado todo vínculo directo, pero se reconoce su fuerte influencia espiritual en la

Muḥammad Ḥusayn Faḥlallāh, líder de la Hezbolá.
FOTOBANCO

organización. Aunque partidario de la revolución islámica en Irán (1979), en general guardó distancia de las posiciones más radicalizadas de su líder RUHOLÁ JOMEINI.

**Faeroe, islas** ver islas FEROE

**Faetón** En la mitología GRIEGA, hijo del dios Sol HELIOS y una ninfa. Objeto de burla por su ilegitimidad, pidió permiso para conducir el carro del Sol a través del cielo por un solo día para demostrar que Helios era su padre. Fue incapaz de controlar los caballos y después de hacer una hendidura en el cielo que se convirtió en la Vía Láctea, condujo demasiado cerca de la Tierra y estuvo a punto de provocar un incendio. Para impedir mayores daños, ZEUS lanzó un rayo que lo aniquiló.

**fago** ver BACTERIÓFAGO

**fagot** Instrumento tenor y bajo principal de la familia de los instrumentos de VIENTO-MADERA. Su boquilla tiene una lengüeta doble fijada a un tubo metálico encorvado, que conduce a un tubo cónico angosto que se dobla sobre sí mismo (para controlar así su longitud). Se desarrolló a partir del antiguo bajón (o dolcian) en el s. XVII. Instrumento ágil de sonido suave, tiene un alcance de $3^{1}/_{2}$ octavas, empezando con un si bemol dos octavas bajo el do central. El contrafagot, un gran instrumento metálico cuyo tubo se repliega cuatro veces sobre sí mismo, tiene un alcance de una octava menos.

**Fahrenheit, Daniel (Gabriel)** (24 may. 1686, Gdańsk, Polonia–16 sep. 1736, La Haya, República Holandesa). Físico y fabricante de instrumentos científicos alemán. Pasó la mayor parte de su vida en los Países Bajos, donde se dedicó a los estudios de la física y a la fabricación de instrumentos meteorológicos de precisión. Se le conoce principalmente por haber inventado un termómetro de alcohol (1709) y otro de mercurio (1714), y por haber desarrollado la escala de temperatura Fahrenheit, asignando el cero al punto de congelación de una mezcla en partes iguales de agua y sal. Descubrió que el agua puede permanecer líquida bajo su punto de congelación y que el punto de ebullición de los líquidos varía con la presión atmosférica.

### Faidherbe, Louis (-Léon-César)

Louis Faidherbe, litografía de A. Neraudau, 1873.
GENTILEZA DE LA BIBLIOTHÈQUE NATIONALE, PARÍS

(3 jun. 1818, Lille, Francia–29 sep. 1889, París). Gobernador del Senegal francés (1854–61, 1863–65) y uno de los fundadores del imperio colonial de Francia en África. De profesión ingeniero militar, prestó servicio en Argelia y Senegal antes de convertirse en gobernador de Senegal. Alarmado por el creciente poder del líder musulmán ʻUMAR TAL, pasó a la ofensiva y lo hizo huir, subyugó a las tribus moras en el norte y convirtió a su colonia en la potencia dominante de la región. En 1857 fundó la ciudad capital de DAKAR.

### Fairbanks, Douglas orig. Douglas Elton Ulman

(23 may. 1883, Denver, Col., EE.UU.–12 dic. 1939, Santa Mónica, Cal.). Actor de cine estadounidense. Conocido por su vivacidad y agilidad física, ya era una estrella en Broadway en 1910. Debutó en el cine con *El cordero* (1915). Fue cofundador de la UNITED ARTISTS (1919); produjo y protagonizó películas como *La marca del Zorro* (1920), *Robin Hood* (1922) y *El ladrón de Bagdad* (1924). Sus filmes fueron tan populares que se le llamó el "rey de Hollywood" en la década de 1920. Su matrimonio con MARY PICKFORD que se prolongó por 15 años terminó en 1935. Douglas Fairbanks, Jr. (n. 1909–m. 2000), hijo del primer matrimonio de Fairbanks, fue un apuesto protagonista en películas británicas y estadounidenses, entre ellas, *Catalina la grande* (1934), *El prisionero de Zenda* (1937) y *Secreto de Estado* (1950). En la década de 1960, fue presentador y actuó en la serie dramática británica de televisión *Douglas Fairbanks Presents*.

### Fairchild, David (Grandison)

(7 abr. 1869, Lansing, Mich., EE.UU.–6 ago. 1954, Coconut Grove, Fla.). Explorador en agricultura y botánico estadounidense. Estudió en la Kansas State University of Agriculture. Desde 1904 hasta 1928 supervisó, como jefe de la sección de fitopatología del Departamento de agricultura de EE.UU., la introducción de numerosas plantas útiles en ese país, entre ellas, alfalfa, dátiles, mangos, rábano picante y bambúes.

### Fairfax (de Cameron), Thomas Fairfax, 3er barón

(17 ene. 1612, Denton, Yorkshire, Inglaterra–12 nov. 1671, Nun Appleton, Yorkshire). Comandante en jefe del ejército parlamentario durante las guerras civiles INGLESAS. Su coraje y capacidad táctica le permitieron obtener muchas victorias parlamentarias, como la batalla de MARSTON MOOR. En calidad de comandante en jefe del NUEVO EJÉRCITO MODELO, derrotó a CARLOS I en la batalla de NASEBY. Desaprobó la purga del parlamento efectuada por sus soldados en 1648 y rehusó formar parte de la comisión que condenó a muerte a Carlos. En 1650 renunció a su cargo de comandante en jefe, en protesta contra el plan de invadir Escocia. En 1658 ayudó a GEORGE MONCK a restablecer el gobierno parlamentario a pesar de la oposición del ejército. Fue miembro del parlamento que invitó al hijo de Carlos a regresar a Inglaterra como CARLOS II.

### Fairweather, monte

Monte en la provincia de Columbia Británica, Canadá. Se ubica junto a la frontera con Alaska, en la cordillera Fairweather de los montes SAN ELÍAS, en el extremo sudoccidental del parque nacional y reserva GLACIER BAY. Es la cima más alta de la provincia y alcanza los 4.663 m (15.299 pies) de altura. Recibe su nombre en honor del cap. JAMES COOK, quien avistó la cumbre en 1778 mientras navegaba por la bahía con "buen tiempo" (*fairweather*).

### Faisalabad ant. (hasta 1979) Lyallpur

Ciudad (pob., 1998: 1.977.246 hab.) y distrito de la provincia del PANJAB, Pakistán. Fundada en 1890, pasó a ser la sede de la colonia del Bajo Chenab y en 1898 se constituyó en municipio. Es un centro de distribución situado en la llanura central del Panjab, y sus industrias elaboran productos químicos y sintéticos, textiles y alimentos procesados. En Faisalabad se encuentra la sede de la Universidad Agrícola del Pakistán occidental (1961) y varias otras facultades afiliadas a la Universidad del Panjab.

### faisán

Cualquiera de unas 50 especies de aves mayoritariamente colilargas de la familia Phasianidae (orden Galliformes), principalmente asiáticas, pero naturalizadas en otros lugares. La mayoría de las especies habitan terrenos arbolados abiertos y en matorrales. Todos tienen un reclamo ronco. Los pies y tarsos carecen de plumas. Las hembras son poco llamativas. La mayoría de los machos tienen un colorido notable y uno o más espolones en las patas, y algunos exhiben un ornamento facial carnoso. A veces, los machos luchan a muerte por un harén. El macho del faisán común o de cuello anillado (*Phasianus colchicus*), de 90 cm (35 pulg.) de largo, tiene una cola extensa y tendida, pecho cobrizo, cuello verde purpúreo, y penachos auriculares; son muy comunes en el norte de EE.UU. Los faisanes verdes de Japón (*P. Versicolor*) cantan al unísono cuando un terremoto es inminente.

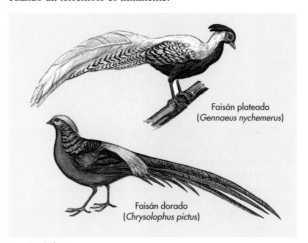

Especies de faisán.
© ENCYCLOPÆDIA BRITANNICA, INC.

### falacha o falasha

Judíos etíopes. Se llaman a sí mismos "Casa de Israel" y afirman descender de Menelik I, hijo del rey SALOMÓN y de la reina de SABA. Descendientes presuntos de los pueblos agaw locales convertidos al judaísmo en el sur de Arabia, permanecieron fieles a esta religión después de que el reino etíope fue convertido al cristianismo en el s. IV DC. Perseguidos por los cristianos, se establecieron alrededor del lago Tana en el norte de Etiopía. Aunque ignorantes del TALMUD, sus miembros adherían en forma estricta a la ley mosaica y observaban algunas festividades del judaísmo. En 1975, el rabinato israelí afirmó que los falachas eran judíos y entre 1980 y 1992 unos 45.000 de ellos emigraron a Israel, quedando en Etiopía probablemente sólo unos pocos miles.

### falacia formal e informal

En filosofía, razonamiento que no logra establecer su conclusión a causa de deficiencias de forma o redacción. Las falacias formales son tipos de argumentos deductivos que representan un modelo no válido de inferencia (ver DEDUCCIÓN; VALIDEZ); un ejemplo es "afirmar el consecuente: Si A entonces B; B luego A". Las falacias informales son tipos de argumentos inductivos cuyas premisas no logran establecer la conclusión debido a su contenido. Hay muchos tipos de falacias informales; algunos ejemplos son el *argumentum ad hominem* ("argumento en contra del hombre"), que consiste en atacar a quien argumenta en lugar de su argumento; la falacia de la causa falsa consiste en afirmar a partir de la premisa de que un suceso precede a otro y la conclusión de que el primer suceso es la causa del segundo; la falacia de la composición consiste en afirmar a partir de la premisa de que una parte de una cosa tiene cierta propiedad y la conclusión de que la cosa misma tiene esa propiedad; y la falacia de la equivocación que consiste en afirmar, a partir de una premisa en que un término se usa en un sentido, y una conclusión en que el término se usa en otro.

**falacia naturalista** Falacia (ver FALACIA FORMAL E INFORMAL) consistente en tratar el término "bueno" (o cualquier término equivalente) como si fuera el nombre de una propiedad natural. En 1903, G.E. MOORE presentó en *Principia Ethica* su "argumento de la pregunta abierta" en contra de lo que llamó la falacia naturalista, con el propósito de probar que "bueno" es el nombre de una cualidad simple e inanalizable, que no puede definirse en términos de ninguna cualidad natural del mundo, sea esta "placentera" (JOHN STUART MILL) o "altamente desarrollada" (HERBERT SPENCER). Dado que el argumento de Moore puede aplicarse a todo intento de definir bueno en términos de otra cosa, incluso a algo supernatural como "lo que Dios quiere", la expresión "falacia naturalista" no es apropiada. El argumento de la pregunta abierta transforma toda definición propuesta de bueno en una pregunta (p. ej., "Bueno significa placentero" se convierte en "¿Es bueno todo lo placentero?"), mientras lo que Moore quería probar en la definición propuesta no puede ser correcto, porque si lo fuera la pregunta no tendría sentido.

**falange** Formación táctica consistente en un bloque de infantería fuertemente armada en formación cerrada hombro a hombro, de varias filas de profundidad. Usada primero por los sumerios y desarrollada a plenitud por los griegos, es considerada hoy en día como el inicio del desarrollo militar europeo. Las ciudades-estado griegas adoptaron la falange de ocho filas de profundidad durante el s. VII AC. El espectáculo de los HOPLITAS griegos avanzando en bloques sólidos atemorizaba al enemigo, pero la falange era difícil de maniobrar, y entraba con facilidad en un estado de desorden si se lograba romper sus filas.

**Falange** Grupo político nacionalista radical español. Fundado en 1933 por JOSÉ ANTONIO PRIMO DE RIVERA y bajo la influencia del FASCISMO italiano, la Falange ganó popularidad como fuerza opositora al gobierno del FRENTE POPULAR de 1936. El gral. FRANCISCO FRANCO fusionó el grupo con otras facciones derechistas mediante un decreto en 1937, y de esta forma se convirtió en su líder absoluto. 150.000 falangistas sirvieron en las fuerzas armadas de Franco durante la guerra civil ESPAÑOLA. Después de obtener la victoria, el fascismo falangista fue subordinado a los valores conservadores del régimen franquista. A la muerte de Franco en 1975, se aprobó una ley que permitió la existencia de otras "asociaciones políticas", y en 1977 la Falange fue disuelta.

**falangero** Cualquiera de varias especies (familia Phalangeridae) de MARSUPIALES nocturnos y arborícolas de Australia y Nueva Guinea. Tienen 55–125 cm (22–50 pulg.) de largo, incluida su cola larga y prensil, y una piel lanuginosa. Todas las especies comen frutos, hojas y brotes; algunas también insectos y vertebrados pequeños. Se aferran de las ramas con sus patas traseras. La mayoría de las especies paren en huecos de árboles y nidos de pájaro abandonados; unos pocos construyen nidos con hojas. Varias especies están en peligro de extinción a causa de la depredación, cacería de pieles o pérdida del hábitat; sin embargo, el falangero común cola de cepillo se considera una plaga Ver también ZARIGÜEYA.

**falaropo** Cualquiera de tres especies (género *Phalaropus*, familia Scolopacidae) de aves playeras de cuello fino, 15–25 cm (6–10 pulg.) de largo, con dedos lobulados y un pico recto y grácil. En verano, su plumaje gris y blanco exhibe marcas rojas. Las hembras se disputan el territorio para anidar y cortejan a los machos; estos, más pequeños y lerdos, cumplen con las tareas de anidar y llevar las crías al sur en otoño. Dos especies se reproducen cerca del círculo polar ártico e invernan en los mares tropicales, donde se conocen como agachadizas de mar. El falaropo de Wilson (*P. tricolor*) se reproduce en el oeste de Norteamérica y migra a la pampa argentina.

**falasha** ver FALACHA

**Falconet, Étienne-Maurice** (1 dic. 1716, París, Francia–24 ene. 1791, París). Escultor francés. Después de haber sido aprendiz de carpintero, estudió escultura en París. Desarrolló un estilo íntimo, con preferencia por las figuras eróticas. Gracias a la influencia de la marquesa de POMPADOUR, llegó a ser director de la fábrica de porcelana Sèvres (1757–66), donde se reprodujeron muchas de sus figuras en bizcocho cerámico de Sèvres. Trabajó en Rusia desde 1766 hasta 1778. Su obra maestra, la colosal estatua ecuestre de PEDRO I el Grande, en San Petersburgo (que se hizo famosa como *El jinete de bronce* en la obra de ALEXANDER PUSHKIN), fue inaugurada en 1782. Después de sufrir un derrame cerebral (1783), abandonó la escultura y dedicó su tiempo a escribir. Es ampliamente conocido por haber adaptado el estilo clasicista del período BARROCO francés al ideal del estilo ROCOCÓ.

"La bañista", estatua en mármol de Étienne-Maurice Falconet, 1757; Museo del Louvre, París
GIRAUDON—ART RESOURCE

**Faldo, Nick** (n. 18 jul. 1957, Welwyn Garden City, Hertfordshire, Inglaterra). Golfista británico. Se hizo profesional en 1976 y al año siguiente jugó el primero de 11 partidos consecutivos de la Copa Ryder. Posteriormente venció en tres Masters (1989, 1990 y 1996), tres Abiertos británicos (1987, 1990 y 1992), y muchos otros torneos internacionales. Es el primer jugador no estadounidense nombrado (en 1990) Jugador del Año de la Professional Golfers' Association (PGA).

**Falkland Cary Smythe, Constantine** ver Conn SMYTHE

**Falkland Islands** ver MALVINAS

**Fall, Albert Bacon** (26 nov., 1861, Frankfort, Ky., EE.UU.–30 nov., 1944, El Paso, Texas). Ministro del interior estadounidense (1921–23). Comenzó a ejercer como abogado en 1889, en el Territorio de Nuevo México. Fue miembro del Senado de EE.UU. desde 1913 hasta 1921, cuando el pdte. WARREN G. HARDING lo nombró ministro del interior. Dos años más tarde renunció a su cargo en el gabinete y volvió a Nuevo México. En 1924, una investigación del Senado reveló que había aceptado un cuantioso soborno por entregar en arriendo, sin llamado a licitación, grandes extensiones de tierras con reservas petroleras de la armada, situadas en la reserva de Teapot Dome, en Wyoming, y otras reservas en California. En 1929 se le declaró culpable por aceptar un soborno y cumplió nueve meses de una condena de un año de cárcel. Ver también escándalo del TEAPOT DOME.